תורה נביאים וכתובים

BIBLIA HEBRAICA STUTTGARTENSIA

quae antea cooperantibus
A. Alt, O. Eißfeldt, P. Kahle ediderat
R. Kittel

EDITIO FUNDITUS RENOVATA

adjuvantibus H. Bardtke †, W. Baumgartner †, P. A. H. de Boer,
O. Eißfeldt †, J. Fichtner †, G. Gerleman, J. Hempel †, F. Horst †, A. Jepsen,
F. Maass, R. Meyer, G. Quell, Th. H. Robinson †, D. W. Thomas †

cooperantibus H. P. Rüger et J. Ziegler
ediderunt

K. ELLIGER ET W. RUDOLPH

Textum Masoreticum curavit H. P. Rüger
MASORAM ELABORAVIT G. E. WEIL

DEUTSCHE BIBELSTIFTUNG
STUTTGART

Exodus et Leviticus
Biblia Hebraica Stuttgartensia
Gedruckt mit Unterstützung der Deutschen Forschungsgemeinschaft

Gesamtherstellung Biblia-Druck Stuttgart

ISBN 3 438 05202 4

PROLEGOMENA

SIGLA ET COMPENDIA APPARATUUM

I. Apparatus criticus

Litterulae [a.b etc], sive adest sive deest linea maqqef, semper ad id verbum solum referendae sunt, quod in textu ante eas positum est. Cum annotatio critica ad duo aut plura verba spectat, ea verba iisdem litterulis circumcluduntur, velut in Jes 2,2, ubi invenies: [b]אליו כל־ הגוים[b]. Cum una litterula ante primum verbum cuiusvis versus posita est, annotatio critica ad totum versum pertinet, velut in Jes 40,7, ubi reperies: [a]יבשׁ.

Verba Hebraica, quae *in apparatu critico* afferuntur, punctatione compleri non solent, nisi punctatio in apparatu differt a punctatione consonantium in textum receptarum. Crebro autem eae verborum partes, quae nulla re differunt, notis compendiariis ita designantur, ut lineola transversa (–) primam partem, apostrophus sive cuneolus (′) extremam partem verbi significet. Exempla sunt: ad Jes 5,18[a] כְּח′ pro כְּחַבְלֵי, ad Jes 2,8[a] –וֶה pro יִשְׁתַּחֲוֶה.

𝔪	Pentateuchi textus Hebraeo-Samaritanus secundum A. von Gall, Der hebräische Pentateuch der Samaritaner 1914–1918
$𝔪^{Ms(s)}$	codex manuscriptus (codices manuscripti) secundum apparatum criticum Galli
$𝔪^{T}$	Targum Samaritanum
$𝔪^{W}$	Pentateuchi textus Hebraeo-Samaritanus secundum polyglottam Londinensem B. Waltonii, vol. I 1654
α′	Aquila
ε′	Quinta, quae dicitur, Origenis
θ′	Theodotion
ο εβρ′	ὁ Ἑβραῖος Origenis
οι γ′	οἱ τρεῖς (ἑρμηνευταί)
οι λ′	οἱ λοιποί (ἑρμηνευταί)
σ′	Symmachus
𝔄	versio Arabica
𝕬	versio Aethiopica
Ambr	Ambrosius
Arm	versio Armenica
𝔅	editio Bombergiana Iacobi ben Chajjim, Venetiis 1524/5
Bo	versio Bohairica
C	codex prophetarum Cairensis
ℭ	fragmentum codicis Hebraici in geniza Cairensi repertum
$ℭ^{2.3\ etc}$	duo (tria etc) fragmenta codicum Hebraicorum, in geniza Cairensi reperta

cit(t)	loci laudati in litteratura rabbinica et in litteratura judaica mediaevali secundum V. Aptowitzer, Das Schriftwort in der rabbinischen Literatur, Prolegomena (Vindobonae 1906); pars II (1908); pars III (1911)
Cyr	Cyrillus
Ed(d)	editio(nes) textus Hebraici secundum Kennicott, de Rossi et Ginsburg cf Ms(s)
Eus	Eusebius Pamphili Caesareensis
Eus Onom	Onomasticon Eusebii Pamphili Caesareensis
$\mathfrak{G}$	versio LXX interpretum Graeca (secundum Septuaginta. Vetus Testamentum Graecum auctoritate Societatis Litterarum Gottingensis editum 1931 sqq., vel, ubi haec editio deest, secundum Septuaginta. Edidit A. Rahlfs 1935)
1/2 S:	versio LXX interpretum Graeca consentientibus omnibus (fere) codicibus editionis A. E. Brooke - M. McLean, The Old Testament in Greek II/1 (Cantabrigiae 1927)
$\mathfrak{G}$ [nullo signo adiecto]	omnes vel gravissimi codices
$\mathfrak{G}^{*}$	textus Graecus originalis
$\mathfrak{G}^{A}$	codex Alexandrinus
$\mathfrak{G}^{B}$	codex Vaticanus
$\mathfrak{G}^{C}$	codex Ephraemi Syri rescriptus
$\mathfrak{G}^{\mathit{C}}$	textus Graecus in genere Catenarum traditus
$\mathfrak{G}^{F}$	codex Ambrosianus
$\mathfrak{G}^{\mathit{L}}$	textus Graecus ex recensione Luciani
$\mathfrak{G}^{\mathit{l\,I}}$	textus Graecus ex recensione sublucianica prima
$\mathfrak{G}^{\mathit{l\,II}}$	textus Graecus ex recensione sublucianica secunda
$\mathfrak{G}^{\mathit{L}\mathrm{p}}$	$\mathfrak{G}^{\mathit{L}}$ partim
$\mathfrak{G}^{\mathrm{maj}}$	codices majusculis scripti
$\mathfrak{G}^{\mathrm{min}}$	codices minusculis scripti
$\mathfrak{G}^{M}$	codex Coislinianus
$\mathfrak{G}^{\mathrm{Ms(s)}}$	codex (codices) versionis Graecae
$\mathfrak{G}^{N}$	codex Basiliano-Vaticanus jungendus cum codice Veneto
$\mathfrak{G}^{\mathit{O}}$	textus Graecus ex recensione Origenis
$\mathfrak{G}^{\mathit{O}\mathrm{p}}$	$\mathfrak{G}^{\mathit{O}}$ partim
$\mathfrak{G}^{Q}$	codex Marchalianus
$\mathfrak{G}^{R}$	codex Veronensis
$\mathfrak{G}^{S}$	codex Sinaiticus
$\mathfrak{G}^{U}$	papyrus Londiniensis Musei Britannici 37
$\mathfrak{G}^{V}$	codex Venetus
$\mathfrak{G}^{W}$	fragmentum 1 S 18,8–25 continens, saec. IV, secundum H. Hunger, Ein neues Septuaginta-Fragment ..., Anzeiger d. Österr. Akad. d. Wiss. Phil.-hist. Kl., 93 (1956) p. 188–199
$\mathfrak{G}^{22.26\ \mathrm{etc}}$	codices minusculis scripti in A. Rahlfs, Verzeichnis der griechischen Handschriften des Alten Testaments, MSU vol. II 1914, numeris 22.26 etc signati
$\mathfrak{G}^{B*}$ etc	codicis Vaticani etc prima manus
$\mathfrak{G}^{-S}$ etc	textus Graecus excepto codice Sinaitico etc
$\mathfrak{G}^{Q^{c}}$ etc	codicis Marchaliani etc correctio
$\mathfrak{G}^{Q^{mg}}$ etc	codicis Marchaliani etc lectio marginalis
$\mathfrak{G}^{S1.2.3}$	codicis Sinaitici primus, secundus, tertius corrector

Ga	Psalterium Gallicanum
Gn R	Genesis rabba, vide cit(t)
Hier	Hieronymus
Hill	codex Hillel
jJeb	Jerušalmi Jebamot, vide cit(t)
Jos Ant	Antiquitates Flavii Josephi
Just	Justinus
K	Ketib
K^{Mss}	vide Q^{Mss}
K^{Occ}	Ketib apud Occidentales
K^{Or}	Ketib apud Orientales
$\mathfrak{K}$	versio Coptica
L	codex Leningradensis B 19^{A}
L*	codicis L prima manus
$\mathfrak{L}$	vetus versio Latina (secundum P. Sabatier, Bibliorum Sacrorum latinae versiones antiquae 1739 sqq, vel secundum Vetus Latina. Die Reste der altlateinischen Bibel nach Petrus Sabatier neu gesammelt und herausgegeben von der Erzabtei Beuron [ed. P. Bonifatius Fischer], Beuron 1949 sqq); sigla secundum editionem Beuronensem, pars I (Freiburg 1949)
$\mathfrak{L}^{91}$	codex Legionensis; vide R. Weber in Miscellaneae G. Mercati pars I (Romae 1946)
$\mathfrak{L}^{93}$	replica codex Legionensis; sec. editionem C. Vercellone vol. II (Romae 1864)
$\mathfrak{L}^{94}$	marginalia incunabilis 54 (Venetia 1478)
$\mathfrak{L}^{115}$	Napoli codex lat. 1 (priusquam Vindob. 17) secundum transcriptionem B. Fischer, nondum editam
$\mathfrak{L}^{116}$	fragmenta Quedlinburgensia et Magdeburgensia, secundum editionem H. Degering-A. Boeckler (Berolini 1932)
$\mathfrak{L}^{117}$	fragmenta Vindobonensia, secundum editionem M. Haupt (Vindobonae 1877)
$\mathfrak{L}^{CY}$	Cyprianus, Testimonia secundum editionem G. Hartel (Vindobonae 1868)
$\mathfrak{L}^{G}$	codex Parisinus Latinus bibliothecae nationalis 11947
$\mathfrak{L}^{gl}$	glossarium; D. de Bruyne, Fragments d'anciennes versions latines tirés d'un glossaire biblique, in Archivum Latinitatis Medii Aevi, vol. III Parisi 1927 p. 113–120
$\mathfrak{L}^{Lg}$	margo codicis Legionensis
$\mathfrak{L}^{R}$	textus Latinus codicis Veronensis
$\mathfrak{L}^{S}$	textus Latinus fragmentorum Sangallensium
$\mathfrak{L}^{TE}$	Tertullianus, Adversus Marcionem secundum editionem E. Kroymann (1906)
$\mathfrak{M}$	textus masoreticus
Mm	masora magna
Mp	masora parva
Ms(s)	codex manuscriptus Hebraicus (codices manuscripti Hebraici) secundum B. Kennicott, Vetus Testamentum Hebraicum, voll. I. II (Oxonii 1776. 1780), et J. B. de Rossi, Variae Lectiones V. T. librorum, voll. I–IV (Parmae 1784 sqq) et eiusdem Scholia Critica in V. T. libros (1798), generatim inclusis codicibus, qui prima, exclusis illis, qui secunda manu lectionem tuentur, et C. D. Ginsburg, The Old Testament, voll. I–IV (London 1908–1926)

1/2 S:	Mss = codices manuscripti Hebraici secundum B. Kennicott, Vetus Testamentum Hebraicum (Oxonii 1776) sive secundum J. B. de Rossi, Variae lectiones V. T. librorum vol. II (Parmae 1785) et additionem vol. IV (Parmae 1788) p. 227–229 et eiusdem Scholia Critica in V. T. libros (Parmae 1798) p. 38–42. Fragmenta ex Geniza Cairensi, hodie Cantabrigiae (bibl. universitatis: Taylor-Schechter Collection, Westminster College), Oxonii, Parisii, Londini adservata, perlustrata atque comparata sunt quoad consonantes attinet. Variae lectiones horum Mss numero Kennicottianorum et de Rossianorum additae sunt
pc Mss	pauci i. e. 3–10 (1/2 S: 3–6) codices manuscripti
nonn Mss	nonnulli i. e. 11–20 (1/2 S: 7–15) codices manuscripti
mlt Mss	multi i. e. plus quam 20 (1/2 S: 16–60) codices manuscripti
permlt Mss	1/2 S: permulti i. e. plus quam 60 Mss
Mur	codices manuscripti Hebraici nuper in *wādi murabbaʿāt* reperti secundum Discoveries in the Judaean Desert II 1960
Naft	ben Naftali
Occ	Occidentales
Or	Orientales
Orig	Origenes
Pes R	Pesiqta rabba, vide cit(t)
Q	Qere
Q^{Mss}, K^{Mss}	1/2 S: Qere et Ketīb in BHK et/aut in Biblia Hebraica ed. N. H. Snaith, Londini 1958, sed non in omnibus codd Kenn. et de Rossi
$Ms(s)^{Q}$, $Ms(s)^{K}$	1/2 S: Qere et Ketīb non in BHK et/aut in Biblia Hebraica ed. N. H. Snaith, sed in codd Kenn. et de Rossi
Q^{Occ}	Qere apud Occidentales
Q^{Or}	Qere apud Orientales
𝔔	libri manuscripti Hebraici nuper prope *chirbet qumrān* reperti secundum Discoveries in the Judaean Desert I sqq 1960 sqq
1/2 S:	fragmenta in deserto prope *chirbet qumrān* reperta secundum ed. D. Barthélemy - J. T. Milik, Oxonii 1955 (1 Q) et F. M. Cross Jr., BASOR 132, 1953 et JBL 74, 1955 et secundum reproductiones fragmentorum (4 Q Sam^{a})
$𝔔^{a}$	1 Q Is^{a} secundum The Dead Sea Scrolls of St. Mark's Monastery. Vol. I 1950
$𝔔^{b}$	1 Q Is^{b} secundum The Dead Sea Scrolls of the Hebrew University 1955
1 Q Gen Ap	1 Q Genesis Apokryphon secundum Y. Yadin, N. Avigad, A Genesis Apocryphon. A Scroll from the Wilderness of Judaea 1956
1 Q M	1 Q Milḥāmā secundum The Dead Sea Scrolls of the Hebrew University 1955
4 Q Ps^{b}	Ps 91–118 secundum The Catholic Biblical Quarterly 26, 1964, p. 313–322
𝔖	versio Syriaca consensu testium $𝔖^{A}$ et $𝔖^{W}$ constituta
1/2 S:	versio Syriaca consentientibus codicibus et editionibus $𝔖^{ABCD\ Jac\ edess\ Bar\ Hebr}$
$𝔖^{A}$	codex Ambrosianus, editus ab A. M. Ceriani 1876 sqq
$𝔖^{B}$	codex Londini British Museum Add. 14.431 (hiant 1 S 1,26–2,9; 2 S 11,11–20); saec. VI
$𝔖^{C}$	codex Leningradensis Bibl. publ. N. S. no. 2 (hiant 1 S 4,21–6,1; 16,8–17,6); saec. V

$\mathfrak{S}^{D}$	codex Londini British Museum Add. 14.442 et codex Wadi Natrun (continent 1S 1,1–2,19; 17,57–20,34 et 1 S 3,1–15,28); saec. VI–VII
$\mathfrak{S}^{L}$	versio Syriaca secundum S. Lee, Pentateuchus Syriace, 1821
$\mathfrak{S}^{M}$	editio Mausiliensis 1891 (1951)
$\mathfrak{S}^{Mss}$	codices manuscripti versionis Syriacae
$\mathfrak{S}^{U}$	editio Urmiensis 1852 (1954)
$\mathfrak{S}^{W}$	versio Syriaca secundum polyglottam Londinensem B. Waltonii, voll. I–III 1654 sqq
$\mathfrak{S}^{Jac\ edess}$	fragmenta nonnulla versionis Syriacae Jacobi Edesseni secundum M. H. Gottstein, Neue Syrohexaplafragmente, Biblica 37 (1956) p. 175–183 (continent 1S 7,5–12; 20,11–23. 35–42; 2S 7,1–17; 21,1–7; 23,13–17)
$\mathfrak{S}^{Bar\ Hebr}$	lectiones nonnullae ex Barhebraei Scholiis ed. Sprengling-Graham, vol. I (Chicago 1931)
Sa	versio Sahidica
Samar	pronuntiatio Samaritana secundum P. Kahle, The Cairo Geniza 1959, appendix II p. 318
Seb	Sebir
Sor	codd. Kenn. et de Rossi Soraei
Syh	Syrohexaplaris, i.e. versio Syriaca textus Graeci ex recensione Origenis
$\mathfrak{T}$	Targum secundum A. Sperber, The Bible in Aramaic, voll. I–III 1959–1962, vel secundum P. de Lagarde, Hagiographa Chaldaice 1873
$\mathfrak{T}^{Ms(s)\ Ed(d)}$	codex manuscriptus (codices manuscripti) vel editio (editiones) secundum apparatum criticum Sperberi
$\mathfrak{T}^{Buxt}$	editio Buxtorf, Basiliae 1618–1619
$\mathfrak{T}^{ed\ princ}$	editio princeps, Leiriae 1494
$\mathfrak{T}^{f}$	codex Reuchlinianus (qui olim $\mathfrak{T}^{L}$ dicebatur) secundum apparatum criticum Sperberi
$\mathfrak{T}^{J}$	Targum Pseudo-Jonathae secundum M. Ginsburger, Pseudo-Jonathan 1903
$\mathfrak{T}^{J\,II}$	Targum Hierosolymitanum secundum M. Ginsburger, Das Fragmententhargum 1899
$\mathfrak{T}^{P}$	Targum Palaestinum secundum P. Kahle, Masoreten des Westens II 1930, p. 1*–13*.1–65 et A. Díez Macho, Nuevos fragmentos del Targum palestinense, Sefarad 15, 1955, p. 31–39
Tert	Tertullianus
Tiq soph	Tiqqun sopherim
Tyc	Tyconius
$\mathfrak{V}$	versio Latina vulgata (secundum Biblia Sacra iuxta Latinam Vulgatam versionem ad codicum fidem cura et studio monachorum Abbatiae Pont. S. Hieronymi in Urbe O. S. B. edita 1926 sqq, vel, ubi haec editio deest, secundum M. Hetzenauer, Biblia Sacra Vulgatae editionis 1922)
$\mathfrak{V}^{Ms(s)\ Ed(d)}$	codex manuscriptus (codices manuscripti) vel editio (editiones) secundum apparatum criticum editionis monachorum S. Benedicti
$V^{Ken\ 69\ etc}$	varia lectio codicis manuscripti Hebraici 69 etc secundum B. Kennicott
V^{P}	varia lectio codicis Petropolitani anni 916
V^{S}	varia lectio secundum H. Strack, Grammatik des Biblisch-Aramäischen ^{6}1921
Vrs	versiones omnes vel plurimae

acc	accentus etc
add	additum etc; addit, -unt etc
aeg	Aegyptiacum, -e etc
aeth	Aethiopicum, -e etc
akk	Accadicum, -e etc
al	alii, etc
alit	aliter
arab	Arabicum, -e etc
aram	Aramaicum, -e etc
art	articulus etc
ass	Assyricum, -e etc
ast	asteriscus etc
bab	Babylonicum, -e etc
c	cum
cet	ceteri etc
cf	confer(endum) etc
cj	conjunge(ndum) etc; conjungit, -unt etc
cod(d)	codex, -ices etc
cop	copula etc
cp	caput etc
crrp	corruptum etc
dl	dele(ndum) etc; delet, -ent etc
dttg	dittographice
dub	dubium
dupl	dupliciter, duplum
etc	et cetera
exc	excidit, -erunt etc
extr	extraordinarius etc
fin	finis etc
frt	fortasse
gl	glossa(tum) etc
hab	habet, -ent etc
hebr	Hebraicum, -e etc
hemist	hemistichus etc
homark	homoiarkton
homtel	homoioteleuton
hpgr	haplographice
hpleg	hapax legomenon
id	idem etc
inc	incertus etc
incip	incipit, -iunt etc
init	initium etc
ins	insere(ndum) etc; inserit, -unt etc
interv	intervallum etc
invers	inverso ordine
it	item
jdaram	Iudaeo-aramaicum, -e etc
kopt	Copticum, -e etc
l	lege(ndum) etc
lect	lectio etc
leg	legit, -unt etc
maj	major etc
marg	marginalis, -e etc, in margine
m cs	metri causa
min	minor etc
mlt	multi etc
mtr	metrum etc
neohb	Neohebraicum, -e etc
nom	nomen etc
nonn	nonnulli etc
ob	obelus etc
om	omittit, -unt etc
omn	omnes etc
orig	originalis, -e etc; originaliter
p	partim; pars etc
par	parallelismus etc
pc	pauci etc
plur	plures etc
pr	praemittit, -unt etc; praemitte(ndum) etc
prb	probabiliter
prp	propositum etc; proponit, -unt etc
punct	punctum etc; punctatio etc
pun	Punicum, -e etc
raph	raphatum, non dagessatum
rel	reliqui etc
scl	scilicet
sec	secundum
sim	similis etc
sol	solus etc
sq(q)	sequens, -ntes etc
stich	stichus etc
syr	Syriacum, -e etc
tot	totus etc
tr	transpone(ndum) etc; transponit, -unt etc
ug	Ugariticum, -e etc
v	versus etc
var	varius etc; varia lectio
vb	verbum etc

verb	verbum (quod a grammaticis vocatur), verba etc
vid	vide(n)tur etc
+	addit, -unt etc
>	plus quam, deest in
*	textus (forma) coniectura probabilis, velut in Jes 5,30[b] prp בָּעֲרִיפֶיהָ (*עֲ׳ i. e. nubes)
(𝔊)(𝔖) etc	𝔊, 𝔖 etc secundum rem

qal ni pi pu hit hi ho – pf impf fut imp inf pt act pass – m f(em) – sg pl du – (stat) abs (stat) cstr – gen dat acc abl – suff

Gn Ex Lv Nu Dt Jos Jdc 1S 2S 1R 2R Jes Jer Ez Ho Jo Am Ob Jon Mi Na Hab Zeph Hag Sach Mal Ps Hi Prv Ru Cant Qoh Thr Est Da Esr Neh 1Ch 2Ch Sir Jub

Mt Mc Lc J Act Rm 1Ko 2Ko G E Ph Kol 1Th 2Th 1T 2T Tt Phm Hbr Jc 1P 2P 1J 2J 3J Jd Apc

II. Apparatus masorae

B	editio Bombergiana Iacobi ben Chajjim, Venetiis 1524/5
C	codex prophetarum Cairensis
G	editio C. D. Ginsburgii, The Old Testament, vol. I – IV 1908 – 1926
L	codex Leningradensis B 19[A]
N	interpretatio masoretica Salomonis Jedidja Norzi, מנחת ש״י, Mantuae 1742
Okhl	interpretatio Okhla weokhla ex codicibus Halensi et Parisino
P	codex Parisinus Hebraicus bibliothecae nationalis 15
Mm	Masora magna
Mp	Masora parva
reliqua sigla	vide I. Apparatus criticus

INDEX SIGLORUM ET ABBREVIATIONUM MASORAE PARVAE

Masorae verba quibus praefixa ב, ד, ו, ל antecedunt, alphabetico ordine sub iis litteris enumerantur quae praefixa sequuntur.

א״ב = אלפא ביתא	alphabetum
א ב ג . . ו . . . י	litterae hebraicae puncto non ornatae consonantes indicant
אׄ בׄ גׄ . . וׄ . . . יׄ	litterae hebraicae puncto ornatae numeros indicant
אוֹר, אוריֹת = אוריתא	Pentateuchus (aram)
אוֹת = אותיות	litterae
אׄזׄןׄ = אני, זאת, נא	Ps 25,7, indicat vocem זכר־ bis in Psalmis occurrere praeter eos locos ubi coniuncta est cum uno de his tribus verbis
איוב	liber Job
אית	est, exstat
אית בהון	est in eis
אית בהון א״ב	sunt in eis omnes alphabeti litterae

איתׄ = איתתא	mulier
אמירה	nomen verbi אמר
אנש	homo
ארמי	aramaicus
את	nota accusativi
אתנׄחׄ = אתנחתא	accentus Atnaḥ
ב	in
בהון	in eis
באר	puteus
ביזה	praeda
ביניׄהׄ = ביניהון	inter eos
בׄ מׄ = בר מן	praeter
בן נפתלי	masoretae Tiberienses ex genere Ben Naftali
ברנש	homo
בתר	post
געיא	Gaʿja
גריש	Gereš
ד	particula relativa
דגשׄ = דיגשא	Dageš
ד״ה = דברי הימים	libri Chronicorum
דל	pauper
דמיין	similes
הׄיׄ	numerus 15 (non יׄהׄ, neque טׄוׄ)
ו	et, et ... quidem
זוגין	paria, conjunctio verborum
זכר	masculinum
זעירין	parvi (de litteris minusculis)
זקף קמׄ	Zaqef Qameṣ
חד, חדה	unus, -a; semel
חול	profanum
חומש	Pentateuchus
חסׄ = חסר	defective scriptum
וחסׄ	et defective quidem scriptum
חסׄ את	indicat notam accusativi desiderari
חצי	dimidium, medium
חצי אותיות בתורׄ	Lv 11,42, dimidium litterarum in Pentateucho
חצי הנביאים	Jes 17,3, medium librorum prophetarum (secundum versus)
חצי הספר בפסוק	medium libri secundum versus
חצי הפסוק בתורׄ	Lv 8,8, dimidium versuum in Pentateucho
חצי התיבות בתורׄ	Lv 10,16, dimidium verborum in Pentateucho
טנוף	inquinatio
טעׄ, טעמׄ = טעם, טעמין	accentus
יהושע	liber Josuae
יחזקׄ = יחזקאל	liber Ezechiel
ירמיה	liber Jeremiae
יׄשׄתׄ = יהושע, שפטים, תלים	Jos, Jdc, Ps
יתיר	superfluus
כל	omnis, omnes
כותׄ = כותיה, כותיהון	sicut id, ea
כׄיׄ	numerus 30 (non לׄ)
כן	sic
כפתוי דשמשון	Gn 42,24, vinctio Simsonis; pericopam vinctionis Simsonis (Jdc 15,12) indicat
כתׄ = כתיב	Ketib, scriptum
כתיׄבׄ = כתיבין	Hagiographa
ל	nota dativi
לׄ = לית	non exstat (indicat hoc verbum vel hanc conjunctionem verborum non occurrere nisi hoc loco)
לגרׄ = לגרמיה	accentus Legarmeh
לישׄ, לישנׄ = לישן, לישנין	lingua, -ae; significatio, -ones (aram)
תרׄ לישנׄ = תרי לישנין	duae significationes
לשון	lingua, significatio (hebr)
לשון ארמי	in lingua aramaica, aramaice
לשון ביזה	praedam significans
לשון דל	paupertatem significans
לשון זכר	masculinum
לשון חול	profanum significans
לשון טנוף	rem obscenam significans
לשון נקיבה	femininum
לשון רבים	pluralis
לשון שנאה	inimicitiam significans
לשון תרגׄ	in lingua targumica, aramaice
מגלה	liber Esther
מדינׄ = מדינחאי	Orientales Babyloniae

סמי֯כ = סמיך, סמיכין	innixus, -i; conjunctus, -i
ס"פ = סוף פסוק, סופי פסוקין	finis versus, fines versuum
ס"ת = סוף תיבותא, סופי תיבותא	finis verbi, fines verborum
עזרא	libri Esrae et Nehemiae
עינ֯ = עינין	res
פלג֯ = פלגין	sunt qui aliter legant
פלוני	quidam
פסוק, פסוק֯ = פסוק, פסוקין	versus
פסיק֯, פסיקתא	signum Paseq
פרש֯ = פרשה	Paraša, una de 54 pericopis Pentateuchi
פת֯ = פתח	Pataḥ vocalis
ק֯ = קרי	Qere, legendum (opponitur Ketib textus)
קהלת	liber Qohelet
קמ֯ = קמץ	Qameṣ vocalis
קר֯ = קרי	Qere, legendum (opponitur כת֯ notae marginalis)
קריא	sacra scriptura
קריה	urbs
ראש תיבותא	initium verbi
ראש תרי עשר	initium libri duodecim prophetarum
רבים	multi
ר"פ = ראש פסוק, ריש פסוקא, ראשי פסוקין, רישי פסוקין	initium versus, initia versuum
רפי֯ = רפי, רפין	Rafe
ר"ת = ראש תיבותא	initium verbi
שאה	procella
שיר השירים	liber Cantici
של֯ש ספרים	tres libri, i. e. Ps, Hi, Prv
שם	nomen
שם אית֯	nomen mulieris
שם אנש	nomen hominis
שם באר	nomen putei
שם ברנש	nomen hominis
שם קריה	nomen urbis
שמואל	libri Samuel
מחליפין	sunt qui aliter legant
מטע֯ = מטעין	in errorem inducentes
מיחד֯ = מיחדין	peculiares (indicat insolitum usum verbi vel conjunctionis verborum)
מילה, מילין	verbum, verba
ומילה (חדה) ביניה֯	et (unum) verbum inter eos
מל֯ = מלא	plene scriptum
ומל֯	et plene quidem scriptum
מלכים	libri Regum
מלעיל	a superiore parte (indicat accentum in paenultima syllaba poni)
מלרע	ab inferiore parte (indicat accentum in ultima syllaba poni)
מנה֯ = מנהון	ab iis
מערב֯ = מערבאי	Occidentales Palaestinae
מ"פ = מצע פסוק	medium versus
מפק֯ = מפיק, מפקין	Mappiq (indicat litteram ita pronuntiandam esse ut auribus percipiatur)
מצעא, מיצעא	medium
מרעימ֯ = מרעימין	accentu Šalšelet instruentes
משלי	liber Proverbiorum
משנה תורה	liber Deuteronomii
מתאימין	dupliciter ponentes
ד֯ שמות מתאימין	Gn 46,2, quattuor nomina dupliciter ponentes
נא	indicat hanc vocem eodem modo occurrere iis locis ubi cum נא coniuncta est
נביא֯ = נביאים	Prophetae
נונין זעירין	litterae Nun minusculae
נ"ך = נביאים וכתובים	Prophetae et Hagiographa
נקוד֯ = נקודות	puncta extraordinaria
נקיבה	femininum
סביר֯ = סביר, סבירין	suspicandum est
סימן	nota, signum
סיפ֯ = סיפרא	liber
סיפ֯ מוגה = סיפרי מוגה	libri manuscripti emendati
סכום	summa

liber Psalmorum	תלים, תהלים
tres	תלת
agitatio sacrificiorum coram deo (Ex 29,26)	תנופׄ = תנופה
secundus	תנינׄ = תנינא
Targum, lingua targumica	תרגׄ = תרגום
duo, -ae	תריׄ = תרי, תרין, תרתי, תרתין
liber duodecim prophetarum	תרי עשר
audire vocem significans	שמיעה לקול
odium, inimicitia	שנאה
liber Judicum	שפטים
Libri Psalmorum, Chronicorum, Proverbiorum, Qohelet	תׄדׄמׄקׄ = תלים, דברי הימים, משלי, קהלת
Pentateuchus (hebr)	תורׄ = תורה
verbum	תיבותא

BIBLIA HEBRAICA STUTTGARTENSIA

quae antea cooperantibus A. Alt, O. Eißfeldt, P. Kahle ediderat R. Kittel

EDITIO FUNDITUS RENOVATA

adjuvantibus H. Bardtke †, W. Baumgartner †, P. A. H. de Boer,
O. Eißfeldt †, J. Fichtner †, G. Gerleman, J. Hempel †, F. Horst †, A. Jepsen,
F. Maass, R. Meyer, G. Quell, Th. H. Robinson †, D. W. Thomas †

cooperantibus H. P. Rüger et J. Ziegler
ediderunt

K. ELLIGER ET W. RUDOLPH

Textum Masoreticum curavit H. P. Rüger
MASORAM ELABORAVIT G. E. WEIL

2

שמות ויקרא

EXODUS ET LEVITICUS

praeparavit
G. Quell

DEUTSCHE BIBELSTIFTUNG STUTTGART

EXODUS ואלה שמות

1 ¹ וְאֵ֗לֶּה[a] שְׁמוֹת֙ בְּנֵ֣י יִשְׂרָאֵ֔ל הַבָּאִ֖ים מִצְרָ֑יְמָה אֵ֣ת יַעֲקֹ֔ב[b] אִ֥ישׁ ס [א]
וּבֵית֖וֹ בָּֽאוּ׃ ² רְאוּבֵ֣ן שִׁמְע֔וֹן[a] לֵוִ֖י[a] וִיהוּדָֽה׃[b] ³ יִשָּׂשכָ֥ר[a] זְבוּלֻ֖ן[b] 2 3
וּבִנְיָמִֽן׃ ⁴ דָּ֥ן וְנַפְתָּלִ֖י גָּ֥ד וְאָשֵֽׁר׃[a] ⁵ וַֽיְהִ֗י[a] כָּל־נֶ֛פֶשׁ [b]יֹצְאֵ֥י יֶֽרֶךְ־ 4 5
יַעֲקֹ֖ב[b] שִׁבְעִ֣ים[c] נָ֑פֶשׁ [d]וְיוֹסֵ֖ף הָיָ֥ה בְמִצְרָֽיִם׃[d] ⁶ וַיָּ֤מָת יוֹסֵף֙ וְכָל־ 6
אֶחָ֔יו וְכֹ֖ל הַדּ֥וֹר הַהֽוּא׃ ⁷ וּבְנֵ֣י יִשְׂרָאֵ֗ל פָּר֧וּ וַֽיִּשְׁרְצ֛וּ וַיִּרְבּ֥וּ וַיַּֽעַצְמ֖וּ 7
בִּמְאֹ֣ד מְאֹ֑ד וַתִּמָּלֵ֥א הָאָ֖רֶץ אֹתָֽם׃ פ
⁸ וַיָּ֥קָם מֶֽלֶךְ־חָדָ֖שׁ עַל־מִצְרָ֑יִם אֲשֶׁ֥ר לֹֽא־יָדַ֖ע אֶת־יוֹסֵֽף׃ 8
⁹ וַיֹּ֖אמֶר אֶל־עַמּ֑וֹ הִנֵּ֗ה עַ֚ם בְּנֵ֣י יִשְׂרָאֵ֔ל רַ֥ב וְעָצ֖וּם מִמֶּֽנּוּ׃ ¹⁰ הָ֥בָה[a] 9 10
נִֽתְחַכְּמָ֖ה ל֑וֹ[b] פֶּן־יִרְבֶּ֗ה[c] וְהָיָ֞ה כִּֽי־תִקְרֶ֤אנָה[d] מִלְחָמָה֙ וְנוֹסַ֤ף[c] גַּם־הוּא֙[c]
עַל־שֹׂ֣נְאֵ֔ינוּ וְנִלְחַם־[c]בָּ֖נוּ וְעָלָ֥ה[c] מִן־הָאָֽרֶץ׃ ¹¹ וַיָּשִׂ֤ימוּ[a] עָלָיו֙[b] שָׂרֵ֣י 11
מִסִּ֔ים לְמַ֥עַן עַנֹּת֖וֹ[b] בְּסִבְלֹתָ֑ם וַיִּ֜בֶן עָרֵ֤י מִסְכְּנוֹת֙[c] לְפַרְעֹ֔ה אֶת־פִּתֹ֖ם
וְאֶת־רַעַמְסֵֽס׃[d] ¹² וְכַאֲשֶׁר֙ יְעַנּ֣וּ אֹת֔וֹ[a] כֵּ֥ן יִרְבֶּ֖ה[b] וְכֵ֣ן יִפְרֹ֑ץ[c] וַיָּקֻ֕צוּ[d] 12
מִפְּנֵ֖י בְּנֵ֥י יִשְׂרָאֵֽל׃ ¹³ וַיַּעֲבִ֧דוּ מִצְרַ֛יִם אֶת־בְּנֵ֥י יִשְׂרָאֵ֖ל בְּפָֽרֶךְ׃ 13
¹⁴ וַיְמָרְר֨וּ אֶת־חַיֵּיהֶ֜ם בַּעֲבֹדָ֣ה קָשָׁ֗ה בְּחֹ֨מֶר֙ וּבִלְבֵנִ֔ים וּבְכָל־עֲבֹדָ֖ה 14
בַּשָּׂדֶ֑ה אֵ֚ת כָּל־עֲבֹ֣דָתָ֔ם אֲשֶׁר־עָבְד֥וּ בָהֶ֖ם בְּפָֽרֶךְ׃ ¹⁵ וַיֹּ֨אמֶר֙ 15
מֶ֣לֶךְ מִצְרַ֔יִם לַֽמְיַלְּדֹ֖ת הָֽעִבְרִיֹּ֑ת אֲשֶׁ֨ר שֵׁ֤ם הָֽאַחַת֙ שִׁפְרָ֔ה וְשֵׁ֥ם הַשֵּׁנִ֖ית
פּוּעָֽה׃ ¹⁶ וַיֹּ֗אמֶר בְּיַלֶּדְכֶן֙ אֶת־הָֽעִבְרִיּ֔וֹת [a]וּרְאִיתֶ֖ן עַל־הָאָבְנָ֑יִם[a] אִם־ 16
בֵּ֥ן הוּא֙ וַהֲמִתֶּ֣ן אֹת֔וֹ וְאִם־בַּ֥ת הִ֖וא וָחָֽיָה׃[b] ¹⁷ וַתִּירֶ֤אןָ הַֽמְיַלְּדֹת֙ אֶת־ 17

י בתור . כה֮[1] . ג
ו֮[2] . יד פסוק בתור[3] . ל
ט וכל יהודה ויוסף דכות[4]
י[5] . ח פסוק וכל וכל ומילה חדה ביניה[6]
ל . ל[7]
ו[8]
ה
ה[9] וכל כי וכי דכות ב מ א . ג ב פת וחד קמ[10]
ה[11] . לה
ב וחס . ל וחס
ב ר״פ[12] . ה[9] וכל כי וכי דכות ב מ א
ל וחס
ל . ל
ג בליש[13]
ב בתרי לישנ[14]
ז פסוק בתור אם ואם
ל[15]

Cp 1 [1]Mm 84. [2]Mm 3090. [3]Mm 750. [4]Mm 334. [5]Mm 1858. [6]Mp sub loco. [7]וחד ישרצו Gn 1,20. [8]Mm 109. [9]Mm 372. [10]Mm 3601. [11]Mm 373. [12]Mm 374. [13]Mm 2933. [14]Mm 375. [15]Mm 934.

Cp 1,1 [a] 𝔊𝔙 om cop ‖ [b] 𝔊 + *τῷ πατρὶ αὐτῶν* ‖ **2** [a–a] ɯ𝔖 'וְשׁ' וְלֵ ‖ [b] 𝔊 om cop ‖ **3** [a] ɯ𝔖 'וְי ‖ [b] ɯ𝔖 'וּז ‖ **4** [a] 𝔊 huc tr 5[d–d] ‖ **5** [a] ɯ וַיִּהְיוּ cf Vrs ‖ [b–b] 𝔊 *ἐξ Ιακωβ* ‖ [c] 𝔊 75 ut Gn 46,27 ‖ [d–d] cf 4[a] ‖ **10** [a] Vrs pl ‖ [b] 𝔊𝔖𝔗𝔗^J suff pl ‖ [c] 𝔖𝔗𝔗^J pl cf 𝔊 ‖ [d] ɯ Vrs ־ָאֵנוּ ‖ **11** [a] 𝔊*𝔙 sg ‖ [b] Vrs suff pl ‖ [c] 𝔊 *ὀχυράς* ‖ [d] 𝔊 + *καὶ Ων, ἥ ἐστιν Ἡλιούπολις* cf Jer 43,13 ‖ **12** [a] Vrs suff pl ‖ [b] ɯ יפרה; 𝔊𝔖𝔙 pl ‖ [c] 𝔊𝔖𝔙 pl; 𝔊 + *σφόδρα σφόδρα* ‖ [d] 𝔊(𝔗^J𝔙) + *οἱ Αἰγύπτιοι* ‖ **16** [a–a] 𝔊(𝔙) *καὶ ὦσιν πρὸς τῷ τίκτειν* ‖ [b] ɯ וחיתה.

הָֽאֱלֹהִ֔ים וְלֹ֣א עָשׂ֔וּ כַּאֲשֶׁ֛ר דִּבֶּ֥ר אֲלֵיהֶ֖ן מֶ֣לֶךְ מִצְרָ֑יִם וַתְּחַיֶּ֖יןָ אֶת־ ה[16]. ה ד מל וחד חס[17]. ב
18 הַיְלָדִֽים׃ 18 וַיִּקְרָ֤א מֶֽלֶךְ־מִצְרַ֙יִם֙[a] לַֽמְיַלְּדֹ֔ת וַיֹּ֣אמֶר לָהֶ֔ן מַדּ֥וּעַ יד[18]
19 עֲשִׂיתֶ֖ן[b] הַדָּבָ֣ר הַזֶּ֑ה וַתְּחַיֶּ֖יןָ אֶת־הַיְלָדִֽים׃ 19 וַתֹּאמַ֤רְןָ הַֽמְיַלְּדֹת֙ אֶל־ ב. יא חס את. ב
פַּרְעֹ֔ה כִּ֣י לֹ֧א כַנָּשִׁ֛ים הַמִּצְרִיֹּ֖ת הָֽעִבְרִיֹּ֑ת כִּֽי־חָי֣וֹת הֵ֔נָּה בְּטֶ֨רֶם תָּב֧וֹא ג[19]. ל
20 אֲלֵהֶ֛ן הַמְיַלֶּ֖דֶת וְיָלָֽדוּ׃ 20 וַיֵּ֥יטֶב אֱלֹהִ֖ים לַֽמְיַלְּדֹ֑ת[a] וַיִּ֧רֶב[b] הָעָ֛ם ה ד מל וחד חס[17]. ל
21 וַיַּֽעַצְמ֖וּ מְאֹֽד׃ 21 וַיְהִ֕י כִּֽי־יָֽרְא֥וּ הַֽמְיַלְּדֹ֖ת אֶת־הָֽאֱלֹהִ֑ים וַיַּ֥עַשׂ[a] לָהֶ֖ם
22 בָּתִּֽים׃ 22 וַיְצַ֣ו פַּרְעֹ֔ה לְכָל־עַמּ֖וֹ לֵאמֹ֑ר כָּל־הַבֵּ֣ן הַיִּלּ֗וֹד[a] הַיְאֹ֙רָה֙ ב. ב[20]
תַּשְׁלִיכֻ֔הוּ[b] וְכָל־הַבַּ֖ת תְּחַיּֽוּן׃ ס ד פת. ל
ס 2 1 וַיֵּ֥לֶךְ[a] אִ֖ישׁ מִבֵּ֣ית לֵוִ֑י וַיִּקַּ֖ח[b] אֶת־[a]בַּת־[b]לֵוִֽי׃ 2 וַתַּ֤הַר הָֽאִשָּׁה֙ ב[1]
3 וַתֵּ֣לֶד בֵּ֑ן וַתֵּ֤רֶא אֹתוֹ֙ כִּי־ט֣וֹב ה֔וּא וַֽתִּצְפְּנֵ֖הוּ שְׁלֹשָׁ֥ה יְרָחִֽים׃ 3 וְלֹא־ ל. ד[2]. ד ר״פ בסיפ
יָכְלָ֣ה עוֹד֮ הַצְּפִינוֹ֒ וַתִּֽקַּֽח־לוֹ֙[a] תֵּ֣בַת גֹּ֔מֶא וַתַּחְמְרָ֥ה בַחֵמָ֖ר וּבַזָּ֑פֶת ל ומל. ג[3]
4 וַתָּ֤שֶׂם בָּהּ֙ אֶת־הַיֶּ֔לֶד וַתָּ֥שֶׂם בַּסּ֖וּף עַל־שְׂפַ֥ת הַיְאֹֽר׃ 4 וַתֵּתַצַּ֥ב[a] אֲחֹת֖וֹ ל
5 מֵרָחֹ֑ק לְדֵעָ֕ה מַה־יֵּעָשֶׂ֖ה לֽוֹ׃ 5 וַתֵּ֤רֶד בַּת־פַּרְעֹה֙ לִרְחֹ֣ץ עַל־הַיְאֹ֔ר ז חס בתור. ל[4]. ה
וְנַעֲרֹתֶ֥יהָ הֹלְכֹ֖ת עַל־יַ֣ד הַיְאֹ֑ר וַתֵּ֤רֶא אֶת־הַתֵּבָה֙ בְּת֣וֹךְ הַסּ֔וּף וַתִּשְׁלַ֥ח ל חס
6 אֶת־אֲמָתָ֖הּ וַתִּקָּחֶֽהָ[a]׃ 6 וַתִּפְתַּח֙ וַתִּרְאֵ֣הוּ[b] אֶת־הַיֶּ֔לֶד וְהִנֵּה־נַ֖עַר בֹּכֶ֑ה[c] ל. ל. ז[5]
7 וַתַּחְמֹ֣ל עָלָ֔יו[d] וַתֹּ֕אמֶר מִיַּלְדֵ֥י הָֽעִבְרִ֖ים זֶֽה׃ 7 וַתֹּ֣אמֶר אֲחֹתוֹ֮ אֶל־בַּת־
פַּרְעֹה֒ הַאֵלֵ֗ךְ וְקָרָ֤אתִי לָךְ֙ אִשָּׁ֣ה מֵינֶ֔קֶת מִ֖ן הָֽעִבְרִיֹּ֑ת וְתֵינִ֥ק לָ֖ךְ אֶת־ ג[6]. ל
8 הַיָּֽלֶד׃ 8 וַתֹּֽאמֶר־לָ֥הּ בַּת־פַּרְעֹ֖ה לֵ֑כִי וַתֵּ֙לֶךְ֙ הָֽעַלְמָ֔ה וַתִּקְרָ֖א אֶת־ ג ב מנה בתור
9 אֵ֥ם הַיָּֽלֶד׃ 9 וַתֹּ֧אמֶר לָ֣הּ בַּת־פַּרְעֹ֗ה הֵילִ֜יכִי[a] אֶת־הַיֶּ֣לֶד הַזֶּה֮ ז בתור[7]
וְהֵינִקִ֣הוּ לִ֔י וַאֲנִ֖י אֶתֵּ֣ן אֶת־שְׂכָרֵ֑ךְ וַתִּקַּ֧ח הָאִשָּׁ֛ה[b] הַיֶּ֖לֶד וַתְּנִיקֵֽהוּ[c]׃ ב[8]
10 וַיִּגְדַּ֣ל[a] הַיֶּ֗לֶד וַתְּבִאֵ֙הוּ֙ לְבַת־[b]פַּרְעֹ֔ה וַֽיְהִי־לָ֖הּ לְבֵ֑ן וַתִּקְרָ֤א שְׁמוֹ֙ ב חס[9]. ב[10]. ט
11 מֹשֶׁ֔ה וַתֹּ֕אמֶר כִּ֥י מִן־הַמַּ֖יִם מְשִׁיתִֽהוּ׃ 11 וַיְהִ֣י ׀ בַּיָּמִ֣ים הָהֵ֗ם ל וחס
וַיִּגְדַּ֤ל מֹשֶׁה֙ וַיֵּצֵ֣א אֶל־אֶחָ֔יו וַיַּ֖רְא בְּסִבְלֹתָ֑ם וַיַּרְא֙ אִ֣ישׁ מִצְרִ֔י מַכֶּ֥ה ה[11]

[16] Mm 2512. [17] Mm 1048. [18] Mm 190. [19] Mm 2275. [20] Mm 376. Cp 2 [1] Mm 377. [2] Mm 378. [3] Mm 379. [4] Mm 210. [5] Mm 1813. [6] Mm 380. [7] Mm 381. [8] Lv 20,3. [9] Mm 382. [10] Mm 383. [11] Mm 416.

18 a–a ш פרעה ‖ b ш𝔗^{Ms} + את ‖ **20** a 𝔖 + *mtl d'bd ptgm' hn'* ‖ b ш𝔖^{AL}𝔗^{J} וַיִּרְבּוּ ‖ **21** a 𝔊 pl cf 𝔗^{J} *wqnw … wbn'* (dupl) ‖ **22** a ш𝔊𝔗𝔗^{J} + לָעִבְרִים ‖ b ш כון– ‖ **Cp 2,1** a desunt frt nom propria cf 6,20 ‖ b–b 𝔊 *τῶν θυγατέρων* ‖ **3** a ш𝔊 + אִמּוֹ ‖ **4** a ш וַתִּתְיַצֵּב ‖ **6** a ш חֶהָ– ‖ b ш𝔗𝔗^{J} וַתֵּרֶא cf 𝔊𝔙 ‖ c 𝔊(𝔙) + *ἐν τῇ θίβει* ‖ d ш𝔊 + בת פרעה ‖ **9** a ℭ הליכי = הֹלִיכִי (sic 𝔗^{Ms}𝔗^{J})? 𝔊(𝔙) *διατήρησόν μοι*, 𝔖(ℭ) *h' lkj* = en tibi ‖ b ш𝔗^{Ms}𝔗^{J} + את ‖ c ш^{Mss} וַתֵּינִ' ‖ **10** a sic L, mlt Mss Edd ויג' ‖ b ш אל בת.

אִישׁ־עִבְרִ֖י מֵאֶחָֽיו׃ 12 וַיִּ֤פֶן כֹּה֙ וָכֹ֔ה וַיַּ֖רְא כִּ֣י אֵ֣ין אִ֑ישׁ וַיַּךְ֙ אֶת־ 12
הַמִּצְרִ֔י וַֽיִּטְמְנֵ֖הוּ בַּחֽוֹל׃ 13 וַיֵּצֵא֙ בַּיּ֣וֹם הַשֵּׁנִ֔י וְהִנֵּ֛ה שְׁנֵֽי־אֲנָשִׁ֥ים עִבְרִ֖ים 13 ל[12]
נִצִּ֑ים וַיֹּ֙אמֶר֙ לָֽרָשָׁ֔ע לָ֥מָּה תַכֶּ֖ה רֵעֶֽךָ׃ 14 וַ֠יֹּאמֶר מִ֣י שָֽׂמְךָ֞ לְאִ֨ישׁ שַׂ֤ר 14 ג . ז פסוק ויאמר ויאמר[13] . ב[14]
וְשֹׁפֵט֙[a] עָלֵ֔ינוּ הַלְהָרְגֵ֙נִי֙ אַתָּ֣ה אֹמֵ֔ר כַּאֲשֶׁ֥ר הָרַ֖גְתָּ[b] אֶת־הַמִּצְרִ֑י וַיִּירָ֤א יב[15]
מֹשֶׁה֙ וַיֹּאמַ֔ר אָכֵ֖ן[c] נוֹדַ֥ע הַדָּבָֽר׃ 15 וַיִּשְׁמַ֤ע פַּרְעֹה֙ אֶת־הַדָּבָ֣ר הַזֶּ֔ה 15 צא . יח[16]
וַיְבַקֵּ֖שׁ לַהֲרֹ֣ג אֶת־מֹשֶׁ֑ה וַיִּבְרַ֤ח מֹשֶׁה֙ מִפְּנֵ֣י פַרְעֹ֔ה [a]וַיֵּ֥שֶׁב בְּאֶֽרֶץ־[a]
מִדְיָ֖ן וַיֵּ֥שֶׁב עַל־הַבְּאֵֽר׃ 16 וּלְכֹהֵ֥ן מִדְיָ֖ן שֶׁ֣בַע בָּנ֑וֹת וַתָּבֹ֣אנָה וַתִּדְלֶ֗נָה 16 ל . ג[17] . ה ד חס וחד מל[18]
וַתְּמַלֶּ֙אנָה֙ אֶת־הָ֣רְהָטִ֔ים לְהַשְׁק֖וֹת[a] צֹ֥אן אֲבִיהֶֽן׃ 17 וַיָּבֹ֥אוּ הָרֹעִ֖ים 17 ל . ז[19]
וַיְגָרְשׁ֑וּם וַיָּ֤קָם מֹשֶׁה֙ וַיּ֣וֹשִׁעָ֔ן וַיַּ֖שְׁקְ אֶת־צֹאנָֽם׃ 18 וַתָּבֹ֕אנָה אֶל־רְעוּאֵ֖ל 18 ל . ל . ה ד חס וחד מל[18]
אֲבִיהֶ֑ן וַיֹּ֕אמֶר מַדּ֛וּעַ מִהַרְתֶּ֥ן בֹּ֖א הַיּֽוֹם׃ 19 וַתֹּאמַ֕רְןָ אִ֣ישׁ מִצְרִ֔י 19 ז[19] . ל
הִצִּילָ֖נוּ מִיַּ֣ד הָרֹעִ֑ים וְגַם־דָּלֹ֤ה דָלָה֙ לָ֔נוּ וַיַּ֖שְׁקְ אֶת־הַצֹּֽאן׃ 20 וַיֹּ֥אמֶר 20 יו[20] כת ה בתור ול בליש
אֶל־בְּנֹתָ֖יו וְאַיּ֑וֹ לָ֤מָּה זֶּה֙ עֲזַבְתֶּ֣ן אֶת־הָאִ֔ישׁ קִרְאֶ֥ן ל֖וֹ וְיֹ֥אכַל לָֽחֶם׃ ה[21] ול בתור . ל . ל . ה
21 וַיּ֥וֹאֶל מֹשֶׁ֖ה לָשֶׁ֣בֶת אֶת־הָאִ֑ישׁ וַיִּתֵּ֛ן אֶת־צִפֹּרָ֥ה בִתּ֖וֹ לְמֹשֶֽׁה[a]׃ 21 ז . יז
22 וַתֵּ֣לֶד[a] בֵּ֔ן וַיִּקְרָ֥א[b] אֶת־שְׁמ֖וֹ גֵּרְשֹׁ֑ם[c] כִּ֣י אָמַ֔ר גֵּ֣ר הָיִ֔יתִי בְּאֶ֖רֶץ 22 י ג[22] מנה דמטע . ד[23] וכל ד״ה דכות ב מ ב
נָכְרִיָּֽה׃[d] פ 23 וַיְהִי֩ בַיָּמִ֨ים הָֽרַבִּ֜ים הָהֵ֗ם וַיָּ֙מָת֙ מֶ֣לֶךְ מִצְרַ֔יִם 23
וַיֵּאָנְח֧וּ בְנֵֽי־יִשְׂרָאֵ֛ל מִן־הָעֲבֹדָ֖ה וַיִּזְעָ֑קוּ וַתַּ֧עַל שַׁוְעָתָ֛ם אֶל־הָאֱלֹהִ֖ים ל . כ
מִן־הָעֲבֹדָֽה׃ 24 וַיִּשְׁמַ֥ע אֱלֹהִ֖ים אֶת־נַאֲקָתָ֑ם וַיִּזְכֹּ֤ר אֱלֹהִים֙ אֶת־ 24 ד
בְּרִית֔וֹ אֶת־אַבְרָהָ֖ם אֶת[a]־יִצְחָ֥ק וְאֶֽת־יַעֲקֹֽב׃ 25 וַיַּ֥רְא אֱלֹהִ֖ים אֶת־ 25 ב בתור וכל מעשה בראשית דכות
[a]בְּנֵ֣י יִשְׂרָאֵ֑ל [b]וַיֵּ֖דַע אֱלֹהִֽים׃[b] ס
3 1 וּמֹשֶׁ֗ה הָיָ֥ה רֹעֶ֛ה אֶת־צֹ֛אן יִתְר֥וֹ חֹתְנ֖וֹ כֹּהֵ֣ן מִדְיָ֑ן וַיִּנְהַ֤ג אֶת־ ס[a] ז ר״פ[1] . ה[2]
הַצֹּאן֙ אַחַ֣ר הַמִּדְבָּ֔ר וַיָּבֹ֛א אֶל־הַ֥ר הָאֱלֹהִ֖ים[a] חֹרֵֽבָה׃ 2 וַ֠יֵּרָא מַלְאַ֨ךְ 2 יו וכל אל הר הכרמל דכות[3] . ד . ל . כ[4]
יְהוָ֥ה אֵלָ֛יו בְּלַבַּת־[a]אֵ֖שׁ מִתּ֣וֹךְ הַסְּנֶ֑ה וַיַּ֗רְא וְהִנֵּ֤ה הַסְּנֶה֙ בֹּעֵ֣ר בָּאֵ֔שׁ
וְהַסְּנֶ֖ה אֵינֶ֥נּוּ אֻכָּֽל׃ 3 וַיֹּ֣אמֶר מֹשֶׁ֔ה אָסֻֽרָה־נָּ֣א וְאֶרְאֶ֔ה אֶת־הַמַּרְאֶ֥ה 3 ל[5] . ה[6]

[12] Mp sub loco. [13] Mm 3452. [14] Dt 10,22. [15] Mm 1590. [16] Mm 1941. [17] Mm 384. [18] Mm 301. [19] Mm 1043. [20] Mm 598. [21] Mm 3106. [22] Mm 280. [23] Mm 3914. **Cp 3** [1] Mm 3363. [2] Mm 1657. [3] Mm 385. [4] Mm 1227. [5] Mp sub loco. [6] Mm 394.

14 [a] ﬡ וּלְשׁ׳ ‖ [b] 𝔊(𝔖𝔙) et Act 7,28 Jub 47,12 + *ἐχθές* = אֶתְמוֹל ‖ [c] 𝔊(𝔙) *εἰ οὕτως* = הֲכֵן? ‖ **15** [a–a] 𝔖 *w'zl l'r''* = וַיֵּלֶךְ אֶל־א׳ cf 𝔊 ‖ **16** [a] ﬡ𝔗 + את ‖ **21** [a] ﬡ𝔊 + לְאִשָּׁה cf 𝔖𝔙 ‖ **22** [a] 𝔊 pr *ἐν γαστρὶ δὲ λαβοῦσα* = וַתַּהַר ‖ [b] pc Mss וַתִּק׳ ‖ [c] 𝔖 (Orig) *gršwn* ‖ [d] 𝔊𝔖𝔙 + add sec 18,4 ‖ **24** [a] pc Mss ﬡ𝔊𝔖𝔗[J] וְאֵת ‖ **25** [a] num exc vb? cf 𝔗(𝔗[J]) + *š'bwd'* = עֳנִי ‖ [b–b] 𝔊 *καὶ ἐγνώσθη αὐτοῖς* = וַיִּוָּדַע אֲלֵיהֶם, frt recte ‖ **Cp 3,1** [a] > 𝔊* ‖ **2** [a] ﬡ בלהבת.

4 הַגָּדֹל הַזֶּה מַדּוּעַ לֹא־יִבְעַר הַסְּנֶה׃ 4 וַיַּרְא יְהוָה[a] כִּי סָר לִרְאוֹת — ד̇ בתור
וַיִּקְרָא אֵלָיו אֱלֹהִים[b] מִתּוֹךְ הַסְּנֶה וַיֹּאמֶר מֹשֶׁה מֹשֶׁה וַיֹּאמֶר הִנֵּנִי׃ — ד̇ שמואתא מתימין[7] . ז̇ בתור
5 וַיֹּאמֶר אַל־תִּקְרַב הֲלֹם שַׁל־נְעָלֶיךָ[a] מֵעַל רַגְלֶיךָ[b] כִּי הַמָּקוֹם אֲשֶׁר — י̇א
6 אַתָּה עוֹמֵד עָלָיו אַדְמַת־קֹדֶשׁ הוּא׃ 6 וַיֹּאמֶר אָנֹכִי אֱלֹהֵי אָבִיךָ[a] — ו̇ מל . ל̇[8]
אֱלֹהֵי אַבְרָהָם אֱלֹהֵי[b] יִצְחָק וֵאלֹהֵי יַעֲקֹב וַיַּסְתֵּר מֹשֶׁה פָּנָיו כִּי יָרֵא — ב̇[9]
7 מֵהַבִּיט אֶל־הָאֱלֹהִים׃ 7 וַיֹּאמֶר יְהוָה רָאֹה רָאִיתִי אֶת־עֳנִי עַמִּי אֲשֶׁר — כ̇ . ד̇ ב̇ כת ה וב̇ כת ו[10]
בְּמִצְרָיִם וְאֶת־צַעֲקָתָם שָׁמַעְתִּי מִפְּנֵי נֹגְשָׂיו כִּי יָדַעְתִּי אֶת־מַכְאֹבָיו[a]׃
8 וָאֵרֵד[a] לְהַצִּילוֹ ׀ מִיַּד מִצְרַיִם וּלְהַעֲלֹתוֹ מִן־הָאָרֶץ הַהִוא אֶל־אֶרֶץ — ל̇
טוֹבָה וּרְחָבָה אֶל־אֶרֶץ זָבַת חָלָב וּדְבָשׁ אֶל־מְקוֹם הַכְּנַעֲנִי וְהַחִתִּי[b] — סימן כ̇ ת̇ מ̇ פ̇ ו̇ ט̇[11]
9 וְהָאֱמֹרִי וְהַפְּרִזִּי[c] וְהַחִוִּי וְהַיְבוּסִי׃ 9 וְעַתָּה הִנֵּה צַעֲקַת בְּנֵי־יִשְׂרָאֵל
בָּאָה אֵלָי וְגַם־רָאִיתִי אֶת־הַלַּחַץ אֲשֶׁר מִצְרַיִם לֹחֲצִים אֹתָם׃
10 וְעַתָּה לְכָה וְאֶשְׁלָחֲךָ אֶל־פַּרְעֹה וְהוֹצֵא[a] אֶת־עַמִּי בְנֵי־יִשְׂרָאֵל — ל̇[12]
11 מִמִּצְרָיִם׃ 11 וַיֹּאמֶר מֹשֶׁה אֶל־הָאֱלֹהִים מִי אָנֹכִי כִּי אֵלֵךְ אֶל־פַּרְעֹה — כ̇ . ג̇[13] . ל̇א פסוק כי וכי[14]
12 וְכִי אוֹצִיא אֶת־בְּנֵי יִשְׂרָאֵל מִמִּצְרָיִם׃ 12 וַיֹּאמֶר[a] כִּי־אֶהְיֶה עִמָּךְ
וְזֶה־לְּךָ הָאוֹת כִּי אָנֹכִי שְׁלַחְתִּיךָ בְּהוֹצִיאֲךָ אֶת־הָעָם מִמִּצְרַיִם — ב̇
13 תַּעַבְדוּן אֶת־הָאֱלֹהִים עַל הָהָר הַזֶּה׃ 13 וַיֹּאמֶר מֹשֶׁה אֶל־ — ד̇[7] ב̇ מנה בלשון ארמי . ד̇[15] . כ̇
הָאֱלֹהִים הִנֵּה אָנֹכִי בָא אֶל־בְּנֵי יִשְׂרָאֵל וְאָמַרְתִּי לָהֶם אֱלֹהֵי
אֲבוֹתֵיכֶם שְׁלָחַנִי אֲלֵיכֶם וְאָמְרוּ־לִי מַה־שְּׁמוֹ מָה אֹמַר אֲלֵהֶם׃ — ז̇[16] מל ול̇[17] בתור וכל יהושע מלכים ירמיה יחזק וכתיב̇ דכות ב̇ מ̇ ח̇ . ב̇ . ב̇[18]
14 וַיֹּאמֶר אֱלֹהִים אֶל־מֹשֶׁה [a]אֶהְיֶה אֲשֶׁר אֶהְיֶה[a] וַיֹּאמֶר כֹּה תֹאמַר — כה̇[19] . ל̇
15 לִבְנֵי[b] יִשְׂרָאֵל אֶהְיֶה[c] שְׁלָחַנִי אֲלֵיכֶם׃ 15 וַיֹּאמֶר עוֹד אֱלֹהִים
אֶל־מֹשֶׁה כֹּה־תֹאמַר אֶל־בְּנֵי יִשְׂרָאֵל יְהוָה אֱלֹהֵי אֲבֹתֵיכֶם אֱלֹהֵי
אַבְרָהָם אֱלֹהֵי[a] יִצְחָק וֵאלֹהֵי יַעֲקֹב שְׁלָחַנִי אֲלֵיכֶם זֶה־שְּׁמִי לְעֹלָם — י̇ח[20] חס̇ י̇ מנה בתור
16 וְזֶה זִכְרִי לְדֹר דֹּר[b]׃ 16 לֵךְ וְאָסַפְתָּ אֶת־זִקְנֵי[a] יִשְׂרָאֵל וְאָמַרְתָּ אֲלֵהֶם

[7] Mp sub loco. [8] Mm 3147. [9] Hi 3,10. [10] Mm 192. [11] Okhl 274. [12] Mm 802. [13] Mm 386. [14] Mm 2059. [15] Mm 1342. [16] Mm 1586. [17] Mm 387. [18] Jos 7,8. [19] Mm 5. [20] Mm 25.

4 [a] ⅏ אלהים ‖ [b] 𝔊 *κύριος*; > 𝔙 ‖ **5** [a] mlt Mss ⅏^Mss 𝔊𝔙 נַעַלְךָ ‖ [b] ℭ mlt Mss ⅏^Mss רַגְלְךָ ‖ **6** [a] ⅏𝔊^58.72 et Act 7,32 Just אֲבֹתֶיךָ ‖ [b] pc Mss ⅏𝔊 וֵאלֹהֵי cf 15[a].16[b] 4,5[b] ‖ **7** [a] ⅏𝔙 בוֹ–, 𝔊𝔖𝔗^J suff pl ‖ **8** [a] ⅏ וָאֵרְדָה ‖ [b] nonn Mss ⅏𝔊^106 ה׳ ‖ [c] ⅏𝔊 + והגרגשי, it 17[c] ‖ **10** [a] ⅏𝔊𝔙 אתָ– ‖ **12** [a] 𝔊* + *ὁ θεός* (𝔊^min *κύριος*) *Μωυσεῖ λέγων*, 𝔖 + *lh 'lh'* cf 𝔙 ‖ **14** [a–a] 𝔊 *ἐγώ εἰμι ὁ ὤν* ‖ [b] mlt Mss ⅏ אֶל־ב׳ ‖ [c] 𝔊 *ὁ ὤν* ‖ **15** [a] ⅏𝔊 וֵאלֹהֵי ‖ [b] ⅏ וָדֹר ‖ **16** [a] ⅏𝔊*𝔖 + בְּנֵי.

יְהוָ֞ה אֱלֹהֵ֤י אֲבֹתֵיכֶם֙ נִרְאָ֣ה אֵלַ֔י אֱלֹהֵ֧י אַבְרָהָ֛ם [b]יִצְחָ֥ק[c] וְיַעֲקֹ֖ב[b] לֵאמֹ֑ר
17 פָּקֹ֤ד פָּקַ֙דְתִּי֙ אֶתְכֶ֔ם וְאֶת־הֶעָשׂ֥וּי לָכֶ֖ם בְּמִצְרָֽיִם׃ 17 וָאֹמַ֗ר[a] אַעֲלֶ֣ה
אֶתְכֶם֮ מֵעֳנִ֣י מִצְרַיִם֒ אֶל־אֶ֤רֶץ הַֽכְּנַעֲנִי֙ וְהַ֣חִתִּ֔י[b] וְהָֽאֱמֹרִי֙ וְהַפְּרִזִּ֔י[c]
18 וְהַחִוִּ֖י וְהַיְבוּסִ֑י אֶל־אֶ֛רֶץ זָבַ֥ת חָלָ֖ב וּדְבָֽשׁ׃ 18 וְשָֽׁמְע֖וּ לְקֹלֶ֑ךָ וּבָאתָ֡
אַתָּה֩ וְזִקְנֵ֨י יִשְׂרָאֵ֜ל אֶל־מֶ֣לֶךְ מִצְרַ֗יִם וַאֲמַרְתֶּ֤ם[a] אֵלָיו֙ יְהוָ֞ה אֱלֹהֵ֤י
הָֽעִבְרִיִּים֙ נִקְרָ֣ה[b] עָלֵ֔ינוּ וְעַתָּ֗ה[c] נֵֽלְכָה־נָּ֞א דֶּ֣רֶךְ שְׁלֹ֤שֶׁת יָמִים֙ בַּמִּדְבָּ֔ר
19 וְנִזְבְּחָ֖ה לַיהוָ֥ה אֱלֹהֵֽינוּ׃ 19 וַאֲנִ֣י יָדַ֔עְתִּי כִּ֠י לֹֽא־יִתֵּ֥ן אֶתְכֶ֛ם מֶ֥לֶךְ
20 מִצְרַ֖יִם לַהֲלֹ֑ךְ וְלֹ֖א[a] בְּיָ֥ד חֲזָקָֽה׃ 20 וְשָׁלַחְתִּ֣י אֶת־יָדִי֒ וְהִכֵּיתִ֣י אֶת־
מִצְרַ֔יִם בְּכֹל֙ נִפְלְאֹתַ֔י אֲשֶׁ֥ר אֶעֱשֶׂ֖ה בְּקִרְבּ֑וֹ וְאַחֲרֵי־כֵ֖ן יְשַׁלַּ֥ח אֶתְכֶֽם׃
21 וְנָתַתִּ֛י אֶת־חֵ֥ן הָֽעָם־הַזֶּ֖ה בְּעֵינֵ֣י מִצְרָ֑יִם וְהָיָה֙ כִּ֣י תֵֽלֵכ֔וּן לֹ֥א תֵלְכ֖וּ 21
22 רֵיקָֽם׃ 22 [a]וְשָׁאֲלָ֨ה אִשָּׁ֤ה מִשְּׁכֶנְתָּהּ֙[a] וּמִגָּרַ֣ת בֵּיתָ֔הּ כְּלֵי־כֶ֛סֶף וּכְלֵ֥י זָהָ֖ב
וּשְׂמָלֹ֑ת וְשַׂמְתֶּ֗ם עַל־בְּנֵיכֶם֙ וְעַל־בְּנֹ֣תֵיכֶ֔ם וְנִצַּלְתֶּ֖ם אֶת־מִצְרָֽיִם׃
4 1 וַיַּ֤עַן מֹשֶׁה֙ וַיֹּ֔אמֶר וְהֵן֙ לֹא־יַאֲמִ֣ינוּ לִ֔י וְלֹ֥א יִשְׁמְע֖וּ בְּקֹלִ֑י כִּ֣י יֹֽאמְר֔וּ **4**
2 לֹֽא־נִרְאָ֥ה אֵלֶ֖יךָ יְהוָֽה׃[a] 2 וַיֹּ֧אמֶר אֵלָ֛יו יְהוָ֖ה מַזֶּ֣ה[a] בְיָדֶ֑ךָ וַיֹּ֖אמֶר
3 מַטֶּֽה׃ 3 וַיֹּ֙אמֶר֙ הַשְׁלִיכֵ֣הוּ אַ֔רְצָה וַיַּשְׁלִיכֵ֥הוּ אַ֖רְצָה וַיְהִ֣י לְנָחָ֑שׁ וַיָּ֥נָס
4 מֹשֶׁ֖ה מִפָּנָֽיו׃ 4 וַיֹּ֤אמֶר יְהוָה֙ אֶל־מֹשֶׁ֔ה שְׁלַח֙ יָֽדְךָ֔ וֶאֱחֹ֖ז בִּזְנָב֑וֹ וַיִּשְׁלַ֤ח
5 יָדוֹ֙ וַיַּ֣חֲזֶק בּ֔וֹ וַיְהִ֥י לְמַטֶּ֖ה בְּכַפּֽוֹ׃ 5 לְמַ֣עַן יַאֲמִ֔ינוּ כִּֽי־נִרְאָ֥ה אֵלֶ֛יךָ
יְהוָ֖ה[a] אֱלֹהֵ֣י אֲבֹתָ֑ם אֱלֹהֵ֧י אַבְרָהָ֛ם אֱלֹהֵ֥י[b] יִצְחָ֖ק וֵאלֹהֵ֥י יַעֲקֹֽב׃
6 6 וַיֹּאמֶר֩ יְהוָ֨ה ל֜וֹ ע֗וֹד הָֽבֵא־נָ֤א יָֽדְךָ֙ בְּחֵיקֶ֔ךָ וַיָּבֵ֥א יָד֖וֹ בְּחֵיק֑וֹ
7 וַיּֽוֹצִאָ֔הּ[a] וְהִנֵּ֥ה יָד֖וֹ מְצֹרַ֥עַת[b] כַּשָּֽׁלֶג׃ 7 וַיֹּ֗אמֶר[a] הָשֵׁ֤ב יָֽדְךָ֙ אֶל־חֵיקֶ֔ךָ
8 וַיָּ֥שֶׁב יָד֖וֹ אֶל־חֵיק֑וֹ וַיּֽוֹצִאָהּ֙ מֵֽחֵיק֔וֹ וְהִנֵּה־שָׁ֖בָה כִּבְשָׂרֽוֹ׃ 8 וְהָיָה֙
אִם־לֹ֣א יַאֲמִ֣ינוּ לָ֔ךְ וְלֹ֣א יִשְׁמְע֔וּ לְקֹ֖ל הָאֹ֣ת הָרִאשׁ֑וֹן וְהֶֽאֱמִ֔ינוּ לְקֹ֖ל
9 הָאֹ֥ת הָאַחֲרֽוֹן׃ 9 וְהָיָ֡ה אִם־לֹ֣א יַאֲמִ֡ינוּ גַּ֠ם לִשְׁנֵ֨י הָאֹת֜וֹת הָאֵ֗לֶּה וְלֹ֤א

ב̇[21] . יה̇[22]
ה̇ וחס[23] . ב̇[24] . ח̇ פת̇[25]
סימן כ̇ ת̇ מ̇ פ̇ ו̇ ט̇[26]
ב̇ בתור̇ . יו̇ שמיעה לקול[27] . ב̇ חס̇ . ו̇ בטע̇[28]
ל̇ . ל̇ כת̇ ה
ט̇ . סז̇ ר״פ
ד̇ וחס[29] . ד̇
ל̇ חס̇ . יב̇[30]
ב̇[31] . לג̇ בתור̇
ל̇ . ל̇
ל̇ . ל̇
ה̇[1] . יו̇ מ״פ לא ולא . לא̇[2] . ד̇[3] . כל אורית̇ חס̇ ב̇ מ̇ א̇ מל̇[4]
ל̇ . מה זה ק̇ חד מן ה̇[5] כת̇ מילה חדה וקר̇ תרי
ב̇ מל̇ . ב̇ מל̇
כג̇ . ב̇[6] . ל̇
ל̇ בטע̇[7]
ד̇[8]
ג̇ ב̇ חס̇ וחד̇ מל̇[9] . נא̇[10] יח̇ מנה̇ בתור̇
ב̇ חס̇
ל̇ . כה̇ . ב̇ חס̇ . ל̇ . ל̇
ד̇[3] . יו̇ שמיעה לקול[11] . ב̇ חס̇ ובפסוק . ג̇ חס̇ . סד̇ . ב̇ חס̇ ובפסוק
ג̇ חס̇ ב̇ מנה̇ בפסוק . ב̇ מל̇ בתור̇

[21] Mm 2123. [22] Mm 247. [23] Mm 388. [24] Ex 38,24. [25] Mm 389. [26] Okhl 274. [27] Mm 23. [28] Mm 50. [29] Mm 3547. [30] Mm 440. [31] Jes 52,12. **Cp 4** [1] Mm 3791. [2] Mm 1613. [3] Mm 390. [4] Mm 153. [5] Mm 214. [6] 2 S 2,21. [7] Mp sub loco. [8] Mm 1218. [9] Mm 322. [10] Mm 639. [11] Mm 23.

16 b–b 𝔊 *καὶ θεὸς Ισαακ καὶ θεὸς Ιακωβ* cf 𝔙 ‖ c ш𝔖 וְי׳ ‖ **17** a 𝔊* 3sg ‖ b ш ה׳ ‖ c cf 8c ‖ **18** a 2 Mss 𝔊𝔙 וְאָמַרְתָּ ‖ b ш𝔊𝔖𝔗J𝔙 נקרא ut 5,3 ‖ c > ш𝔊𝔙 ‖ **19** a ш הלוא; 𝔊(𝔙) *ἐὰν μή*, 1 אִם לֹא? ‖ **22** a–a ш וְשָׁאַל אִישׁ מֵאֵת רֵעֵהוּ וְאִשָּׁה מֵאֵת רְעוּתָהּ ‖ **Cp 4,1** a 𝔊* *ὁ θεός, τί ἐρῶ πρὸς αὐτούς* cf 3,13 ‖ **2** a ш מַה זֶּה ‖ **5** a > 𝔊* ‖ b ut 3,6b ‖ **6** a pc Mss ш𝔊 + מֵחֵיקוֹ cf 7 ‖ b > 𝔊* ‖ **7** a 𝔖 + *lh mrj'*.

יִשְׁמְעוּן לְקֹלֶךָ וְלָקַחְתָּ מִמֵּימֵי הַיְאֹר וְשָׁפַכְתָּ הַיַּבָּשָׁה וְהָיוּ הַמַּיִם | ה֯[12]. יז שמיעה לקול[13]. ב חס
10 אֲשֶׁר תִּקַּח מִן־הַיְאֹר וְהָיוּ[a] לְדָם בַּיַּבָּשֶׁת׃ 10 וַיֹּאמֶר מֹשֶׁה אֶל־יְהוָה | ל. ה
בִּי אֲדֹנָי לֹא אִישׁ דְּבָרִים אָנֹכִי גַּם מִתְּמוֹל גַּם מִשִּׁלְשֹׁם גַּם מֵאָז דַּבֶּרְךָ[a] | ה֯[14]. ה֯[15] בטע וכל זקף אתנח וס״פ דכות ב מ א. יב פסוק גם גם גם
11 אֶל־עַבְדֶּךָ כִּי כְבַד־פֶּה וּכְבַד לָשׁוֹן אָנֹכִי׃ 11 וַיֹּאמֶר יְהוָה אֵלָיו מִי | ל. ל. יז[16]. יב בטע בסיפ[17]. ו ר״פ[18]
שָׂם פֶּה לָאָדָם אוֹ מִי־יָשׂוּם[a] אִלֵּם אוֹ חֵרֵשׁ אוֹ פִקֵּחַ אוֹ עִוֵּר הֲלֹא | ה֯[19] וכל קהלת דכות ב מ א
12 אָנֹכִי יְהוָה[b]׃ 12 וְעַתָּה לֵךְ וְאָנֹכִי אֶהְיֶה עִם־פִּיךָ וְהוֹרֵיתִיךָ אֲשֶׁר | יב. ל ומל[20]
13 14 תְּדַבֵּר׃ 13 וַיֹּאמֶר בִּי אֲדֹנָי שְׁלַח־נָא בְּיַד־תִּשְׁלָח׃ 14 וַיִּחַר־ | ה֯[14]
אַף יְהוָה בְּמֹשֶׁה וַיֹּאמֶר הֲלֹא אַהֲרֹן אָחִיךָ הַלֵּוִי יָדַעְתִּי כִּי־דַבֵּר
יְדַבֵּר הוּא וְגַם הִנֵּה־הוּא יֹצֵא לִקְרָאתֶךָ וְרָאֲךָ וְשָׂמַח בְּלִבּוֹ[a]׃ | ד[21]. ב[22]
15 15 וְדִבַּרְתָּ אֵלָיו וְשַׂמְתָּ אֶת־הַדְּבָרִים בְּפִיו וְאָנֹכִי אֶהְיֶה עִם־פִּיךָ | ד[23]
16 וְעִם־פִּיהוּ וְהוֹרֵיתִי אֶתְכֶם אֵת אֲשֶׁר תַּעֲשׂוּן׃ 16 וְדִבֶּר־הוּא לְךָ אֶל־ | כב. ב. יד[24]
17 הָעָם וְהָיָה הוּא יִהְיֶה־לְּךָ לְפֶה וְאַתָּה תִּהְיֶה־לּוֹ לֵאלֹהִים׃ 17 וְאֶת־ | ל
הַמַּטֶּה הַזֶּה תִּקַּח בְּיָדֶךָ אֲשֶׁר תַּעֲשֶׂה־בּוֹ אֶת־הָאֹתֹת׃ פ
ס [ד] 18 וַיֵּלֶךְ מֹשֶׁה וַיָּשָׁב ׀ אֶל־יֶתֶר[a] חֹתְנוֹ וַיֹּאמֶר לוֹ אֵלְכָה נָּא וְאָשׁוּבָה | ב[25]
אֶל־אַחַי אֲשֶׁר־בְּמִצְרַיִם וְאֶרְאֶה הַעוֹדָם חַיִּים וַיֹּאמֶר יִתְרוֹ לְמֹשֶׁה | ה֯[26]. יז
19 לֵךְ לְשָׁלוֹם׃ 19 וַיֹּאמֶר יְהוָה אֶל־מֹשֶׁה בְּמִדְיָן לֵךְ שֻׁב מִצְרָיִם[a] כִּי־ | ב חס
20 מֵתוּ כָּל־הָאֲנָשִׁים הַמְבַקְשִׁים אֶת־נַפְשֶׁךָ׃ 20 וַיִּקַּח מֹשֶׁה אֶת־אִשְׁתּוֹ
וְאֶת־בָּנָיו וַיַּרְכִּבֵם עַל־הַחֲמֹר וַיָּשָׁב אַרְצָה מִצְרָיִם וַיִּקַּח מֹשֶׁה אֶת־ | ל וחס. ד חס בתור[27]. ל
21 מַטֵּה הָאֱלֹהִים בְּיָדוֹ׃ 21 וַיֹּאמֶר יְהוָה אֶל־מֹשֶׁה בְּלֶכְתְּךָ לָשׁוּב | ב. ד בטע בסיפ[28]
מִצְרַיְמָה רְאֵה כָּל־הַמֹּפְתִים אֲשֶׁר־שַׂמְתִּי בְיָדֶךָ וַעֲשִׂיתָם לִפְנֵי פַרְעֹה | כה[29]. ל[30]
22 וַאֲנִי אֲחַזֵּק אֶת־לִבּוֹ וְלֹא יְשַׁלַּח אֶת־הָעָם׃ 22 וְאָמַרְתָּ אֶל־פַּרְעֹה כֹּה | יב[31]
23 אָמַר יְהוָה בְּנִי בְכֹרִי יִשְׂרָאֵל׃ 23 וָאֹמַר אֵלֶיךָ שַׁלַּח אֶת־בְּנִי[a] וְיַעַבְדֵנִי | ל
וַתְּמָאֵן לְשַׁלְּחוֹ הִנֵּה אָנֹכִי הֹרֵג אֶת־בִּנְךָ בְּכֹרֶךָ׃ | ב וחס
24 וַיְהִי[a] בַדֶּרֶךְ בַּמָּלוֹן וַיִּפְגְּשֵׁהוּ יְהוָה[b] וַיְבַקֵּשׁ הֲמִיתוֹ׃ 25 וַתִּקַּח צִפֹּרָה | ב. ג

[12] Mm 1060. [13] Mm 23. [14] Mm 392. [15] Mm 1571. [16] Mm 3615. [17] Mm 439. [18] Mm 1931. [19] Mm 391. [20] וחד הריתיך Prv 4,11. [21] Mm 2072. [22] Mm 3375. [23] Mm 426. [24] Mm 393. [25] Mm 2618 et Mm 3211. [26] Mm 394. [27] Mm 458. [28] Mm 395. [29] Mm 84. [30] וחד עשיתם Neh 9,31. [31] Mm 440.

9 [a] 𝔐𝔖𝔗[Ms] יִהְיוּ ‖ **10** [a] sic L, mlt Mss Edd ךָ– ‖ **11** [a] 𝔐 ישים ‖ [b] 𝔊[B min] *ὁ θεός*, 𝔊[Mss] *κύριος ὁ θεός* ‖ **14** [a] 𝔐 בִּלְבָבוֹ ‖ **18** [a] Ms 𝔐𝔖𝔗[J] יִתְרוֹ, 𝔊 *Ιοθορ* ‖ **19** [a] pc Mss 𝔐 –מָה ‖ **23** [a] 𝔊 *τὸν λαόν μου* cf 5,1 ‖ **24** [a] 𝔖 + *mwš'* ‖ [b] 𝔊*(𝔗𝔗[J]) *ἄγγελος κυρίου*; 𝔊[Mss] *ἄγγελος* cf 3,2; α' *ὁ θεός*.

צֹר וַתִּכְרֹת אֶת־עָרְלַת בְּנָהּ וַתַּגַּע לְרַגְלָיו וַתֹּאמֶר [a]כִּי חֲתַן־דָּמִים
26 אַתָּה לִי[a]׃ 26 וַיִּרֶף מִמֶּנּוּ[a] אָז אָמְרָה [b]חֲתַן דָּמִים לַמּוּלֹת[b]׃ פ
27 27 וַיֹּאמֶר יְהוָה אֶל־אַהֲרֹן לֵךְ לִקְרַאת מֹשֶׁה הַמִּדְבָּרָה וַיֵּלֶךְ
28 וַיִּפְגְּשֵׁהוּ בְּהַר הָאֱלֹהִים וַיִּשַּׁק־לוֹ׃ 28 וַיַּגֵּד מֹשֶׁה לְאַהֲרֹן אֵת כָּל־
29 דִּבְרֵי יְהוָה אֲשֶׁר שְׁלָחוֹ וְאֵת כָּל־הָאֹתֹת אֲשֶׁר צִוָּהוּ[a]׃ 29 וַיֵּלֶךְ[a] מֹשֶׁה
30 וְאַהֲרֹן וַיַּאַסְפוּ אֶת־כָּל־זִקְנֵי בְּנֵי יִשְׂרָאֵל׃ 30 וַיְדַבֵּר אַהֲרֹן אֵת כָּל־
הַדְּבָרִים אֲשֶׁר־דִּבֶּר יְהוָה אֶל־מֹשֶׁה וַיַּעַשׂ הָאֹתֹת לְעֵינֵי הָעָם׃
31 31 וַיַּאֲמֵן[a] הָעָם וַיִּשְׁמְעוּ[b] כִּי־פָקַד יְהוָה אֶת־בְּנֵי יִשְׂרָאֵל וְכִי רָאָה
אֶת־עָנְיָם וַיִּקְּדוּ וַיִּשְׁתַּחֲוּוּ[c]׃
5 **5** 1 וְאַחַר בָּאוּ מֹשֶׁה וְאַהֲרֹן וַיֹּאמְרוּ אֶל־פַּרְעֹה כֹּה־אָמַר יְהוָה
2 אֱלֹהֵי יִשְׂרָאֵל שַׁלַּח אֶת־עַמִּי וְיָחֹגּוּ לִי בַּמִּדְבָּר׃ 2 וַיֹּאמֶר פַּרְעֹה מִי
יְהוָה[a] אֲשֶׁר אֶשְׁמַע בְּקֹלוֹ לְשַׁלַּח אֶת־יִשְׂרָאֵל לֹא יָדַעְתִּי אֶת־יְהוָה
3 וְגַם אֶת־יִשְׂרָאֵל לֹא אֲשַׁלֵּחַ׃ 3 וַיֹּאמְרוּ אֱלֹהֵי[a] הָעִבְרִים נִקְרָא עָלֵינוּ
נֵלֲכָה נָּא דֶּרֶךְ שְׁלֹשֶׁת יָמִים בַּמִּדְבָּר וְנִזְבְּחָה [b]לַיהוָה אֱלֹהֵינוּ[b] פֶּן־
4 יִפְגָּעֵנוּ בַּדֶּבֶר אוֹ בֶחָרֶב׃ 4 וַיֹּאמֶר אֲלֵהֶם מֶלֶךְ מִצְרַיִם לָמָּה מֹשֶׁה
5 וְאַהֲרֹן תַּפְרִיעוּ[a] אֶת־הָעָם מִמַּעֲשָׂיו לְכוּ לְסִבְלֹתֵיכֶם׃ 5 וַיֹּאמֶר
6 פַּרְעֹה הֵן־רַבִּים עַתָּה עַם[a] הָאָרֶץ וְהִשְׁבַּתֶּם אֹתָם מִסִּבְלֹתָם׃ 6 וַיְצַו
7 פַּרְעֹה בַּיּוֹם הַהוּא אֶת־הַנֹּגְשִׂים בָּעָם וְאֶת־שֹׁטְרָיו לֵאמֹר׃ 7 לֹא
תֹאסִפוּן[a] לָתֵת תֶּבֶן לָעָם לִלְבֹּן הַלְּבֵנִים כִּתְמוֹל שִׁלְשֹׁם הֵם יֵלְכוּ
8 וְקֹשְׁשׁוּ[b] לָהֶם תֶּבֶן׃ 8 וְאֶת־מַתְכֹּנֶת הַלְּבֵנִים אֲשֶׁר הֵם עֹשִׂים תְּמוֹל
שִׁלְשֹׁם תָּשִׂימוּ עֲלֵיהֶם לֹא תִגְרְעוּ מִמֶּנּוּ כִּי־נִרְפִּים הֵם עַל־כֵּן הֵם
9 צֹעֲקִים לֵאמֹר נֵלְכָה נִזְבְּחָה[a] לֵאלֹהֵינוּ׃ 9 תִּכְבַּד הָעֲבֹדָה עַל־
10 הָאֲנָשִׁים וְיַעֲשׂוּ־[a]בָהּ וְאַל־[b]יִשְׁעוּ בְּדִבְרֵי־שָׁקֶר׃ 10 וַיֵּצְאוּ[a] נֹגְשֵׂי הָעָם

ל̇ . ד̇[32] . ד̇[33]
ד̇[33] . ל̇[34]
ג̇[35] . יב̇[36]
ב̇
ל̇[37] . כט̇ בתור̇
ל̇[38] . יג̇ חס̇ האלה[39]
ב̇ בתור̇[40]
ב̇[41] . ל̇א פסוק כי וכי[42]
כט̇ בתור̇ . כד̇ ב̇ מנה̇ בתור̇[1]
ג̇ בטע̇ . ב̇
ט̇[1] . ה̇[2]
ט̇
ל̇ . כט̇ בתור̇[1]
ל̇ ומל̇ . ג̇ בטע̇
ב̇
ד̇[3] בליש וחד מן מ̇ח̇[4] כת א לא קר̇ . ג̇[5] . ז̇[6]
ל̇ . ג̇[5] . ב̇[7]
ג̇
ב̇ וחס̇[8] . ג̇ זוגין[9] . ב̇ פת̇ . ה̇[10]
ג̇ רפי̇[11] . ב̇[12]

[32] Mm 396. [33] Mm 397. [34] Mp sub loco. [35] Mm 398. [36] Mm 757. [37] Mm 1623. [38] Mm 399. [39] Mm 707. [40] Nu 15,22. [41] 1S 27,12. [42] Mm 2059. **Cp 5** [1] Mp sub loco. [2] Mm 427. [3] Mm 430. [4] Mm 898. [5] Mm 400. [6] Mm 401. [7] Ru 2,11. [8] Gn 4,10. [9] Mm 3268. [10] Mm 2347. [11] Mm 618. [12] Mm 1848.

25 [a–a] 𝔊 alit ∥ **26** [a] 𝔐 מִמֶּנָּה ∥ [b–b] 𝔊 alit ∥ **28** [a] 𝔖𝔗[J] + *lmʿbd* = לַעֲשׂוֹת ∥ **29** [a] 𝔐𝔖 ־ְ־כוּ ∥ **31** [a] 𝔐𝔖 ־מְנוּ ∥ [b] 𝔊 *καὶ ἐχάρη* = וַיִּשְׂמְחוּ ∥ [c] sic L, mlt Mss Edd ־וּ ∥ **Cp 5,2** [a] 𝔊 *ἐστιν* = הוּא; 𝔊[A] + *θεός*; 𝔊[Fc min] + *κύριος* ∥ **3** [a] 𝔖 pr *mrj'* ∥ [b–b] 𝔊* om ∥ **4** [a] 𝔐 תפרידו ∥ **5** [a] 𝔐 מֵעַם ∥ **7** [a] 𝔐 תוסיפון ∥ [b] 𝔐𝔊𝔗[J]𝔙 וַיְקֹ׳ ∥ **8** [a] nonn Mss 𝔊𝔗[Mss]𝔙 וּנְ׳ ∥ **9** [a] l c 𝔐𝔊𝔖 וְיִשְׁעוּ ∥ [b] 𝔐 וְלֹא ∥ **10** [a] 𝔊 *κατέσπευδον δὲ αὐτούς*, l frt וַיָּאֹצוּ cf 13.

וְשֹׁטְרָיו וַיֹּאמְרוּ[b] אֶל־הָעָם לֵאמֹר כֹּה אָמַר פַּרְעֹה אֵינֶנִּי נֹתֵן לָכֶם
11 תֶּבֶן׃ 11 אַתֶּם לְכוּ קְחוּ לָכֶם תֶּבֶן מֵאֲשֶׁר תִּמְצָאוּ כִּי אֵין נִגְרָע ד ר״פ
12 מֵעֲבֹדַתְכֶם דָּבָר׃ 12 וַיָּפֶץ הָעָם בְּכָל־אֶרֶץ מִצְרָיִם לְקֹשֵׁשׁ קַשׁ ג . יח . ל וחס
13 לַתֶּבֶן׃ 13 וְהַנֹּגְשִׂים אָצִים[a] לֵאמֹר כַּלּוּ מַעֲשֵׂיכֶם דְּבַר־יוֹם בְּיוֹמוֹ ב[13] . ל . ל פת
14 כַּאֲשֶׁר בִּהְיוֹת הַתֶּבֶן[b]׃ 14 וַיֻּכּוּ שֹׁטְרֵי בְּנֵי יִשְׂרָאֵל אֲשֶׁר־שָׂמוּ עֲלֵהֶם ל . יג חס בתור[14]
נֹגְשֵׂי פַרְעֹה לֵאמֹר מַדּוּעַ לֹא כִלִּיתֶם חָקְכֶם לִלְבֹּן כִּתְמוֹל שִׁלְשֹׁם ז[15]
15 [a]גַּם־תְּמוֹל[a] גַּם־הַיּוֹם׃ 15 וַיָּבֹאוּ שֹׁטְרֵי בְּנֵי יִשְׂרָאֵל וַיִּצְעֲקוּ אֶל־פַּרְעֹה י פסוק בתור גם גם ומילה חדה ביניה . ד . ב[16] . ז[17]
16 לֵאמֹר לָמָּה תַעֲשֶׂה כֹה לַעֲבָדֶיךָ׃ 16 תֶּבֶן אֵין נִתָּן לַעֲבָדֶיךָ וּלְבֵנִים יד בטע[18] . כא[19] ד[20] מנה קמ
17 אֹמְרִים לָנוּ עֲשׂוּ וְהִנֵּה עֲבָדֶיךָ מֻכִּים וְחָטָאת[a] עַמֶּךָ׃ 17 וַיֹּאמֶר[a] ל וחס
נִרְפִּים אַתֶּם נִרְפִּים עַל־כֵּן אַתֶּם אֹמְרִים נֵלְכָה נִזְבְּחָה לַיהוָה[b]׃ ג . ג . ג זוגין[21]
18 וְעַתָּה לְכוּ עִבְדוּ וְתֶבֶן לֹא־יִנָּתֵן לָכֶם וְתֹכֶן לְבֵנִים[a] תִּתֵּנוּ[b]׃ ב וחס ובתרי לישנ[22] . ג . ג
19 וַיִּרְאוּ שֹׁטְרֵי בְנֵי־יִשְׂרָאֵל אֹתָם בְּרָע לֵאמֹר לֹא־תִגְרְעוּ[a] מִלִּבְנֵיכֶם ה[23] . ל
20 דְּבַר־יוֹם בְּיוֹמוֹ׃ 20 וַיִּפְגְּעוּ אֶת־מֹשֶׁה וְאֶת־אַהֲרֹן נִצָּבִים לִקְרָאתָם
21 בְּצֵאתָם מֵאֵת פַּרְעֹה׃ 21 וַיֹּאמְרוּ אֲלֵהֶם יֵרֶא[a] יְהוָה עֲלֵיכֶם וְיִשְׁפֹּט ב . ה[24] . ד[25] . ל רפי
אֲשֶׁר הִבְאַשְׁתֶּם אֶת־רֵיחֵנוּ בְּעֵינֵי פַרְעֹה וּבְעֵינֵי עֲבָדָיו לָתֶת־חֶרֶב לג בתור . ה זוגין[23] . י
22 בְּיָדָם[b] לְהָרְגֵנוּ׃ 22 וַיָּשָׁב מֹשֶׁה אֶל־יְהוָה וַיֹּאמַר[a] אֲדֹנָי לָמָה הֲרֵעֹתָה צא . ג[26] ול[27] מל ס״ת בליש
23 לָעָם הַזֶּה לָמָּה[b] זֶּה שְׁלַחְתָּנִי׃ 23 וּמֵאָז בָּאתִי אֶל־פַּרְעֹה לְדַבֵּר ל
6 בִּשְׁמֶךָ הֵרַע לָעָם הַזֶּה וְהַצֵּל לֹא־הִצַּלְתָּ אֶת־עַמֶּךָ׃ 6 1 וַיֹּאמֶר ד[28] . ב
יְהוָה אֶל־מֹשֶׁה עַתָּה[a] תִרְאֶה אֲשֶׁר אֶעֱשֶׂה לְפַרְעֹה כִּי בְיָד חֲזָקָה ב
יְשַׁלְּחֵם [b]וּבְיָד חֲזָקָה[b] יְגָרְשֵׁם מֵאַרְצוֹ׃ ס קכד
ס[ה] פרש 2 וַיְדַבֵּר אֱלֹהִים[a] אֶל־מֹשֶׁה וַיֹּאמֶר אֵלָיו אֲנִי יְהוָה׃ 3 וָאֵרָא אֶל־ ג . ל
אַבְרָהָם אֶל[a]־יִצְחָק וְאֶל־יַעֲקֹב [b]בְּאֵל שַׁדָּי[b] וּשְׁמִי יְהוָה לֹא נוֹדַעְתִּי[c] ל . ל
4 לָהֶם׃ 4 וְגַם הֲקִמֹתִי אֶת־בְּרִיתִי אִתָּם לָתֵת לָהֶם אֶת־אֶרֶץ כְּנַעַן אֵת יג ר״פ בתור . ג בטע . לז

[13] Mm 2585. [14] Mm 675. [15] Mm 401. [16] Mm 1642. [17] Mm 402. [18] Mm 3948. [19] Mm 2838. [20] Mm 403. [21] Mm 3268. [22] Mm 4024. [23] Mp sub loco. [24] Mm 404. [25] Mm 405. [26] Mm 406. [27] Mm 1713. [28] Mm 407.

10 [b] ⅏ וַיְדַבְּרוּ || **13** [a] 𝔊 *κατέσπευδον αὐτούς* || [b] ⅏ Vrs + נִתָּן לָכֶם || **14** [a–a] > 𝔊 || **16** [a] 𝔊(𝔖) *ἀδικήσεις οὖν* || **17** [a] 𝔖 + *lhwn prʿwn* || [b] 𝔊(𝔗J) *τῷ θεῷ ἡμῶν* || **18** [a] ⅏ הַל׳ || [b] sic L, mlt Mss Edd תִּתְּנוּ || **19** [a] ⅏ יִגָּרַע || **21** [a] ⅏ יראה || [b] ⅏ בידו cf 𝔊𝔙 || **22** [a] 𝔊 + *δέομαι* = בִּי ut 4,10.13 || [b] mlt Mss ⅏𝔊𝔖𝔗Mss𝔗J וְלָ׳ || **Cp 6,1** [a] ⅏ אתה || [b–b] 𝔊(𝔖) *καὶ ἐν βραχίονι ὑψηλῷ* || **2** [a] ⅏𝔊min 𝔏 Just 𝔖𝔙 יהוה, ℭ אלהים (bis) || **3** [a] ⅏𝔊 𝔖 וְאֶל || [b–b] 𝔊 *θεὸς ὢν αὐτῶν*, 𝔖 *bʾjlšdj ʾlh* || [c] 𝔊(𝔖𝔗𝔙) *ἐδήλωσα*.

ד̇ חד חס וג מל[1] . יג̇ ר״פ בתור — אֶרֶץ מְגֻרֵיהֶם אֲשֶׁר־גָּרוּ בָהּ׃ 5 וְגַם ׀ אֲנִי שָׁמַעְתִּי אֶת־נַאֲקַת[a] בְּנֵי 5
ל̇ וחס . ב̇ ר״פ בתור — יִשְׂרָאֵל אֲשֶׁר מִצְרַיִם מַעֲבִדִים אֹתָם וָאֶזְכֹּר[b] אֶת־בְּרִיתִי׃ 6 לָכֵן[a] 6
ב̇ חד חס וחד מל — אֱמֹר לִבְנֵי־יִשְׂרָאֵל אֲנִי יְהוָה וְהוֹצֵאתִי אֶתְכֶם מִתַּחַת סִבְלֹת מִצְרַיִם
ג̇[2] מל בתור וכל בנ״ך דכות ב̇ מ̇ ג̇ — וְהִצַּלְתִּי אֶתְכֶם מֵעֲבֹדָתָם וְגָאַלְתִּי אֶתְכֶם בִּזְרוֹעַ נְטוּיָה וּבִשְׁפָטִים
גְּדֹלִים׃ 7 וְלָקַחְתִּי אֶתְכֶם לִי לְעָם וְהָיִיתִי לָכֶם לֵאלֹהִים וִידַעְתֶּם 7
י̇ . ב̇ חד מל וחד חס — כִּי אֲנִי יְהוָה אֱלֹהֵיכֶם הַמּוֹצִיא אֶתְכֶם מִתַּחַת סִבְלוֹת מִצְרָיִם׃
יט̇ — 8 וְהֵבֵאתִי אֶתְכֶם אֶל־הָאָרֶץ אֲשֶׁר נָשָׂאתִי אֶת־יָדִי לָתֵת אֹתָהּ 8
ב̇ בתור[3] — לְאַבְרָהָם לְיִצְחָק וּלְיַעֲקֹב וְנָתַתִּי אֹתָהּ לָכֶם מוֹרָשָׁה אֲנִי יְהוָה׃
יא̇ זוגין דמטע בטע[4] . ל̇ — 9 וַיְדַבֵּר מֹשֶׁה כֵּן אֶל־בְּנֵי יִשְׂרָאֵל וְלֹא שָׁמְעוּ אֶל־מֹשֶׁה מִקֹּצֶר רוּחַ 9
ל̇ — וּמֵעֲבֹדָה קָשָׁה׃ פ 10 וַיְדַבֵּר יְהוָה אֶל־מֹשֶׁה לֵּאמֹר׃ 11 בֹּא 10 11
ל̇[5] — דַבֵּר אֶל־פַּרְעֹה מֶלֶךְ מִצְרָיִם וִישַׁלַּח אֶת־בְּנֵי־יִשְׂרָאֵל מֵאַרְצוֹ׃
יא̇ זוגין דמטע בטע[4] — 12 וַיְדַבֵּר מֹשֶׁה לִפְנֵי יְהוָה לֵאמֹר הֵן בְּנֵי־יִשְׂרָאֵל לֹא־שָׁמְעוּ אֵלַי 12
ל̇ . ד̇ בטע בסיפ[6] . יא̇[7] — וְאֵיךְ יִשְׁמָעֵנִי פַרְעֹה וַאֲנִי עֲרַל שְׂפָתָיִם׃ פ 13 וַיְדַבֵּר יְהוָה 13
ד̇[8] — אֶל־מֹשֶׁה וְאֶל־אַהֲרֹן וַיְצַוֵּם [a]אֶל־בְּנֵי יִשְׂרָאֵל וְאֶל[a]־פַּרְעֹה מֶלֶךְ
מִצְרָיִם לְהוֹצִיא אֶת־בְּנֵי־יִשְׂרָאֵל מֵאֶרֶץ מִצְרָיִם׃ ס
עה̇ . ו̇ חס בתור[9] — 14 אֵלֶּה[a] רָאשֵׁי בֵית־אֲבֹתָם בְּנֵי רְאוּבֵן בְּכֹר יִשְׂרָאֵל חֲנוֹךְ וּפַלּוּא 14
חֶצְרֹן וְכַרְמִי אֵלֶּה מִשְׁפְּחֹת רְאוּבֵן׃ 15 וּבְנֵי שִׁמְעוֹן יְמוּאֵל[a] וְיָמִין 15
ב̇ חס — וְאֹהַד וְיָכִין וְצֹחַר[b] וְשָׁאוּל בֶּן־הַכְּנַעֲנִית אֵלֶּה מִשְׁפְּחֹת שִׁמְעוֹן׃
י̇ בתור[6] . ב̇ חס בתור . ב̇ — 16 וְאֵלֶּה שְׁמוֹת בְּנֵי־לֵוִי לְתֹלְדֹתָם גֵּרְשׁוֹן וּקְהָת וּמְרָרִי וּשְׁנֵי חַיֵּי לֵוִי 16
שֶׁבַע וּשְׁלֹשִׁים וּמְאַת שָׁנָה׃ 17 בְּנֵי[a] גֵרְשׁוֹן[b] לִבְנִי וְשִׁמְעִי לְמִשְׁפְּחֹתָם׃ 17
ה̇ פסוק דמיין[10] — 18 וּבְנֵי קְהָת עַמְרָם וְיִצְהָר וְחֶבְרוֹן[a] וְעֻזִּיאֵל וּשְׁנֵי חַיֵּי קְהָת שָׁלֹשׁ[b] 18
וּשְׁלֹשִׁים וּמְאַת שָׁנָה׃ 19 וּבְנֵי מְרָרִי מַחְלִי וּמוּשִׁי אֵלֶּה מִשְׁפְּחֹת הַלֵּוִי 19
ב̇ חס בתור — לְתֹלְדֹתָם׃ 20 וַיִּקַּח עַמְרָם אֶת־יוֹכֶבֶד דֹּדָתוֹ[a] לוֹ לְאִשָּׁה וַתֵּלֶד לוֹ 20
ב̇ — אֶת־אַהֲרֹן וְאֶת־מֹשֶׁה[b] וּשְׁנֵי חַיֵּי עַמְרָם שֶׁבַע[c] וּשְׁלֹשִׁים וּמְאַת שָׁנָה׃

Cp 6 [1]Mm 2859. [2]Mm 408. [3]Mm 1238 ב. [4]Mm 794. [5]Mm 59. [6]Mp sub loco. [7]Mm 852. [8]Mm 409. [9]Mm 410. [10]Okhl 288.

5 [a] ш נקאת ‖ [b] ш וָאֶזְכְּרָה ‖ **6** [a] 𝔊 *βάδιζε* = לְכָה vel לֶךְ־נָא (cf Gn 37,14) ‖ **13** [a–a] 𝔊* om ‖ א׳ ב׳ י״ ן ‖ **14** [a] ш𝔊𝔖 וְא׳ ‖ **15** [a] 𝔊B *Ιεμιηλ* ‖ [b] ш וצהר, 𝔊 *καὶ Σααρ* ‖ **17** [a] ш𝔖 וּבְנֵי; 𝔊 pr *καὶ οὗτοι* ‖ [b] 𝔊* *Γεδσων* ‖ **18** [a] ш𝔊 ח׳ ‖ [b] > 𝔊 ‖ **20** [a] 𝔊 *θυγατέρα τοῦ ἀδελφοῦ τοῦ πατρὸς αὐτοῦ* ‖ [b] Ms ш𝔊 + וְאֵת מִרְיָם אֲחֹתָם cf 𝔖 et Nu 26,59 ‖ [c] ш𝔊A min𝔏 שֵׁשׁ, 𝔊B min 2.

21 וּבְנֵ֖י יִצְהָ֑ר קֹ֥רַח וָנֶ֖פֶג וְזִכְרִֽי׃ 22 וּבְנֵ֖י עֻזִּיאֵ֑ל מִֽישָׁאֵ֥ל[a] וְאֶלְצָפָ֖ן[b] ל̇
23 וְסִתְרִֽי׃ 23 וַיִּקַּ֨ח אַהֲרֹ֜ן אֶת־אֱלִישֶׁ֧בַע בַּת־עַמִּֽינָדָ֛ב אֲח֥וֹת נַחְשׁ֖וֹן ל֣וֹ ל̇ . ד̇ פסוק דמיין את את ואת ואת[11] . ל̇
לְאִשָּׁ֑ה וַתֵּ֣לֶד ל֗וֹ אֶת־נָדָב֙ וְאֶת־אֲבִיה֔וּא אֶת[a]־אֶלְעָזָ֖ר וְאֶת־אִיתָמָֽר׃
24 וּבְנֵ֣י קֹ֔רַח אַסִּ֥יר[a] וְאֶלְקָנָ֖ה וַאֲבִיאָסָ֑ף[b] אֵ֖לֶּה מִשְׁפְּחֹ֥ת הַקָּרְחִֽי׃ כל קריא מל̇ ב̇ מ̇ א̇ . י̇ז מפק א[12]
25 וְאֶלְעָזָ֨ר בֶּֽן־אַהֲרֹ֜ן לָֽקַח־ל֨וֹ מִבְּנ֤וֹת פּֽוּטִיאֵל֙ ל֣וֹ לְאִשָּׁ֔ה וַתֵּ֥לֶד ל֖וֹ ל̇
26 אֶת־פִּֽינְחָ֑ס אֵ֗לֶּה רָאשֵׁ֛י אֲב֥וֹת הַלְוִיִּ֖ם[a] לְמִשְׁפְּחֹתָֽם׃ 26 ה֥וּא אַהֲרֹ֖ן ע̇ה . ה̇ צדיקים בחד ליש[13] . ב̇ בתור
וּמֹשֶׁ֑ה אֲשֶׁ֨ר אָמַ֤ר יְהוָה֙ לָהֶ֔ם הוֹצִ֜יאוּ אֶת־בְּנֵ֧י יִשְׂרָאֵ֛ל מֵאֶ֥רֶץ מִצְרַ֖יִם ג̇[14]
27 עַל־צִבְאֹתָֽם׃ 27 הֵ֗ם הַֽמְדַבְּרִים֙ אֶל־פַּרְעֹ֣ה מֶֽלֶךְ־מִצְרַ֔יִם לְהוֹצִ֥יא
אֶת־בְּנֵי־יִשְׂרָאֵ֖ל מִמִּצְרָ֑יִם[a] ה֥וּא [b]מֹשֶׁ֖ה וְאַהֲרֹֽן[b]׃ ה̇ צדיקים בחד ליש[13] . ל̇ . כט בתור
28 וַיְהִ֗י בְּי֨וֹם דִּבֶּ֧ר יְהוָ֛ה אֶל־מֹשֶׁ֖ה בְּאֶ֥רֶץ מִצְרָֽיִם׃ פ 29 וַיְדַבֵּ֧ר ל̇
יְהוָ֛ה אֶל־מֹשֶׁ֥ה לֵּאמֹ֖ר אֲנִ֣י יְהוָ֑ה דַּבֵּ֗ר אֶל־פַּרְעֹה֙ מֶ֣לֶךְ מִצְרַ֔יִם אֵ֛ת
30 כָּל־אֲשֶׁ֥ר אֲנִ֖י דֹּבֵ֥ר אֵלֶֽיךָ׃ 30 וַיֹּ֥אמֶר מֹשֶׁ֖ה לִפְנֵ֣י יְהוָ֑ה הֵ֤ן אֲנִי֙ עֲרַ֣ל ב̇[15] . ד̇[16]
7 שְׂפָתַ֔יִם וְאֵ֕יךְ [a]יִשְׁמַ֥ע אֵלַ֖י[a] פַּרְעֹֽה׃ פ 7 1 וַיֹּ֤אמֶר יְהוָה֙ אֶל־מֹשֶׁ֔ה
2 רְאֵ֛ה נְתַתִּ֥יךָ אֱלֹהִ֖ים לְפַרְעֹ֑ה וְאַהֲרֹ֥ן אָחִ֖יךָ יִהְיֶ֥ה נְבִיאֶֽךָ׃ 2 אַתָּ֣ה י̇א ר״פ ד̇ מנה בתור
תְדַבֵּ֔ר אֵ֖ת כָּל־אֲשֶׁ֣ר אֲצַוֶּ֑ךָּ וְאַהֲרֹ֤ן אָחִ֙יךָ֙ יְדַבֵּ֣ר אֶל־פַּרְעֹ֔ה וְשִׁלַּ֥ח[a]
3 אֶת־בְּנֵֽי־יִשְׂרָאֵ֖ל מֵאַרְצֽוֹ׃ 3 וַאֲנִ֥י אַקְשֶׁ֖ה אֶת־לֵ֣ב פַּרְעֹ֑ה וְהִרְבֵּיתִ֧י ט̇ז ר״פ
4 אֶת־אֹתֹתַ֛י וְאֶת־מוֹפְתַ֖י בְּאֶ֥רֶץ מִצְרָֽיִם׃ 4 וְלֹֽא־יִשְׁמַ֤ע אֲלֵכֶם֙ פַּרְעֹ֔ה ב̇ מל̇ . ז̇ ר״פ בסיפ̇ . ד̇[1] . ו̇ חס בתור
וְנָתַתִּ֥י אֶת־יָדִ֖י בְּמִצְרָ֑יִם וְהוֹצֵאתִ֨י אֶת־צִבְאֹתַ֜י אֶת־עַמִּ֤י בְנֵֽי־יִשְׂרָאֵל֙ ל̇ וחס
5 [a]מֵאֶ֣רֶץ מִצְרַ֔יִם[a] בִּשְׁפָטִ֖ים[b] גְּדֹלִֽים׃ 5 וְיָדְע֤וּ[a] מִצְרַ֙יִם֙ כִּֽי־אֲנִ֣י יְהוָ֔ה
בִּנְטֹתִ֥י אֶת־יָדִ֖י עַל־מִצְרָ֑יִם וְהוֹצֵאתִ֥י אֶת[b]־בְּנֵֽי־יִשְׂרָאֵ֖ל מִתּוֹכָֽם׃
6 וַיַּ֥עַשׂ מֹשֶׁ֖ה וְאַהֲרֹ֑ן כַּאֲשֶׁ֨ר צִוָּ֧ה יְהוָ֛ה אֹתָ֖ם כֵּ֥ן עָשֽׂוּ׃ 7 וּמֹשֶׁה֙ בֶּן־ כט בתור . ז̇ ר״פ[2]
שְׁמֹנִ֣ים שָׁנָ֔ה וְאַהֲרֹ֕ן בֶּן־שָׁל֥שׁ וּשְׁמֹנִ֖ים שָׁנָ֑ה בְּדַבְּרָ֖ם אֶל־פַּרְעֹֽה׃ פ
ס̇[ו] 8 וַיֹּ֣אמֶר[a] יְהוָ֔ה אֶל־מֹשֶׁ֥ה וְאֶֽל־אַהֲרֹ֖ן לֵאמֹֽר׃ 9 כִּי֩ יְדַבֵּ֨ר אֲלֵכֶ֜ם ה̇ . ו̇ חס בתור
פַּרְעֹה֙ לֵאמֹ֔ר תְּנ֥וּ לָכֶ֖ם[a] מוֹפֵ֑ת וְאָמַרְתָּ֣ אֶֽל־אַהֲרֹ֗ן קַ֧ח אֶֽת־מַטְּךָ֛

[11] Mm 2468. [12] Mm 411. [13] Mm 3908. [14] Mm 2145. [15] Jer 38,20. [16] Mm 412. **Cp 7** [1] Mm 1179. [2] Mm 3363.

22 [a] > 𝔊*𝔏 ‖ [b] ⅏(𝔊)𝔖 ואליצ׳ cf Nu 3,30 al ‖ **23** [a] mlt Mss 𝔊𝔖𝔙 וְאֶת ‖ **24** [a] ⅏ אסור ‖ [b] ⅏ ואביסף cf 1 Ch 6,8.22 9,19 ‖ **25** [a] ⅏ הלוי ‖ **27** [a] pc Mss ⅏𝔊*𝔖 מֵאֶרֶץ מ׳ ‖ [b–b] 𝔊 invers ‖ **30** [a–a] ⅏ Vrs ישמעני ut 12 ‖ **Cp 7,2** [a] ℭ וישלח ‖ **4** [a–a] ℭ מִמְ׳ ‖ [b] ⅏ בְּמִשְׁפָּ׳ ‖ **5** [a] ⅏𝔊 + כל ‖ [b] ⅏ + עַמִּי ‖ **8** [a] ⅏ וַיְדַבֵּר, it 14[a] ‖ **9** [a] 𝔊 *ἡμῖν*, 𝔖 *lj*; ⅏𝔊 + אות או.

10 וְהַשְׁלֵךְ לִפְנֵי־פַרְעֹה יְהִיᵇ לְתַנִּין׃ 10 וַיָּבֹא מֹשֶׁה וְאַהֲרֹן אֶלᵃ־פַּרְעֹה — ח̇ בליש[3]. כט בתור
וַיַּעֲשׂוּᵇ כֵן כַּאֲשֶׁר צִוָּה יְהוָה וַיַּשְׁלֵךְ אַהֲרֹן אֶת־מַטֵּהוּ לִפְנֵי פַרְעֹה
11 וְלִפְנֵי עֲבָדָיו וַיְהִי לְתַנִּין׃ 11 וַיִּקְרָא גַּם־פַּרְעֹה לַחֲכָמִים וְלַמְכַשְּׁפִים — ל̇. ח̇ בליש[3]. ב̇[4]
12 וַיַּעֲשׂוּ גַם־הֵם חַרְטֻמֵּי מִצְרַיִם בְּלַהֲטֵיהֶם כֵּן׃ 12 וַיַּשְׁלִיכוּ אִישׁ מַטֵּהוּ — ד̇[5] מל וכל כתיב דכות ב מ א
13 וַיִּהְיוּ לְתַנִּינִם וַיִּבְלַע מַטֵּה־אַהֲרֹן אֶת־מַטֹּתָם׃ 13 וַיֶּחֱזַק לֵב פַּרְעֹה — ג̇ חס בתור[6]. ב̇ חד חס וחד מל. ה̇[7]
וְלֹא שָׁמַע אֲלֵהֶם כַּאֲשֶׁר דִּבֶּר יְהוָה׃ פ
14 וַיֹּאמֶרᵃ יְהוָה אֶל־מֹשֶׁה כָּבֵד לֵב פַּרְעֹה מֵאֵן לְשַׁלַּח הָעָם׃ 14
15 לֵךְ אֶל־פַּרְעֹה בַּבֹּקֶר הִנֵּהᵃ יֹצֵא הַמַּיְמָה וְנִצַּבְתָּ לִקְרָאתוֹ עַל־ 15 — ב̇[8]
16 שְׂפַת הַיְאֹר וְהַמַּטֶּה אֲשֶׁר־נֶהְפַּךְ לְנָחָשׁ תִּקַּח בְּיָדֶךָ׃ 16 וְאָמַרְתָּ אֵלָיו
יְהוָה אֱלֹהֵי הָעִבְרִים שְׁלָחַנִי אֵלֶיךָ לֵאמֹר שַׁלַּח אֶת־עַמִּי וְיַעַבְדֻנִי — ה̇[9]
17 בַּמִּדְבָּר וְהִנֵּה לֹא־שָׁמַעְתָּ עַד־כֹּה׃ 17 כֹּה אָמַר יְהוָה בְּזֹאת תֵּדַע כִּי — ל̇ ס״פ
אֲנִי יְהוָה הִנֵּה אָנֹכִי מַכֶּה ׀ בַּמַּטֶּה אֲשֶׁר־בְּיָדִי עַל־הַמַּיִם אֲשֶׁר בַּיְאֹר — ה̇[10]. ד̇ וכל תלים דכות[11]
18 וְנֶהֶפְכוּ לְדָם׃ 18 וְהַדָּגָה אֲשֶׁר־בַּיְאֹר תָּמוּת וּבָאַשׁ הַיְאֹר וְנִלְאוּ — ג̇. ב̇
19 מִצְרַיִם לִשְׁתּוֹת מַיִם מִן־הַיְאֹרᵃ׃ ס 19 וַיֹּאמֶר יְהוָה אֶל־מֹשֶׁה — יב̇ בטע בסיפ[12]
אֱמֹר אֶל־אַהֲרֹן קַח מַטְּךָ וּנְטֵה־יָדְךָ עַל־מֵימֵי מִצְרַיִם עַלᵃ־נַהֲרֹתָם ׀ — יז̇ חס את. ד̇ חס[8]
עַל־ᵇיְאֹרֵיהֶם וְעַל־אַגְמֵיהֶם וְעַל כָּל־מִקְוֵה מֵימֵיהֶם וְיִהְיוּ־דָם ᶜוְהָיָה — יא̇ רפי[13]
20 דָּםᶜ בְּכָל־אֶרֶץ מִצְרַיִם וּבָעֵצִים וּבָאֲבָנִים׃ 20 וַיַּעֲשׂוּ־כֵן מֹשֶׁה וְאַהֲרֹן — יח̇. כט בתור
כַּאֲשֶׁר ׀ צִוָּה יְהוָה וַיָּרֶם בַּמַּטֶּהᵃ וַיַּךְ אֶת־הַמַּיִם אֲשֶׁר בַּיְאֹר לְעֵינֵי — ח̇ דגש[14]
21 פַרְעֹה וּלְעֵינֵי עֲבָדָיו וַיֵּהָפְכוּ כָּל־הַמַּיִם אֲשֶׁר־בַּיְאֹר לְדָם׃ 21 וְהַדָּגָה — ד̇[15]. ב̇
אֲשֶׁר־בַּיְאֹר מֵתָה וַיִּבְאַשׁ הַיְאֹר וְלֹא־יָכְלוּ מִצְרַיִם לִשְׁתּוֹת מַיִם מִן־
22 הַיְאֹר וַיְהִי הַדָּם בְּכָל־אֶרֶץ מִצְרָיִם׃ 22 וַיַּעֲשׂוּ־כֵן חַרְטֻמֵּי מִצְרַיִם — יח̇
בְּלָטֵיהֶםᵃ וַיֶּחֱזַק לֵב־פַּרְעֹה וְלֹא־שָׁמַע אֲלֵהֶם כַּאֲשֶׁר דִּבֶּר יְהוָה׃ — ג̇. ה̇[7]
23 24 23 וַיִּפֶן פַּרְעֹה וַיָּבֹא אֶל־בֵּיתוֹ וְלֹא־שָׁת לִבּוֹ גַּם־לָזֹאת׃ 24 וַיַּחְפְּרוּ — ד̇ קמ[16]. ג̇[17]
כָל־מִצְרַיִם סְבִיבֹת הַיְאֹר מַיִם לִשְׁתּוֹת כִּי לֹא יָכְלוּ לִשְׁתֹּת מִמֵּימֵי — ד̇ חס
25 הַיְאֹר׃ 25 וַיִּמָּלֵאᵃ שִׁבְעַת יָמִים אַחֲרֵי הַכּוֹת־יְהוָה אֶת־הַיְאֹר׃ פ — ו̇[18]

[3] Mm 413. [4] Mm 414. [5] Mm 415. [6] Mm 8. [7] Mm 432. [8] Mp sub loco. [9] Mm 427. [10] Mm 416. [11] Mm 741. [12] Mm 439. [13] Mm 417. [14] Mm 1573. [15] Mm 977. [16] Mm 3014. [17] Mm 418. [18] Mm 1907.

9 ᵇ 𝔐𝔊𝔖𝔙 ויהי cf 10 ‖ **10** ᵃ 𝔐𝔊 לפני cf 9 ‖ ᵇ sic L, mlt Mss Edd וַיַּעֲשׂוּ ‖ **14** ᵃ cf 8ᵃ ‖ **15** ᵃ 𝔐𝔊 + הוּא ‖ **18** ᵃ 𝔐 + add ‖ **19** ᵃ 𝔊𝔙 pr cop ‖ ᵇ mlt Mss 𝔐𝔊𝔖𝔗𝔙 וְעַל ‖ ᶜ⁻ᶜ 𝔐 וַיְהִי הַדָּם ‖ **20** ᵃ 𝔐𝔊 בְּמַטֵּהוּ cf 𝔖 ‖ **22** ᵃ 𝔐 בְּלַהֲטֵיהֶם, it 8,3ᵃ.14ᵃ ‖ **25** ᵃ 𝔐 Vrs ־אוּ.

26 וַיֹּאמֶר יְהוָה אֶל־מֹשֶׁה בֹּא אֶל־פַּרְעֹה וְאָמַרְתָּ[a] אֵלָיו כֹּה אָמַר
27 יְהוָה שַׁלַּח אֶת־עַמִּי וְיַעַבְדֻנִי׃ 27 וְאִם־מָאֵן אַתָּה לְשַׁלֵּחַ הִנֵּה אָנֹכִי ב
28 נֹגֵף אֶת־כָּל־גְּבוּלְךָ בַּצְפַרְדְּעִים׃ 28 וְשָׁרַץ הַיְאֹר צְפַרְדְּעִים וְעָלוּ ג[19] ול בליש
וּבָאוּ בְּבֵיתֶךָ[a] [b]וּבַחֲדַר מִשְׁכָּבְךָ[b] וְעַל־[c]מִטָּתֶךָ וּבְבֵית[c] עֲבָדֶיךָ
29 וּבְעַמֶּךָ[d] וּבְתַנּוּרֶיךָ וּבְמִשְׁאֲרוֹתֶיךָ׃ 29 וּבְכָה [a]וּבְעַמְּךָ וּבְכָל־עֲבָדֶיךָ[a] ל ומל . כ[20] מילין כת ה ס״ת ג מנה בליש . ג
8 יַעֲלוּ הַצְפַרְדְּעִים׃[b] 8 1 וַיֹּאמֶר יְהוָה אֶל־מֹשֶׁה אֱמֹר אֶל־אַהֲרֹן נְטֵה ד בטע בסיפ[1]
אֶת־יָדְךָ בְּמַטֶּךָ עַל־הַנְּהָרֹת עַל־[a]הַיְאֹרִים וְעַל־הָאֲגַמִּים וְהַעַל אֶת־ ד חס[2] . ב . ל . ב
2 הַצְפַרְדְּעִים עַל־אֶרֶץ מִצְרָיִם׃ 2 וַיֵּט אַהֲרֹן אֶת־יָדוֹ עַל מֵימֵי מִצְרָיִם
3 וַתַּעַל הַצְּפַרְדֵּעַ וַתְּכַס אֶת־אֶרֶץ מִצְרָיִם׃ 3 וַיַּעֲשׂוּ־כֵן הַחַרְטֻמִּים[a]
4 בְּלָטֵיהֶם[b] וַיַּעֲלוּ אֶת־הַצְפַרְדְּעִים עַל־אֶרֶץ מִצְרָיִם׃ 4 וַיִּקְרָא פַרְעֹה ג . ב
לְמֹשֶׁה וּלְאַהֲרֹן וַיֹּאמֶר הַעְתִּירוּ[a] אֶל־יְהוָה וְיָסֵר הַצְפַרְדְּעִים מִמֶּנִּי יז . ג . נז וכל תלים דכות ב מ יא
5 וּמֵעַמִּי וַאֲשַׁלְּחָה אֶת־הָעָם וְיִזְבְּחוּ לַיהוָה׃ 5 וַיֹּאמֶר מֹשֶׁה לְפַרְעֹה ב . ב
הִתְפָּאֵר עָלַי לְמָתַי ׀ אַעְתִּיר לְךָ וְלַעֲבָדֶיךָ וּלְעַמְּךָ לְהַכְרִית ל . ל . ג[3]
6 הַצְפַרְדְּעִים[a] מִמְּךָ[b] וּמִבָּתֶּיךָ[c] [d]רַק בַּיְאֹר תִּשָּׁאַרְנָה׃[d] 6 וַיֹּאמֶר לְמָחָר ב . ה[4]
7 וַיֹּאמֶר כִּדְבָרְךָ לְמַעַן תֵּדַע כִּי־אֵין [a]כַּיהוָה אֱלֹהֵינוּ׃[a] 7 וְסָרוּ ד[5]
הַצְפַרְדְּעִים מִמְּךָ וּמִבָּתֶּיךָ[a] וּמֵעֲבָדֶיךָ וּמֵעַמֶּךָ רַק בַּיְאֹר תִּשָּׁאַרְנָה׃ ל . ב
8 וַיֵּצֵא מֹשֶׁה וְאַהֲרֹן מֵעִם פַּרְעֹה וַיִּצְעַק מֹשֶׁה אֶל־יְהוָה עַל־דְּבַר כט בתור
9 הַצְפַרְדְּעִים אֲשֶׁר־שָׂם לְפַרְעֹה׃ 9 וַיַּעַשׂ יְהוָה כִּדְבַר מֹשֶׁה וַיָּמֻתוּ
10 הַצְפַרְדְּעִים מִן־הַבָּתִּים מִן־[a]הַחֲצֵרֹת וּמִן־הַשָּׂדֹת׃ 10 וַיִּצְבְּרוּ אֹתָם ד פסוק מן מן ומן[6] . ל . ד חס בתור[7] . ל חס . ל[8]
11 חֳמָרִם חֳמָרִם וַתִּבְאַשׁ הָאָרֶץ׃ 11 וַיַּרְא פַּרְעֹה כִּי הָיְתָה הָרְוָחָה ג . ג . ל
וְהַכְבֵּד[a] אֶת־לִבּוֹ וְלֹא שָׁמַע אֲלֵהֶם כַּאֲשֶׁר דִּבֶּר יְהוָה׃ ס
12 וַיֹּאמֶר יְהוָה אֶל־מֹשֶׁה אֱמֹר אֶל־אַהֲרֹן נְטֵה אֶת־מַטְּךָ[a] וְהַךְ ד בטע בסיפ[1] . ב[9]

[19] Mm 1205. [20] Mm 964. **Cp 8** [1] Mm 395. [2] Mp sub loco. [3] Mm 419. [4] Mm 420. [5] Mm 421. [6] Mm 422. [7] Mm 1026. [8] וחד וַיִּצְבְּרוּ Gn 41,35. [9] Ez 21,19.

26 [a] ш וְדִבַּרְתָּ ‖ **28** [a] 𝔊 pl ‖ [b–b] ш𝔊 וּבְחַדְרֵי —בֶיךָ ‖ [c–c] ш𝔊 מִטֹּתֶיךָ וּבְבָתֵּי ‖ [d] 𝔊 om ב ‖ **29** [a–a] 𝔊 invers et sine כל, 𝔖 *wbklh ʿmk* = וּבְכָל־עַמְּךָ ‖ [b] ш + add ‖ **Cp 8,1** [a] mlt Mss ш𝔊𝔖𝔗^Ms^𝔙 וְעַל ‖ **3** [a] sic L, mlt Mss Edd הַחַרְ׳ ‖ [b] cf 7,22[a] ‖ **4** [a] 𝔊* + *περὶ ἐμοῦ* cf 8,24 9,28[a] ‖ **5** [a] sic L, mlt Mss Edd הַצְ׳ ‖ [b] 𝔊 + *καὶ ἀπὸ τοῦ λαοῦ σου καί* cf 7 ‖ [c] ш𝔙 + וּמֵעֲבָדֶיךָ וּמֵעַמֶּךָ ‖ [d–d] > 𝔖 ‖ **6** [a–a] 𝔊 *ἄλλος πλὴν κυρίου* ‖ **7** [a] 𝔊 suff 2 pl + *καὶ ἐκ τῶν ἐπαύλεων* cf 9 ‖ **9** [a] mlt Mss ш𝔊𝔖𝔗^Mss^𝔗^J^𝔙 וּמִן ‖ **11** [a] ш וַיַּכְבֵּד cf Vrs ‖ **12** [a] ш יָדְךָ בְּמ׳ cf 𝔊.

ל̇ חס[10]. י̇ח — אֶת־עֲפַ֥ר הָאָ֖רֶץ וְהָיָ֣ה[b] לְכִנִּ֑ם[c] בְּכָל־אֶ֥רֶץ מִצְרָֽיִם׃ 13 וַיַּֽעֲשׂוּ־כֵ֗ן[a] 13
ב̇ — וַיֵּ֨ט אַהֲרֹ֤ן אֶת־יָדוֹ֙ בְמַטֵּ֔הוּ וַיַּךְ֙ אֶת־עֲפַ֣ר הָאָ֔רֶץ וַתְּהִי֙ הַכִּנָּ֔ם[b] בָּאָדָ֖ם
י̇ח — וּבַבְּהֵמָ֑ה כָּל־[c]עֲפַ֥ר הָאָ֛רֶץ הָיָ֥ה כִנִּ֖ים בְּכָל־אֶ֥רֶץ מִצְרָֽיִם׃ 14 וַיַּעֲשׂוּ־ 14
ג̇. ג̇[11]. ב̇ — כֵ֨ן הַחַרְטֻמִּ֧ים בְּלָטֵיהֶ֛ם[a] לְהוֹצִ֥יא אֶת־הַכִּנִּ֖ים וְלֹ֣א יָכֹ֑לוּ וַתְּהִי֙ הַכִּנָּ֔ם[b]
ב̇ חס י̇ בליש[12] — בָּאָדָ֖ם וּבַבְּהֵמָֽה׃ 15 וַיֹּאמְר֤וּ הַֽחַרְטֻמִּם֙ אֶל־פַּרְעֹ֔ה אֶצְבַּ֥ע אֱלֹהִ֖ים 15
ה̇[13] — הִ֑וא וַיֶּחֱזַ֤ק לֵב־פַּרְעֹה֙ וְלֹא־שָׁמַ֣ע אֲלֵהֶ֔ם כַּאֲשֶׁ֖ר דִּבֶּ֥ר יְהוָֽה׃ ס
י̇ב̇ בטע̇ בסיפ̇[14] — . 16 וַיֹּ֨אמֶר יְהוָ֜ה אֶל־מֹשֶׁ֗ה הַשְׁכֵּ֤ם בַּבֹּ֙קֶר֙ וְהִתְיַצֵּב֙ לִפְנֵ֣י פַרְעֹ֔ה ס̄[t]
ט̇[15] מל̇ ג̇ מנה באור̇ וכל תלים דכות̇ ב̇ מ̇ א̇. ב̇ — הִנֵּ֖ה[a] יוֹצֵ֣א הַמָּ֑יְמָה וְאָמַרְתָּ֣ אֵלָ֗יו כֹּ֚ה אָמַ֣ר יְהוָ֔ה שַׁלַּ֥ח עַמִּ֖י וְיַֽעַבְדֻֽנִי[b]׃
ז̇. ל̇. ג̇ — 17 כִּ֣י אִם־אֵינְךָ֮ מְשַׁלֵּ֣חַ אֶת־עַמִּי֒ הִנְנִ֨י מַשְׁלִ֜יחַ בְּךָ֨ וּבַעֲבָדֶ֧יךָ וּבְעַמְּךָ֛ 17
ג̇ בתור — וּבְבָתֶּ֖יךָ[a] אֶת־הֶעָרֹ֑ב וּמָלְא֞וּ בָּתֵּ֤י מִצְרַ֙יִם֙ אֶת־הֶ֣עָרֹ֔ב וְגַ֥ם הָאֲדָמָ֖ה
ל̇ — אֲשֶׁר־הֵ֥ם עָלֶֽיהָ׃ 18 וְהִפְלֵיתִי֩ בַיּ֨וֹם הַה֜וּא אֶת־אֶ֣רֶץ גֹּ֗שֶׁן אֲשֶׁ֤ר עַמִּי֙ 18
עֹמֵ֣ד עָלֶ֔יהָ לְבִלְתִּ֥י הֱיֽוֹת־שָׁ֖ם עָרֹ֑ב לְמַ֣עַן תֵּדַ֔ע כִּ֛י אֲנִ֥י יְהוָ֖ה בְּקֶ֥רֶב
ג̇ ב̇ מל̇ וחד חס[16]. ה̇[17]. ג̇ חס — הָאָֽרֶץ׃ 19 וְשַׂמְתִּ֣י פְדֻ֔ת[a] בֵּ֥ין עַמִּ֖י וּבֵ֣ין עַמֶּ֑ךָ לְמָחָ֥ר יִהְיֶ֖ה[b] הָאֹ֥ת הַזֶּֽה[b]׃ 19
ב̇[18] ד̇ סביר̇ ובבית — 20 וַיַּ֤עַשׂ יְהוָה֙ כֵּ֔ן וַיָּבֹא֙[a] עָרֹ֣ב כָּבֵ֔ד[b] בֵּ֥יתָה[c] פַרְעֹ֖ה וּבֵ֣ית עֲבָדָ֑יו 20
ה̇ — וּבְכָל־[d]אֶ֧רֶץ מִצְרַ֛יִם תִּשָּׁחֵ֥ת[e] הָאָ֖רֶץ מִפְּנֵ֥י הֶעָרֹֽב׃ 21 וַיִּקְרָ֣א פַרְעֹ֔ה 21
[a]אֶל־מֹשֶׁ֖ה[a] וּֽלְאַהֲרֹ֑ן וַיֹּ֗אמֶר לְכ֛וּ זִבְח֥וּ לֵאלֹהֵיכֶ֖ם בָּאָֽרֶץ׃ 22 וַיֹּ֣אמֶר 22
ט̇ — מֹשֶׁ֗ה לֹ֤א נָכוֹן֙ לַעֲשׂ֣וֹת כֵּ֔ן כִּ֚י תּוֹעֲבַ֣ת מִצְרַ֔יִם נִזְבַּ֖ח לַיהוָ֣ה אֱלֹהֵ֑ינוּ הֵ֣ן
ל̇ וחס — נִזְבַּ֞ח אֶת־תּוֹעֲבַ֥ת מִצְרַ֛יִם לְעֵינֵיהֶ֖ם וְלֹ֥א[a] יִסְקְלֻֽנוּ׃ 23 דֶּ֚רֶךְ שְׁלֹ֣שֶׁת 23
ט̇ — יָמִ֔ים נֵלֵ֖ךְ בַּמִּדְבָּ֑ר וְזָבַ֙חְנוּ֙[a] לַיהוָ֣ה אֱלֹהֵ֔ינוּ כַּאֲשֶׁ֖ר יֹאמַ֥ר אֵלֵֽינוּ׃
ט̇[19] — 24 וַיֹּ֣אמֶר פַּרְעֹ֗ה אָנֹכִ֞י אֲשַׁלַּ֤ח אֶתְכֶם֙ וּזְבַחְתֶּ֞ם לַיהוָ֤ה אֱלֹֽהֵיכֶם֙ 24
בַּמִּדְבָּ֔ר רַ֛ק הַרְחֵ֥ק לֹא־תַרְחִ֖יקוּ לָלֶ֑כֶת הַעְתִּ֖ירוּ[a] בַּעֲדִֽי[b]׃ 25 וַיֹּ֣אמֶר 25
ט̇[15] מל̇ ג̇ מנה באור̇ וכל תלים דכות̇ ב̇ מ̇ א̇ — מֹשֶׁ֗ה הִנֵּ֨ה אָנֹכִ֜י יוֹצֵ֣א מֵעִמָּ֗ךְ וְהַעְתַּרְתִּ֤י אֶל־יְהוָה֙[a] וְסָ֣ר הֶעָרֹ֔ב

[10] Mp sub loco. [11] Mm 423. [12] Mp contra textum, cf Mp sub loco. [13] Mm 432. [14] Mm 439. [15] Mm 1268. [16] Mm 424. [17] Mm 420. [18] Mm 350. [19] Mm 425.

12 [b] ࠔ וַיְהִי ‖ [c] 𝔊 *σκνῖφες* (= לְכִנִּים) *ἔν τε τοῖς ἀνθρώποις καὶ ἐν τοῖς τετράποσιν καί* cf 8,13sq 9,10 et 9,9[a–a] ‖ **13** [a–a] > 𝔊* ‖ [b] ࠔ𝔊 הַכִּנִּים ‖ [c] pc Mss 𝔖 וְכָל cf 𝔊 ‖ **14** [a] cf 7,22[a] ‖ [b] cf 13[b] ‖ **16** [a] ࠔ𝔊* + הוּא cf 7,15[a] ‖ [b] 𝔊 + *ἐν τῇ ἐρήμῳ* cf 5,1 7,16 8,24 ‖ **17** [a] 𝔊 suff 2 pl; 𝔖𝔗[J] sg ‖ **19** [a] 𝔊(𝔖𝔙) *διαστολήν*, l פְּלֻת ‖ [b–b] 𝔊* *τοῦτο ἐπὶ τῆς γῆς* ‖ **20** [a] 𝔖𝔗[Ms](𝔗[J]) *w'jtj* = וַיָּבֹא ‖ [b] ࠔ + מְאֹד cf 𝔙 ‖ [c] 𝔊𝔙 pl ‖ [d] ࠔ בְּכָל ‖ [e] ࠔ𝔊𝔖𝔙 וַתִּ׳ ‖ **21** [a–a] pc Mss ࠔ לְמ׳ ‖ **22** [a] > 𝔊𝔖𝔙 ‖ **23** [a] ࠔ וְנִזְבַּח cf Vrs ‖ **24** [a] 𝔊 + *οὖν*, 𝔖𝔗[Mss] + *ʾp* ‖ [b] 𝔊 + *πρὸς κύριον* cf 4 9,28 ‖ **25** [a] 𝔊 *τὸν θεόν*, it 26[a].

מִפַּרְעֹ֛ה[b] מֵעֲבָדָ֥יו[c] וּמֵעַמּ֖וֹ מָחָ֑ר רַ֗ק אַל־יֹסֵ֤ף[d] פַּרְעֹה֙ הָתֵ֔ל לְבִלְתִּי֙
26 שַׁלַּ֣ח אֶת־הָעָ֔ם לִזְבֹּ֖חַ לַיהוָֽה׃ 26 וַיֵּצֵ֥א מֹשֶׁ֖ה מֵעִ֣ם פַּרְעֹ֑ה וַיֶּעְתַּ֖ר ד ב ר״פ וב מ״פ[20]
27 אֶל־יְהוָֽה[a]׃ 27 וַיַּ֤עַשׂ יְהוָה֙ כִּדְבַ֣ר מֹשֶׁ֔ה וַיָּ֙סַר֙ הֶעָרֹ֔ב מִפַּרְעֹ֖ה מֵעֲבָדָ֣יו[a]
28 וּמֵעַמּ֑וֹ לֹ֥א נִשְׁאַ֖ר אֶחָֽד׃ 28 וַיַּכְבֵּ֤ד פַּרְעֹה֙ אֶת־לִבּ֔וֹ גַּ֖ם בַּפַּ֣עַם הַזֹּ֑את ב
וְלֹ֥א שִׁלַּ֖ח אֶת־הָעָֽם׃ פ

9 1 וַיֹּ֤אמֶר יְהוָה֙ אֶל־מֹשֶׁ֔ה בֹּ֖א אֶל־פַּרְעֹ֑ה וְדִבַּרְתָּ֣[a] אֵלָ֗יו כֹּֽה־ ד[1]
2 אָמַ֤ר יְהוָה֙ אֱלֹהֵ֣י הָֽעִבְרִ֔ים שַׁלַּ֥ח אֶת־עַמִּ֖י וְיַֽעַבְדֻֽנִי׃ 2 כִּ֛י אִם־מָאֵ֥ן ה[2]
3 אַתָּ֖ה לְשַׁלֵּ֑חַ וְעוֹדְךָ֖ מַחֲזִ֥יק בָּֽם׃ 3 הִנֵּ֨ה יַד־יְהוָ֜ה הוֹיָ֗ה[a] בְּמִקְנְךָ֙ אֲשֶׁ֣ר ל
בַּשָּׂדֶ֔ה בַּסּוּסִ֤ים בַּחֲמֹרִים֙[b] בַּגְּמַלִּ֔ים[b] בַּבָּקָ֖ר וּבַצֹּ֑אן דֶּ֖בֶר כָּבֵ֥ד מְאֹֽד׃
4 [a]וְהִפְלָ֣ה[b] יְהוָ֔ה[a] בֵּ֚ין מִקְנֵ֣ה יִשְׂרָאֵ֔ל וּבֵ֖ין מִקְנֵ֣ה מִצְרָ֑יִם וְלֹ֥א יָמ֛וּת ב חד כת א וחד כת ה
5 מִכָּל־לִבְנֵ֥י יִשְׂרָאֵ֖ל דָּבָֽר׃ 5 וַיָּ֥שֶׂם יְהוָ֖ה מוֹעֵ֣ד לֵאמֹ֑ר מָחָ֗ר יַעֲשֶׂ֧ה ל . פד לג מנה בתור . יא חס את
6 יְהוָ֛ה[a] הַדָּבָ֥ר הַזֶּ֖ה בָּאָֽרֶץ׃ 6 וַיַּ֨עַשׂ יְהוָ֜ה אֶת־הַדָּבָ֤ר הַזֶּה֙ מִֽמָּחֳרָ֔ת
7 וַיָּ֕מָת כֹּ֖ל מִקְנֵ֣ה מִצְרָ֑יִם וּמִמִּקְנֵ֥ה בְנֵֽי־יִשְׂרָאֵ֖ל לֹא־מֵ֥ת אֶחָֽד׃ 7 וַיִּשְׁלַ֣ח[a] ל
פַּרְעֹ֔ה וְהִנֵּ֗ה לֹא־מֵ֛ת מִמִּקְנֵ֥ה[b] יִשְׂרָאֵ֖ל עַד־אֶחָ֑ד וַיִּכְבַּד֙ לֵ֣ב פַּרְעֹ֔ה ל[3]
וְלֹ֥א שִׁלַּ֖ח אֶת־הָעָֽם׃ פ
8 וַיֹּ֣אמֶר יְהוָה֮ אֶל־מֹשֶׁ֣ה וְאֶֽל־אַהֲרֹן֒ קְח֤וּ לָכֶם֙ מְלֹ֣א חָפְנֵיכֶ֔ם ד בטע בסיפ[4] . ה
9 פִּ֖יחַ כִּבְשָׁ֑ן וּזְרָק֥וֹ מֹשֶׁ֛ה הַשָּׁמַ֖יְמָה לְעֵינֵ֥י פַרְעֹֽה[a]׃ 9 וְהָיָ֣ה לְאָבָ֔ק עַ֖ל ל וחד מן יד[5] זוגין . יא[6]
כָּל־אֶ֣רֶץ מִצְרָ֑יִם וְהָיָה֩ עַל־הָאָדָ֨ם וְעַל־הַבְּהֵמָ֜ה לִשְׁחִ֥ין [a]פֹּרֵ֛חַ ד[7]
10 אֲבַעְבֻּעֹ֖ת[a] בְּכָל־אֶ֥רֶץ מִצְרָֽיִם׃ 10 וַיִּקְח֞וּ אֶת־פִּ֣יחַ הַכִּבְשָׁ֗ן וַיַּֽעַמְדוּ֙ ב . יח . ל וחד מן יד[5] זוגין
לִפְנֵ֣י פַרְעֹ֔ה וַיִּזְרֹ֥ק אֹת֛וֹ מֹשֶׁ֖ה הַשָּׁמָ֑יְמָה וַיְהִ֗י שְׁחִין֙ אֲבַעְבֻּעֹ֔ת פֹּרֵ֖חַ[a] יא[6] . ב
11 בָּאָדָ֥ם וּבַבְּהֵמָֽה׃ 11 וְלֹֽא־יָכְל֣וּ הַֽחַרְטֻמִּ֗ים לַעֲמֹ֛ד לִפְנֵ֥י מֹשֶׁ֖ה מִפְּנֵ֣י ז ר״פ בסיפ
12 הַשְּׁחִ֑ין כִּֽי־הָיָ֣ה הַשְּׁחִ֔ין בַּֽחֲרְטֻמִּ֖ם[a] וּבְכָל־[b]מִצְרָֽיִם׃ 12 וַיְחַזֵּ֤ק יְהוָה֙ ב חס י בליש
אֶת־לֵ֣ב פַּרְעֹ֔ה וְלֹ֥א שָׁמַ֖ע אֲלֵהֶ֑ם כַּאֲשֶׁ֛ר דִּבֶּ֥ר יְהוָ֖ה אֶל־מֹשֶֽׁה׃ ס

[20] Mm 180. **Cp 9** [1] Mm 426. [2] Mm 427. [3] Mp sub loco. [4] Mm 395. [5] Mm 565. [6] Mm 1071. [7] Mm 15.

25 [b] 𝔊* *ἀπὸ σοῦ* ‖ [c] 𝔊* suff 2 sg ‖ [d] 𝔊 2 sg ‖ **26** [a] cf 25[a] ‖ **27** [a] ⅏𝔊𝔖𝔗[J]𝔙 'ומ ‖ **Cp 9,1** [a] 2 Mss ⅏ ואמרת ut 7,26 ‖ **3** [a] ⅏ היה ‖ [b] ⅏𝔊𝔖𝔙 'ובּ ‖ **4** [a–a] 𝔊 *καὶ παραδοξάσω ἐγώ*; 𝔊* + *ἐν τῷ καιρῷ ἐκείνῳ* ‖ [b] ⅏ לא– ‖ **5** [a] ℭ𝔗[J] + את ‖ **7** [a] 𝔊 *ἰδὼν δέ* ‖ [b] ⅏𝔊𝔖𝔗[Ms]𝔗[J] + בְּנֵי ‖ **8** [a] 𝔊 + *καὶ ἐναντίον τῶν θεραπόντων αὐτοῦ* ‖ **9** [a–a] 𝔊(𝔙) *φλυκτίδες ἀναζέουσαι* cf 10; 𝔖 *dnwpḥ' dsgj*; 𝔊 + *ἔν τε τοῖς ἀνθρώποις καὶ ἐν τοῖς τετράποσιν καί* cf 8,12[c] 9,10 ‖ **10** [a] 𝔖 *wprḥ* = וַיִּפְרַח ‖ **11** [a] sic L, mlt Mss Edd 'בחר ‖ [b] 2 Mss 𝔊𝔙 + אֶרֶץ.

13 13 וַיֹּאמֶר יְהוָה אֶל־מֹשֶׁה הַשְׁכֵּם בַּבֹּקֶר וְהִתְיַצֵּב לִפְנֵי פַרְעֹה
וְאָמַרְתָּ אֵלָיו כֹּה־אָמַר יְהוָה אֱלֹהֵי הָעִבְרִים שַׁלַּח אֶת־עַמִּי וְיַעַבְדֻנִי׃ ה̇[8]
14 כִּי ׀ בַּפַּעַם הַזֹּאת אֲנִי שֹׁלֵחַ אֶת־כָּל־מַגֵּפֹתַי אֶל־[a]לִבְּךָ [b]וּבַעֲבָדֶיךָ 14 ב̇[9]. ל̇
15 וּבְעַמֶּךָ[b] בַּעֲבוּר תֵּדַע כִּי אֵין כָּמֹנִי בְּכָל־הָאָרֶץ׃ 15 כִּי עַתָּה שָׁלַחְתִּי ד̇
16 אֶת־יָדִי וָאַךְ[a] אוֹתְךָ וְאֶת־עַמְּךָ בַּדָּבֶר וַתִּכָּחֵד מִן־הָאָרֶץ׃ 16 וְאוּלָם ל̇. יז מל בליש[10]. ה ר״פ וכל איוב דכות ב מ ג[11]
בַּעֲבוּר זֹאת הֶעֱמַדְתִּיךָ בַּעֲבוּר הַרְאֹתְךָ אֶת־כֹּחִי וּלְמַעַן סַפֵּר שְׁמִי ב חד מל וחד חס[12]. ט מיחד
17 18 בְּכָל־הָאָרֶץ׃ 17 עוֹדְךָ מִסְתּוֹלֵל בְּעַמִּי לְבִלְתִּי שַׁלְּחָם׃ 18 הִנְנִי
מַמְטִיר כָּעֵת מָחָר בָּרָד כָּבֵד מְאֹד אֲשֶׁר לֹא־הָיָה כָמֹהוּ בְּמִצְרַיִם
19 [a]לְמִן־הַיּוֹם[a] הִוָּסְדָה וְעַד־עָתָּה׃ 19 וְעַתָּה שְׁלַח הָעֵז אֶת־מִקְנְךָ וְאֵת ח̇ ג[13] מנה בתור. ל̇. ל̇
כָּל־אֲשֶׁר לְךָ בַּשָּׂדֶה כָּל־הָאָדָם וְהַבְּהֵמָה אֲשֶׁר־יִמָּצֵא בַשָּׂדֶה וְלֹא ב̇[14]
20 יֵאָסֵף הַבַּיְתָה וְיָרַד עֲלֵהֶם הַבָּרָד וָמֵתוּ׃ 20 הַיָּרֵא אֶת־דְּבַר יְהוָה יט[15]. יג חס בתור[16]. ח̇[17]. ב̇[18]
21 מֵעַבְדֵי פַּרְעֹה הֵנִיס אֶת־עֲבָדָיו וְאֶת־מִקְנֵהוּ אֶל־הַבָּתִּים׃ 21 וַאֲשֶׁר ל̇. יב ר״פ. ח̇[19]
לֹא־שָׂם לִבּוֹ אֶל[a]־דְּבַר יְהוָה וַיַּעֲזֹב אֶת־עֲבָדָיו וְאֶת־מִקְנֵהוּ בַּשָּׂדֶה׃
22 פ 22 וַיֹּאמֶר יְהוָה אֶל־מֹשֶׁה[a] נְטֵה אֶת־יָדְךָ עַל־הַשָּׁמַיִם וִיהִי יב בטע בסיפ[20]. ל̇ב̇
בָרָד בְּכָל־אֶרֶץ מִצְרָיִם עַל־הָאָדָם וְעַל־הַבְּהֵמָה וְעַל כָּל־עֵשֶׂב יח. ד̇[21]
23 הַשָּׂדֶה בְּאֶרֶץ מִצְרָיִם׃ 23 וַיֵּט מֹשֶׁה אֶת־מַטֵּהוּ[a] עַל־הַשָּׁמַיִם וַיהוָה כב בתור
נָתַן קֹלֹת וּבָרָד וַתִּהֲלַךְ אֵשׁ אָרְצָה וַיַּמְטֵר יְהוָה בָּרָד עַל־אֶרֶץ ד חס[22]. ל̇[23]
24 מִצְרָיִם׃ 24 וַיְהִי בָרָד[a] וְאֵשׁ מִתְלַקַּחַת בְּתוֹךְ הַבָּרָד כָּבֵד מְאֹד ב̇[24]
25 אֲשֶׁר לֹא־הָיָה כָמֹהוּ [b]בְּכָל־אֶרֶץ[b] מִצְרַיִם מֵאָז הָיְתָה לְגוֹי׃ 25 וַיַּךְ יח
הַבָּרָד בְּכָל־אֶרֶץ מִצְרַיִם אֵת כָּל־אֲשֶׁר בַּשָּׂדֶה מֵאָדָם וְעַד־בְּהֵמָה יח
26 וְאֵת כָּל־עֵשֶׂב הַשָּׂדֶה הִכָּה הַבָּרָד וְאֶת־כָּל־עֵץ הַשָּׂדֶה שִׁבֵּר׃ 26 רַק ל̇. ל̇
27 בְּאֶרֶץ גֹּשֶׁן אֲשֶׁר־שָׁם בְּנֵי יִשְׂרָאֵל לֹא הָיָה בָּרָד׃ 27 וַיִּשְׁלַח פַּרְעֹה
וַיִּקְרָא לְמֹשֶׁה וּלְאַהֲרֹן וַיֹּאמֶר אֲלֵהֶם חָטָאתִי הַפָּעַם יְהוָה הַצַּדִּיק יז. ל̇
28 וַאֲנִי וְעַמִּי הָרְשָׁעִים׃ 28 הַעְתִּירוּ[a] אֶל־יְהוָה וְרַב מִהְיֹת קֹלֹת אֱלֹהִים ל̇. יא. ח חס בליש[25]. ד חס[26]
29 וּבָרָד[b] וַאֲשַׁלְּחָה[c] אֶתְכֶם וְלֹא תֹסִפוּן לַעֲמֹד׃ 29 וַיֹּאמֶר אֵלָיו מֹשֶׁה ב̇. ד בליש[27]

[8] Mm 427. [9] Mm 428. [10] Mm 541. [11] Cf Hi 2,5; 5,8; 13,3. [12] Mm 2956. [13] Mp sub loco. [14] Mm 429. [15] Mm 1557. [16] Mm 675. [17] Mm 3068. [18] Mm 1172. [19] Mm 3985. [20] Mm 439. [21] Mm 15. [22] Mm 1589. [23] וחד תהלך Ps 73,9. [24] Ez 1,4. [25] Mm 725. [26] Mm 1589. [27] Mm 430.

14 [a] ⅏ עַל || [b–b] 𝔊 *καὶ τῶν θεραπόντων σου καὶ τοῦ λαοῦ σου* || **15** [a] ⅏ וְאַכֶּה cf 𝔊 || **18** [a–a] ⅏ למיום || **21** [a] ⅏ עַל || **22** [a] sic L, mlt Mss Edd מֹשֶׁה || **23** [a] 𝔊 *τὴν χεῖρα* || **24** [a] ⅏𝔊 הַבְּ׳ || [b–b] ⅏ 𝔊 במצרים || **28** [a] 𝔊* + *οὖν περὶ ἐμοῦ* cf 8,4[a].24 || [b] 𝔊-A* + *καὶ πῦρ* || [c] ℭ ואשלח.

כְּצֵאתִי֙ אֶת־הָעִ֔יר אֶפְרֹ֥שׂ אֶת־כַּפַּ֖י אֶל־יְהוָ֑ה הַקֹּל֣וֹתᵃ יֶחְדָּל֗וּן ל . ו כת כן . ל
30 וְהַבָּרָד֙ᵇ לֹ֣א יִֽהְיֶה־ע֔וֹד לְמַ֣עַן תֵּדַ֔ע כִּ֥י לַיהוָ֖ה הָאָֽרֶץ׃ 30 וְאַתָּ֖ה ל
31 וַעֲבָדֶ֑יךָ יָדַ֕עְתִּי כִּ֚י טֶ֣רֶם תִּֽירְא֔וּן מִפְּנֵ֖י יְהוָ֥הᵃ אֱלֹהִֽיםᵇ׃ 31 וְהַפִּשְׁתָּ֥ה ב[28] . ג ב[29] מנה בתור . ב
32 וְהַשְּׂעֹרָ֖ה נֻכָּ֑תָה כִּ֤י הַשְּׂעֹרָה֙ אָבִ֔יב וְהַפִּשְׁתָּ֖ה גִּבְעֹֽל׃ 32 וְהַחִטָּ֥ה ג . ב . ל . ל
33 וְהַכֻּסֶּ֖מֶת לֹ֣א נֻכּ֑וּ כִּ֥י אֲפִילֹ֖ת הֵֽנָּה׃ 33 וַיֵּצֵ֨א מֹשֶׁ֜ה מֵעִ֤ם פַּרְעֹה֙ אֶת־ ל . ל . ל
הָעִ֔יר וַיִּפְרֹ֥שׂ כַּפָּ֖יו אֶל־יְהוָ֑ה וַיַּחְדְּל֤וּ הַקֹּלוֹת֙ וְהַבָּרָ֔ד וּמָטָ֖רᵃ לֹא־נִתַּ֥ךְ ב[30] . ו כת כן . ג[31]
34 אָֽרְצָה׃ 34 וַיַּ֣רְא פַּרְעֹ֗ה כִּֽי־חָדַ֨ל הַמָּטָ֧ר וְהַבָּרָ֛ד וְהַקֹּלֹ֖ת וַיֹּ֣סֶף ד חס . כי
35 לַחֲטֹ֑א וַיַּכְבֵּ֥ד לִבּ֖וֹ ה֥וּא וַעֲבָדָֽיו׃ 35 וַֽיֶּחֱזַק֙ לֵ֣ב פַּרְעֹ֔ה וְלֹ֥א שִׁלַּ֖ח ב . ה[32]
אֶת־בְּנֵ֣י יִשְׂרָאֵ֑ל כַּאֲשֶׁ֛ר דִּבֶּ֥ר יְהוָ֖ה בְּיַד־מֹשֶֽׁה׃ פ קכא
ס[ה] פרש **10** 1 וַיֹּ֤אמֶר יְהוָה֙ אֶל־מֹשֶׁ֔ה בֹּ֖א אֶל־פַּרְעֹ֑ה כִּֽי־אֲנִ֞י הִכְבַּ֤דְתִּי
2 אֶת־לִבּוֹ֙ וְאֶת־לֵ֣ב עֲבָדָ֔יו לְמַ֗עַן שִׁתִ֛יᵃ אֹתֹתַ֥י אֵ֖לֶּה בְּקִרְבּֽוֹᵇ׃ 2 וּלְמַ֡עַן ל . ג[1] . ט מיחד ב[2] מנה ר״פ
ᵃתְּסַפֵּר֩ בְּאָזְנֵ֨י בִנְךָ֜ וּבֶן־בִּנְךָ֗ᵃ אֵ֣ת אֲשֶׁ֤ר הִתְעַלַּ֙לְתִּי֙ בְּמִצְרַ֔יִם וְאֶת־ לז . ל
3 אֹתֹתַ֖י אֲשֶׁר־שַׂ֣מְתִּי בָ֑ם וִידַעְתֶּ֖ם כִּֽי־אֲנִ֥י יְהוָֽהᵇ׃ 3 וַיָּבֹ֨א מֹשֶׁ֣ה וְאַהֲרֹן֮ כט בתור
אֶל־פַּרְעֹה֒ וַיֹּאמְר֣וּ אֵלָ֗יו כֹּֽה־אָמַ֤ר יְהוָה֙ אֱלֹהֵ֣י הָֽעִבְרִ֔ים עַד־מָתַ֣י ה[3]
4 מֵאַ֔נְתָּ לֵעָנֹ֖ת מִפָּנָ֑י שַׁלַּ֥ח עַמִּ֖י וְיַֽעַבְדֻֽנִי׃ 4 כִּ֛י אִם־מָאֵ֥ן אַתָּ֖ה לְשַׁלֵּ֣חַ ל . ל וחס . ז
5 אֶת־עַמִּ֑י הִנְנִ֨י מֵבִ֥יאᵃ מָחָ֛ר אַרְבֶּ֖ה בִּגְבֻלֶֽךָ׃ 5 וְכִסָּה֙ אֶת־עֵ֣ין הָאָ֔רֶץ יו פסוק את את את
וְלֹ֥א יוּכַ֖ל לִרְאֹ֣ת אֶת־הָאָ֑רֶץ וְאָכַ֣ל ׀ אֶת־יֶ֣תֶר הַפְּלֵטָ֗ה הַנִּשְׁאֶ֤רֶת לָכֶם֙ ד[4] . ג חס[5] . ב . ג חס[6]
6 מִן־הַבָּרָ֔ד וְאָכַל֙ אֶת־כָּלᵃ־הָעֵ֔ץ הַצֹּמֵ֥חַ לָכֶ֖ם מִן־הַשָּׂדֶֽה׃ 6 וּמָלְא֨וּ ל . ג בתור
בָתֶּ֜יךָ וּבָתֵּ֣י כָל־עֲבָדֶ֗יךָ וּבָתֵּ֣י כָל־מִצְרַ֔יִם אֲשֶׁ֨ר לֹֽא־רָא֤וּ אֲבֹתֶ֙יךָ֙
וַאֲב֣וֹת אֲבֹתֶ֔יךָ מִיּ֗וֹם הֱיוֹתָם֙ עַלᵃ־הָֽאֲדָמָ֔ה עַ֖ד הַיּ֣וֹם הַזֶּ֑ה וַיִּ֖פֶןᵇ וַיֵּצֵ֥אᵇ
7 מֵעִ֥ם פַּרְעֹֽה׃ 7 וַיֹּאמְר֜וּ עַבְדֵ֣י פַרְעֹ֗ה אֵלָ֔יו עַד־מָתַי֙ יִהְיֶ֨ה זֶ֥ה לָ֙נוּ֙
לְמוֹקֵ֔שׁ שַׁלַּח֙ אֶת־הָ֣אֲנָשִׁ֔ים וְיַֽעַבְד֖וּ אֶת־יְהוָ֣ה אֱלֹהֵיהֶ֑ם הֲטֶ֣רֶם תֵּדַ֔ע
8 כִּ֥י אָבְדָ֖ה מִצְרָֽיִם׃ 8 וַיּוּשַׁ֞ב אֶת־מֹשֶׁ֤ה וְאֶֽת־אַהֲרֹן֙ אֶל־פַּרְעֹ֔ה וַיֹּ֣אמֶר ל
9 אֲלֵהֶ֔ם לְכ֥וּ עִבְד֖וּ אֶת־יְהוָ֣ה אֱלֹהֵיכֶ֑ם מִ֥י וָמִ֖י הַהֹלְכִֽים׃ 9 וַיֹּ֣אמֶר ל

[28] Dt 1,29. [29] Mm 3083. [30] Gn 11,8. [31] Mm 431. [32] Mm 432. **Cp 10** [1] Mm 433. [2] Mm 1113. [3] Mm 427. [4] Mm 2268. [5] Mm 608. [6] Mm 434.

29 ᵃ 𝔐𝔊𝔙 וְה׳ ‖ ᵇ 𝔊 + *καὶ ὁ ὑετός* cf 33ᵃ ‖ **30** ᵃ > 𝔊^{B min} ‖ ᵇ > 𝔊^{AM min}𝔗^{Ms}; 𝔗^{P} + suff 1 pl ‖ **33** ᵃ 𝔐𝔊 וְהַמּ׳ ‖ **Cp 10,1** ᵃ 𝔊 *ἐξῆς ἐπέλθη* ‖ ᵇ 𝔊 *ἐπ' αὐτούς*, 𝔖𝔗𝔗^{J} suff pl ‖ **2** ᵃ⁻ᵃ 𝔊 *διηγήσησθε εἰς τὰ ὦτα τῶν τέκνων ὑμῶν καὶ τοῖς τέκνοις τῶν τέκνων ὑμῶν* ‖ ᵇ 𝔐 + אֱלֹהֵיכֶם ‖ **4** ᵃ 𝔊 + *ταύτην τὴν ὥραν* cf 9,18 ‖ **5** ᵃ 𝔐 + עשב הארץ ואת כל פרי ‖ **6** ᵃ ℭ + פְּנֵי ‖ ᵇ 𝔖 pl.

מֹשֶׁה בִּנְעָרֵינוּ וּבִזְקֵנֵינוּ נֵלֵךְ בְּבָנֵינוּ וּבִבְנוֹתֵנוּ בְּצֹאנֵנוּ וּבִבְקָרֵנוּ נֵלֵךְ   ב חד מל וחד חס . ל חס . ל חס
כִּי חַג־יְהוָה לָנוּ׃ 10 וַיֹּאמֶר אֲלֵהֶם יְהִי כֵן יְהוָה עִמָּכֶם כַּאֲשֶׁר אֲשַׁלַּח 10   ד[7] . ט[8]
אֶתְכֶם וְאֶת־טַפְּכֶם רְאוּ כִּי רָעָה נֶגֶד פְּנֵיכֶם׃ 11 [a]לֹא כֵן[a] לְכוּ־נָא 11   יט[9]
הַגְּבָרִים וְעִבְדוּ אֶת־יְהוָה כִּי אֹתָהּ אַתֶּם מְבַקְשִׁים וַיְגָרֶשׁ[b] אֹתָם מֵאֵת   ה[10]
פְּנֵי פַרְעֹה׃ פ 12 וַיֹּאמֶר יְהוָה אֶל־מֹשֶׁה נְטֵה יָדְךָ עַל־אֶרֶץ 12   יב בטע בסיפ[11] . יח פסוק אל על על[12] . יו חס את
מִצְרַיִם בָּאַרְבֶּה וְיַעַל עַל־אֶרֶץ מִצְרָיִם וְיֹאכַל אֶת־כָּל־עֵשֶׂב הָאָרֶץ   ז רפי[13] . ה . ה
[a]אֵת כָּל־[a]אֲשֶׁר הִשְׁאִיר הַבָּרָד׃ 13 וַיֵּט מֹשֶׁה אֶת־מַטֵּהוּ[a] [b]עַל־אֶרֶץ 13
מִצְרַיִם[b] וַיהוָה נִהַג רוּחַ קָדִים בָּאָרֶץ כָּל־הַיּוֹם הַהוּא וְכָל־הַלָּיְלָה   כב בתור
הַבֹּקֶר הָיָה וְרוּחַ הַקָּדִים נָשָׂא[c] אֶת־הָאַרְבֶּה׃ 14 וַיַּעַל הָאַרְבֶּה עַל 14   ב[14]
כָּל־אֶרֶץ מִצְרַיִם וַיָּנַח בְּכֹל גְּבוּל מִצְרָיִם כָּבֵד מְאֹד לְפָנָיו לֹא־הָיָה   ו[15] . ד דקדים אחריו
כֵן אַרְבֶּה כָּמֹהוּ וְאַחֲרָיו לֹא יִהְיֶה־כֵּן׃ 15 וַיְכַס אֶת־עֵין כָּל־הָאָרֶץ 15
וַתֶּחְשַׁךְ[a] הָאָרֶץ וַיֹּאכַל אֶת־כָּל־עֵשֶׂב הָאָרֶץ וְאֵת כָּל־פְּרִי הָעֵץ אֲשֶׁר   ל[16] . ה
הוֹתִיר הַבָּרָד וְלֹא־נוֹתַר כָּל־יֶרֶק בָּעֵץ וּבְעֵשֶׂב הַשָּׂדֶה בְּכָל־אֶרֶץ   ה[17] . ב[18] . יח
מִצְרָיִם׃ 16 וַיְמַהֵר פַּרְעֹה לִקְרֹא לְמֹשֶׁה וּלְאַהֲרֹן וַיֹּאמֶר חָטָאתִי 16   יז
לַיהוָה אֱלֹהֵיכֶם וְלָכֶם׃ 17 וְעַתָּה שָׂא[a] נָא חַטָּאתִי אַךְ הַפַּעַם 17
וְהַעְתִּירוּ לַיהוָה[b] אֱלֹהֵיכֶם וְיָסֵר מֵעָלַי רַק אֶת־הַמָּוֶת הַזֶּה׃ 18 וַיֵּצֵא[a] 18   ג . ל
מֵעִם פַּרְעֹה וַיֶּעְתַּר אֶל־יְהוָה[b]׃ 19 וַיַּהֲפֹךְ יְהוָה רוּחַ־יָם חָזָק מְאֹד 19   ד ב ר״פ וב מ״פ[19]
וַיִּשָּׂא אֶת־הָאַרְבֶּה וַיִּתְקָעֵהוּ יָמָּה סּוּף לֹא נִשְׁאַר אַרְבֶּה אֶחָד בְּכֹל   ל . ל . ל
גְּבוּל מִצְרָיִם׃ 20 וַיְחַזֵּק יְהוָה אֶת־לֵב פַּרְעֹה וְלֹא שִׁלַּח אֶת־בְּנֵי 20
יִשְׂרָאֵל׃ פ
21 וַיֹּאמֶר יְהוָה אֶל־מֹשֶׁה נְטֵה יָדְךָ עַל־הַשָּׁמַיִם וִיהִי חֹשֶׁךְ עַל־ 21   יב בטע בסיפ[11] . יח פסוק אל על על[12] . יו חס את . לב
אֶרֶץ מִצְרָיִם וְיָמֵשׁ חֹשֶׁךְ׃ 22 וַיֵּט מֹשֶׁה אֶת־יָדוֹ עַל־הַשָּׁמָיִם וַיְהִי 22   ל
חֹשֶׁךְ־אֲפֵלָה[a] בְּכָל־אֶרֶץ מִצְרַיִם שְׁלֹשֶׁת יָמִים׃ 23 לֹא־רָאוּ אִישׁ 23   יח
אֶת־אָחִיו וְלֹא־קָמוּ אִישׁ מִתַּחְתָּיו שְׁלֹשֶׁת יָמִים וּלְכָל־בְּנֵי יִשְׂרָאֵל   ב

[7]Mm 435. [8]Mm 425. [9]Mm 436. [10]Mm 713. [11]Mm 439. [12]Mm 658. [13]Mm 437. [14]Mm 438 et Mm 2845. [15]Mm 510. [16]וחד תחשך Qoh 12,2. [17]Mm 989. [18]Thr 5,13. [19]Mm 180.

11 [a–a] ш לָכֵן ‖ [b] ш𝔊𝔖 –ִשׁוּ ‖ **12** [a–a] ш𝔊 ואת כל פרי העץ ‖ **13** [a] ш𝔊[19.130] יָדוֹ (ex 12) ‖ [b–b] 𝔊 *εἰς τὸν οὐρανόν* cf 21sq ‖ [c] ш נָשְׂאָה ‖ **15** [a] 𝔊(𝔙) *καὶ ἐφθάρη* ‖ **17** [a] ш𝔊𝔖𝔙 שְׂאוּ ‖ [b] ш ה׳ ‖ **18** [a] nonn Mss 𝔊𝔖𝔙 + מֹשֶׁה ‖ [b] 𝔊* *τὸν θεόν* ‖ **22** [a] 𝔊 + *θύελλα* (ex Dt 4,11 5,[19]22).

24 הָיָ֥ה א֖וֹר בְּמוֹשְׁבֹתָֽם׃ 24 וַיִּקְרָ֨א פַרְעֹ֜ה אֶל־מֹשֶׁ֗ה[a] וַיֹּ֙אמֶר֙ לְכוּ֙ עִבְד֣וּ

25 אֶת־יְהוָ֔ה[b] רַ֛ק צֹאנְכֶ֥ם וּבְקַרְכֶ֖ם יֻצָּ֑ג גַּֽם־טַפְּכֶ֖ם יֵלֵ֥ךְ עִמָּכֶֽם׃ 25 וַיֹּ֣אמֶר ל

מֹשֶׁ֔ה גַּם־אַתָּ֛ה תִּתֵּ֥ן בְּיָדֵ֖נוּ[a] זְבָחִ֣ים וְעֹלֹ֑ת וְעָשִׂ֖ינוּ לַיהוָ֥ה אֱלֹהֵֽינוּ׃ כז בטע . ב[20] . ט

26 וְגַם־מִקְנֵ֜נוּ יֵלֵ֣ךְ עִמָּ֗נוּ לֹ֤א תִשָּׁאֵר֙ פַּרְסָ֔ה כִּ֚י מִמֶּ֣נּוּ נִקַּ֔ח לַעֲבֹ֖ד אֶת־ יג ר״פ בתור . ל

יְהוָ֣ה אֱלֹהֵ֑ינוּ וַאֲנַ֣חְנוּ לֹֽא־נֵדַ֗ע מַה־נַּעֲבֹד֙ אֶת־יְהוָ֔ה עַד־בֹּאֵ֖נוּ שָֽׁמָּה׃ ג[21] . ל

27 וַיְחַזֵּ֥ק יְהוָ֖ה אֶת־לֵ֣ב פַּרְעֹ֑ה וְלֹ֥א אָבָ֖ה לְשַׁלְּחָֽם׃ 28 וַיֹּֽאמֶר־ל֥וֹ ג[22] . ב

פַרְעֹ֖ה לֵ֣ךְ[a] מֵעָלָ֑י הִשָּׁ֣מֶר לְךָ֗ אַל[b]־תֹּ֙סֶף֙ רְא֣וֹת פָּנַ֔י כִּ֛י בְּי֥וֹם רְאֹתְךָ֥ פָנַ֖י ל וחס

29 תָּמֽוּת׃ 29 וַיֹּ֥אמֶר מֹשֶׁ֖ה כֵּ֣ן דִּבַּ֑רְתָּ לֹא־אֹסִ֥ף ע֖וֹד רְא֥וֹת פָּנֶֽיךָ׃ פ יט ג מנה חס

ס[ט] **11** 1 וַיֹּ֨אמֶר יְהוָ֜ה אֶל־מֹשֶׁ֗ה ע֣וֹד נֶ֤גַע אֶחָד֙ אָבִ֤יא עַל־פַּרְעֹה֙ יב בטע בסיפ[1] . ה ג מנה בליש

וְעַל־מִצְרַ֔יִם אַחֲרֵי[a]־כֵ֕ן יְשַׁלַּ֥ח[b] אֶתְכֶ֖ם מִזֶּ֑ה כְּשַׁ֨לְּח֔וֹ[c] [d]כָּלָ֕ה גָּרֵ֛שׁ יְגָרֵ֥שׁ יב[2] . ל . ג[3]

2 אֶתְכֶ֖ם[d] מִזֶּֽה׃ 2 דַּבֶּר־נָ֖א בְּאָזְנֵ֣י הָעָ֑ם וְיִשְׁאֲל֞וּ אִ֣ישׁ ׀ מֵאֵ֣ת רֵעֵ֗הוּ וְאִשָּׁה֙ לז . ל . כב

3 מֵאֵ֣ת רְעוּתָ֔הּ כְּלֵי־כֶ֖סֶף וּכְלֵ֥י זָהָֽב[a]׃ 3 [a]וַיִּתֵּ֧ן יְהוָ֛ה[a] אֶת־חֵ֥ן הָעָ֖ם[b] ה

בְּעֵינֵ֣י מִצְרָ֑יִם[c] גַּ֣ם ׀ הָאִ֣ישׁ מֹשֶׁ֗ה גָּד֤וֹל מְאֹד֙ בְּאֶ֣רֶץ[d] מִצְרַ֔יִם בְּעֵינֵ֥י לג בתור . לג בתור

4 עַבְדֵֽי־פַרְעֹ֖ה וּבְעֵינֵ֥י הָעָֽם׃ ס 4 וַיֹּ֣אמֶר מֹשֶׁ֔ה כֹּ֖ה אָמַ֣ר יְהוָ֑ה ל

5 כַּחֲצֹ֣ת הַלַּ֔יְלָה אֲנִ֥י יוֹצֵ֖א בְּת֥וֹךְ מִצְרָֽיִם׃ 5 וּמֵ֣ת כָּל־בְּכוֹר֮ בְּאֶ֣רֶץ ל וחס . ל[4] . ט[5] מל ג מנה באור וכל תלים דכות ב מ א . ב[6]

מִצְרַ֒יִם֒ מִבְּכ֤וֹר פַּרְעֹה֙ הַיֹּשֵׁ֣ב עַל־כִּסְא֔וֹ עַ֚ד בְּכ֣וֹר הַשִּׁפְחָ֔ה אֲשֶׁ֖ר ב מל

6 אַחַ֣ר הָרֵחָ֑יִם [a]וְכֹ֖ל בְּכ֥וֹר[a] בְּהֵמָֽה׃ 6 וְהָֽיְתָ֛ה צְעָקָ֥ה גְדֹלָ֖ה[a] בְּכָל־ ד . יח

7 אֶ֣רֶץ מִצְרָ֑יִם[a] אֲשֶׁ֤ר כָּמֹ֙הוּ֙[b] לֹ֣א נִהְיָ֔תָה וְכָמֹ֖הוּ[b] לֹ֥א תֹסִֽף׃ 7 וּלְכֹ֣ל ׀ יג . ד ר״פ . ב

בְּנֵ֣י יִשְׂרָאֵ֗ל לֹ֤א יֶֽחֱרַץ־כֶּ֙לֶב֙ לְשֹׁנ֔וֹ לְמֵאִ֖ישׁ וְעַד־בְּהֵמָ֑ה לְמַ֙עַן֙ תֵּֽדְע֔וּן[a] ל . ג[7] . ד[8]

8 אֲשֶׁר֙ יַפְלֶ֣ה[b] יְהוָ֔ה בֵּ֥ין מִצְרַ֖יִם וּבֵ֥ין יִשְׂרָאֵֽל׃ 8 וְיָרְד֣וּ כָל־עֲבָדֶ֣יךָ ל . ז[9]

אֵ֣לֶּה אֵ֠לַי וְהִשְׁתַּחֲווּ[a]־לִ֨י לֵאמֹ֜ר צֵ֤א אַתָּה֙ וְכָל־הָעָ֣ם אֲשֶׁר־בְּרַגְלֶ֔יךָ ז[10] . נא[11] מ״פ וכל ר״פ דכות ב מ ג

9 וְאַחֲרֵי־כֵ֖ן אֵצֵ֑א וַיֵּצֵ֥א מֵֽעִם־פַּרְעֹ֖ה בָּחֳרִי־אָֽף׃ ס 9 וַיֹּ֤אמֶר יְהוָה֙ ו[12] . ה

אֶל־מֹשֶׁ֔ה לֹא־יִשְׁמַ֥ע אֲלֵיכֶ֖ם פַּרְעֹ֑ה לְמַ֛עַן רְב֥וֹת מוֹפְתַ֖י בְּאֶ֥רֶץ ב מל

[20] 2 R 10,24. [21] Mm 4206. [22] Mm 115. **Cp 11** [1] Mm 439. [2] Mm 440. [3] Mm 137. [4] וחד ואני יוצא Da 10,20. [5] Mm 1268. [6] Mm 1111. [7] Mm 4193. [8] Mm 1255. [9] Mm 3140. [10] Mm 441. [11] Mp sub loco. [12] Mm 1643.

24 [a] 2 Mss 𝔊𝔙 + וְאַהֲרֹן cf 𝔐 ‖ [b] Ms 𝔊𝔖 + אֱלֹהֵיכֶם ‖ **25** [a] mlt Mss בידינו, 𝔊(𝔙) *ἡμῖν* ‖ **28** [a] 𝔐𝔖 + לְךָ ‖ [b] sic L, mlt Mss Edd אַל ‖ **Cp 11,1** [a] nonn Mss 𝔊𝔖𝔗[J]𝔙 וְא׳ ‖ [b] 𝔖 1 sg ‖ [c] 𝔖 suff 1 sg ‖ [d–d] 𝔖 *klkwn pwqw lkwn* = כֻּלְּכֶם צְאוּ לָכֶם ‖ **2** [a] Ms 𝔐𝔊 + ושמלות cf 3,22 12,35 ‖ **3** [a–a] 𝔐 וְנָתַתִּי ‖ [b] 𝔐 + הַזֶּה, 𝔊(𝔙) *τῷ λαῷ αὐτοῦ* ‖ [c] 𝔐𝔊 + והשאלום (ex 12,36) ‖ [d] pc Mss 𝔊 בְּעֵינֵי ‖ **5** [a–a] 𝔐𝔊 ועד בכור כל ‖ **6** [a–a] pc Mss 𝔐 בְּמ׳; 𝔖 om כל ‖ [b] 𝔐 מוֹהָ— ‖ **7** [a] 𝔐𝔊 תֵּדַע ‖ [b] 𝔐 יפלא ‖ **8** [a] sic L, mlt Mss Edd וו—; 𝔐 וְיִשְׁ׳ cf 𝔊.

10 מִצְרָיִם׃ 10 וּמֹשֶׁה וְאַהֲרֹן עָשׂוּ אֶת־כָּל־הַמֹּפְתִים הָאֵלֶּה לִפְנֵי פַרְעֹה ז ר״פ[13]. ב חד ר״פ וחד ס״פ[14]
וַיְחַזֵּק יְהוָה אֶת־לֵב פַּרְעֹה וְלֹא־שִׁלַּח אֶת־בְּנֵי־יִשְׂרָאֵל מֵאַרְצוֹ׃ פ
12 12 1 וַיֹּאמֶר יְהוָה אֶל־מֹשֶׁה וְאֶל־אַהֲרֹן בְּאֶרֶץ מִצְרַיִם לֵאמֹר׃ ה
2 2 הַחֹדֶשׁ הַזֶּה לָכֶם רֹאשׁ חֳדָשִׁים רִאשׁוֹן הוּא לָכֶם לְחָדְשֵׁי הַשָּׁנָה׃ ב[1]
3 3 דַּבְּרוּ אֶל־כָּל־עֲדַת[a] יִשְׂרָאֵל לֵאמֹר בֶּעָשֹׂר לַחֹדֶשׁ הַזֶּה וְיִקְחוּ לָהֶם ג ר״פ בתור[2]. יא. ל חס. ו רפי[3]
4 אִישׁ שֶׂה לְבֵית־אָבֹת שֶׂה לַבָּיִת׃ 4 וְאִם־יִמְעַט הַבַּיִת מִהְיֹת מִשֶּׂה ל. ב[5]. ב חס[4]
וְלָקַח הוּא וּשְׁכֵנוֹ הַקָּרֹב אֶל־בֵּיתוֹ בְּמִכְסַת[a] נְפָשֹׁת אִישׁ לְפִי אָכְלוֹ ל. ב חס
5 תָּכֹסּוּ עַל־הַשֶּׂה׃ 5 שֶׂה תָמִים זָכָר בֶּן־שָׁנָה יִהְיֶה לָכֶם מִן־הַכְּבָשִׂים[a] ל. ל
6 וּמִן־הָעִזִּים תִּקָּחוּ׃ 6 וְהָיָה לָכֶם לְמִשְׁמֶרֶת עַד אַרְבָּעָה עָשָׂר יוֹם
לַחֹדֶשׁ הַזֶּה וְשָׁחֲטוּ אֹתוֹ כֹּל קְהַל עֲדַת[a] יִשְׂרָאֵל בֵּין הָעַרְבָּיִם׃ יא
7 7 וְלָקְחוּ מִן־הַדָּם וְנָתְנוּ עַל־שְׁתֵּי הַמְּזוּזֹת וְעַל־הַמַּשְׁקוֹף עַל הַבָּתִּים ל. ג
8 אֲשֶׁר־יֹאכְלוּ אֹתוֹ בָּהֶם׃[a] 8 וְאָכְלוּ אֶת־הַבָּשָׂר בַּלַּיְלָה הַזֶּה צְלִי־אֵשׁ
9 וּמַצּוֹת עַל־מְרֹרִים יֹאכְלֻהוּ׃ 9 אַל־תֹּאכְלוּ מִמֶּנּוּ נָא וּבָשֵׁל מְבֻשָּׁל ב[6]. ד וחס. ל. ב[7]
10 בַּמָּיִם כִּי אִם־צְלִי־אֵשׁ רֹאשׁוֹ עַל־כְּרָעָיו וְעַל־קִרְבּוֹ׃ 10 וְלֹא־תוֹתִירוּ ז ר״פ בסיפ
11 מִמֶּנּוּ עַד־בֹּקֶר[a] וְהַנֹּתָר מִמֶּנּוּ עַד־בֹּקֶר בָּאֵשׁ תִּשְׂרֹפוּ׃ 11 וְכָכָה ל וחס. ב[8]
תֹּאכְלוּ אֹתוֹ מָתְנֵיכֶם חֲגֻרִים נַעֲלֵיכֶם[a] בְּרַגְלֵיכֶם וּמַקֶּלְכֶם[b] בְּיֶדְכֶם[b] ג חד מל וב חס ובטע. ל
12 וַאֲכַלְתֶּם אֹתוֹ בְּחִפָּזוֹן פֶּסַח הוּא לַיהוָה׃ 12 וְעָבַרְתִּי בְאֶרֶץ־מִצְרַיִם ג ומל
בַּלַּיְלָה הַזֶּה וְהִכֵּיתִי כָל־בְּכוֹר בְּאֶרֶץ מִצְרַיִם מֵאָדָם וְעַד־בְּהֵמָה
13 וּבְכָל־אֱלֹהֵי מִצְרַיִם אֶעֱשֶׂה שְׁפָטִים אֲנִי יְהוָה׃ 13 וְהָיָה הַדָּם לָכֶם ל
לְאֹת עַל הַבָּתִּים אֲשֶׁר אַתֶּם שָׁם וְרָאִיתִי אֶת־הַדָּם וּפָסַחְתִּי עֲלֵכֶם ל חס. יב[9]. ל חס
14 וְלֹא־יִהְיֶה בָכֶם נֶגֶף לְמַשְׁחִית בְּהַכֹּתִי בְּאֶרֶץ מִצְרָיִם׃ 14 וְהָיָה הַיּוֹם ב חד מל וחד חס[10]
הַזֶּה לָכֶם לְזִכָּרוֹן וְחַגֹּתֶם אֹתוֹ חַג לַיהוָה לְדֹרֹתֵיכֶם חֻקַּת עוֹלָם ז[11]
15 תְּחָגֻּהוּ׃ 15 שִׁבְעַת יָמִים מַצּוֹת תֹּאכֵלוּ אַךְ בַּיּוֹם הָרִאשׁוֹן תַּשְׁבִּיתוּ ל וחס. סד ב מנה בפסוק
שְּׂאֹר[a] מִבָּתֵּיכֶם כִּי ׀ כָּל־אֹכֵל חָמֵץ וְנִכְרְתָה הַנֶּפֶשׁ הַהִוא מִיִּשְׂרָאֵל
16 מִיּוֹם הָרִאשֹׁן עַד־יוֹם הַשְּׁבִעִי׃ 16 וּבַיּוֹם הָרִאשׁוֹן מִקְרָא־קֹדֶשׁ וּבַיּוֹם סד ב מנה חס וב בפסוק. ח חס ג[12] מנה בתור. ל ר״פ[13]. סד

[13] Mm 3363. [14] Mm 442. **Cp 12** [1] Mm 443. [2] Mm 719. [3] Mm 560. [4] Mm 444. [5] Neh 9,32. [6] Gn 19,3. [7] 1S 2,15. [8] Neh 5,13. [9] Mm 445. [10] Mm 446. [11] Mp sub loco. [12] Mm 490. [13] Mm 877.

Cp 12,3 [a] mlt Mss ш𝔊𝔖𝔗[Ms]𝔙 + בְּנֵי cf 6[a].47[a] ‖ **4** [a] ш סות– ‖ **5** [a] ш הכשבים ‖ **6** [a] > ℭ𝔙; ш𝔊𝔖𝔙 + בני cf 3[a] ‖ **7** [a] ℭ שָׁם ‖ **10** [a] 𝔊 + *καὶ ὀστοῦν οὐ συντρίψεται ἀπ᾽ αὐτοῦ* ‖ **11** [a] 𝔊𝔖𝔙 pr cop ‖ [b] ш Vrs pl ‖ **15** [a] sic L, mlt Mss Edd שאר.

הַשְּׁבִיעִי מִקְרָא־קֹדֶשׁ יִהְיֶה לָכֶם כָּל־מְלָאכָה לֹא־יֵעָשֶׂה בָהֶם אַךְ ד[14]. ל[15]
17 אֲשֶׁר יֵאָכֵל[a] לְכָל־נֶפֶשׁ הוּא לְבַדּוֹ יֵעָשֶׂה לָכֶם׃ 17 וּשְׁמַרְתֶּם אֶת־ ל[15]. ל
הַמַּצּוֹת[a] כִּי בְּעֶצֶם הַיּוֹם הַזֶּה הוֹצֵאתִי אֶת־צִבְאוֹתֵיכֶם מֵאֶרֶץ מִצְרָיִם ל מל בתור
18 וּשְׁמַרְתֶּם[b] אֶת־הַיּוֹם הַזֶּה לְדֹרֹתֵיכֶם חֻקַּת עוֹלָם׃ 18 בָּרִאשֹׁן בְּאַרְבָּעָה ח[16] ב מנה חס
עָשָׂר יוֹם לַחֹדֶשׁ בָּעֶרֶב תֹּאכְלוּ מַצֹּת עַד יוֹם הָאֶחָד וְעֶשְׂרִים לַחֹדֶשׁ ד. ד חס. ד
19 בָּעָרֶב׃ 19 שִׁבְעַת יָמִים שְׂאֹר לֹא יִמָּצֵא בְּבָתֵּיכֶם כִּי ׀ כָּל־אֹכֵל
מַחְמֶצֶת וְנִכְרְתָה הַנֶּפֶשׁ הַהִוא מֵעֲדַת יִשְׂרָאֵל בַּגֵּר וּבְאֶזְרַח הָאָרֶץ׃ יא ב מנה בליש ול בסיפ. ל. ל
20 כָּל־מַחְמֶצֶת לֹא תֹאכֵלוּ בְּכֹל מוֹשְׁבֹתֵיכֶם תֹּאכְלוּ מַצּוֹת׃ פ
21 וַיִּקְרָא מֹשֶׁה לְכָל־זִקְנֵי[a] יִשְׂרָאֵל וַיֹּאמֶר אֲלֵהֶם [b]מִשְׁכוּ וּקְחוּ[bc] ל
22 לָכֶם צֹאן לְמִשְׁפְּחֹתֵיכֶם וְשַׁחֲטוּ הַפָּסַח׃ 22 וּלְקַחְתֶּם[a] אֲגֻדַּת אֵזוֹב ב[17]. ו. ג מל בתור[18]
וּטְבַלְתֶּם בַּדָּם [b]אֲשֶׁר־בַּסַּף[b] וְהִגַּעְתֶּם אֶל־הַמַּשְׁקוֹף וְאֶל־שְׁתֵּי הַמְּזוּזֹת ל. ג. ל
מִן־הַדָּם אֲשֶׁר בַּסָּף וְאַתֶּם לֹא[c] תֵצְאוּ אִישׁ מִפֶּתַח־בֵּיתוֹ עַד־בֹּקֶר׃ ל זקף קמ
23 וְעָבַר יְהוָה לִנְגֹּף אֶת־מִצְרַיִם וְרָאָה אֶת־הַדָּם עַל־הַמַּשְׁקוֹף וְעַל ל. ל
שְׁתֵּי הַמְּזוּזֹת וּפָסַח יְהוָה עַל־הַפֶּתַח וְלֹא יִתֵּן הַמַּשְׁחִית לָבֹא אֶל־ ג[19]. ט חס[20]
24 בָּתֵּיכֶם לִנְגֹּף׃ 24 וּשְׁמַרְתֶּם אֶת־הַדָּבָר הַזֶּה לְחָק־לְךָ וּלְבָנֶיךָ עַד־
25 עוֹלָם׃ 25 וְהָיָה כִּי־תָבֹאוּ אֶל־הָאָרֶץ אֲשֶׁר יִתֵּן יְהוָה לָכֶם כַּאֲשֶׁר
26 דִּבֵּר וּשְׁמַרְתֶּם אֶת־הָעֲבֹדָה הַזֹּאת[a]׃ 26 וְהָיָה כִּי־יֹאמְרוּ אֲלֵיכֶם
27 בְּנֵיכֶם מָה הָעֲבֹדָה הַזֹּאת לָכֶם׃ 27 וַאֲמַרְתֶּם זֶבַח־פֶּסַח הוּא לַיהוָה
אֲשֶׁר פָּסַח עַל־בָּתֵּי בְנֵי־יִשְׂרָאֵל בְּמִצְרַיִם בְּנָגְפּוֹ אֶת־מִצְרַיִם וְאֶת־ ל
28 בָּתֵּינוּ הִצִּיל וַיִּקֹּד הָעָם וַיִּשְׁתַּחֲווּ[a]׃ 28 וַיֵּלְכוּ וַיַּעֲשׂוּ בְּנֵי יִשְׂרָאֵל כַּאֲשֶׁר
ס̊[ו] צִוָּה יְהוָה אֶת־מֹשֶׁה וְאַהֲרֹן[a] כֵּן עָשׂוּ׃ ס 29 וַיְהִי ׀ בַּחֲצִי הַלַּיְלָה כט בתור. ג[21]
וַיהוָה הִכָּה כָל־בְּכוֹר בְּאֶרֶץ מִצְרַיִם מִבְּכֹר פַּרְעֹה הַיֹּשֵׁב עַל־ כב בתור
כִּסְאוֹ עַד[a] בְּכוֹר הַשְּׁבִי אֲשֶׁר בְּבֵית הַבּוֹר וְכֹל בְּכוֹר בְּהֵמָה׃ ה זוגין בבית בית[22]. ד
30 וַיָּקָם פַּרְעֹה לַיְלָה הוּא[a] וְכָל־עֲבָדָיו וְכָל־מִצְרַיִם וַתְּהִי צְעָקָה ה פסוק וכל וכל ומילה חדה ביניה. ז[23]

[14]Mm 591. [15]Mm 210. [16]Mm 2909. [17]Mm 4263. [18]Mm 447. [19]Mm 683. [20]Mm 355. [21]Mm 448. [22]Mm 3761. [23]Mm 449.

16 [a] 𝔊(𝔗[Ms]) *ποιηθήσεται* ‖ **17** [a] ⅏𝔊 הַמִּצְוָה ‖ [b] 𝔊 *καὶ ποιήσετε* ‖ **21** [a] 𝔊*(𝔖𝔙) + *υἱῶν* ‖ [b–b] 𝔖 *bʿgl sbw* = celeriter sumite ‖ [c] ⅏ קחו ‖ **22** [a] ℭ + לכם ‖ [b–b] 𝔖 *dʾmrʾ* = בְּדַם) הַשֶּׂה) ‖ [c] ⅏ אַל ‖ **25** [a] ⅏ + בַּחֹדֶשׁ הַזֶּה ‖ **27** [a] sic L, mlt Mss Edd ־וּ ‖ **28** [a] > 𝔊[BA] ‖ **29** [a] ⅏𝔊[AM min]𝔖 וְעַד ‖ **30** [a] > 𝔊*𝔙.

31 גְּדֹלָה בְּמִצְרַיִם[b] כִּי־אֵין בַּיִת אֲשֶׁר אֵין־שָׁם מֵת׃ 31 וַיִּקְרָא[a] לְמֹשֶׁה
וּלְאַהֲרֹן לַיְלָה וַיֹּאמֶר[b] קוּמוּ צְּאוּ מִתּוֹךְ עַמִּי גַּם־אַתֶּם גַּם־בְּנֵי יִשְׂרָאֵל
32 וּלְכוּ עִבְדוּ אֶת־יְהוָה כְּדַבֶּרְכֶם׃ 32 גַּם־צֹאנְכֶם גַּם־בְּקַרְכֶם קְחוּ
33 כַּאֲשֶׁר דִּבַּרְתֶּם וָלֵכוּ וּבֵרַכְתֶּם גַּם־אֹתִי׃ 33 וַתֶּחֱזַק מִצְרַיִם עַל־
34 הָעָם לְמַהֵר לְשַׁלְּחָם מִן־הָאָרֶץ כִּי אָמְרוּ כֻּלָּנוּ מֵתִים׃ 34 וַיִּשָּׂא
הָעָם אֶת־בְּצֵקוֹ טֶרֶם יֶחְמָץ מִשְׁאֲרֹתָם צְרֻרֹת בְּשִׂמְלֹתָם עַל־
35 שִׁכְמָם׃ 35 וּבְנֵי־יִשְׂרָאֵל עָשׂוּ כִּדְבַר מֹשֶׁה וַיִּשְׁאֲלוּ מִמִּצְרַיִם כְּלֵי־
36 כֶסֶף וּכְלֵי זָהָב וּשְׂמָלֹת׃ 36 וַיהוָה נָתַן אֶת־חֵן הָעָם בְּעֵינֵי מִצְרַיִם
37 וַיַּשְׁאִלוּם וַיְנַצְּלוּ אֶת־מִצְרָיִם׃ פ 37 וַיִּסְעוּ בְנֵי־יִשְׂרָאֵל מֵרַעְמְסֵס
38 סֻכֹּתָה כְּשֵׁשׁ־מֵאוֹת אֶלֶף רַגְלִי הַגְּבָרִים לְבַד מִטָּף׃ 38 וְגַם־עֵרֶב
39 רַב עָלָה אִתָּם וְצֹאן וּבָקָר מִקְנֶה[a] כָּבֵד מְאֹד׃ 39 וַיֹּאפוּ אֶת־הַבָּצֵק
אֲשֶׁר הוֹצִיאוּ מִמִּצְרַיִם עֻגֹת מַצּוֹת כִּי לֹא חָמֵץ כִּי־[a]גֹרְשׁוּ מִמִּצְרַיִם[a]
40 וְלֹא יָכְלוּ לְהִתְמַהְמֵהַּ וְגַם־צֵדָה לֹא־עָשׂוּ לָהֶם׃ 40 וּמוֹשַׁב בְּנֵי
יִשְׂרָאֵל[a] אֲשֶׁר יָשְׁבוּ בְּמִצְרָיִם[b] שְׁלֹשִׁים שָׁנָה וְאַרְבַּע מֵאוֹת שָׁנָה׃
41 41 וַיְהִי מִקֵּץ שְׁלֹשִׁים שָׁנָה וְאַרְבַּע מֵאוֹת שָׁנָה וַיְהִי בְּעֶצֶם הַיּוֹם הַזֶּה
42 יָצְאוּ כָּל־צִבְאוֹת יְהוָה מֵאֶרֶץ מִצְרָיִם׃ 42 לֵיל[a] שִׁמֻּרִים הוּא לַיהוָה
לְהוֹצִיאָם מֵאֶרֶץ מִצְרָיִם הוּא־הַלַּיְלָה הַזֶּה לַיהוָה שִׁמֻּרִים לְכָל־
בְּנֵי יִשְׂרָאֵל לְדֹרֹתָם׃ פ
43 43 וַיֹּאמֶר יְהוָה אֶל־מֹשֶׁה וְאַהֲרֹן[a] זֹאת חֻקַּת הַפָּסַח כָּל־בֶּן־
44 נֵכָר לֹא־יֹאכַל בּוֹ׃ 44 וְכָל־עֶבֶד אִישׁ מִקְנַת־כָּסֶף[a] וּמַלְתָּה אֹתוֹ אָז
45 46 יֹאכַל בּוֹ׃ 45 תּוֹשָׁב וְשָׂכִיר לֹא־יֹאכַל־בּוֹ׃ 46 בְּבַיִת אֶחָד יֵאָכֵל
לֹא־תוֹצִיא[a] מִן־הַבַּיִת מִן־הַבָּשָׂר חוּצָה וְעֶצֶם לֹא תִשְׁבְּרוּ־בוֹ׃
47 48 47 כָּל־עֲדַת[a] יִשְׂרָאֵל יַעֲשׂוּ אֹתוֹ׃ 48 וְכִי־יָגוּר אִתְּךָ[a] גֵּר וְעָשָׂה פֶסַח
לַיהוָה הִמּוֹל לוֹ כָל־זָכָר וְאָז יִקְרַב לַעֲשֹׂתוֹ וְהָיָה כְּאֶזְרַח הָאָרֶץ

יו מ״פ אין אין . יז
ב[24] . י פסוק בתור גם גם ומילה חדה ביניה
ד[25] ר״פ בתור וחד מן יב פסוק גם גם גם
ג . ה וכל עזרא דכות[26]
ג[27] . ג[28]
ב[29]
כב בתור . לג בתור
ל . ב[30]
ב[31] . יג ר״פ בתור . ב[32]
לז . ב[33] . ל
יז מ״פ לא ולא לא[34] . ל
ל
יב
ג[35] . ב וחס
ב וחס
ל[36] . כט בתור[36]
ח ר״פ בסיפ[37] . ל ומל
ו[38]
ל בתור
יא . יו בתור[39]
ד . ה וחס[40] . ד ג קמ וחד פת[41]

[24] Gn 19,14. [25] Mm 52. [26] Mm 1968. [27] Mm 450. [28] Mm 115. [29] Mm 451. [30] Mm 452. [31] Mm 248. [32] Mm 453. [33] Mm 2074. [34] Mm 1613. [35] Mm 454. [36] Mp sub loco. [37] Mm 645. [38] Mm 3067. [39] Mm 60. [40] Mm 305. [41] Mm 455.

30 [b] Ms 𝔊 בְּכָל־אֶרֶץ מ׳, Ms 𝔖 בְּאֶרֶץ מ׳ ‖ **31** [a] Ms 𝔊𝔖𝔙 + פרעה ‖ [b] 𝔊(𝔖) + αὐτοῖς ‖ **38** [a] pc Mss 𝔊𝔖𝔗[J]𝔙 ומ׳ ‖ **39** [a–a] ש𝔊𝔖𝔙 גֵּרְשׁוּם מ׳ עס ‖ **40** [a] ש𝔊[Mss] + וַאֲבֹתָם ‖ [b] ש וּבְאֶרֶץ כְּנַעַן מ׳ cf 𝔊 ‖ **42** [a] ש𝔊 לַיְלָה (cj c 41) ‖ **43** [a] nonn Mss ש𝔖𝔗[J] וְאֶל־א׳ ‖ **44** [a] ש כַּסְפּוֹ ‖ **46** [a] ש Vrs –אוּ ‖ **47** [a] pc Mss 𝔊𝔙 + בְּנֵי cf 3[a] ‖ **48** [a] pc Mss ש Vrs אתכם.

49 וְכָל־עָ֖רֵל לֹא־יֹ֥אכַל בּֽוֹ׃ 49 תּוֹרָ֣ה אַחַ֔ת יִהְיֶ֖ה לָֽאֶזְרָ֑ח וְלַגֵּ֖ר הַגָּ֥ר

50 בְּתוֹכְכֶֽם׃ 50 וַֽיַּעֲשׂ֖וּ כָּל־ᵃבְּנֵ֣י יִשְׂרָאֵ֑ל כַּאֲשֶׁ֨ר צִוָּ֧ה יְהוָ֛ה אֶת־מֹשֶׁ֥ה — יב̇ בתור

51 וְאֶת־ᵇאַהֲרֹ֖ן כֵּ֥ן עָשֽׂוּ׃ ס 51 וַיְהִ֕י בְּעֶ֖צֶם הַיּ֣וֹם הַזֶּ֑ה הוֹצִ֨יא יְהוָ֜ה

אֶת־בְּנֵ֧י יִשְׂרָאֵ֛ל מֵאֶ֥רֶץ מִצְרַ֖יִם עַל־צִבְאֹתָֽם׃ פ

סֿ[יא] **13** 1 וַיְדַבֵּ֥ר יְהוָ֖ה אֶל־מֹשֶׁ֥ה לֵּאמֹֽר׃ 2 קַדֶּשׁ־לִ֨י כָל־בְּכ֜וֹר פֶּ֣טֶר — ל̇

כָּל־רֶ֙חֶם֙ בִּבְנֵ֣י יִשְׂרָאֵ֔ל בָּאָדָ֖ם וּבַבְּהֵמָ֑ה לִ֖י הֽוּא׃

3 וַיֹּאמֶר֩ מֹשֶׁ֨ה אֶל־הָעָ֜ם זָכ֞וֹר אֶת־הַיּ֤וֹם הַזֶּה֙ אֲשֶׁ֨ר יְצָאתֶ֤םᵃ

מִמִּצְרַ֙יִם֙ᵇ מִבֵּ֣ית עֲבָדִ֔ים כִּ֚י בְּחֹ֣זֶק יָ֔ד הוֹצִ֧יא יְהוָ֛ה אֶתְכֶ֖ם מִזֶּ֑ה וְלֹ֥א — ל̇ זוגין[1]. ב̇[2]

4 5 יֵאָכֵ֖ל חָמֵֽץ׃ 4 הַיּ֖וֹםᵃ אַתֶּ֣ם יֹצְאִ֑ים בְּחֹ֖דֶשׁ הָאָבִֽיב׃ 5 וְהָיָ֣ה כִֽי־יְבִיאֲךָ֣

יְהוָ֡הᵃ אֶל־אֶ֣רֶץ הַֽכְּנַעֲנִ֡י וְהַֽחִתִּיᵇ֩ וְהָֽאֱמֹרִ֨יᶜ וְהַֽחִוִּ֜י וְהַיְבוּסִ֗י אֲשֶׁ֨רᵈ — סימן כ ת מ ו ט[3]

נִשְׁבַּ֤ע לַאֲבֹתֶ֙יךָ֙ לָ֣תֶת לָ֔ךְ אֶ֛רֶץ זָבַ֥ת חָלָ֖ב וּדְבָ֑שׁ וְעָבַדְתָּ֛ אֶת־הָעֲבֹדָ֥ה

6 הַזֹּ֖את בַּחֹ֥דֶשׁ הַזֶּֽה׃ 6 שִׁבְעַ֥תᵃ יָמִ֖ים תֹּאכַ֣לᵇ מַצֹּ֑ת וּבַיּוֹם֙ הַשְּׁבִיעִ֔י חַ֖ג — ד̇ חס

7 לַיהוָֽה׃ 7 מַצּוֹת֙ יֵֽאָכֵ֔לᵃ אֵ֖ת שִׁבְעַ֣ת הַיָּמִ֑ים וְלֹא־ᵇיֵרָאֶ֨ה לְךָ֜ חָמֵ֗ץ — ג̇[4]. ח̇[5]. יג̇[6]

8 ᶜוְלֹא־יֵרָאֶ֥הᵈ לְךָ֛ שְׂאֹ֖רᶜ בְּכָל־גְּבֻלֶֽךָ׃ 8 וְהִגַּדְתָּ֣ לְבִנְךָ֔ בַּיּ֥וֹם הַה֖וּא — יג̇[6]

9 לֵאמֹ֑ר בַּעֲב֣וּר זֶ֗ה עָשָׂ֤ה יְהוָה֙ לִ֔י בְּצֵאתִ֖י מִמִּצְרָֽיִם׃ 9 וְהָיָהᵃ֩ לְךָ֨

לְא֜וֹת עַל־יָדְךָ֗ᵇ וּלְזִכָּרוֹן֙ בֵּ֣ין עֵינֶ֔יךָ לְמַ֗עַן תִּהְיֶ֛ה תּוֹרַ֥ת יְהוָ֖ה בְּפִ֑יךָ — ל̇[7]

10 כִּ֚י בְּיָ֣ד חֲזָקָ֔ה הוֹצִֽאֲךָ֥ יְהוָ֖ה מִמִּצְרָֽיִם׃ 10 וְשָׁמַרְתָּ֛ᵃ אֶת־הַחֻקָּ֥ה הַזֹּ֖את — ל̇[1] זוגין ול̇ בעינ̇. ב̇ חס

11 לְמוֹעֲדָ֑הּ מִיָּמִ֖ים יָמִֽימָה׃ ס 11 וְהָיָ֞ה כִּֽי־יְבִאֲךָ֤ יְהוָה֙ᵃ אֶל־אֶ֣רֶץ — ל̇. ה̇[8]. ל̇ חס

12 הַֽכְּנַעֲנִ֔י כַּאֲשֶׁ֛ר נִשְׁבַּ֥ע לְךָ֖ וְלַאֲבֹתֶ֑יךָ וּנְתָנָ֖הּ לָֽךְ׃ 12 וְהַעֲבַרְתָּ֥ כָל־ — יד̇ פסוק לך לך[9]

פֶּֽטֶר־רֶ֖חֶם לַֽיהוָ֑ה וְכָל־פֶּ֣טֶר ׀ שֶׁ֣גֶר בְּהֵמָ֗ה אֲשֶׁ֨ר יִהְיֶ֥ה לְךָ֛ הַזְּכָרִ֖יםᵃ

13 לַֽיהוָֽה׃ 13 וְכָל־פֶּ֤טֶרᵃ חֲמֹרᵇ֙ תִּפְדֶּ֣ה בְשֶׂ֔ה וְאִם־לֹ֥א תִפְדֶּ֖הᶜ וַעֲרַפְתּ֑וֹ — ל̇ ר״פ וכל ומ״פ וכל וחד מן ח̇[10] ר״פ בסיפ̇. ד̇ חס בתור[11]. יז̇ מ״פ. ב̇

14 וְכֹ֨ל בְּכ֥וֹר אָדָ֛ם בְּבָנֶ֖יךָ תִּפְדֶּֽה׃ 14 ᵃוְהָיָ֞ה כִּֽי־ᵃיִשְׁאָלְךָ֥ בִנְךָ֛ מָחָ֖ר — ד̇

לֵאמֹ֣ר מַה־זֹּ֑את וְאָמַרְתָּ֣ אֵלָ֔יו בְּחֹ֣זֶק יָ֔ד הוֹצִיאָ֧נוּ יְהוָ֛ה מִמִּצְרַ֖יִם — ל̇ זוגין[1]

Cp 13 [1]Mm 456. [2]Ex 21,28. [3]Okhl 274. [4]Mm 994. [5]Mm 4051. [6]Mm 150. [7]וחד וזכרון Neh 2,20. [8]Mm 457. [9]Mm 1860. [10]Mm 645. [11]Mm 458.

50 ᵃ > 𝔊* ‖ ᵇ 𝔊 om את ‖ **Cp 13,3** ᵃ 𝔐𝔊𝔖𝔙 + בוֹ ‖ ᵇ 𝔐𝔊𝔖 מֵאֶרֶץ מ׳ ‖ **4** ᵃ 𝔐 cj c 3 ‖ **5** ᵃ pc Mss 𝔐𝔊𝔗ᴶ + אֱלֹהֶיךָ ‖ ᵇ pc Mss 𝔐 ה׳ ‖ ᶜ 𝔐 + והפרזי והגרגשי cf 𝔊𝔖 ‖ ᵈ 𝔊𝔖 כַּא׳ ‖ **6** ᵃ 𝔐𝔊 שֵׁשֶׁת ‖ ᵇ 𝔊(𝔖) ἔδεσθε ‖ **7** ᵃ 𝔊𝔖 2 pl ‖ ᵇ pc Mss 𝔊𝔙 לא ‖ ᶜ⁻ᶜ > 𝔖 ‖ ᵈ 𝔊 ἔσται = יִהְיֶה ‖ **9** ᵃ 𝔐 וְהָיוּ ‖ ᵇ 𝔐 ידיך ‖ **10** ᵃ 𝔊 2 pl ‖ **11** ᵃ 2 Mss 𝔐𝔊 + אֱלֹהֶיךָ ‖ **12** ᵃ 𝔊(𝔗𝔗ᴶ𝔙) + ἁγιάσεις = תַּקְדִּישׁ cf 34,19ᵇ ‖ **13** ᵃ 𝔊(𝔗ᴹˢ𝔗ᴶ) + *μήτραν* cf 2.12.15 34,19; 𝔖 *bwkrʾ dkrʾ ptḥ rḥmʾ* = primogenitum masculum aperiens vulvam ‖ ᵇ 𝔖 *dbʿjrʾ* = בְּהֵמָה ‖ ᶜ 𝔐 תפדנו ‖ **14** ᵃ⁻ᵃ 𝔊𝔖 וְכִי.

15 מִבֵּ֥ית עֲבָדִֽים׃ 15 וַֽיְהִ֗י כִּֽי־הִקְשָׁ֣ה פַרְעֹה֮ לְשַׁלְּחֵ֒נוּ֒ וַיַּהֲרֹ֨ג יְהוָ֤ה כָּל־ יג פסוק כל כל וכל
בְּכוֹר֙ בְּאֶ֣רֶץ מִצְרַ֔יִם מִבְּכֹ֥ר אָדָ֖ם וְעַד־בְּכ֣וֹר בְּהֵמָ֑ה עַל־כֵּ֞ן אֲנִ֣י ל
16 זֹבֵ֣חַ לַֽיהוָ֗ה כָּל־פֶּ֤טֶר רֶ֙חֶם֙ הַזְּכָרִ֔ים וְכָל־בְּכ֥וֹר[a] בָּנַ֖י אֶפְדֶּֽה׃ 16 וְהָיָ֤ה[a] ד
לְאוֹת֙ עַל־יָ֣דְכָ֔ה[b] וּלְטוֹטָפֹ֖ת בֵּ֣ין עֵינֶ֑יךָ כִּ֚י בְּחֹ֣זֶק יָ֔ד הוֹצִיאָ֥נוּ[c] יְהוָ֖ה כ̇[12] מילין כת ה ול בליש . ב . י זוגין[13]
מִמִּצְרָֽיִם׃ ס קו
17 וַיְהִ֗י בְּשַׁלַּ֣ח פַּרְעֹה֮ אֶת־הָעָם֒ וְלֹא־נָחָ֣ם אֱלֹהִ֗ים דֶּ֚רֶךְ אֶ֣רֶץ פרש ל . ל
פְּלִשְׁתִּ֔ים כִּ֥י קָר֖וֹב ה֑וּא כִּ֣י ׀ אָמַ֣ר אֱלֹהִ֗ים פֶּֽן־יִנָּחֵ֥ם הָעָ֛ם בִּרְאֹתָ֥ם ו[14] . ד[15] . ג ב חס וחד מל[16]
18 מִלְחָמָ֖ה וְשָׁ֥בוּ מִצְרָֽיְמָה׃ 18 וַיַּסֵּ֨ב אֱלֹהִ֧ים ׀ אֶת־הָעָ֛ם דֶּ֥רֶךְ הַמִּדְבָּ֖ר כח[17]
19 יַם־ס֑וּף וַחֲמֻשִׁ֛ים[a] עָל֥וּ בְנֵֽי־יִשְׂרָאֵ֖ל מֵאֶ֥רֶץ מִצְרָֽיִם׃ 19 וַיִּקַּ֥ח מֹשֶׁ֛ה ד וחס
אֶת־עַצְמ֥וֹת יוֹסֵ֖ף עִמּ֑וֹ כִּי֩ הַשְׁבֵּ֨עַ הִשְׁבִּ֜יעַ[a] אֶת־בְּנֵ֤י יִשְׂרָאֵל֙ לֵאמֹ֔ר
פָּקֹ֨ד יִפְקֹ֤ד אֱלֹהִים֙[b] אֶתְכֶ֔ם וְהַעֲלִיתֶ֧ם אֶת־עַצְמֹתַ֛י מִזֶּ֖ה אִתְּכֶֽם׃ ה וחס[18] . ה חס בליש[19]
20 21 20 וַיִּסְע֖וּ מִסֻּכֹּ֑ת וַֽיַּחֲנ֣וּ בְאֵתָ֔ם[a] בִּקְצֵ֖ה הַמִּדְבָּֽר׃ 21 וַיהוָ֡ה[a] הֹלֵךְ֩ כב בתור
לִפְנֵיהֶ֜ם יוֹמָ֨ם בְּעַמּ֤וּד עָנָן֙ לַנְחֹתָ֣ם הַדֶּ֔רֶךְ וְלַ֛יְלָה בְּעַמּ֥וּד אֵ֖שׁ לְהָאִ֣יר ל וחס . ו[20]
22 לָהֶ֑ם לָלֶ֖כֶת יוֹמָ֥ם וָלָֽיְלָה׃ 22 לֹֽא־יָמִ֞ישׁ[a] עַמּ֤וּד הֶֽעָנָן֙ יוֹמָ֔ם וְעַמּ֥וּד ז[21] ב מנה בתור
הָאֵ֖שׁ לָ֑יְלָה לִפְנֵ֖י הָעָֽם׃ פ

14 14 1 וַיְדַבֵּ֥ר יְהוָ֖ה אֶל־מֹשֶׁ֥ה לֵּאמֹֽר׃ 2 דַּבֵּר֮ אֶל־בְּנֵ֣י יִשְׂרָאֵל֒
וְיָשֻׁ֗בוּ וְיַחֲנוּ֙ לִפְנֵי֙ פִּ֣י הַחִירֹ֔ת[a] בֵּ֥ין מִגְדֹּ֖ל וּבֵ֣ין הַיָּ֑ם לִפְנֵי֙ בַּ֣עַל צְפֹ֔ן ח[1] . ב חס בתור
3 נִכְח֥וֹ תַחֲנ֖וּ עַל־הַיָּֽם׃ 3 וְאָמַ֤ר פַּרְעֹה֙ לִבְנֵ֣י[a] יִשְׂרָאֵ֔ל נְבֻכִ֥ים הֵ֖ם בָּאָ֑רֶץ ב[2] . ל וחס
4 סָגַ֥ר עֲלֵיהֶ֖ם הַמִּדְבָּֽר׃ 4 וְחִזַּקְתִּ֣י אֶת־לֵב־פַּרְעֹה֮ וְרָדַ֣ף אַחֲרֵיהֶם֒ ב[3]
וְאִכָּבְדָ֤ה בְּפַרְעֹה֙ וּבְכָל־חֵיל֔וֹ וְיָדְע֥וּ מִצְרַ֖יִם כִּֽי־אֲנִ֣י יְהוָ֑ה וַיַּעֲשׂוּ־ ב
5 כֵֽן׃ 5 וַיֻּגַּד֙ לְמֶ֣לֶךְ מִצְרַ֔יִם כִּ֥י בָרַ֖ח הָעָ֑ם וַ֠יֵּהָפֵךְ לְבַ֨ב פַּרְעֹ֤ה וַעֲבָדָיו֙ כד[4] . ב[5]
אֶל־הָעָ֔ם וַיֹּֽאמְרוּ֙ מַה־זֹּ֣את עָשִׂ֔ינוּ כִּֽי־שִׁלַּ֥חְנוּ אֶת־[a]יִשְׂרָאֵ֖ל מֵעָבְדֵֽנוּ׃ ל
6 7 6 וַיֶּאְסֹ֖ר אֶת־רִכְבּ֑וֹ וְאֶת־עַמּ֖וֹ לָקַ֥ח עִמּֽוֹ׃ 7 וַיִּקַּ֗ח שֵׁשׁ־מֵא֤וֹת רֶ֙כֶב֙ ל[6] . ז[7]
8 בָּח֔וּר וְכֹ֖ל רֶ֣כֶב מִצְרָ֑יִם וְשָׁלִשִׁ֖ם עַל־כֻּלּֽוֹ׃ 8 וַיְחַזֵּ֣ק יְהוָ֗ה אֶת־לֵ֤ב ל חס

[12] Mm 964. [13] Mm 456. [14] Mm 19. [15] Mm 1403. [16] Mm 459. [17] Mm 84. [18] Mm 388. [19] Mm 3723. [20] Mm 3230. [21] Mm 3293. Cp 14 [1] Mm 2668. [2] Ez 46,9. [3] Mm 460. [4] Mm 2228. [5] Mm 2437. [6] וחד ואת רכבו Jdc 4,7. [7] Mm 461.

15 [a] 𝔔 + אדם בבני ‖ **16** [a] ut 9[a]; 𝔔 + לכה ‖ [b] 𝔔 ⅏ ידיך ‖ [c] ⅏𝔊𝔖 אַף— ‖ **18** [a] ⅏[Mss] מיש׳—, 𝔊 *πέμπτη δὲ γενεά* ‖ **19** [a] ⅏𝔊[-B*75] + יוֹסֵף ‖ [b] 𝔊 *κύριος* ‖ **20** [a] ⅏𝔊[426]𝔄 Syh 𝔖𝔗[J] + אֲשֶׁר ‖ **21** [a] 𝔊 *ὁ δὲ θεός* ‖ **22** [a] ⅏ ימוש ‖ **Cp 14,2** [a] 𝔊 *τῆς ἐπαύλεως* (= חֲצֵרוֹת?), it 9[b] sed cf Nu 33,7sq ‖ **3** [a] 𝔊* *τῷ λαῷ αὐτοῦ· Οἱ υἱοί* ‖ **5** [a] 2 Mss 𝔊 + בְּנֵי.

פַּרְעֹה֙ מֶ֣לֶךְ מִצְרַ֔יִם וַיִּרְדֹּ֕ף אַחֲרֵ֖י בְּנֵ֣י יִשְׂרָאֵ֑ל וּבְנֵ֣י יִשְׂרָאֵ֔ל יֹצְאִ֖ים — הׄ וכל ר״פ דכות[8]
9 בְּיָ֥ד רָמָֽה׃ 9 וַיִּרְדְּפ֨וּ מִצְרַ֜יִם אַחֲרֵיהֶ֗ם וַיַּשִּׂ֤יגוּ אוֹתָם֙ חֹנִ֣ים עַל־הַיָּ֔ם — גׄ[9]. לׄט מל בתור
כָּל־ס֙וּס֙ רֶ֣כֶב[a] פַּרְעֹ֔ה וּפָרָשָׁ֖יו וְחֵיל֑וֹ עַל־פִּי֙ הַֽחִירֹ֔ת[b] לִפְנֵ֖י בַּ֥עַל
10 צְפֹֽן׃ 10 וּפַרְעֹ֖ה הִקְרִ֑יב וַיִּשְׂאוּ֩ בְנֵי־יִשְׂרָאֵ֨ל אֶת־עֵינֵיהֶ֜ם[a] וְהִנֵּ֧ה — בׄ חס בתור. גׄ בׄ מנה בתור. מגׄ
מִצְרַ֣יִם ׀ נֹסֵ֣עַ[b] אַחֲרֵיהֶ֗ם וַיִּֽירְאוּ֙ מְאֹ֔ד וַיִּצְעֲק֥וּ בְנֵֽי־יִשְׂרָאֵ֖ל אֶל־יְהוָֽה׃ — יׄ[10]
11 וַיֹּאמְרוּ֮ אֶל־מֹשֶׁה֒ הֲֽמִבְּלִ֤י אֵין־קְבָרִים֙ בְּמִצְרַ֔יִם לְקַחְתָּ֖נוּ לָמ֣וּת — גׄ בטע ר״פ. דׄ[11]
12 בַּמִּדְבָּ֑ר מַה־זֹּאת֙ עָשִׂ֣יתָ לָּ֔נוּ לְהוֹצִיאָ֖נוּ מִמִּצְרָֽיִם׃ 12 הֲלֹא־זֶ֣ה הַדָּבָ֗ר
אֲשֶׁר֩ דִּבַּ֨רְנוּ אֵלֶ֤יךָ בְמִצְרַ֙יִם֙ לֵאמֹ֔ר חֲדַ֥ל מִמֶּ֖נּוּ וְנַעַבְדָ֣ה אֶת־מִצְרָ֑יִם
13 כִּ֣י ט֥וֹב לָ֙נוּ֙ עֲבֹ֣ד אֶת־מִצְרַ֔יִם מִמֻּתֵ֖נוּ בַּמִּדְבָּֽר׃ 13 וַיֹּ֨אמֶר מֹשֶׁ֣ה אֶל־ — לׄ וחס
הָעָם֮ אַל־תִּירָאוּ֒ הִֽתְיַצְּב֗וּ[a] וּרְאוּ֙ אֶת־יְשׁוּעַ֣ת יְהוָ֔ה[b] אֲשֶׁר־יַעֲשֶׂ֥ה לָכֶ֖ם — הׄ[12]
הַיּ֑וֹם כִּ֗י אֲשֶׁ֨ר[c] רְאִיתֶ֤ם אֶת־מִצְרַ֙יִם֙ הַיּ֔וֹם לֹ֥א תֹסִ֛פוּ לִרְאֹתָ֥ם ע֖וֹד — לׄ
14 עַד־עוֹלָֽם׃ 14 יְהוָ֖ה יִלָּחֵ֣ם לָכֶ֑ם וְאַתֶּ֖ם תַּחֲרִשֽׁוּן׃ פ — בׄ[13] חד מל וחד מן זׄ[14] חס בליש
15 וַיֹּ֤אמֶר[a] יְהוָה֙ אֶל־מֹשֶׁ֔ה מַה־תִּצְעַ֖ק אֵלָ֑י דַּבֵּ֥ר אֶל־בְּנֵֽי־יִשְׂרָאֵ֖ל — ס [יב]
16 וְיִסָּֽעוּ׃ 16 וְאַתָּ֞ה הָרֵ֣ם אֶֽת־מַטְּךָ֗ וּנְטֵ֧ה אֶת־יָדְךָ֛ עַל־הַיָּ֖ם וּבְקָעֵ֑הוּ — לׄ. גׄ
17 וְיָבֹ֧אוּ בְנֵֽי־יִשְׂרָאֵ֛ל בְּת֥וֹךְ הַיָּ֖ם בַּיַּבָּשָֽׁה׃ 17 וַאֲנִ֗י הִנְנִ֤י מְחַזֵּק֙ אֶת־לֵ֣ב — זׄ רפי[15]. סׄז ר״פ
מִצְרַ֔יִם וְיָבֹ֖אוּ אַחֲרֵיהֶ֑ם וְאִכָּבְדָ֤ה בְּפַרְעֹה֙ וּבְכָל־חֵיל֔וֹ בְּרִכְבּ֖וֹ — זׄ רפי[15]. בׄ
18 וּבְפָרָשָֽׁיו׃ 18 וְיָדְע֥וּ[a] מִצְרַ֖יִם כִּֽי־אֲנִ֣י יְהוָ֑ה בְּהִכָּבְדִ֣י בְּפַרְעֹ֔ה בְּרִכְבּ֖וֹ — לׄ
19 וּבְפָרָשָֽׁיו׃ 19 וַיִּסַּ֞ע מַלְאַ֣ךְ הָאֱלֹהִ֗ים הַהֹלֵךְ֙ לִפְנֵי֙ מַחֲנֵ֣ה יִשְׂרָאֵ֔ל — חׄ
וַיֵּ֖לֶךְ מֵאַחֲרֵיהֶ֑ם וַיִּסַּ֞ע עַמּ֤וּד הֶֽעָנָן֙ מִפְּנֵיהֶ֔ם וַיַּֽעֲמֹ֖ד מֵאַחֲרֵיהֶֽם׃
20 וַיָּבֹ֞א בֵּ֣ין ׀ מַחֲנֵ֣ה מִצְרַ֗יִם וּבֵין֙ מַחֲנֵ֣ה יִשְׂרָאֵ֔ל וַיְהִ֤י הֶֽעָנָן֙ [a]וְהַחֹ֔שֶׁךְ[b] — לׄ
21 וַיָּ֖אֶר אֶת־הַלָּ֑יְלָה[ac] וְלֹא־קָרַ֥ב זֶ֛ה אֶל־זֶ֖ה כָּל־הַלָּֽיְלָה׃ 21 וַיֵּ֨ט מֹשֶׁ֣ה — בׄ בתרי לישנ[16]. לׄ. בׄ[17]
אֶת־יָדוֹ֮ עַל־הַיָּם֒ וַיּ֣וֹלֶךְ יְהוָ֣ה ׀ אֶת־הַ֠יָּם בְּר֨וּחַ קָדִ֤ים עַזָּה֙ כָּל־הַלַּ֔יְלָה — דׄ גׄ חס וחד מל[18]. בׄ[19]
22 וַיָּ֥שֶׂם אֶת־הַיָּ֖ם לֶחָרָבָ֑ה וַיִּבָּקְע֖וּ הַמָּֽיִם׃ 22 וַיָּבֹ֧אוּ בְנֵֽי־יִשְׂרָאֵ֛ל בְּת֥וֹךְ — פׄד לגׄ מנה בתור. לׄ[20]
23 הַיָּ֖ם בַּיַּבָּשָׁ֑ה וְהַמַּ֤יִם לָהֶם֙ חֹמָ֔ה מִימִינָ֖ם וּמִשְּׂמֹאלָֽם׃ 23 וַיִּרְדְּפ֤וּ — בׄ חס

[8] Mm 470. [9] Mm 462. [10] Mm 402. [11] Mm 2043. [12] Mm 463. [13] Mm 464. [14] Lectio L unica lectio plena, cf Mp sub loco. [15] Mm 465. [16] Mm 466. [17] Mm 467. [18] Mm 468. [19] Ps 48,8. [20] Mp sub loco.

9 [a] crrp? cf 23 ‖ [b] cf 2[a] ‖ **10** [a] ш + וַיִּרְאוּ cf 𝔊 ‖ [b] ш נסעים cf 𝔊𝔖𝔗𝔗[J]; > 𝔙 ‖ **13** [a] sic L, mlt Mss Edd ′צ־ ‖ [b] 𝔊* *τὴν παρὰ τοῦ θεοῦ* ‖ [c] ℭ pc Mss ш𝔊𝔖𝔗[Ms]𝔗[J] ′כַּאֲ ‖ **15** [a] 𝔖 pr *wṣlj mwš' qdm mrj'* = וַיִּצְעַק מֹשֶׁה אֶל־יהוה ‖ **18** [a] ш𝔊 + כל ‖ **20** [a–a] crrp; 𝔊 *καὶ ἐγένετο σκότος καὶ γνόφος καὶ διῆλθεν ἡ νύξ*; cf periphrasin Jos 24,7 ‖ [b] 𝔙 *tenebrosa*, 𝔖 + *klh llj'* = כָּל־הַלַּיְלָה ‖ [c] 𝔖 + *lbnj 'jsr'jl*.

מִצְרַיִם וַיָּבֹאוּ אַחֲרֵיהֶם כֹּל סוּס פַּרְעֹה רִכְבּוֹ וּפָרָשָׁיו אֶל־תּוֹךְ הַיָּם׃
24 וַיְהִי בְּאַשְׁמֹרֶת הַבֹּקֶר וַיַּשְׁקֵף יְהוָה אֶל[a]־מַחֲנֵה מִצְרַיִם בְּעַמּוּד אֵשׁ 24 ‖ ב . ד[21]
וְעָנָן וַיָּהָם אֵת מַחֲנֵה מִצְרָיִם׃ 25 וַיָּסַר[a] אֵת אֹפַן מַרְכְּבֹתָיו וַיְנַהֲגֵהוּ 25 ‖ ב[22] . ל חס . ל
בִּכְבֵדֻת וַיֹּאמֶר מִצְרַיִם אָנוּסָה מִפְּנֵי יִשְׂרָאֵל כִּי יְהוָה נִלְחָם לָהֶם ‖ ל וחס . יב סביר . ל
בְּמִצְרָיִם[b] פ 26 וַיֹּאמֶר יְהוָה אֶל־מֹשֶׁה נְטֵה אֶת־יָדְךָ עַל־הַיָּם 26
וְיָשֻׁבוּ הַמַּיִם עַל־מִצְרַיִם עַל־רִכְבּוֹ וְעַל־פָּרָשָׁיו׃ 27 וַיֵּט מֹשֶׁה אֶת־ 27 ‖ ח[23]
יָדוֹ עַל־הַיָּם וַיָּשָׁב הַיָּם לִפְנוֹת בֹּקֶר לְאֵיתָנוֹ וּמִצְרַיִם נָסִים[a] לִקְרָאתוֹ ‖ ב . ל
וַיְנַעֵר יְהוָה אֶת־מִצְרַיִם בְּתוֹךְ הַיָּם׃ 28 וַיָּשֻׁבוּ הַמַּיִם וַיְכַסּוּ אֶת־ 28 ‖ ל[24]
הָרֶכֶב וְאֶת־הַפָּרָשִׁים לְכֹל חֵיל פַּרְעֹה הַבָּאִים אַחֲרֵיהֶם בַּיָּם לֹא־
נִשְׁאַר בָּהֶם עַד־אֶחָד׃ 29 וּבְנֵי יִשְׂרָאֵל הָלְכוּ בַיַּבָּשָׁה בְּתוֹךְ הַיָּם 29 ‖ ב ס״פ
וְהַמַּיִם לָהֶם חֹמָה מִימִינָם וּמִשְּׂמֹאלָם[a] 30 וַיּוֹשַׁע יְהוָה בַּיּוֹם הַהוּא 30 ‖ ג[25] חס בתור וכל מלכים דכות ב מ ב . ב חס
אֶת־יִשְׂרָאֵל מִיַּד מִצְרָיִם וַיַּרְא יִשְׂרָאֵל אֶת־מִצְרַיִם מֵת עַל־שְׂפַת
הַיָּם׃ 31 וַיַּרְא יִשְׂרָאֵל אֶת־הַיָּד הַגְּדֹלָה אֲשֶׁר עָשָׂה יְהוָה בְּמִצְרַיִם 31 ‖ ד
וַיִּירְאוּ הָעָם אֶת־יְהוָה וַיַּאֲמִינוּ בַּיהוָה[a] וּבְמֹשֶׁה עַבְדּוֹ׃ פ ‖ ג[26] . ב[27]
15 1 אָז יָשִׁיר־מֹשֶׁה וּבְנֵי יִשְׂרָאֵל אֶת־הַשִּׁירָה הַזֹּאת לַיהוָה[a] 15 ‖ הׄ וכל ר״פ דכות[1]
וַיֹּאמְרוּ לֵאמֹר ‖ ג
אָשִׁירָה[b] לַיהוָה כִּי־גָאֹה[c] גָּאָה סוּס וְרֹכְבוֹ רָמָה בַיָּם׃ ‖ יו[2] כת ה בתור ב מנה בליש . ב
2 עָזִּי וְזִמְרָת[a] יָהּ[b] וַיְהִי־לִי[c] לִישׁוּעָה ‖ ג קמ
זֶה אֵלִי וְאַנְוֵהוּ[d] אֱלֹהֵי אָבִי וַאֲרֹמְמֶנְהוּ׃ ‖ ל . ל וחס[3]
3 יְהוָה אִישׁ[a] מִלְחָמָה[b] יְהוָה שְׁמוֹ׃ [בְיַם־סוּף׃ ‖ ו . ד[4]
4 מַרְכְּבֹת פַּרְעֹה וְחֵילוֹ יָרָה בַיָּם וּמִבְחַר שָׁלִשָׁיו טֻבְּעוּ[a] ‖ ד ג מל וחד חס[5] . ב . ל
5 תְּהֹמֹת יְכַסְיֻמוּ[a] יָרְדוּ בִמְצוֹלֹת כְּמוֹ־אָבֶן׃ ‖ ל . ג
6 יְמִינְךָ יְהוָה נֶאְדָּרִי בַּכֹּחַ יְמִינְךָ יְהוָה תִּרְעַץ אוֹיֵב׃ ‖ ל . ד דגש[6]

[21] Mm 186. [22] Jdc 4,15. [23] Mm 2668. [24] וחד ונער Ps 136,15. [25] Mm 469. [26] Mm 3376. [27] Nu 21,5.
Cp 15 [1] Mm 470. [2] Mm 598. [3] Mm 471א. [4] Mp sub loco. [5] Mm 472. [6] Mm 3246.

24 [a] ℳ𝔊* עַל ‖ **25** [a] ℳ𝔊𝔖 וַיֶּאֱסֹר ‖ [b] sic L, mlt Mss Edd : ‖ **27** [a] ℳ נֹסְעִים ‖ **29** [a] sic L, mlt Mss Edd : ‖ **31** [a] 𝔊 *τῷ θεῷ* ‖ **Cp 15,1** [a] 𝔊* *τῷ θεῷ* ‖ [b] ℳ **אשרו**, Vrs 1 pl ‖ [c] ℳ גוי, it 21[b] ‖ **2** [a] pc Mss ℳ𝔙 ־תִי, 𝔊 *καὶ σκεπαστής* = וְסִתְרָתִי cf Dt 32,38 ‖ [b] > 𝔊 ‖ [c] 𝔖 *ln* ‖ [d] 𝔊(𝔖𝔙) *καὶ δοξάσω αὐτόν* ‖ **3** [a] ℳ𝔖 גִּבּוֹר, 𝔊 *συντρίβων* ‖ [b] ℳ בַּמ׳, 𝔊 pl, 𝔖 *wqrbtn'* = et bellator ‖ **4** [a] $𝔊^{-B\,82}$(𝔖) *κατεπόντισεν* = טִבַּע ‖ **5** [a] ℭ תכסיומו; ℳ יכסמו cf 𝔊 *ἐκάλυψεν αὐτούς*.

7 וּבְרֹב גְּאוֹנְךָ תַּהֲרֹס קָמֶיךָ תְּשַׁלַּח חֲרֹנְךָ יֹאכְלֵמוֹ כַּקַּשׁ׃ [ב[7]. ה[8]. ל. ב]
8 וּבְרוּחַ אַפֶּיךָ נֶעֶרְמוּ מַיִם נִצְּבוּ כְמוֹ־נֵד נֹזְלִים [ד]
קָפְאוּ תְהֹמֹת בְּלֶב־יָם׃ [ל[9]. ג]
9 אָמַר אוֹיֵב אֶרְדֹּף אַשִּׂיג אֲחַלֵּק שָׁלָל תִּמְלָאֵמוֹ[a] נַפְשִׁי [ג ב חס וחד מל. ל]
אָרִיק חַרְבִּי תּוֹרִישֵׁמוֹ יָדִי׃ [ד. ל]
10 נָשַׁפְתָּ[a] בְרוּחֲךָ כִּסָּמוֹ יָם צָלֲלוּ כַּעוֹפֶרֶת בְּמַיִם אַדִּירִים׃ [ל. ג ול בסיפ. ז רפי[10]]
11 מִי־כָמֹכָה בָּאֵלִם יְהוָה מִי כָּמֹכָה נֶאְדָּר[a] בַּקֹּדֶשׁ[b] [כ[11] מילין כת ה ב מנה בליש. ב. כ[11] מילין כת ה ב מנה בליש]
נוֹרָא תְהִלֹּת עֹשֵׂה פֶלֶא׃ 12 נָטִיתָ יְמִינְךָ תִּבְלָעֵמוֹ אָרֶץ׃ [ד[12]. ח[13] קמ קטן וכל דברים מלכים תרי עשר תלים קהלת עזרא ד״ה דכות ב מ כב. ב]
13 נָחִיתָ בְחַסְדְּךָ עַם־זוּ גָּאָלְתָּ נֵהַלְתָּ[a] בְעָזְּךָ אֶל־נְוֵה קָדְשֶׁךָ׃ [ב ר״פ[14]. ב[15]. ג. ג]
14 שָׁמְעוּ עַמִּים יִרְגָּזוּן חִיל אָחַז יֹשְׁבֵי פְּלָשֶׁת׃ [ג ר״פ[16]. ג[17]]
15 אָז נִבְהֲלוּ אַלּוּפֵי אֱדוֹם אֵילֵי מוֹאָב יֹאחֲזֵמוֹ רָעַד [ל]
נָמֹגוּ כֹּל יֹשְׁבֵי כְנָעַן׃ [ד וחס[18]]
16 תִּפֹּל עֲלֵיהֶם אֵימָתָה[a] וָפַחַד בִּגְדֹל זְרוֹעֲךָ יִדְּמוּ כָּאָבֶן [ל ומל[19]. ב[20]]
עַד־יַעֲבֹר עַמְּךָ יְהוָה עַד־יַעֲבֹר עַם־זוּ קָנִיתָ׃ [ג]
17 תְּבִאֵמוֹ וְתִטָּעֵמוֹ בְּהַר נַחֲלָתְךָ מָכוֹן לְשִׁבְתְּךָ פָּעַלְתָּ יְהוָה [ל. ל. ג[21]]
מִקְּדָשׁ[a] אֲדֹנָי[b] [c]כּוֹנְנוּ יָדֶיךָ[c]׃ 18 יְהוָה ׀ יִמְלֹךְ לְעֹלָם וָעֶד׃ [ל. יא[22] מל וכל תלים דכות ב מ ה. יח[23] חס י מנה בתור. ט[24]]
19 כִּי בָא סוּס פַּרְעֹה בְּרִכְבּוֹ וּבְפָרָשָׁיו בַּיָּם וַיָּשֶׁב יְהוָה עֲלֵהֶם אֶת־ [י בטע ר״פ בתור[25]. כה. יג חס בתור[26]]
מֵי הַיָּם וּבְנֵי יִשְׂרָאֵל הָלְכוּ בַיַּבָּשָׁה בְּתוֹךְ הַיָּם׃ פ [הי וכל ר״פ דכות[27]]
20 וַתִּקַּח מִרְיָם הַנְּבִיאָה אֲחוֹת אַהֲרֹן אֶת־הַתֹּף בְּיָדָהּ וַתֵּצֶאןָ [ה]
21 כָל־הַנָּשִׁים אַחֲרֶיהָ בְּתֻפִּים וּבִמְחֹלֹת׃ 21 וַתַּעַן לָהֶם מִרְיָם [ב[28]]
שִׁירוּ[a] לַיהוָה כִּי־גָאֹה[b] גָּאָה סוּס וְרֹכְבוֹ רָמָה בַיָּם׃ ס [יג[29] כת ה בתור ב מנה בליש. ב]

22 וַיַּסַּע מֹשֶׁה אֶת־יִשְׂרָאֵל מִיַּם־סוּף וַיֵּצְאוּ[a] אֶל־מִדְבַּר־שׁוּר [ג[30]]
23 וַיֵּלְכוּ שְׁלֹשֶׁת־יָמִים בַּמִּדְבָּר וְלֹא־מָצְאוּ מָיִם׃ 23 וַיָּבֹאוּ מָרָתָה וְלֹא [ב בתרי לישנ[31]]

[7] Ps 74,23. [8] Mm 473. [9] Mm 471 ב. [10] Mm 753. [11] Mm 964. [12] Mm 474. [13] Mm 475. [14] Mm 3327. [15] Mm 3218. [16] Mm 3725. [17] Mm 3508. [18] Mm 2733. [19] Mm 476. [20] Mm 3511. [21] Mm 1917. [22] Mm 477. [23] Mm 25. [24] Mm 478. [25] Mm 1151. [26] Mm 675. [27] Mm 470. [28] Jdc 11,34. [29] Mm 598. [30] Mm 3493. [31] Mm 479.

9 [a] 𝔊 *ἐμπλήσω*; 𝔖 *tbl' 'nwn* ut 12 ‖ **10** [a] 𝔐 נָשַׁבְתָּ ‖ **11** [a] 𝔐 נֶאְדָּרִי, 𝔖 *hdjr* = magnificus ‖ [b] 𝔊 *ἐν ἁγίοις* = בַּקְּדֹשִׁים? ‖ **13** [a] 𝔐[Mss]𝔗[J] נִחַלְתָּ ‖ **16** [a] 𝔐 אֵימָה ‖ **17** [a] 𝔖 + suff 2 sg ‖ [b] ℭ mlt Mss 𝔐 יהוה ‖ [c–c] 𝔖 *tqnjhj b'jdjk* = תְּכוֹנֵן בְּיָ׳? ‖ **21** [a] 𝔊𝔗[J]𝔙 1 pl ‖ [b] cf 1[c] ‖ **22** [a] 𝔐 וַיּוֹצִאֵהוּ cf 𝔊.

ד חס . ב בתרי לישנ[32] יָֽכְלוּ֩ לִשְׁתֹּ֥ת מַ֙יִם֙ מִמָּרָ֔ה כִּ֥י מָרִ֖ים הֵ֑ם עַל־כֵּ֥ן קָרָֽא[a]־שְׁמָ֖הּ מָרָֽה[a]׃
24 וַיִּלֹּ֧נוּ[a] הָעָ֛ם עַל־מֹשֶׁ֥ה לֵּאמֹ֖ר מַה־נִּשְׁתֶּֽה׃ 25 וַיִּצְעַ֣ק[a] אֶל־יְהוָ֗ה 24 25
ל וַיּוֹרֵ֤הוּ[b] יְהוָה֙ עֵ֔ץ וַיַּשְׁלֵךְ֙ אֶל־הַמַּ֔יִם וַֽיִּמְתְּק֖וּ הַמָּ֑יִם שָׁ֣ם שָׂ֥ם
ג . יז שמיעה לקול[33] . ל ל֛וֹ חֹ֥ק וּמִשְׁפָּ֖ט וְשָׁ֥ם נִסָּֽהוּ׃ 26 וַיֹּאמֶר֩ אִם־שָׁמ֨וֹעַ תִּשְׁמַ֜ע לְק֣וֹל[a] ׀ יְהוָ֣ה 26
נא . ל[34] . י פסוק כל כל ומילה חדה ביניה[35] אֱלֹהֶ֗יךָ וְהַיָּשָׁ֤ר בְּעֵינָיו֙ תַּעֲשֶׂ֔ה וְהַֽאֲזַנְתָּ֙ לְמִצְוֺתָ֔יו וְשָׁמַרְתָּ֖ כָּל־חֻקָּ֑יו
ל ת כ ה סימן[36] כָּֽל־הַמַּחֲלָ֞ה אֲשֶׁר־שַׂ֤מְתִּי בְמִצְרַ֙יִם֙ לֹא־אָשִׂ֣ים עָלֶ֔יךָ כִּ֛י אֲנִ֥י יְהוָ֖ה
ל . ב רֹפְאֶֽךָ׃ ס 27 וַיָּבֹ֣אוּ אֵילִ֔מָה וְשָׁ֗ם[a] שְׁתֵּ֥ים עֶשְׂרֵ֛ה עֵינֹ֥ת מַ֖יִם 27
ד וכל תלים דכות[37] וְשִׁבְעִ֣ים תְּמָרִ֑ים וַיַּחֲנוּ־שָׁ֖ם עַל־הַמָּֽיִם׃

16 1 וַיִּסְעוּ֙ מֵֽאֵילִ֔ם וַיָּבֹ֜אוּ כָּל־עֲדַ֤ת בְּנֵֽי־יִשְׂרָאֵל֙ אֶל־מִדְבַּר־סִ֔ין 16
ג אֲשֶׁ֥ר בֵּין־אֵילִ֖ם וּבֵ֣ין סִינָ֑י בַּחֲמִשָּׁ֨ה עָשָׂ֥ר יוֹם֙ לַחֹ֣דֶשׁ הַשֵּׁנִ֔י לְצֵאתָ֖ם
וילונו[1] ק מֵאֶ֥רֶץ מִצְרָֽיִם׃ 2 וַיִּלּ֜ונוּ[a] כָּל־עֲדַ֧ת בְּנֵי־יִשְׂרָאֵ֛ל עַל־מֹשֶׁ֥ה וְעַֽל־ 2
ל אַהֲרֹ֖ן בַּמִּדְבָּֽר׃ 3 וַיֹּאמְר֨וּ אֲלֵהֶ֜ם בְּנֵ֣י יִשְׂרָאֵ֗ל מִֽי־יִתֵּ֨ן מוּתֵ֤נוּ בְיַד־ 3
ל . ל . ד[2] יְהוָה֙ בְּאֶ֣רֶץ מִצְרַ֔יִם בְּשִׁבְתֵּ֙נוּ֙ עַל־סִ֣יר הַבָּשָׂ֔ר בְּאָכְלֵ֥נוּ לֶ֖חֶם לָשֹׂ֑בַע
כִּֽי־הוֹצֵאתֶ֤ם אֹתָ֙נוּ֙ אֶל־הַמִּדְבָּ֣ר הַזֶּ֔ה לְהָמִ֛ית אֶת־כָּל־הַקָּהָ֥ל הַזֶּ֖ה
בָּרָעָֽב׃ ס 4 וַיֹּ֤אמֶר יְהוָה֙ אֶל־מֹשֶׁ֔ה הִנְנִ֨י מַמְטִ֥יר לָכֶ֛ם לֶ֖חֶם ס ג
ל . ל מִן־הַשָּׁמָ֑יִם וְיָצָ֨א הָעָ֤ם וְלָֽקְטוּ֙ דְּבַר־י֣וֹם בְּיוֹמ֔וֹ לְמַ֧עַן אֲנַסֶּ֛נּוּ הֲיֵלֵ֥ךְ
ז ס״פ . ב[3] וכל ד״ה דכות ב מ ב . ט[4] בְּתוֹרָתִ֖י אִם־לֹֽא׃ 5 וְהָיָה֙ בַּיּ֣וֹם הַשִּׁשִּׁ֔י וְהֵכִ֖ינוּ אֵ֣ת אֲשֶׁר־יָבִ֑יאוּ וְהָיָ֣ה 5
ח בטע . ז[5] . כט בתור מִשְׁנֶ֔ה עַ֥ל אֲשֶֽׁר־יִלְקְט֖וּ י֥וֹם ׀ יֽוֹם׃ ס 6 וַיֹּ֤אמֶר מֹשֶׁה֙ וְאַהֲרֹ֔ן אֶל־ 6
כָּל־[a]בְּנֵ֖י יִשְׂרָאֵ֑ל עֶ֕רֶב וִֽידַעְתֶּ֕ם כִּ֧י יְהוָ֛ה הוֹצִ֥יא אֶתְכֶ֖ם מֵאֶ֥רֶץ
ל . ג[6] מִצְרָֽיִם׃ 7 וּבֹ֗קֶר וּרְאִיתֶם֙ אֶת־כְּב֣וֹד יְהוָ֔ה בְּשָׁמְע֥וֹ אֶת־תְּלֻנֹּתֵיכֶ֖ם 7
לא[7] . ג[8] . תלינו[9] ק עַל־יְהוָ֑ה וְנַ֣חְנוּ[a] מָ֔ה כִּ֥י תַלִּ֖ונוּ[b] עָלֵֽינוּ׃ 8 וַיֹּ֣אמֶר מֹשֶׁ֗ה בְּתֵ֣ת יְהוָה֩ 8
ב לָכֶ֨ם בָּעֶ֜רֶב בָּשָׂ֣ר לֶאֱכֹ֗ל וְלֶ֤חֶם בַּבֹּ֙קֶר֙ לִשְׂבֹּ֔עַ בִּשְׁמֹ֤עַ יְהוָה֙ אֶת־
ב חס[10] . ג[8] תְּלֻנֹּ֣תֵיכֶ֔ם אֲשֶׁר־אַתֶּ֥ם מַלִּינִ֖ם עָלָ֑יו[a] וְנַ֣חְנוּ[b] מָ֔ה לֹא־עָלֵ֥ינוּ תְלֻנֹּתֵיכֶ֖ם
לא[7] כִּ֥י עַל־יְהוָֽה[c]׃ 9 וַיֹּ֤אמֶר מֹשֶׁה֙ אֶֽל־אַהֲרֹ֔ן אֱמֹ֗ר אֶֽל־כָּל־עֲדַת֙ בְּנֵ֣י 9
יִשְׂרָאֵ֔ל קִרְב֖וּ לִפְנֵ֣י יְהוָ֑ה[a] כִּ֣י שָׁמַ֔ע אֵ֖ת תְּלֻנֹּתֵיכֶֽם׃ 10 וַיְהִ֗י כְּדַבֵּ֤ר 10

[32] Mm 480. [33] Mm 23. [34] Mm 481. [35] Mm 3316. [36] Mm 4166. [37] Mm 741. Cp 16 [1] Mm 832. [2] Mm 482. [3] Mm 483. [4] Mm 501. [5] Mm 484. [6] Mm 485. [7] Mm 486. [8] Mm 487. [9] Mp sub loco. [10] Mp sub loco.

23 [a–a] 𝔊(𝔖) *τὸ ὄνομα τοῦ τόπου ἐκείνου Πικρία* cf 𝔙 ‖ **24** [a] ш𝔊𝔙 וַיִּלֶּן ‖ **25** [a] ш𝔊𝔖𝔙 + מֹשֶׁה ‖ [b] ш𝔊𝔖𝔗[J] 𝔙 וַיַּרְאֵהוּ ‖ **26** [a] ℭ בְּקוֹל ‖ **27** [a] ш𝔊[314] Philo 𝔗[J] וּבְאֵילִים ‖ **Cp 16,2** [a] K וַיִּלִּינוּ, ш וילנו ‖ **6** [a] 𝔊 + *συναγωγήν* cf 1sq.9sq ‖ **7** [a] ш וַאֲנַ׳, it 8[b] ‖ [b] K תְּלוֹנוּ, ш תלנו ‖ **8** [a] 𝔊 *καθ' ἡμῶν* ‖ [b] cf 7[a] ‖ [c] 𝔊 *τοῦ θεοῦ* ‖ **9** [a] 𝔊 *τοῦ θεοῦ*.

אַהֲרֹן֙ אֶל־כָּל־עֲדַ֣ת בְּנֵֽי־יִשְׂרָאֵ֔ל וַיִּפְנ֖וּ אֶל־הַמִּדְבָּ֑ר וְהִנֵּה֙ כְּב֣וֹד יְהוָ֔ה
11 12 נִרְאָ֖ה בֶּעָנָֽן׃ פ 11 וַיְדַבֵּ֥ר יְהוָ֖ה אֶל־מֹשֶׁ֥ה לֵּאמֹֽר׃ 12 שָׁמַ֗עְתִּי
אֶת־תְּלוּנֹּת֮ בְּנֵ֣י יִשְׂרָאֵל֒ דַּבֵּ֨ר אֲלֵהֶ֜ם לֵאמֹ֗ר בֵּ֤ין הָֽעַרְבַּ֙יִם֙ תֹּאכְל֣וּ — ל̇ כת כן
13 בָשָׂ֔ר וּבַבֹּ֖קֶר תִּשְׂבְּעוּ־לָ֑חֶם וִֽידַעְתֶּ֕ם כִּ֛י אֲנִ֥י יְהוָ֖ה אֱלֹהֵיכֶֽם׃ 13 וַיְהִ֣י — ו̇ . י̇ . כד ס״פ
בָעֶ֔רֶב וַתַּ֣עַל הַשְּׂלָ֔ו[a] וַתְּכַ֖ס אֶת־הַֽמַּחֲנֶ֑ה וּבַבֹּ֗קֶר הָֽיְתָה֙ שִׁכְבַ֣ת הַטַּ֔ל — ו̇ . ל̇ וכל שם תרגום דכות[11]
14 סָבִ֖יב לַֽמַּחֲנֶֽה׃ 14 וַתַּ֖עַל שִׁכְבַ֣ת הַטָּ֑ל וְהִנֵּ֞ה עַל־פְּנֵ֣י הַמִּדְבָּר֙ דַּ֚ק
15 [a]מְחֻסְפָּ֔ס דַּ֥ק[a] כַּכְּפֹ֖ר עַל־הָאָֽרֶץ׃ 15 וַיִּרְא֣וּ בְנֵֽי־יִשְׂרָאֵ֗ל וַיֹּ֨אמְר֜וּ אִ֤ישׁ — ל̇ . ל̇ וחס
אֶל־אָחִיו֙ מָ֣ן ה֔וּא כִּ֛י לֹ֥א יָדְע֖וּ מַה־ה֑וּא וַיֹּ֤אמֶר מֹשֶׁה֙ אֲלֵהֶ֔ם ה֣וּא
16 הַלֶּ֔חֶם אֲשֶׁ֨ר נָתַ֧ן יְהוָ֛ה לָכֶ֖ם לְאָכְלָֽה׃ 16 זֶ֤ה הַדָּבָר֙ אֲשֶׁ֣ר צִוָּ֣ה יְהוָ֔ה — כו̇ פסוק דאית בהון א״ב
לִקְט֣וּ מִמֶּ֔נּוּ אִ֖ישׁ לְפִ֣י אָכְל֑וֹ עֹ֣מֶר לַגֻּלְגֹּ֗לֶת מִסְפַּר֙ נַפְשֹׁ֣תֵיכֶ֔ם אִ֛ישׁ — ג
17 לַאֲשֶׁ֥ר בְּאָהֳל֖וֹ תִּקָּֽחוּ׃ 17 וַיַּֽעֲשׂוּ־כֵ֖ן בְּנֵ֣י יִשְׂרָאֵ֑ל וַֽיִּלְקְט֔וּ הַמַּרְבֶּ֖ה — ל
18 וְהַמַּמְעִֽיט׃ 18 וַיָּמֹ֣דּוּ בָעֹ֔מֶר וְלֹ֤א הֶעְדִּיף֙ הַמַּרְבֶּ֔ה וְהַמַּמְעִ֖יט לֹ֣א — ל̇ וחס . ל̇
19 הֶחְסִ֑יר אִ֥ישׁ לְפִֽי־אָכְל֖וֹ לָקָֽטוּ׃ 19 וַיֹּ֥אמֶר מֹשֶׁ֖ה אֲלֵהֶ֑ם אִ֕ישׁ אַל־
20 יוֹתֵ֥ר מִמֶּ֖נּוּ עַד־בֹּֽקֶר׃ 20 וְלֹא־שָׁמְע֣וּ אֶל־מֹשֶׁ֗ה וַיּוֹתִ֨רוּ אֲנָשִׁ֤ים מִמֶּ֙נּוּ֙ — ז̇ מל בליש[12] . ז̇ ר״פ בסיפ . ב̇ כת כן[13]
21 עַד־בֹּ֔קֶר וַיָּ֥רֻם תּוֹלָעִ֖ים וַיִּבְאַ֑שׁ וַיִּקְצֹ֥ף עֲלֵהֶ֖ם מֹשֶֽׁה׃ 21 וַיִּלְקְט֤וּ — ל̇ . ל̇ . יג̇ חס בתור[14]
22 אֹתוֹ֙ בַּבֹּ֣קֶר בַּבֹּ֔קֶר אִ֖ישׁ כְּפִ֣י[a] אָכְל֑וֹ וְחַ֥ם[b] הַשֶּׁ֖מֶשׁ וְנָמָֽס׃ 22 וַיְהִ֣י ׀ — יג̇[15] . ג̇[16] . ב
בַּיּ֣וֹם הַשִּׁשִּׁ֗י לָֽקְט֥וּ לֶ֙חֶם֙ מִשְׁנֶ֔ה שְׁנֵ֥י הָעֹ֖מֶר לָאֶחָ֑ד וַיָּבֹ֙אוּ֙ כָּל־נְשִׂיאֵ֣י — ב
23 הָֽעֵדָ֔ה וַיַּגִּ֖ידוּ לְמֹשֶֽׁה׃ 23 וַיֹּ֣אמֶר אֲלֵהֶ֗ם[a] ה֚וּא[b] אֲשֶׁ֣ר דִּבֶּ֣ר יְהוָ֔ה — יז
שַׁבָּת֧וֹן שַׁבַּת־קֹ֛דֶשׁ לַיהוָ֖ה מָחָ֑ר אֵ֣ת אֲשֶׁר־תֹּאפ֞וּ אֵפ֗וּ וְאֵ֤ת אֲשֶׁר־ — ל̇ . ל̇ . ל̇
תְּבַשְּׁלוּ֙ בַּשֵּׁ֔לוּ וְאֵת֙ כָּל־הָ֣עֹדֵ֔ף הַנִּ֧יחוּ לָכֶ֛ם לְמִשְׁמֶ֖רֶת עַד־הַבֹּֽקֶר׃ — ד̇ בתור
24 וַיַּנִּ֤יחוּ אֹתוֹ֙ עַד־הַבֹּ֔קֶר כַּאֲשֶׁ֖ר צִוָּ֣ה מֹשֶׁ֑ה וְלֹ֣א הִבְאִ֔ישׁ וְרִמָּ֖ה — ד̇ בתור . ב̇[17]
25 לֹא־הָ֥יְתָה בּֽוֹ׃ 25 וַיֹּ֤אמֶר מֹשֶׁה֙ אִכְלֻ֣הוּ הַיּ֔וֹם כִּֽי־שַׁבָּ֥ת הַיּ֖וֹם לַיהוָ֑ה — ל̇ וחס
26 הַיּ֕וֹם לֹ֥א תִמְצָאֻ֖הוּ בַּשָּׂדֶֽה׃ 26 שֵׁ֥שֶׁת יָמִ֖ים תִּלְקְטֻ֑הוּ וּבַיּ֧וֹם הַשְּׁבִיעִ֛י — ל̇ חס
27 שַׁבָּ֖ת לֹ֥א יִֽהְיֶה־בּֽוֹ׃ 27 וַֽיְהִי֙ בַּיּ֣וֹם הַשְּׁבִיעִ֔י יָצְא֥וּ מִן־הָעָ֖ם לִלְקֹ֑ט וְלֹ֖א — ב̇[18]
ס̇ [יו] מָצָֽאוּ׃ ס 28 וַיֹּ֥אמֶר יְהוָ֖ה אֶל־מֹשֶׁ֑ה עַד־אָ֙נָה֙ מֵֽאַנְתֶּ֔ם לִשְׁמֹ֥ר

[11] Mp sub loco. [12] Mm 3767. [13] Mm 2064. [14] Mm 675. [15] Mm 688. [16] Mm 1863. [17] Hi 21,26. [18] Mm 488.

13 [a] ⅏ השלוי, 𝔊 ὀρτυγομήτρα, 𝔖 *slwj* ‖ **14** [a–a] 𝔊 ὡσεὶ κόριον λευκόν = כְּגַד לָבָן cf 31 Nu 11,7; 𝔖 *wmtqlp wqrjm* ‖ **21** [a] 𝔗 לְפִי ‖ [b] ⅏ וְחַמָּה ‖ **23** [a] pc Mss 𝔊^{-B}𝔖𝔗^{J}𝔙 + מֹשֶׁה, 𝔊^{B} + κύριος ‖ [b] 𝔊 τοῦτο τὸ ῥῆμά ἐστιν cf 16.32.

מִצְוֺתַ֖י וְתוֹרֹתָֽי׃ 29 רְא֗וּ כִּֽי־יְהוָה֮ נָתַ֣ן לָכֶ֣ם הַשַּׁבָּת֒ᵃ עַל־כֵּ֠ן ה֣וּא נֹתֵ֥ן 29
לָכֶ֛ם בַּיּ֥וֹם הַשִּׁשִּׁ֖י לֶ֣חֶם יוֹמָ֑יִם שְׁב֣וּ׀ אִ֣ישׁ תַּחְתָּ֗יו אַל־יֵ֥צֵא אִ֛ישׁ מִמְּקֹמ֖וֹ
בַּיּ֥וֹם הַשְּׁבִיעִֽיᵇ׃ 30 וַיִּשְׁבְּת֥וּ הָעָ֖ם בַּיּ֥וֹם הַשְּׁבִעִֽי׃ 31 וַיִּקְרְא֧וּ בֵֽית־ᵃ 30 31
יִשְׂרָאֵ֛ל אֶת־שְׁמ֖וֹ מָ֑ן וְה֗וּא כְּזֶ֤רַע גַּד֙ לָבָ֔ן וְטַעְמ֖וֹ כְּצַפִּיחִ֥ת בִּדְבָֽשׁ׃
32 וַיֹּ֣אמֶר מֹשֶׁ֗ה זֶ֤ה הַדָּבָר֙ אֲשֶׁ֣ר צִוָּ֣ה יְהוָ֔ה מְלֹ֤אᵃ הָעֹ֙מֶר֙ מִמֶּ֔נּוּᵇ 32
לְמִשְׁמֶ֖רֶת לְדֹרֹתֵיכֶ֑ם לְמַ֣עַן׀ יִרְא֣וּ אֶת־הַלֶּ֗חֶם אֲשֶׁ֨רᶜ הֶאֱכַ֤לְתִּי אֶתְכֶם֙ᶜ
בַּמִּדְבָּ֔ר ᵈבְּהוֹצִיאִ֥י אֶתְכֶ֖םᵈ מֵאֶ֥רֶץ מִצְרָֽיִם׃ 33 וַיֹּ֨אמֶר מֹשֶׁ֜ה אֶֽל־ 33
אַהֲרֹ֗ן קַ֚ח צִנְצֶ֣נֶתᵃ אַחַ֔ת וְתֶן־שָׁ֥מָּה מְלֹֽא־הָעֹ֖מֶר מָ֑ן וְהַנַּ֤חᵇ אֹתוֹ֙ לִפְנֵ֣י
יְהוָ֔הᶜ לְמִשְׁמֶ֖רֶת לְדֹרֹתֵיכֶֽם׃ 34 כַּאֲשֶׁ֛רᵃ צִוָּ֥ה יְהוָ֖ה אֶל־ᵇמֹשֶׁ֑ה וַיַּנִּיחֵ֧הוּ 34
אַהֲרֹ֛ן לִפְנֵ֥י הָעֵדֻ֖תᶜ לְמִשְׁמָֽרֶת׃ 35 וּבְנֵ֣י יִשְׂרָאֵ֗ל אָכְל֤וּ אֶת־הַמָּן֙ 35
אַרְבָּעִ֣ים שָׁנָ֔ה עַד־בֹּאָ֖ם אֶל־אֶ֣רֶץ נוֹשָׁ֑בֶת אֶת־הַמָּן֙ אָֽכְל֔וּ עַד־בֹּאָ֕ם
אֶל־קְצֵ֖ה אֶ֥רֶץ כְּנָֽעַן׃ 36 וְהָעֹ֕מֶר עֲשִׂרִ֥ית הָאֵיפָ֖ה הֽוּא׃ פ 36
17 1 וַ֠יִּסְעוּ כָּל־עֲדַ֨ת בְּנֵֽי־יִשְׂרָאֵ֜ל מִמִּדְבַּר־סִ֛ין לְמַסְעֵיהֶ֖ם עַל־ 17
פִּ֣י יְהוָ֑ה וַֽיַּחֲנוּ֙ בִּרְפִידִ֔ים וְאֵ֥ין מַ֖יִם לִשְׁתֹּ֥ת הָעָֽם׃ 2 וַיָּ֤רֶב הָעָם֙ עִם־ᵃ 2
מֹשֶׁ֔ה וַיֹּ֣אמְר֔וּ תְּנוּᵇ־לָ֥נוּ מַ֖יִם וְנִשְׁתֶּ֑ה וַיֹּ֤אמֶר לָהֶם֙ מֹשֶׁ֔ה מַה־תְּרִיבוּן֙
עִמָּדִ֔י מַהᶜ־תְּנַסּ֖וּן אֶת־יְהוָֽה׃ 3 וַיִּצְמָ֨א שָׁ֤ם הָעָם֙ לַמַּ֔יִם וַיָּ֥לֶן הָעָ֖ם עַל־ 3
מֹשֶׁ֑ה וַיֹּ֗אמֶר לָ֤מָּה זֶּה֙ הֶעֱלִיתָ֣נוּ מִמִּצְרַ֔יִם לְהָמִ֥ית אֹתִ֛יᵃ וְאֶת־בָּנַ֥יᵃ
וְאֶת־מִקְנַ֖יᵃ בַּצָּמָֽא׃ 4 וַיִּצְעַ֤ק מֹשֶׁה֙ אֶל־יְהוָ֣ה לֵאמֹ֔ר מָ֥ה אֶעֱשֶׂ֖ה לָעָ֣ם 4
הַזֶּ֑ה ע֥וֹד מְעַ֖ט וּסְקָלֻֽנִי׃ 5 וַיֹּ֨אמֶר יְהוָ֜ה אֶל־מֹשֶׁ֗ה עֲבֹר֙ לִפְנֵ֣י הָעָ֔ם 5
וְקַ֥ח אִתְּךָ֖ מִזִּקְנֵ֣י יִשְׂרָאֵ֑ל וּמַטְּךָ֗ אֲשֶׁ֨ר הִכִּ֤יתָ בּוֹ֙ אֶת־הַיְאֹ֔ר קַ֥חᵃ בְּיָדְךָ֖
וְהָלָֽכְתָּ׃ 6 הִנְנִ֣י עֹמֵד֩ לְפָנֶ֨יךָ שָּׁ֥ם׀ עַֽל־הַצּוּר֮ בְּחֹרֵב֒ וְהִכִּ֣יתָ בַצּ֗וּר 6
וְיָצְא֥וּ מִמֶּ֛נּוּ מַ֖יִם וְשָׁתָ֣ה הָעָ֑ם וַיַּ֤עַשׂ כֵּן֙ מֹשֶׁ֔ה לְעֵינֵ֖י זִקְנֵ֥יᵃ יִשְׂרָאֵֽל׃
7 וַיִּקְרָא֙ שֵׁ֣ם הַמָּק֔וֹם מַסָּ֖ה וּמְרִיבָ֑ה עַל־רִ֣יב׀ בְּנֵ֣י יִשְׂרָאֵ֗ל וְעַ֨ל נַסֹּתָ֤ם 7
אֶת־יְהוָה֙ לֵאמֹ֔ר הֲיֵ֧שׁ יְהוָ֛ה בְּקִרְבֵּ֖נוּ אִם־אָֽיִן׃ פ

ב̇. ב̇ בטע
ה̇ ג̇ מל וב̇ חס[19]. ה̇ בתור. ג̇[20]
ח̇ חס ג̇[21] מנה בתור. כ̇[22] ד̇ מנה בתור וכל ירמיה ויחזק דכות ב̇ מ̇ ח̇
ב̇[23]. ל̇[24]. ל̇. ל̇
ג̇
ל̇. ו̇[25] זקף פת וכל חקה מדה שנה תורה וא̇ ס̇ פ̇ דכות ב̇ מ̇ א̇. ב̇
ל̇ וכל דיבור משה ב̇ מ̇ א̇[26]
ו̇. ל̇. ל̇ כת כן בתור
ב̇ מל. ב̇. ד̇ חס
כ̇ב̇[1] וכל ד״ה ועזרא דכות ב̇ מ̇ ה̇ חס בליש. ג̇ מל[2]
ה̇[3]
ב̇
ל̇
ל̇. י̇ב̇ בטע בסיפ[4]
י̇ג̇[5]. י̇ו̇ בתור[6]. ב̇[7]
ג̇
ז̇[8]
ל̇
ל̇. ד̇[9]

[19] Mm 517. [20] Mm 2089. [21] Mm 490. [22] Mm 953. [23] Mm 491. [24] Mm 2721. [25] Mm 492. [26] Nu 3,1.
Cp 17 [1] Mm 11. [2] Mm 493. [3] Mm 494. [4] Mm 439. [5] Mm 936. [6] Mm 60. [7] Gn 38,18. [8] Mm 1281. [9] Mm 1798.

29 ᵃ 𝔊 *τὴν ἡμέραν ταύτην* ‖ ᵇ 𝔪𝔊[F*]𝔄 Orig[lat] הַשַּׁבָּת ‖ **31** ᵃ pc Mss 𝔊𝔖𝔗[Ms] בְּנֵי ‖ **32** ᵃ 𝔪𝔊𝔗 מְלֹאוּ ‖ ᵇ 𝔊 *τοῦ μαν* = מִמָּן sive מָן ut 33 ‖ ᶜ⁻ᶜ 𝔊 *ὃν ἐφάγετε ὑμεῖς* ‖ ᵈ⁻ᵈ 𝔊 *ὡς ἐξήγαγεν ὑμᾶς κύριος* ‖ **33** ᵃ 𝔊 *στάμνον χρυσοῦν*, 𝔙 *vas* ‖ ᵇ 𝔪 והניח ‖ ᶜ 𝔊 *τοῦ θεοῦ* ‖ **34** ᵃ num exc nonn vb? ‖ ᵇ ℭ𝔪𝔗[J] את ‖ ᶜ 𝔊[B29] *τοῦ θεοῦ* ‖ **Cp 17,2** ᵃ ℭ על ‖ ᵇ mlt Mss 𝔪𝔊𝔖𝔗[J]𝔙 תְּנָה ‖ ᶜ mlt Mss 𝔪𝔊𝔖𝔗[Ms]𝔗[J] ומה ‖ **3** ᵃ 𝔊𝔖𝔗[J]𝔙 suff 1 pl ‖ **5** ᵃ 𝔪 תִּקַּח ‖ **6** ᵃ 𝔊(𝔖) + *τῶν υἱῶν*.

⁸ וַיָּבֹא עֲמָלֵק וַיִּלָּחֶם עִם־יִשְׂרָאֵל בִּרְפִידִם׃ ⁹ וַיֹּאמֶר מֹשֶׁה
אֶל־יְהוֹשֻׁעַ בְּחַר־לָנוּ[a] אֲנָשִׁים[b] וְצֵא הִלָּחֵם בַּעֲמָלֵק מָחָר אָנֹכִי[c] נִצָּב
10 עַל־רֹאשׁ הַגִּבְעָה וּמַטֵּה הָאֱלֹהִים בְּיָדִי׃ ¹⁰ וַיַּעַשׂ יְהוֹשֻׁעַ כַּאֲשֶׁר
אָמַר־לוֹ מֹשֶׁה לְהִלָּחֵם[a] בַּעֲמָלֵק וּמֹשֶׁה אַהֲרֹן[b] וְחוּר עָלוּ רֹאשׁ
11 הַגִּבְעָה׃ ¹¹ וְהָיָה כַּאֲשֶׁר יָרִים מֹשֶׁה יָדוֹ[a] וְגָבַר יִשְׂרָאֵל וְכַאֲשֶׁר יָנִיחַ
12 יָדוֹ[a] וְגָבַר עֲמָלֵק׃ ¹² וִידֵי מֹשֶׁה כְּבֵדִים וַיִּקְחוּ־אֶבֶן וַיָּשִׂימוּ תַחְתָּיו
וַיֵּשֶׁב עָלֶיהָ וְאַהֲרֹן וְחוּר תָּמְכוּ בְיָדָיו מִזֶּה אֶחָד וּמִזֶּה אֶחָד וַיְהִי[a]
13 יָדָיו אֱמוּנָה עַד־בֹּא הַשָּׁמֶשׁ׃ ¹³ וַיַּחֲלֹשׁ יְהוֹשֻׁעַ אֶת־עֲמָלֵק וְאֶת־עַמּוֹ[a]
לְפִי־חָרֶב׃ פ
¹⁴ וַיֹּאמֶר יְהוָה אֶל־מֹשֶׁה כְּתֹב זֹאת זִכָּרוֹן בַּסֵּפֶר וְשִׂים בְּאָזְנֵי
15 יְהוֹשֻׁעַ כִּי־מָחֹה אֶמְחֶה אֶת־זֵכֶר עֲמָלֵק מִתַּחַת הַשָּׁמָיִם׃ ¹⁵ וַיִּבֶן
16 מֹשֶׁה מִזְבֵּחַ[a] וַיִּקְרָא שְׁמוֹ יְהוָה ׀ נִסִּי׃ ¹⁶ וַיֹּאמֶר
כִּי־[a]יָד עַל־[b]כֵּס יָהּ[b] מִלְחָמָה לַיהוָה בַּעֲמָלֵק מִדֹּר דֹּר׃ פ קי״ו
ס [הי] פרש 18 ¹ וַיִּשְׁמַע יִתְרוֹ כֹהֵן מִדְיָן חֹתֵן מֹשֶׁה אֵת כָּל־אֲשֶׁר עָשָׂה
אֱלֹהִים[a] לְמֹשֶׁה וּלְיִשְׂרָאֵל עַמּוֹ כִּי־הוֹצִיא יְהוָה אֶת־יִשְׂרָאֵל מִמִּצְרָיִם׃
² וַיִּקַּח יִתְרוֹ חֹתֵן מֹשֶׁה אֶת־צִפֹּרָה אֵשֶׁת מֹשֶׁה אַחַר שִׁלּוּחֶיהָ׃ ³ וְאֵת
שְׁנֵי בָנֶיהָ אֲשֶׁר שֵׁם הָאֶחָד גֵּרְשֹׁם כִּי אָמַר גֵּר הָיִיתִי בְּאֶרֶץ נָכְרִיָּה׃
⁴ וְשֵׁם הָאֶחָד אֱלִיעֶזֶר כִּי־אֱלֹהֵי אָבִי בְּעֶזְרִי וַיַּצִּלֵנִי מֵחֶרֶב פַּרְעֹה׃
⁵ וַיָּבֹא יִתְרוֹ חֹתֵן מֹשֶׁה וּבָנָיו וְאִשְׁתּוֹ אֶל־מֹשֶׁה אֶל־הַמִּדְבָּר אֲשֶׁר־
6 הוּא חֹנֶה שָׁם הַר הָאֱלֹהִים׃ ⁶ וַיֹּאמֶר[a] אֶל־מֹשֶׁה אֲנִי[b] חֹתֶנְךָ יִתְרוֹ בָּא
7 אֵלֶיךָ וְאִשְׁתְּךָ וּשְׁנֵי בָנֶיהָ עִמָּהּ׃ ⁷ וַיֵּצֵא מֹשֶׁה לִקְרַאת חֹתְנוֹ וַיִּשְׁתַּחוּ[a]
8 וַיִּשַּׁק־לוֹ וַיִּשְׁאֲלוּ אִישׁ־לְרֵעֵהוּ לְשָׁלוֹם וַיָּבֹאוּ[b] הָאֹהֱלָה׃ ⁸ וַיְסַפֵּר
מֹשֶׁה לְחֹתְנוֹ אֵת כָּל־אֲשֶׁר עָשָׂה יְהוָה לְפַרְעֹה וּלְמִצְרַיִם עַל אוֹדֹת

ב̇ ושאר וילחם בישראל
ב[10]
ב̇
ג̇ בטע בסיפ[11]
ד[12]. ל̇. לה
ל̇
ל[13]. ז[14]
יב̇ בטע בסיפ[15]. ט̇. לז
יו[16] כת ה בתור ול בליש. ב[17]
ו[18]. ב[19]
ה[20] פסוק דאית בהון ה̇ מילין מתאימין ל̇ מנה פלג. ל̇
ב̇
יז. ו[1]
ל̇. ג̇
ד̇ בתור. ד[2] וכל ד״ה דכות ב̇ מ̇ ב̇
יג̇ ר״פ[3]. ג̇. ל̇
ב[4]. ד̇
ג̇
ח[5]
ל̇. ג̇ חס

[10]Gn 27,3. [11]Mm 495. [12]Mm 496. [13]וחד וַיַּחֲלֹשׁ Hi 14,10. [14]Mm 461. [15]Mm 439. [16]Mm 598. [17]Gn 6,7. [18]Mm 183 et Mm 215. [19]Jes 49,22. [20]פלוגתא דרב נחמן, cf Mm 1890 et Mp sub loco. **Cp 18** [1]Mm 967. [2]Mm 3914. [3]Mm 33. [4]Ps 34,8. [5]Mm 111.

9 [a] 𝔊𝔖𝔗[Ms] suff 2 sg || [b] 𝔊* *ἄνδρας δυνατούς* cf 18,21.25 || [c] 𝔊 pr *καὶ ἰδού* cf 𝔖 || **10** [a] 𝔊*(𝔖) *καὶ ἐξελθὼν παρετάξατο* || [b] mlt Mss 𝔐𝔊𝔖𝔙 וְא׳ || **11** [a] 𝔐 Vrs יָדָיו || **12** [a] 𝔐𝔊𝔖𝔗𝔗[J] וַיְהִיוּ || **13** [a] 𝔐 + וַיַּכֵּם || **15** [a] 𝔊* + *κυρίῳ* || **16** [a] 𝔖 h' = ecce || [b–b] 𝔐𝔖 כִּסֵּא, 𝔊 *(ἐν χειρὶ) κρυφαίᾳ* = כְּסֻיָה, 𝔙 *solium Domini* = כִּסֵּא יָהּ vel כִּסֵּה || **Cp 18,1** [a] ℭ𝔊 יהוה || **6** [a] 𝔊𝔖 pass || [b] 𝔐𝔊𝔖 הִנֵּה || **7** [a] 𝔐 וישתחוו למשה || [b] 𝔐𝔊[BMmin] וַיְבִאֵהוּ (𝔊[AFmin] suff pl).

יִשְׂרָאֵל אֵת[a] כָּל־הַתְּלָאָה אֲשֶׁר מְצָאָתַם בַּדֶּרֶךְ וַיַּצִּלֵם יְהוָה׃ 9 וַיִּחַדְּ[a] 9
יִתְרוֹ עַל כָּל־הַטּוֹבָה אֲשֶׁר־עָשָׂה יְהוָה לְיִשְׂרָאֵל אֲשֶׁר הִצִּילוֹ מִיַּד
מִצְרָיִם׃ 10 וַיֹּאמֶר יִתְרוֹ בָּרוּךְ יְהוָה אֲשֶׁר הִצִּיל אֶתְכֶם מִיַּד מִצְרַיִם 10
וּמִיַּד פַּרְעֹה אֲשֶׁר הִצִּיל אֶת־הָעָם מִתַּחַת יַד־מִצְרָיִם׃ 11 עַתָּה 11
יָדַעְתִּי כִּי־גָדוֹל יְהוָה מִכָּל־הָאֱלֹהִים כִּי בַדָּבָר אֲשֶׁר זָדוּ עֲלֵיהֶם[a]׃
12 וַיִּקַּח[a] יִתְרוֹ חֹתֵן מֹשֶׁה עֹלָה וּזְבָחִים לֵאלֹהִים וַיָּבֹא אַהֲרֹן[b] וְכֹל ׀ 12
זִקְנֵי[b] יִשְׂרָאֵל לֶאֱכָל־לֶחֶם עִם־חֹתֵן מֹשֶׁה לִפְנֵי הָאֱלֹהִים׃
13 וַיְהִי מִמָּחֳרָת וַיֵּשֶׁב מֹשֶׁה לִשְׁפֹּט אֶת־הָעָם וַיַּעֲמֹד הָעָם עַל־מֹשֶׁה 13
מִן־הַבֹּקֶר עַד־[a]הָעָרֶב׃ 14 וַיַּרְא חֹתֵן מֹשֶׁה אֵת כָּל־אֲשֶׁר־הוּא עֹשֶׂה 14
לָעָם וַיֹּאמֶר מָה־הַדָּבָר הַזֶּה אֲשֶׁר אַתָּה עֹשֶׂה לָעָם מַדּוּעַ אַתָּה
יוֹשֵׁב לְבַדֶּךָ וְכָל־הָעָם נִצָּב עָלֶיךָ מִן־בֹּקֶר עַד־[a]עָרֶב׃ 15 וַיֹּאמֶר 15
מֹשֶׁה לְחֹתְנוֹ כִּי־יָבֹא אֵלַי הָעָם לִדְרֹשׁ אֱלֹהִים׃ 16 כִּי־יִהְיֶה לָהֶם 16
דָּבָר בָּא[a] אֵלַי וְשָׁפַטְתִּי בֵּין אִישׁ וּבֵין רֵעֵהוּ וְהוֹדַעְתִּי אֶת־חֻקֵּי
הָאֱלֹהִים וְאֶת־תּוֹרֹתָיו׃ 17 וַיֹּאמֶר חֹתֵן מֹשֶׁה אֵלָיו לֹא־טוֹב הַדָּבָר 17
אֲשֶׁר אַתָּה עֹשֶׂה׃ 18 נָבֹל תִּבֹּל גַּם־אַתָּה גַּם־הָעָם הַזֶּה אֲשֶׁר עִמָּךְ 18
כִּי־כָבֵד מִמְּךָ הַדָּבָר לֹא־תוּכַל עֲשֹׂהוּ[a] לְבַדֶּךָ׃ 19 עַתָּה שְׁמַע בְּקֹלִי 19
אִיעָצְךָ וִיהִי אֱלֹהִים עִמָּךְ הֱיֵה אַתָּה לָעָם מוּל הָאֱלֹהִים וְהֵבֵאתָ
אַתָּה אֶת־הַדְּבָרִים[a] אֶל־הָאֱלֹהִים׃ 20 וְהִזְהַרְתָּה אֶתְהֶם אֶת־הַחֻקִּים[a] 20
וְאֶת־הַתּוֹרֹת[b] וְהוֹדַעְתָּ לָהֶם אֶת־הַדֶּרֶךְ[c] יֵלְכוּ בָהּ וְאֶת־הַמַּעֲשֶׂה
אֲשֶׁר יַעֲשׂוּן׃ 21 וְאַתָּה תֶחֱזֶה[a] מִכָּל־הָעָם אַנְשֵׁי־חַיִל יִרְאֵי אֱלֹהִים 21
אַנְשֵׁי אֱמֶת שֹׂנְאֵי בָצַע וְשַׂמְתָּ עֲלֵהֶם שָׂרֵי אֲלָפִים שָׂרֵי[b] מֵאוֹת שָׂרֵי
חֲמִשִּׁים וְשָׂרֵי עֲשָׂרֹת׃ 22 וְשָׁפְטוּ אֶת־הָעָם בְּכָל־עֵת וְהָיָה כָּל־הַדָּבָר 22
הַגָּדֹל יָבִיאוּ אֵלֶיךָ וְכָל־הַדָּבָר הַקָּטֹן יִשְׁפְּטוּ־הֵם וְהָקֵל מֵעָלֶיךָ
וְנָשְׂאוּ אִתָּךְ׃ 23 אִם אֶת־הַדָּבָר הַזֶּה תַּעֲשֶׂה וְצִוְּךָ אֱלֹהִים וְיָכָלְתָּ 23

ג . ל . ל חס . ל[6]
יב בטע ר״פ ה מנה בתור
כה ר״פ[7]
ב[8] . ל
ג[9]
ו וכל קהלת דכות[10]
יו מיחד מן[11]
יז מל בתור . ג וכל אתנח וס״פ דכות[12] . נא מ״פ וכל ר״פ דכות ב מ ג . יו מיחד מן[11] . ב בתור
ז[13] ד[14] מנה בליש
ב ומל
ג[15]
ל . ל . י פסוק בתור גם גם ומילה חדה ביניה
ל . כה ר״פ[7] . כל אורית חס ב מ א מל[16]
ג[17] . לב
כז בטע . כ . ג[18] ב חס וחד[19] מל . ה[20]
ל
ה[21] . ב[22]
יג חס בתור[23]
ט[24]
י . ב[25] . ל

[6] וחד יחד Hi 3,6. [7] Mm 1057. [8] Mm 4155. [9] Mm 366. [10] Mm 4077א. [11] Okhl 196. [12] Mm 497. [13] Mm 4104. [14] Mm 498. [15] Mm 499. [16] Mm 153. [17] Mm 972. [18] Mm 2779. [19] Mm 1713. [20] Mm 234. [21] Mm 500. [22] Ps 66,16. [23] Mm 675. [24] Mm 501. [25] 1S 25,30.

8 [a] 𝔆 pc Mss 𝔊𝔖𝔙 וְאֵת ‖ **9** [a] 𝔊 ἐξέστη δέ ‖ **11** [a] lacuna ‖ **12** [a] 𝔖(𝔗𝔙) *wqrb* cf Gn 14,18 ‖ [b–b] 𝔐 וּמִזּ׳ ‖ **13** [a] mlt Mss 𝔐𝔖 וְעַד ‖ **14** [a] cf 13[a] ‖ **16** [a] 𝔊 καὶ ἔλθωσι ‖ **18** [a] 𝔐 עֲשׂוֹתוֹ ‖ **19** [a] 𝔊𝔖𝔗[J] + suff 3 pl ‖ **20** [a] 𝔊 + τοῦ θεοῦ = (חֻקֵּי) הָאֱלֹהִים ‖ [b] 𝔐 –רָה; 𝔊 τὸν νόμον αὐτοῦ cf 16 ‖ [c] nonn Mss Vrs + אֲשֶׁר ‖ **21** [a] 𝔐𝔊 + לְךָ ‖ [b] 𝔆 mlt Mss 𝔐𝔊𝔖𝔗[Mss]𝔙 וְשָׂרֵי.

24 עָמֹד וְגַם֙ כָּל־הָעָם הַזֶּה עַל־[a] מְקֹמוֹ יָבֹא בְשָׁלוֹם׃ 24 וַיִּשְׁמַע מֹשֶׁה ב[26]. יז שמיעה לקול[27]
25 לְקוֹל חֹתְנוֹ וַיַּעַשׂ כֹּל אֲשֶׁר אָמָר׃ 25 וַיִּבְחַר מֹשֶׁה אַנְשֵׁי־חַיִל מִכָּל־ ג[28]
יִשְׂרָאֵל וַיִּתֵּן אֹתָם רָאשִׁים עַל־הָעָם שָׂרֵי אֲלָפִים שָׂרֵי מֵאוֹת שָׂרֵי כ. ח וכל עזרא דכות[29]
26 חֲמִשִּׁים וְשָׂרֵי עֲשָׂרֹת׃ 26 וְשָׁפְטוּ[a] אֶת־הָעָם בְּכָל־עֵת אֶת־הַדָּבָר
27 הַקָּשֶׁה יְבִיאוּן אֶל־מֹשֶׁה וְכָל־הַדָּבָר הַקָּטֹן יִשְׁפּוּטוּ הֵם׃ 27 וַיְשַׁלַּח ה[30]. ל. ב. ל. יב ס״פ[31]. כב[32]
מֹשֶׁה אֶת־חֹתְנוֹ וַיֵּלֶךְ לוֹ אֶל־אַרְצוֹ׃ פ
19 1 בַּחֹדֶשׁ הַשְּׁלִישִׁי לְצֵאת בְּנֵי־יִשְׂרָאֵל מֵאֶרֶץ מִצְרָיִם בַּיּוֹם ז ר״פ[1]. ג[2]. ל[3]
2 הַזֶּה בָּאוּ מִדְבַּר סִינָי׃ 2 וַיִּסְעוּ מֵרְפִידִים וַיָּבֹאוּ מִדְבַּר סִינַי וַיַּחֲנוּ ב מל
3 בַּמִּדְבָּר וַיִּחַן־שָׁם יִשְׂרָאֵל נֶגֶד הָהָר׃ 3 וּמֹשֶׁה עָלָה אֶל־[a] הָאֱלֹהִים ז ר״פ[4]. כ
וַיִּקְרָא אֵלָיו יְהוָה[b] מִן־הָהָר[c] לֵאמֹר כֹּה תֹאמַר לְבֵית יַעֲקֹב וְתַגֵּיד ג מל בליש[5]
4 לִבְנֵי יִשְׂרָאֵל׃ 4 אַתֶּם רְאִיתֶם אֲשֶׁר עָשִׂיתִי לְמִצְרָיִם[a] וָאֶשָּׂא אֶתְכֶם ד ר״פ
5 עַל־[b] כַּנְפֵי נְשָׁרִים וָאָבִא אֶתְכֶם אֵלָי׃ 5 וְעַתָּה אִם־שָׁמוֹעַ תִּשְׁמְעוּ ב חס
בְּקֹלִי וּשְׁמַרְתֶּם אֶת־בְּרִיתִי וִהְיִיתֶם לִי[a] סְגֻלָּה מִכָּל־הָעַמִּים כִּי־לִי כל אורית חס ב מ א מל[6]
ס [יי] 6 כָּל־הָאָרֶץ׃ 6 וְאַתֶּם תִּהְיוּ־לִי מַמְלֶכֶת כֹּהֲנִים וְגוֹי קָדוֹשׁ אֵלֶּה ד[7]. ה[8]
7 הַדְּבָרִים אֲשֶׁר תְּדַבֵּר אֶל־בְּנֵי יִשְׂרָאֵל׃ 7 וַיָּבֹא מֹשֶׁה וַיִּקְרָא לְזִקְנֵי
הָעָם[a] וַיָּשֶׂם לִפְנֵיהֶם אֵת כָּל־הַדְּבָרִים הָאֵלֶּה אֲשֶׁר צִוָּהוּ יְהוָה׃ פׂד לג מנה בתור. כה ז מנה בתור.[9]
8 וַיַּעֲנוּ כָל־הָעָם יַחְדָּו וַיֹּאמְרוּ כֹּל אֲשֶׁר־דִּבֶּר יְהוָה[a] נַעֲשֶׂה וַיָּשֶׁב כה
9 מֹשֶׁה אֶת־דִּבְרֵי הָעָם אֶל־יְהוָה[b]׃ 9 וַיֹּאמֶר יְהוָה אֶל־מֹשֶׁה הִנֵּה יב בטע בסיפ[10]
אָנֹכִי בָּא אֵלֶיךָ בְּעַב הֶעָנָן בַּעֲבוּר יִשְׁמַע הָעָם בְּדַבְּרִי עִמָּךְ וְגַם־ ל. ל
10 בְּךָ יַאֲמִינוּ לְעוֹלָם וַיַּגֵּד מֹשֶׁה אֶת־דִּבְרֵי הָעָם אֶל־יְהוָה׃ 10 וַיֹּאמֶר ב מל בתור[11]
יְהוָה אֶל־מֹשֶׁה לֵךְ[a] אֶל־הָעָם וְקִדַּשְׁתָּם הַיּוֹם וּמָחָר וְכִבְּסוּ שִׂמְלֹתָם׃ ל. ל[12]
11 וְהָיוּ נְכֹנִים לַיּוֹם הַשְּׁלִישִׁי כִּי ׀ בַּיּוֹם הַשְּׁלִשִׁי יֵרֵד יְהוָה לְעֵינֵי כָל־ כ[13]. ל. ג[14] חס וכל ד״ה דכות ב מ ז
12 הָעָם עַל־הַר סִינָי׃ 12 וְהִגְבַּלְתָּ אֶת־הָעָם[a] סָבִיב לֵאמֹר[b] הִשָּׁמְרוּ ג ול ס״פ. ל
13 לָכֶם עֲלוֹת[c] בָּהָר וּנְגֹעַ בְּקָצֵהוּ כָּל־הַנֹּגֵעַ בָּהָר מוֹת יוּמָת׃ 13 לֹא־ ל וחס

[26] Mm 502. [27] Mm 23. [28] Mm 135. [29] Mm 1968. [30] Mm 2272. [31] Mm 294. [32] Mm 59. **Cp 19** [1] Mm 791. [2] Mm 1028. [3] Mm 53. [4] Mm 3363. [5] Mp sub loco. [6] Mm 153. [7] Mm 503. [8] Mm 617. [9] Mm 1623. [10] Mm 439. [11] Mm 504. [12] Mm 505. [13] Mm 875. [14] Mm 506.

23 [a] ⅏ אֶל || **26** [a] ⅏ וישפטו || **Cp 19,3** [a] 𝔊 + *τὸ ὄρος* || [b] Ms 𝔊*𝔖 האלהים 𝔊^min + *ὁ θεός* || [c] 𝔊^B314 *τοῦ οὐρανοῦ* || **4** [a] mlt Mss 𝔗^Ms בְּמִ' || [b] 𝔊(𝔖𝔗𝔗^JP) *ὡσεὶ ἐπί* || **5** [a] 𝔊 (𝔗^P) + *λαός* || **7** [a] ℭ ישראל || **8** [a] 𝔊 *ὁ θεός* || [b] cf [a] || **10** [a–a] 𝔊 *καταβὰς διαμάρτυραι τῷ λαῷ* cf 21 || **12** [a] ⅏ הָהָר cf 23 || [b] ⅏ ואל העם תאמר || [c] 𝔗𝔗^J *mlmjsq* = מֵעַ'.

תִגַּע בּוֹ יָד כִּי־סָקוֹל יִסָּקֵל אוֹ־יָרֹה יִיָּרֶה אִם־בְּהֵמָה אִם־אִישׁ לֹא
14 יִחְיֶה [a]בִּמְשֹׁךְ הַיֹּבֵל[a] הֵמָּה[b] יַעֲלוּ בָהָר׃ 14 וַיֵּרֶד מֹשֶׁה מִן־הָהָר אֶל־
15 הָעָם וַיְקַדֵּשׁ אֶת־הָעָם וַיְכַבְּסוּ שִׂמְלֹתָם׃ 15 וַיֹּאמֶר אֶל־הָעָם הֱיוּ
16 נְכֹנִים לִשְׁלֹשֶׁת יָמִים אַל־תִּגְּשׁוּ אֶל־אִשָּׁה׃ 16 וַיְהִי בַיּוֹם הַשְּׁלִישִׁי
בִּהְיֹת הַבֹּקֶר וַיְהִי קֹלֹת וּבְרָקִים וְעָנָן כָּבֵד עַל־הָהָר וְקֹל שֹׁפָר חָזָק
17 מְאֹד וַיֶּחֱרַד כָּל־הָעָם אֲשֶׁר בַּמַּחֲנֶה׃ 17 וַיּוֹצֵא מֹשֶׁה אֶת־הָעָם
18 לִקְרַאת הָאֱלֹהִים מִן־הַמַּחֲנֶה וַיִּתְיַצְּבוּ בְּתַחְתִּית הָהָר׃ 18 וְהַר סִינַי
עָשַׁן כֻּלּוֹ מִפְּנֵי אֲשֶׁר יָרַד עָלָיו יְהוָה[a] בָּאֵשׁ וַיַּעַל עֲשָׁנוֹ כְּעֶשֶׁן הַכִּבְשָׁן
19 וַיֶּחֱרַד כָּל־הָהָר[b] מְאֹד׃ 19 וַיְהִי קוֹל הַשּׁוֹפָר הוֹלֵךְ וְחָזֵק מְאֹד מֹשֶׁה
20 יְדַבֵּר וְהָאֱלֹהִים יַעֲנֶנּוּ בְקוֹל׃ 20 וַיֵּרֶד יְהוָה עַל־הַר סִינַי אֶל־רֹאשׁ
21 הָהָר וַיִּקְרָא יְהוָה לְמֹשֶׁה אֶל־רֹאשׁ הָהָר וַיַּעַל מֹשֶׁה׃ 21 וַיֹּאמֶר
יְהוָה[a] אֶל־מֹשֶׁה רֵד הָעֵד בָּעָם פֶּן־יֶהֶרְסוּ אֶל־יְהוָה[b] לִרְאוֹת וְנָפַל
22 מִמֶּנּוּ רָב׃ 22 וְגַם הַכֹּהֲנִים הַנִּגָּשִׁים אֶל־יְהוָה[a] יִתְקַדָּשׁוּ פֶּן־יִפְרֹץ
23 בָּהֶם יְהוָה׃ 23 וַיֹּאמֶר מֹשֶׁה אֶל־יְהוָה[a] לֹא־יוּכַל הָעָם לַעֲלֹת אֶל־
הַר סִינָי כִּי־אַתָּה הַעֵדֹתָה בָּנוּ לֵאמֹר הַגְבֵּל אֶת־הָהָר וְקִדַּשְׁתּוֹ׃
24 24 וַיֹּאמֶר אֵלָיו יְהוָה לֶךְ־רֵד וְעָלִיתָ אַתָּה וְאַהֲרֹן[a] עִמָּךְ וְהַכֹּהֲנִים
25 וְהָעָם אַל־יֶהֶרְסוּ לַעֲלֹת אֶל־יְהוָה[b] פֶּן־יִפְרָץ־בָּם[c]׃ 25 וַיֵּרֶד מֹשֶׁה[a]
אֶל־הָעָם וַיֹּאמֶר אֲלֵהֶם׃ ס

20 20 1 וַיְדַבֵּר אֱלֹהִים[a] אֵת כָּל־הַדְּבָרִים הָאֵלֶּה לֵאמֹר׃ ס
2 2 אָנֹכִי יְהוָה אֱלֹהֶיךָ אֲשֶׁר הוֹצֵאתִיךָ מֵאֶרֶץ מִצְרַיִם מִבֵּית עֲבָדִים׃
3 4 3 לֹא יִהְיֶה־לְךָ אֱלֹהִים אֲחֵרִים עַל־[a]פָּנַי[b a] 4 לֹא תַעֲשֶׂה־לְךָ פֶסֶל ׀
וְכָל־תְּמוּנָה אֲשֶׁר בַּשָּׁמַיִם ׀ מִמַּעַל וַאֲשֶׁר בָּאָרֶץ מִתָּחַת וַאֲשֶׁר בַּמַּיִם ׀
5 מִתַּחַת לָאָרֶץ[a] 5 לֹא־תִשְׁתַּחֲוֶה לָהֶם וְלֹא תָעָבְדֵם כִּי אָנֹכִי יְהוָה

ב̇ חד מל וחד חס . יו̇[15] כת ה בתור ול בליש . ל̇[16]
יה̇ וכל חיו יחיה דכות[17] . ב̇
ה̇ חס בליש[18] . ד̇ חס[19] . ב̇[20] . ד̇[21] . ל̇ חס . ג̇[22]
יב̇ מל[23]
ה̇ . ל̇
ל̇ . ל̇
כז̇[24] מל ט̇[25] מנה בתור וכל משלי וקהלת דכות ב̇ מ ה . ב̇ . ב̇[26]
ז̇[27] . יד̇ פסוק על אל אל[28] . ג̇
יז̇
יג̇ ר״פ בתור
ה̇[29] . ד̇ חס . יו̇ וכל אל הר הכרמל דכות[30]
ט̇[31] וכל קריא דכות ב̇ מ̇ יב̇ . ל̇ מל[32] . ב̇ חד ר״פ וחד ס״פ[33]
ל̇
ד̇ חס
ג̇ . כה̇ ז̇ מנה בתור
יב̇ . ג̇
ל̇[1] . ב̇
יב̇

[15] Mm 598. [16] וחד ואם כל בהמה Lv 27,11. [17] Mm 107. [18] Mm 725. [19] Mm 1589. [20] Ps 18,15. [21] Mm 1342. [22] Mm 2696. [23] Mm 2194. [24] Mm 1788. [25] Mm 935. [26] Mm 507. [27] Mm 145. [28] Mm 4093. [29] Mp sub loco. [30] Mm 385. [31] Mm 230. [32] Mm 1713. [33] Mm 508. **Cp 20** [1] Mm 1082.

13 [a–a] 𝔊 *ὅταν αἱ φωναὶ καὶ αἱ σάλπιγγες καὶ ἡ νεφέλη ἀπέλθῃ ἀπὸ τοῦ ὄρους*, 𝔖 *wm' dštqt qrn'* = et cum tacuerit cornu ‖ [b] 𝔖 *šr' lkwn* = licet vobis ‖ **18** [a] 𝔊 *τὸν θεόν* ‖ [b] pc Mss 𝔊 הָעָם cf 12[a] ‖ **21** [a] 𝔊 *ὁ θεός* ‖ [b] cf [a] ‖ **22** [a] 𝔊 *κυρίῳ* (> 𝔊[A min]) *τῷ θεῷ* ‖ **23** [a] cf 21[a] ‖ **24** [a] Ms 𝔊[19]𝔏𝔖𝔗[P] + אָחִיךָ ‖ [b] cf 21[a] ‖ [c] 𝔊 + *κύριος* ‖ **25** [a] Ms 𝔐𝔗[JP] + מִן־הָהָר ‖ **Cp 20,1** [a] 𝔊(𝔙) *κύριος* ‖ **3** [a–a] 𝔊(𝔖𝔗[JP]) *πλὴν ἐμοῦ* ‖ [b] sic L, mlt Mss Edd : ‖ **4** [a] cf 3[b].

אֱלֹהֶיךָ אֵל קַנָּא[a] פֹּקֵד עֲוֺן אָבֹת עַל־בָּנִים עַל־שִׁלֵּשִׁים וְעַל־רִבֵּעִים ב חס[2]. ל[3]. ה
6 7 לְשֹׂנְאָי׃ 6 וְעֹשֶׂה חֶסֶד לַאֲלָפִים לְאֹהֲבַי וּלְשֹׁמְרֵי מִצְוֺתָי׃ ס 7 לֹא ד. ו
תִשָּׂא אֶת־שֵׁם־יְהוָה אֱלֹהֶיךָ לַשָּׁוְא כִּי לֹא יְנַקֶּה יְהוָה אֵת אֲשֶׁר־יִשָּׂא לז
8 9 אֶת־שְׁמוֹ[a] לַשָּׁוְא׃ פ 8 זָכוֹר[a] אֶת־יוֹם הַשַּׁבָּת לְקַדְּשׁוֹ[b]׃ 9 שֵׁשֶׁת ל[3] וחד מן ג[4] זוגין
10 יָמִים תַּעֲבֹד וְעָשִׂיתָ כָּל־מְלַאכְתֶּךָ[a]׃ 10 וְיוֹם[a] הַשְּׁבִיעִי שַׁבָּת ׀ לַיהוָה
אֱלֹהֶיךָ לֹא־תַעֲשֶׂה[b] כָל־מְלָאכָה אַתָּה ׀ וּבִנְךָ־וּבִתֶּךָ עַבְדְּךָ[c] וַאֲמָתְךָ[d] ל[3]
11 וּבְהֶמְתֶּךָ[e] וְגֵרְךָ[f] אֲשֶׁר בִּשְׁעָרֶיךָ[fg]׃ 11 כִּי שֵׁשֶׁת־יָמִים עָשָׂה יְהוָה אֶת־ יג[5]
הַשָּׁמַיִם וְאֶת־הָאָרֶץ אֶת־[a]הַיָּם וְאֶת־כָּל־אֲשֶׁר־בָּם וַיָּנַח בַּיּוֹם הַשְּׁבִיעִי ו[6]
12 עַל־כֵּן בֵּרַךְ יְהוָה אֶת־יוֹם הַשַּׁבָּת[b] וַיְקַדְּשֵׁהוּ[c]׃ ס 12 כַּבֵּד אֶת־ יב
אָבִיךָ וְאֶת־אִמֶּךָ לְמַעַן[a] יַאֲרִכוּן יָמֶיךָ עַל הָאֲדָמָה[b] אֲשֶׁר־יְהוָה ג[7]
13 14 אֱלֹהֶיךָ נֹתֵן לָךְ׃ ס 13 לֹא תִרְצָח[a]׃ ס 14 לֹא תִנְאָף׃ ס ח[8] פסוק לא לא לא לא וחד מן כב[9] פסוק דלית בהון לא ו ולא י. ל. ל[3]
15 לֹא תִגְנֹב׃ ס 16 לֹא־תַעֲנֶה בְרֵעֲךָ עֵד שָׁקֶר[a]׃ ס 17 לֹא ל[3]. ל. ל[10]
תַחְמֹד בֵּית[a] רֵעֶךָ לֹא־תַחְמֹד[b] אֵשֶׁת[c] רֵעֶךָ[d] וְעַבְדּוֹ וַאֲמָתוֹ וְשׁוֹרוֹ[e] ל[3]. ל
וַחֲמֹרוֹ[f] וְכֹל אֲשֶׁר לְרֵעֶךָ[g]׃ פ
18 וְכָל־הָעָם רֹאִים[a] אֶת־הַקּוֹלֹת[b] וְאֶת־הַלַּפִּידִם[b] וְאֵת קוֹל ח ר״פ בסיפ[11]. ל
19 הַשֹּׁפָר וְאֶת־הָהָר עָשֵׁן וַיַּרְא[c] הָעָם וַיָּנֻעוּ וַיַּעַמְדוּ מֵרָחֹק׃ 19 וַיֹּאמְרוּ ל. ב וחס. ז חס בתור
אֶל־מֹשֶׁה [a]דַּבֵּר־אַתָּה עִמָּנוּ וְנִשְׁמָעָה[a] וְאַל־יְדַבֵּר עִמָּנוּ אֱלֹהִים[b] פֶּן־ ל[12]
20 נָמוּת׃ 20 וַיֹּאמֶר מֹשֶׁה אֶל־הָעָם אַל־תִּירָאוּ כִּי לְבַעֲבוּר נַסּוֹת ג[13]
אֶתְכֶם בָּא הָאֱלֹהִים וּבַעֲבוּר תִּהְיֶה יִרְאָתוֹ עַל־פְּנֵיכֶם לְבִלְתִּי ל[14]. ב[15]. ל
21 תֶחֱטָאוּ׃ 21 וַיַּעֲמֹד הָעָם מֵרָחֹק וּמֹשֶׁה נִגַּשׁ אֶל־הָעֲרָפֶל אֲשֶׁר־שָׁם ב[16]. ז חס בתור. ב[17]
22 הָאֱלֹהִים׃ פ 22 וַיֹּאמֶר[a] יְהוָה אֶל־מֹשֶׁה כֹּה תֹאמַר[a] אֶל־בְּנֵי

[2] Mm 444. [3] Mm 1082. [4] Mm 509. [5] Mm 3139. [6] Mm 510. [7] Mm 1089. [8] Mm 3132. [9] Mm 878. [10] Mm 1083. [11] Mm 645. [12] וחד וְנִשְׁמְעָה 2 S 17,5. [13] Mm 511. [14] וחד בא אלהים 1 S 4,7. [15] Mm 3497. [16] Mm 3197. [17] Mm 1739.

5 [a] Pap Nash קנוא || **7** [a] Pap Nash שמה || **8** [a] ⅏ שמור || [b] cf 3[b] || **9** [a] cf 3[b] || **10** [a] Pap Nash pc Mss 𝔊𝔙 וּבַיּוֹם || [b] Pap Nash 𝔊𝔖𝔙 + בה || [c] ℭ mlt Mss 𝔊^{min}𝔖𝔗 ׳וְע cf 𝔗^{JP} || [d] Pap Nash 𝔊 sec Dt 5,14 || [e] ⅏ ׳ב; > 𝔗^{J} || [f–f] 𝔊 *ὁ παροικῶν ἐν σοί* || [g] cf 3[b] || **11** [a] mlt Mss 𝔊𝔖𝔗^{Ms}𝔗^{P}𝔙 ואת || [b] Pap Nash 𝔊𝔖 השביעי || [c] Pap Nash שיו– || **12** [a] Pap Nash 𝔊 + ייטב לך ולמען || [b] 𝔊 + *τῆς ἀγαθῆς* || **13** [a] 𝔊* ordinat 14.15.13 et Pap Nash Philo (De Decalogo 12) Lc 18,20 Rm 13,9 ordinant 14.13.15 || **16** [a] Pap Nash שוא || **17** [a] 𝔊 hab [a] et [c] invers, it Pap Nash? cf Dt 5,21 || [b] Pap Nash תתאוה את cf Dt || [c] cf [a] || [d] Pap Nash pc Mss ⅏𝔊 + שָׂדֵהוּ || [e] ⅏ ׳ש, ׳ע || [f] 𝔊 + add sec Dt || [g] ⅏ + add || **18** [a] ⅏ Bo שמע || [b–b] ⅏ וראים את ה׳ et tr post השפר || [c] ⅏𝔊𝔖𝔗^{JP}𝔙 וַיִּרְאוּ cf 20; ℭ⅏𝔊𝔗^{JP} + כל || **19** [a–a] ⅏ amplius || [b] ⅏ ׳הָא cf 𝔊; 𝔙 *Dominus* || **22** [a–a] לֵאמֹר דַּבֵּר ⅏.

23 יִשְׂרָאֵל אַתֶּם רְאִיתֶם כִּי מִן־הַשָּׁמַיִם דִּבַּרְתִּי עִמָּכֶם׃ 23 לֹא תַעֲשׂוּן — יד̇[18]
24 אִתִּי אֱלֹהֵי כֶסֶף וֵאלֹהֵי זָהָב לֹא תַעֲשׂוּ לָכֶם׃ 24 מִזְבַּח אֲדָמָה — ג בטע̇[19] . יא̇[20]
תַּעֲשֶׂה־לִּי וְזָבַחְתָּ עָלָיו אֶת־עֹלֹתֶיךָ וְאֶת־שְׁלָמֶיךָ [a]אֶת־צֹאנְךָ וְאֶת־ — ג וכל משנה תורה דכות[21]
בְּקָרֶךָ[a] [b]בְּכָל־הַמָּקוֹם[bc] אֲשֶׁר אַזְכִּיר[d] אֶת־שְׁמִי אָבוֹא אֵלֶיךָ
25 וּבֵרַכְתִּיךָ׃ 25 וְאִם־מִזְבַּח אֲבָנִים תַּעֲשֶׂה־לִּי לֹא־תִבְנֶה אֶתְהֶן גָּזִית
26 כִּי חַרְבְּךָ הֵנַפְתָּ [a]עָלֶיהָ וַתְּחַלְלֶהָ[a]׃ 26 וְלֹא־תַעֲלֶה בְמַעֲלֹת עַל־ — ל̇ . ז ר״פ בסיפ וחד מן יז[22] ר״פ ולא לא
מִזְבְּחִי אֲשֶׁר לֹא־תִגָּלֶה עֶרְוָתְךָ עָלָיו[a]׃ פ עב — ח̇[23] . ג̇[24]
ס יז פרש 21 1 וְאֵלֶּה[a] הַמִּשְׁפָּטִים אֲשֶׁר תָּשִׂים לִפְנֵיהֶם׃ 2 כִּי תִקְנֶה עֶבֶד — יז[1] ר״פ בתור וכל תלדות דכות ב מ ד . ל̇
3 עִבְרִי שֵׁשׁ שָׁנִים יַעֲבֹד[a] וּבַשְּׁבִעִת יֵצֵא לַחָפְשִׁי חִנָּם׃ 3 אִם־בְּגַפּוֹ[a] — ל̇ חס . יב ר״פ אם אם[2]
4 יָבֹא בְּגַפּוֹ[a] יֵצֵא אִם־[b]בַּעַל אִשָּׁה הוּא וְיָצְאָה אִשְׁתּוֹ עִמּוֹ׃ 4 אִם־[a]
אֲדֹנָיו יִתֶּן־לוֹ אִשָּׁה וְיָלְדָה־לוֹ בָנִים אוֹ בָנוֹת הָאִשָּׁה וִילָדֶיהָ תִּהְיֶה
5 לַאדֹנֶיהָ[b] וְהוּא יֵצֵא בְגַפּוֹ[c]׃ 5 וְאִם־[a]אָמֹר יֹאמַר הָעֶבֶד אָהַבְתִּי — ל̇[3] . ג חס[4]
6 אֶת־אֲדֹנִי אֶת־אִשְׁתִּי וְאֶת־בָּנָי לֹא אֵצֵא חָפְשִׁי׃ 6 וְהִגִּישׁוֹ אֲדֹנָיו — יב פסוק את את ואת ומילה חדה ביניה[5] . ב בפסוק
אֶל־הָאֱלֹהִים[a] וְהִגִּישׁוֹ אֶל־הַדֶּלֶת אוֹ אֶל־הַמְּזוּזָה וְרָצַע אֲדֹנָיו אֶת־ — כ̇ . ב בפסוק . ל̇ . ל̇
7 אָזְנוֹ בַּמַּרְצֵעַ וַעֲבָדוֹ לְעֹלָם׃ ס 7 וְכִי־יִמְכֹּר אִישׁ אֶת־בִּתּוֹ — ז̇[6] . ל̇ . יח[7] חס י מנה בתור . יא בפרש
8 לְאָמָה לֹא תֵצֵא כְּצֵאת הָעֲבָדִים׃ 8 אִם־רָעָה[a] בְּעֵינֵי אֲדֹנֶיהָ אֲשֶׁר־ — ג̇[8] . לג בתור
לֹא[b] יְעָדָהּ וְהֶפְדָּהּ לְעַם נָכְרִי לֹא־יִמְשֹׁל לְמָכְרָהּ בְּבִגְדוֹ־בָהּ׃ — לו חד מן יז[9] כת כן ק . ג[10] . ל̇ . ל̇[11] . ב̇
9 10 9 וְאִם־לִבְנוֹ יִיעָדֶנָּה כְּמִשְׁפַּט הַבָּנוֹת יַעֲשֶׂה־לָּהּ׃ 10 אִם־[a]אַחֶרֶת — ל̇ . ה̇[12]
11 יִקַּח־לוֹ שְׁאֵרָהּ כְּסוּתָהּ וְעֹנָתָהּ לֹא יִגְרָע׃ 11 וְאִם־שְׁלָשׁ־אֵלֶּה לֹא — ל̇ . ל̇ . ל̇ . ל̇
12 יַעֲשֶׂה לָהּ וְיָצְאָה חִנָּם אֵין כָּסֶף׃ ס 12 מַכֵּה אִישׁ וָמֵת מוֹת
13 יוּמָת׃ 13 וַאֲשֶׁר[a] לֹא צָדָה וְהָאֱלֹהִים אִנָּה לְיָדוֹ וְשַׂמְתִּי[a] לְךָ מָקוֹם — יב ר״פ . ח̇[13] . ז̇[14] . ל̇
14 אֲשֶׁר יָנוּס שָׁמָּה׃ ס 14 וְכִי־יָזִד אִישׁ עַל־רֵעֵהוּ לְהָרְגוֹ בְעָרְמָה — יא בפרש . ב חד מל וחד חס . ה̇[15] . ב̇[16]
15 מֵעִם מִזְבְּחִי תִּקָּחֶנּוּ לָמוּת׃ ס 15 וּמַכֵּה אָבִיו וְאִמּוֹ מוֹת יוּמָת׃ — ח̇[17] . ד̇
16 17 16 וְגֹנֵב אִישׁ וּמְכָרוֹ וְנִמְצָא בְיָדוֹ מוֹת יוּמָת׃ ס 17 וּמְקַלֵּל אָבִיו — ל̇ . ב חד ר״פ וחד ס״פ

[18] Mm 393. [19] Mm 68. [20] Mm 512. [21] Mm 3285. [22] Mm 2708. [23] Mm 2410. [24] Mm 3647. **Cp 21** [1] Mm 267. [2] Mm 519. [3] וחד אם אמר 1S 20,21. [4] Mm 1487. [5] Mm 44. [6] Mm 3650. [7] Mm 25. [8] Mm 1426. [9] Mm 1795. [10] Mm 513. [11] Mm 666. [12] Mm 514. [13] Mm 3985. [14] Mm 145. [15] Mm 515. [16] Mm 1289. [17] Mm 2410.

24 [a–a] ⅏ מִצְ׳ וּמִבְ׳ ‖ [b–b] ⅏ בַּמָּ׳ ‖ [c] 𝔊𝔖𝔗𝔗[P] om ה ? ‖ [d] 𝔖 2 sg, l תַּזְ׳ ? ‖ **25** [a–a] ⅏ עָלָיו –ֶהוּ cf 𝔊𝔖 ‖ **26** [a] ⅏ אֵלָיו ‖ **Cp 21,1** [a] ⅏𝔙 א׳ ‖ **2** [a] ⅏𝔊𝔖𝔙 יַעֲבָדְךָ ‖ **3** [a] ⅏ בְּגַפָּיו ‖ [b] 𝔊𝔖𝔗[J] pr cop ‖ **4** [a] 2 Mss 𝔊𝔖𝔙 וְאִם ‖ [b] ⅏𝔊*𝔖𝔙 –ָיו ‖ [c] cf 3[a] ‖ **5** [a] ⅏ אִם ‖ **6** [a] 𝔊 pr *τὸ κριτήριον*; 𝔖(𝔗[J]) *djn'* = judices ‖ **8** [a] ⅏ + היא, 𝔖 *snj'* = שְׂנוּאָה ‖ [b] 𝔊*𝔗𝔙 ut Q לוֹ ‖ **10** [a] nonn Mss ⅏𝔊𝔖𝔙 וְאִם ‖ **13** [a] 𝔖 3 sg.

18 וְאִמּ֖וֹ מ֥וֹת יוּמָֽת׃ ס 18 וְכִֽי־יְרִיבֻ֣ן אֲנָשִׁ֔ים וְהִכָּה־אִישׁ֙ אֶת־רֵעֵ֔הוּ — ל . יא בפרש
19 ᵃבְּאֶ֣בֶן א֣וֹ בְאֶגְרֹ֑ףᵃ וְלֹ֥א יָמ֖וּת וְנָפַ֥ל לְמִשְׁכָּֽב׃ 19 אִם־יָק֞וּם וְהִתְהַלֵּ֥ךְ — ב[18] . ג[19]
בַּח֛וּץ עַל־מִשְׁעַנְתּ֖וֹ וְנִקָּ֣ה הַמַּכֶּ֑ה רַ֥ק שִׁבְתּ֛וֹ יִתֵּ֖ן וְרַפֹּ֥א יְרַפֵּֽא׃ ס — ג[20] . ל
20 וְכִֽי־יַכֶּה֩ אִ֨ישׁ אֶת־עַבְדּ֜וֹ א֤וֹ אֶת־אֲמָתוֹ֙ בַּשֵּׁ֔בֶטᵃ וּמֵ֖ת תַּ֣חַת יָד֑וֹ נָקֹ֖םᵇ — יא בפרש . ו
21 יִנָּקֵֽםᵇ׃ 21 אַ֥ךְ אִם־י֛וֹם א֥וֹ יוֹמַ֖יִם יַעֲמֹ֑ד לֹ֣א יֻקַּ֔םᵃ כִּ֥י כַסְפּ֖וֹ הֽוּא׃ ס — ה ג מל וב חס[21] . ג ב פת וחד קמ[22]
22 וְכִֽי־יִנָּצ֣וּ אֲנָשִׁ֗ים וְנָ֨גְפ֜וּ אִשָּׁ֤ה הָרָה֙ ᵃוְיָצְא֣וּ יְלָדֶ֔יהָᵃ וְלֹ֥א יִהְיֶ֖ה אָס֑וֹן — יא בפרש . ב[23] . ז[24]
23 עָנ֣וֹשׁ יֵעָנֵ֗שׁ כַּֽאֲשֶׁ֨ר יָשִׁ֤ית עָלָיו֙ בַּ֣עַל הָֽאִשָּׁ֔ה וְנָתַ֖ן בִּפְלִלִֽים׃ 23 וְאִם־ — ל ומל . ז ומל[25] . ל . ל[26]
24 אָס֖וֹן יִהְיֶ֑ה וְנָתַתָּ֥ה נֶ֖פֶשׁ תַּ֥חַת נָֽפֶשׁ׃ 24 עַ֚יִן תַּ֣חַת עַ֔יִן שֵׁ֖ן תַּ֣חַת שֵׁ֑ן יָ֚ד — ה מל בסיפ
25 תַּ֣חַת יָ֔ד רֶ֖גֶל תַּ֥חַת רָֽגֶל׃ 25 כְּוִיָּה֙ᵃ תַּ֣חַת כְּוִיָּ֔הᵃ פֶּ֖צַע תַּ֣חַת פָּ֑צַע — ב בפסוק . ב בפסוק
26 חַבּוּרָ֕ה תַּ֖חַת חַבּוּרָֽה׃ ס 26 וְכִֽי־יַכֶּ֨ה אִ֜ישׁ אֶת־עֵ֥ין עַבְדּ֛וֹ אֽוֹ־ — ב בפסוק . ב בפסוק . יא בפרש
27 אֶת־עֵ֥ין אֲמָת֖וֹ וְשִֽׁחֲתָ֑הּ לַֽחָפְשִׁ֥י יְשַׁלְּחֶ֖נּוּ תַּ֥חַת עֵינֽוֹ׃ ס 27 וְאִם־ — ו . ט[27]
שֵׁ֥ן עַבְדּ֛וֹ אֽוֹ־שֵׁ֥ן אֲמָת֖וֹ יַפִּ֑יל לַֽחָפְשִׁ֥י יְשַׁלְּחֶ֖נּוּ תַּ֥חַת שִׁנּֽוֹ׃ פ — ו . ל כת כן[28] . ל
28 וְכִֽי־יִגַּ֨חᵃ שׁ֥וֹרᵇ אֶת־אִ֛ישׁ א֥וֹ אֶת־אִשָּׁ֖ה וָמֵ֑ת סָק֨וֹל יִסָּקֵ֜ל הַשּׁ֗וֹר — יא בפרש . ב חד מל וחד חס
29 וְלֹ֤א יֵֽאָכֵל֙ אֶת־בְּשָׂר֔וֹ וּבַ֥עַל הַשּׁ֖וֹר נָקִֽי׃ 29 וְאִ֡ם שׁוֹר֩ נַגָּ֨ח ה֜וּא מִתְּמֹ֣ל — ב[29] . ד חס[30]
שִׁלְשֹׁ֗ם וְהוּעַ֤ד בִּבְעָלָיו֙ וְלֹ֣א יִשְׁמְרֶ֔נּוּᵃ וְהֵמִ֥ית אִ֖ישׁ א֣וֹ אִשָּׁ֑ה הַשּׁוֹר֙ — ל
30 יִסָּקֵ֔ל וְגַם־בְּעָלָ֖יו יוּמָֽת׃ 30 ᵃאִם־כֹּ֖פֶר יוּשַׁ֣ת עָלָ֑יו וְנָתַן֙ פִּדְיֹ֣ן נַפְשׁ֔וֹ — יא ס״פ[31] . ב בפסוק . ב חד מל וחד חס[32]
31 כְּכֹ֥ל אֲשֶׁר־יוּשַׁ֖ת עָלָֽיו׃ 31 אוֹ־בֵ֥ן יִגָּ֖ח אוֹ־בַ֣ת יִגָּ֑ח כַּמִּשְׁפָּ֥ט הַזֶּ֖ה — ב בפסוק . ב קמ בפסוק . ב קמ בפסוק
32 יֵעָ֥שֶׂה לּֽוֹ׃ 32 אִם־עֶ֛בֶד יִגַּ֥ח הַשּׁ֖וֹר א֣וֹ אָמָ֑ה כֶּ֣סֶף ׀ שְׁלֹשִׁ֣ים שְׁקָלִ֗ים — לו[33] . ה
33 יִתֵּן֙ לַֽאדֹנָ֔יו וְהַשּׁ֖וֹר יִסָּקֵֽל׃ ס 33 וְכִֽי־יִפְתַּ֨ח אִ֜ישׁ בּ֗וֹר א֠וֹ כִּֽי־יִכְרֶ֥ה — יא בפרש
34 אִ֛ישׁ בֹּ֖ר וְלֹ֣א יְכַסֶּ֑נּוּ וְנָֽפַל־שָׁ֥מָּה שּׁ֖וֹר א֥וֹ חֲמֽוֹרᵃ׃ 34 בַּ֤עַל הַבּוֹר֙ יְשַׁלֵּ֔ם — ל חס[34]
35 כֶּ֖סֶף יָשִׁ֣יב לִבְעָלָ֑יו וְהַמֵּ֖ת יִֽהְיֶה־לּֽוֹ׃ ס 35 וְכִֽי־יִגֹּ֧ף שֽׁוֹר־אִ֛ישׁᵃ — כד בליש[35] . יא בפרש
אֶת־שׁ֥וֹר רֵעֵ֖הוּᵃ וָמֵ֑ת וּמָ֨כְר֜וּ אֶת־הַשּׁ֤וֹר הַחַי֙ וְחָצ֣וּ אֶת־כַּסְפּ֔וֹ וְגַ֥ם — יז פסוק את את את את . ל . כג פסוק וגם ובתר תלת מילין[36] . ט
36 אֶת־הַמֵּ֖ת יֶֽחֱצֽוּן׃ 36 א֣וֹ נוֹדַ֗ע כִּ֠י שׁ֣וֹר נַגָּ֥ח הוּא֙ מִתְּמ֣וֹל שִׁלְשֹׁ֔ם וְלֹ֥א — ל
יִשְׁמְרֶ֖נּוּᵃ בְּעָלָ֑יו שַׁלֵּ֨ם יְשַׁלֵּ֥ם שׁוֹר֙ תַּ֣חַת הַשּׁ֔וֹר וְהַמֵּ֖ת יִֽהְיֶה־לּֽוֹ׃ ס

[18] Mm 1783. [19] Jes 58,4. [20] Mm 516. [21] Mm 517. [22] Mm 32. [23] Dt 25,11. [24] Mm 1281. [25] Mm 2737. [26] וחד פלילים Dt 32,31. [27] Mm 3145. [28] Mm 839. [29] Ex 13,3. [30] Mm 518. [31] Okhl 357. [32] Mm 3280. [33] Mm 210. [34] Mp sub loco. [35] Mm 1685. [36] Mm 1629.

18 a–a > ɯ ‖ **20** a > Ms ɯ ‖ b–b ɯ מות יומת ‖ **21** a ɯ יומת ‖ **22** a–a ɯ𝔊 וְיָצָא וְלָדָהּ ‖ **25** a ɯ מִכְוָה ‖ **28** a ɯ יַכֶּה ‖ b ɯ + אוֹ כָל בְּהֵמָה (ɯ in sq saepe בהמה pro שׁור) ‖ **29** a 𝔊 *ἀφανίσῃ αὐτόν* = יַשְׁמִידֶנּוּ, it 36[a] ‖ **30** a pc Mss 𝔊𝔖𝔙 ואם ‖ **33** a ut 28[b] ‖ **35** a ɯ + אוֹ כָל בְּהֶמְתּוֹ ‖ **36** a cf 29[a].

37 כִּי[a] יִגְנֹב־אִישׁ שׁוֹר אוֹ־שֶׂה וּטְבָחוֹ אוֹ מְכָרוֹ חֲמִשָּׁה בָקָר יְשַׁלֵּם | ב חד חס וחד מל. ל
22 תַּחַת הַשּׁוֹר וְאַרְבַּע־צֹאן תַּחַת הַשֶּׂה׃ 22 1 אִם־בַּמַּחְתֶּרֶת יִמָּצֵא | ב[1]
2 הַגַּנָּב וְהֻכָּה[a] וָמֵת אֵין לוֹ דָּמִים׃ 2 אִם־זָרְחָה[a] הַשֶּׁמֶשׁ עָלָיו דָּמִים | ל[2]. יב ר״פ אם אם[3]. ד[4]
3 לוֹ שַׁלֵּם יְשַׁלֵּם אִם־אֵין לוֹ וְנִמְכַּר בִּגְנֵבָתוֹ׃ 3 אִם־הִמָּצֵא תִמָּצֵא
בְיָדוֹ הַגְּנֵבָה מִשּׁוֹר עַד־חֲמוֹר עַד־שֶׂה חַיִּים שְׁנַיִם[a] יְשַׁלֵּם׃ ס | ל
4 כִּי[a] יַבְעֶר־אִישׁ שָׂדֶה אוֹ־כֶרֶם וְשִׁלַּח אֶת־בְּעִירֹה וּבִעֵר בִּשְׂדֵה | בעירו ק. חד מן יו[5] כת ה בתור ול בליש. ב[6]
5 אַחֵר[b] מֵיטַב שָׂדֵהוּ וּמֵיטַב[c] כַּרְמוֹ יְשַׁלֵּם׃ ס 5 כִּי־תֵצֵא אֵשׁ | ג. ל. ל
וּמָצְאָה קֹצִים וְנֶאֱכַל גָּדִישׁ אוֹ הַקָּמָה אוֹ הַשָּׂדֶה שַׁלֵּם יְשַׁלֵּם הַמַּבְעִר | ד ב חס וב מל[7]. ג. ל
6 אֶת־הַבְּעֵרָה׃ ס 6 כִּי[a]־יִתֵּן אִישׁ אֶל־רֵעֵהוּ כֶּסֶף אוֹ־כֵלִים
7 לִשְׁמֹר וְגֻנַּב[b] מִבֵּית הָאִישׁ אִם־יִמָּצֵא הַגַּנָּב יְשַׁלֵּם שְׁנָיִם׃ 7 אִם[a]־לֹא | ל. יב ר״פ אם אם[3]. ח[8] ר״פ וכל איוב דכות ב מ ב
יִמָּצֵא הַגַּנָּב וְנִקְרַב בַּעַל־הַבַּיִת אֶל־הָאֱלֹהִים[b] אִם־לֹא שָׁלַח יָדוֹ | כ
8 בִּמְלֶאכֶת רֵעֵהוּ׃ 8 עַל־כָּל־דְּבַר־פֶּשַׁע עַל־שׁוֹר עַל־חֲמוֹר עַל־שֶׂה | ל. ב[9]
עַל־שַׂלְמָה[a] עַל־כָּל־אֲבֵדָה אֲשֶׁר יֹאמַר כִּי־הוּא זֶה עַד הָאֱלֹהִים[b] | ד[10] בתור וכל קריא דכות ב מ ו. ל
יָבֹא דְּבַר־שְׁנֵיהֶם אֲשֶׁר יַרְשִׁיעֻן[c] אֱלֹהִים[d] יְשַׁלֵּם שְׁנַיִם לְרֵעֵהוּ׃ ס | ל וחס
9 כִּי[a]־יִתֵּן אִישׁ אֶל־רֵעֵהוּ חֲמוֹר אוֹ־שׁוֹר אוֹ־שֶׂה וְכָל[b]־בְּהֵמָה לִשְׁמֹר | ג[11] ב מנה בתור
10 וּמֵת אוֹ־נִשְׁבַּר אוֹ־נִשְׁבָּה אֵין רֹאֶה׃ 10 שְׁבֻעַת יְהוָה תִּהְיֶה בֵּין שְׁנֵיהֶם | ג[12]. ה[13]
11 אִם־לֹא שָׁלַח יָדוֹ בִּמְלֶאכֶת רֵעֵהוּ וְלָקַח בְּעָלָיו וְלֹא יְשַׁלֵּם׃ 11 וְאִם־ | ב[14]
12 גָּנֹב יִגָּנֵב מֵעִמּוֹ יְשַׁלֵּם לִבְעָלָיו׃ 12 אִם־טָרֹף יִטָּרֵף יְבִאֵהוּ[a] עֵד[b] | ג. ל חס
13 הַטְּרֵפָה לֹא[c] יְשַׁלֵּם׃ פ 13 וְכִי־יִשְׁאַל אִישׁ מֵעִם רֵעֵהוּ[a] וְנִשְׁבַּר | יא בפרש
14 אוֹ־מֵת[b] בְּעָלָיו אֵין־עִמּוֹ שַׁלֵּם יְשַׁלֵּם׃ 14 אִם־בְּעָלָיו עִמּוֹ לֹא יְשַׁלֵּם | יב ר״פ אם אם[3]
15 אִם־שָׂכִיר הוּא בָּא בִּשְׂכָרוֹ׃ ס 15 וְכִי־יְפַתֶּה אִישׁ בְּתוּלָה אֲשֶׁר | יא בפרש. ד[15]
16 לֹא־אֹרָשָׂה וְשָׁכַב עִמָּהּ מָהֹר יִמְהָרֶנָּה לּוֹ לְאִשָּׁה׃ 16 אִם[a]־מָאֵן יְמָאֵן | ל. ל
17 אָבִיהָ לְתִתָּהּ לוֹ כֶּסֶף יִשְׁקֹל כְּמֹהַר הַבְּתוּלֹת׃ ס 17 מְכַשֵּׁפָה[a] | ב[16]. ל[17]. יד פסוק בתור[18]

Cp 22 [1] Jer 2,34. [2] Mm 979. [3] Mm 519. [4] Mm 520. [5] Mm 598. [6] Lv 6,5. [7] Mm 3402. [8] Mm 3185. [9] Mm 3168. [10] Mm 1213. [11] Mm 1138. [12] Mm 93. [13] Mm 1833. [14] Mm 521. [15] Mm 522. [16] Ez 47,14. [17] וחד במהר 1S 18,25. [18] Mm 750.

37 [a] pc Mss mGS וְכִי ‖ **Cp 22,1** [a] m והכהו ‖ **2** [a] m זרח ‖ **3** [a] m pr אחד ‖ **4** [a] 2 Mss mGS וְכִי ‖ [b] m(G) + (G *καταβοσκήσῃ* = שַׁלֵּם יְשַׁלֵּם מִשָּׂדֵהוּ כִּתְבוּאָתֹה (יַבְעֵר ‖ [c] S *(w)mn tb'* = (וּ)מִטּוֹב ‖ **6** [a] pc Mss mGS וְכִי ‖ [b] m וְגֻנַּב ‖ **7** [a] nonn Mss mGS וְאִם ‖ [b] G(TJV) + *καὶ ὀμεῖται* ‖ **8** [a] m שמלה ‖ [b] m יהוה ‖ [c] m ־וּנוּ ‖ [d] m הָאֱ' ‖ **9** [a] pc Mss mGS וְכִי ‖ [b] mGS או כל ‖ **12** [a] m יביא ‖ [b] G TJ (dupl) V leg עַד ‖ [c] mGTJV ולא ‖ **13** [a] G[19](S) + *κτῆνος*, TJ + *md'm*, V + *quidquam horum*, exc vb? ‖ [b] G* + *ἢ αἰχμάλωτον γένηται* cf 9 ‖ **16** [a] nonn Mss mGS וְאִם ‖ **17** [a] G *φαρμακούς* cf 7,11; STTJ m (־ַ־ף?).

18 19 לֹא תְחַיֶּה׃ ס 18 כָּל־שֹׁכֵב עִם־בְּהֵמָה מוֹת יוּמָת׃ ס 19 זֹבֵחַ°	ג . ל̇
לָאֱלֹהִים[a] יָחֳרָם [b]בִּלְתִּי לַיהוָה לְבַדּוֹ[b]׃	ג ב̇ פת̇ וחד קמ̇[19]
20 וְגֵר לֹא־תוֹנֶה[a] וְלֹא תִלְחָצֶנּוּ[b] כִּי־גֵרִים הֱיִיתֶם בְּאֶרֶץ מִצְרָיִם׃	
21 כָּל־אַלְמָנָה וְיָתוֹם לֹא תְעַנּוּן׃ 22 אִם־עַנֵּה תְעַנֶּה[a] אֹתוֹ[b] כִּי אִם־	ה̇[20] . ל̇ . י̇ב̇ ר״פ אם אם[21] . ל̇ . ב̇[22]
23 צָעֹק יִצְעַק[c] אֵלַי שָׁמֹעַ אֶשְׁמַע צַעֲקָתוֹ[d]׃ 23 וְחָרָה אַפִּי וְהָרַגְתִּי אֶתְכֶם	ל̇ וחס̇ . ה̇ חס̇[23] . ב̇
ס̄ [יח] בֶּחָרֶב וְהָיוּ נְשֵׁיכֶם אַלְמָנוֹת וּבְנֵיכֶם יְתֹמִים׃ פ 24 אִם־כֶּסֶף ׀	ב̇ חס̇
תַּלְוֶה [a]אֶת־עַמִּי[a] אֶת־הֶעָנִי עִמָּךְ לֹא־תִהְיֶה לוֹ כְּנֹשֶׁה לֹא־[b]תְשִׂימוּן[c]	כ̇ו̇ פסוק את את ומילה חדה ביניה̇ . ל̇ . ג̇[24]
25 עָלָיו נֶשֶׁךְ׃ 25 אִם־חָבֹל תַּחְבֹּל שַׂלְמַת[a] רֵעֶךָ עַד־בֹּא הַשֶּׁמֶשׁ תְּשִׁיבֶנּוּ[b]	ד̇[25] בתור̇ וכל קריא דכות̇ ב̇ מ̇ ו̇
26 לוֹ׃ 26 כִּי הִוא כְסוּתֹה לְבַדָּהּ הִוא שִׂמְלָתוֹ לְעֹרוֹ בַּמֶּה יִשְׁכָּב וְהָיָה	כסותו ק̇ חד מן י̇ו̇[26] כת̇ ה בתור̇ ול̇ בליש̇ . ל̇ זקף קמ̇
27 כִּי־יִצְעַק אֵלַי וְשָׁמַעְתִּי כִּי־חַנּוּן אָנִי׃ ס 27 אֱלֹהִים לֹא תְקַלֵּל	ל̇ בתור̇ . [חצי הספר בפסוקים][27]
28 וְנָשִׂיא בְעַמְּךָ לֹא תָאֹר׃ 28 מְלֵאָתְךָ וְדִמְעֲךָ לֹא תְאַחֵר בְּכוֹר בָּנֶיךָ	ג̇[28] . ל̇ . ד̇[29]
29 תִּתֶּן־לִּי׃ 29 כֵּן־תַּעֲשֶׂה לְשֹׁרְךָ לְצֹאנֶךָ[a] שִׁבְעַת יָמִים יִהְיֶה עִם־אִמּוֹ	ל̇ חס̇
30 בַּיּוֹם[b] הַשְּׁמִינִי תִּתְּנוֹ־לִי׃ 30 וְאַנְשֵׁי־קֹדֶשׁ תִּהְיוּן לִי וּבָשָׂר בַּשָּׂדֶה[a]	ל̇ . י̇ח̇[30] ד̇[31] מנה̇ ר״פ . ח̇[32]
טְרֵפָה לֹא תֹאכֵלוּ לַכֶּלֶב[b] תַּשְׁלִכוּן אֹתוֹ׃ ס	ל̇ . ל̇ וחס̇
23 1 לֹא תִשָּׂא שֵׁמַע שָׁוְא אַל־תָּשֶׁת יָדְךָ עִם־רָשָׁע לִהְיֹת עֵד	ה̇[1] . ח̇ חס̇ בליש̇[2]
2 חָמָס׃ ס 2 לֹא־תִהְיֶה אַחֲרֵי־רַבִּים לְרָעֹת וְלֹא־תַעֲנֶה [a]עַל־רִב[a]	ד̇ חס̇ בליש̇ . ה̇ חס̇ בליש̇[3]
3 לִנְטֹת אַחֲרֵי רַבִּים לְהַטֹּת[b]׃ 3 וְדָל[a] לֹא תֶהְדַּר בְּרִיבוֹ׃ ס	ל̇ חס̇ . ל̇ חס̇ . ל̇ . ד̇
4 כִּי תִפְגַּע שׁוֹר אֹיִבְךָ אוֹ חֲמֹרוֹ[a] תֹּעֶה הָשֵׁב תְּשִׁיבֶנּוּ לוֹ׃ ס 5 כִּי־	י̇ בטע̇ ר״פ בתור̇[4] . ג̇ ב̇ חס̇ וחד מל̇
תִרְאֶה חֲמוֹר שֹׂנַאֲךָ רֹבֵץ תַּחַת מַשָּׂאוֹ וְחָדַלְתָּ מֵעֲזֹב לוֹ [a]עָזֹב תַּעֲזֹב[a]	ב̇[5] . ג̇[6] . ל̇ וחס̇
6 7 עִמּוֹ׃ ס 6 לֹא תַטֶּה מִשְׁפַּט אֶבְיֹנְךָ בְּרִיבוֹ׃ 7 מִדְּבַר־שֶׁקֶר תִּרְחָק	ב̇ חס̇[7] . ד̇ . ג̇
8 וְנָקִי וְצַדִּיק אַל־תַּהֲרֹג כִּי[a] לֹא־אַצְדִּיק[b] רָשָׁע[c]׃ 8 וְשֹׁחַד לֹא[a] תִקָּח	ג̇ . ל̇[8]
9 כִּי הַשֹּׁחַד יְעַוֵּר[b] פִּקְחִים וִיסַלֵּף דִּבְרֵי צַדִּיקִים׃ 9 וְגֵר לֹא תִלְחָץ[a]	ב̇ . ל̇ מל̇ בתור̇

[19] Mm 523. [20] Mm 524. [21] Mm 519. [22] Gn 31,50. [23] Mm 1115. [24] Mm 2697. [25] Mm 1213. [26] Mm 598. [27] Mp sub loco. [28] Mm 525. [29] Mm 526. [30] Mm 2952. [31] Mm 88. [32] Mm 527. **Cp 23** [1] Mm 206. [2] Mm 725. [3] Mm 3480. [4] Mm 1151. [5] Mm 3643. [6] Mm 28. [7] Mp sub loco. [8] Mm 528.

19 [a] ш𝔊[A min] + אֲחֵרִים, ins (hpgr)? ‖ [b–b] > ш ‖ **20** [a] ш𝔊𝔖𝔗𝔗[J] 2 pl ‖ [b] ш𝔖𝔗𝔗[J] תִּלְחָצוּ cf 𝔊 ‖ **22** [a] ш𝔊𝔖𝔗[P]𝔙 תענו ‖ [b] 𝔊(𝔖𝔗[P]𝔙) *αὐτούς* ‖ [c] 𝔊𝔖𝔙 pl ‖ [d] 𝔊𝔖𝔙 suff pl; 𝔗[P] + *'rwm ḥnn wrḥmn 'nh 'mr mmrh djhwh* = כִּי חַנּוּן וְרַחוּם אֲנִי אָמַר יהוה ‖ **24** [a–a] 𝔊* *τῷ ἀδελφῷ* ‖ [b] Seb 𝔖𝔗[Ms]𝔗[P]𝔙 וְלֹא ‖ [c] 𝔊𝔖𝔙 sg ‖ **25** [a] ш שמלת ‖ [b] ш ־ֶנָּה ‖ **29** [a] ш𝔊𝔖𝔗[J]𝔙 וּלְ׳, 𝔊 + *καὶ τὸ ὑποζύγιόν σου* ‖ [b] mlt Mss ш𝔊𝔖𝔗[Mss]𝔗[J] וּבַ׳ ‖ **30** [a] > Vrs ‖ [b] ш הַשְׁלֵךְ ‖ **Cp 23,2** [a–a] 𝔊 *μετὰ πλήθους* ‖ [b] 𝔊 + *κρίσιν* ‖ **3** [a] דל lapsus pro גָּדֹל? cf Lv 19,15 ‖ **4** [a] ut 21,35[a] ‖ **5** [a–a] obscure, si non crrp; 𝔊 *συνεγερεῖς αὐτό*, 𝔖 *mšql šqwl*, 𝔙 *sublevabis* ‖ **7** [a] 𝔊 *καί* ‖ [b] 𝔊 2 sg ‖ [c] 𝔊* + *ἕνεκεν δώρων* ‖ **8** [a] ш [b] nonn Mss ш𝔊𝔖𝔗𝔗[J] + עֵינֵי cf Dt 16,19 Sir 20,29 ‖ **9** [a] ш𝔊𝔖𝔗𝔗[J] ־ָצוּ.

וְאַתֶּם יְדַעְתֶּם אֶת־נֶפֶשׁ הַגֵּר כִּי־גֵרִים הֱיִיתֶם בְּאֶרֶץ מִצְרָיִם׃
10 11 וְשֵׁשׁ שָׁנִים תִּזְרַע אֶת־אַרְצֶךָ וְאָסַפְתָּ אֶת־תְּבוּאָתָהּ׃ 11 וְהַשְּׁבִיעִת ג ר״פ[9]
תִּשְׁמְטֶנָּה וּנְטַשְׁתָּהּ וְאָכְלוּ אֶבְיֹנֵי עַמֶּךָ וְיִתְרָם תֹּאכַל חַיַּת הַשָּׂדֶה ל . ל . ב חד חס וחד מל[10] . ב[11]
12 כֵּן־תַּעֲשֶׂה לְכַרְמְךָ לְזֵיתֶךָ[a]׃ 12 שֵׁשֶׁת יָמִים תַּעֲשֶׂה מַעֲשֶׂיךָ וּבַיּוֹם
הַשְּׁבִיעִי תִּשְׁבֹּת לְמַעַן יָנוּחַ [a]שׁוֹרְךָ וַחֲמֹרֶךָ וְיִנָּפֵשׁ בֶּן־אֲמָתְךָ[a] וְהַגֵּר׃ ל
13 13 וּבְכֹל[a] אֲשֶׁר־אָמַרְתִּי אֲלֵיכֶם תִּשָּׁמֵרוּ וְשֵׁם אֱלֹהִים אֲחֵרִים לֹא ה[12] . ל . ד פסוק דאית בהון לא לא ומילה חדה ביניה[13]
תַזְכִּירוּ לֹא[b] יִשָּׁמַע עַל־פִּיךָ׃ ב[14] . ו[15]
14 15 שָׁלֹשׁ רְגָלִים תָּחֹג[a] לִי בַּשָּׁנָה׃ 15 אֶת־חַג הַמַּצּוֹת תִּשְׁמֹר שִׁבְעַת
יָמִים תֹּאכַל מַצּוֹת כַּאֲשֶׁר צִוִּיתִךָ לְמוֹעֵד חֹדֶשׁ הָאָבִיב כִּי־בוֹ יָצָאתָ ו רפי[16]
16 מִמִּצְרָיִם וְלֹא־יֵרָאוּ פָנַי רֵיקָם׃ 16 וְחַג הַקָּצִיר בִּכּוּרֵי מַעֲשֶׂיךָ אֲשֶׁר ד[17]
תִּזְרַע בַּשָּׂדֶה וְחַג הָאָסִף בְּצֵאת הַשָּׁנָה בְּאָסְפְּךָ אֶת־מַעֲשֶׂיךָ מִן־ ב חד חס וחד מל
17 הַשָּׂדֶה׃ 17 שָׁלֹשׁ פְּעָמִים בַּשָּׁנָה יֵרָאֶה כָּל־זְכוּרְךָ אֶל[a]־פְּנֵי[b] הָאָדֹן[c] | יג[18] . ט[19] וכל צורת הבית דכות ב מ ד . ב חס
18 יְהוָה[b]׃ 18 לֹא[a]־תִזְבַּח עַל־חָמֵץ דַּם־זִבְחִי וְלֹא־יָלִין חֵלֶב־חַגִּי עַד־ ג זוגין[20]
19 בֹּקֶר׃ 19 רֵאשִׁית בִּכּוּרֵי אַדְמָתְךָ תָּבִיא בֵּית יְהוָה אֱלֹהֶיךָ לֹא־תְבַשֵּׁל כח . יג[21]
גְּדִי בַּחֲלֵב אִמּוֹ[a]׃ ס
20 הִנֵּה אָנֹכִי שֹׁלֵחַ מַלְאָךְ[a] לְפָנֶיךָ לִשְׁמָרְךָ בַּדָּרֶךְ וְלַהֲבִיאֲךָ אֶל־ ס[יט] ל
21 הַמָּקוֹם[b] אֲשֶׁר הֲכִנֹתִי׃ 21 הִשָּׁמֶר מִפָּנָיו וּשְׁמַע בְּקֹלוֹ אַל־תַּמֵּר[a] בּוֹ ל חס . כג . ל
22 כִּי לֹא יִשָּׂא לְפִשְׁעֲכֶם כִּי שְׁמִי בְּקִרְבּוֹ׃ 22 כִּי אִם־שָׁמוֹעַ תִּשְׁמַע[a] לז . ○[22]
בְּקֹלוֹ[b] וְעָשִׂיתָ כֹּל אֲשֶׁר אֲדַבֵּר וְאָיַבְתִּי אֶת־אֹיְבֶיךָ וְצַרְתִּי אֶת־ ל . ב[23]
23 צֹרְרֶיךָ׃ 23 כִּי־יֵלֵךְ מַלְאָכִי לְפָנֶיךָ וֶהֱבִיאֲךָ אֶל־הָאֱמֹרִי וְהַחִתִּי סימן מ ת פ כ ו ס[24]
24 וְהַפְּרִזִּי וְהַכְּנַעֲנִי[a] הַחִוִּי[b] וְהַיְבוּסִי וְהִכְחַדְתִּיו[c]׃ 24 לֹא־תִשְׁתַּחֲוֶה ז . ל . לד פסוק לא ולא ולא[25]
לֵאלֹהֵיהֶם וְלֹא תָעָבְדֵם וְלֹא תַעֲשֶׂה כְּמַעֲשֵׂיהֶם כִּי הָרֵס תְּהָרְסֵם ג[26]
25 וְשַׁבֵּר תְּשַׁבֵּר מַצֵּבֹתֵיהֶם׃ 25 וַעֲבַדְתֶּם[a] אֵת יְהוָה אֱלֹהֵיכֶם[b] וּבֵרַךְ[c] ג[27]

[9] Mm 4173ב. [10] Mm 529. [11] Hi 22,20. [12] Mm 781. [13] Mm 2267. [14] Mm 530. [15] Mm 3112. [16] Mm 613. [17] Mm 1916. [18] Mm 150. [19] Mm 3937. [20] Mm 509. [21] Mm 1228. [22] Mp falsa, ms L cum ו erasum videtur contra Mm 1115. [23] Jes 29,3. [24] Okhl 274. [25] Mm 771. [26] Mm 531. [27] Mm 1538.

11 [a] pc Mss ⅏𝔊𝔖𝔙 ול׳ || **12** [a–a] ⅏ עַבְדְּךָ וַאמתך כָּמוֹךָ וְכָל בְּהֶמְתְּךָ || **13** [a] ⅏𝔊𝔖 וְכֹל || [b] ℭ mlt Mss ⅏𝔊𝔗[Mss]𝔗[J]𝔙 וְלֹא cf 𝔖 || **14** [a] 𝔊𝔖𝔗[Ms]𝔗[J]𝔙 pl || **17** [a] ⅏ את ut 34,23 || [b–b] 𝔊(𝔖𝔙) *κυρίου τοῦ θεοῦ σου* || [c] ⅏ ארון cf 34,23[a] || **18** [a] 𝔊* pr nonn vb ex 34,24 || **19** [a] ⅏ + add || **20** [a] ⅏𝔊𝔙 כִּי— ut 23 || [b] 𝔊(𝔖) *τὴν γῆν* || **21** [a] 𝔊 *ἀπείθει* = תֶּמֶר 𝔖 *tṯḥr*ʾ || **22** [a] ⅏𝔊 —ְעוּ || [b] ⅏𝔊 —לִי || **23** [a] 𝔊 + *καὶ Γεργεσαῖον* cf ⅏ || [b] mlt Mss ⅏𝔊𝔖𝔗[Ms]𝔙 וְה׳ || [c] Vrs suff pl || **25** [a] 𝔊 sg || [b] 𝔊 suff sg || [c] 𝔊𝔙 1 sg.

אֶת־לַחְמְךָ֙ וְאֶת־מֵימֶ֔יךָ וַהֲסִרֹתִ֥י מַחֲלָ֖ה מִקִּרְבֶּֽךָ׃ 26 לֹ֥א תִהְיֶ֛ה   גֹּ 28. ו. זוּגִין 29

מְשַׁכֵּלָ֧ה וַעֲקָרָ֛ה בְּאַרְצֶ֖ךָ אֶת־מִסְפַּ֥ר יָמֶ֖יךָ אֲמַלֵּֽא׃   ב. גֹּ 30

27 אֶת־אֵֽימָתִי֙ אֲשַׁלַּ֣ח לְפָנֶ֔יךָ וְהַמֹּתִ֗י אֶת־כָּל־הָעָם֙ אֲשֶׁ֣ר תָּבֹ֣א   ל מל. ט. ל. יזֹ 32 חס וכל משׁלי דכות ב מ ד

בָּהֶ֔ם וְנָתַתִּ֧י אֶת־כָּל־אֹיְבֶ֛יךָ אֵלֶ֖יךָ עֹֽרֶף׃ 28 וְשָׁלַחְתִּ֥י אֶת־הַצִּרְעָ֖ה   גֹּ 33

לְפָנֶ֑יךָ וְגֵרְשָׁ֗ה אֶת־הַחִוִּ֛י אֶת־הַֽכְּנַעֲנִ֥י וְאֶת־הַחִתִּ֖י מִלְּפָנֶֽיךָ׃ 29 לֹ֧א   סִימָן וכֹ 34. י

אֲגָרְשֶׁ֛נּוּ מִפָּנֶ֖יךָ בְּשָׁנָ֣ה אֶחָ֑ת פֶּן־תִּהְיֶ֤ה הָאָ֙רֶץ֙ שְׁמָמָ֔ה וְרַבָּ֥ה עָלֶ֖יךָ חַיַּ֥ת   דֹּ 35

הַשָּׂדֶֽה׃ 30 מְעַ֥ט מְעַ֛ט אֲגָרְשֶׁ֖נּוּ מִפָּנֶ֑יךָ עַ֚ד אֲשֶׁ֣ר תִּפְרֶ֔ה וְנָחַלְתָּ֖ אֶת־   ל

הָאָֽרֶץ׃ 31 וְשַׁתִּ֣י אֶת־גְּבֻלְךָ֗ מִיַּם־סוּף֙ וְעַד־יָ֣ם פְּלִשְׁתִּ֔ים וּמִמִּדְבָּ֖ר עַד־   ל. גֹּ פסוק ועד עדֹ 37 36. ב. 38

הַנָּהָ֑ר כִּ֣י ׀ אֶתֵּ֣ן בְּיֶדְכֶ֗ם אֵ֚ת יֹשְׁבֵ֣י הָאָ֔רֶץ וְגֵרַשְׁתָּ֖מוֹ מִפָּנֶֽיךָ׃ 32 לֹֽא־   ל

תִכְרֹ֥ת לָהֶ֛ם וְלֵאלֹֽהֵיהֶ֖ם בְּרִֽית׃ 33 לֹ֤א יֵשְׁבוּ֙ בְּאַרְצְךָ֔ פֶּן־יַחֲטִ֥יאוּ   ל. כֹּ 39. ל

אֹתְךָ֖ לִ֑י כִּ֤י תַעֲבֹד֙ אֶת־אֱלֹ֣הֵיהֶ֔ם כִּֽי־יִהְיֶ֥ה לְךָ֖ לְמוֹקֵֽשׁ׃ פ

24 1 וְאֶל־מֹשֶׁ֨ה אָמַ֜ר עֲלֵ֣ה אֶל־יְהוָ֗ה אַתָּה֙ וְאַהֲרֹן֙ נָדָ֣ב וַאֲבִיה֔וּא   ל

וְשִׁבְעִ֖ים מִזִּקְנֵ֣י יִשְׂרָאֵ֑ל וְהִשְׁתַּחֲוִיתֶ֖ם מֵֽרָחֹֽק׃ 2 וְנִגַּ֨שׁ מֹשֶׁ֤ה לְבַדּוֹ֙   ף חס בתור ֹ 1

אֶל־יְהוָ֔ה וְהֵ֖ם לֹ֣א יִגָּ֑שׁוּ וְהָעָ֕ם לֹ֥א יַעֲל֖וּ עִמּֽוֹ׃ 3 וַיָּבֹ֣א מֹשֶׁ֗ה וַיְסַפֵּ֤ר

לָעָם֙ אֵ֚ת כָּל־דִּבְרֵ֣י יְהוָ֔ה וְאֵ֖ת כָּל־הַמִּשְׁפָּטִ֑ים וַיַּ֨עַן כָּל־הָעָ֜ם ק֤וֹל   ב

אֶחָד֙ וַיֹּ֣אמְר֔וּ כָּל־הַדְּבָרִ֛ים אֲשֶׁר־דִּבֶּ֥ר יְהוָ֖ה נַעֲשֶֽׂה׃ 4 וַיִּכְתֹּ֣ב מֹשֶׁ֗ה

אֵ֚ת כָּל־דִּבְרֵ֣י יְהוָ֔ה וַיַּשְׁכֵּ֣ם בַּבֹּ֔קֶר וַיִּ֥בֶן מִזְבֵּ֖חַ תַּ֣חַת הָהָ֑ר וּשְׁתֵּ֤ים

עֶשְׂרֵה֙ מַצֵּבָ֔ה לִשְׁנֵ֖ים עָשָׂ֥ר שִׁבְטֵ֥י יִשְׂרָאֵֽל׃ 5 וַיִּשְׁלַ֗ח אֶֽת־נַעֲרֵי֙ בְּנֵ֣י

יִשְׂרָאֵ֔ל וַיַּֽעֲל֖וּ עֹלֹ֑ת וַֽיִּזְבְּח֞וּ זְבָחִ֧ים שְׁלָמִ֛ים לַיהוָ֖ה פָּרִֽים׃ 6 וַיִּקַּ֤ח   ב

מֹשֶׁה֙ חֲצִ֣י הַדָּ֔ם וַיָּ֖שֶׂם בָּאַגָּנֹ֑ת וַחֲצִ֣י הַדָּ֔ם זָרַ֖ק עַל־הַמִּזְבֵּֽחַ׃ 7 וַיִּקַּח֙   פֹּ לג מנה בתור ֹ. ל וחס

סֵ֣פֶר הַבְּרִ֔ית וַיִּקְרָ֖א בְּאָזְנֵ֣י הָעָ֑ם וַיֹּ֣אמְר֔וּ כֹּ֛ל אֲשֶׁר־דִּבֶּ֥ר יְהוָ֖ה נַעֲשֶׂ֥ה   לֹּ

וְנִשְׁמָֽע׃ 8 וַיִּקַּ֤ח מֹשֶׁה֙ אֶת־הַדָּ֔ם וַיִּזְרֹ֖ק עַל־הָעָ֑ם וַיֹּ֕אמֶר הִנֵּ֣ה דַֽם־   גֹּ ב פת וחד קמֹ 2. ח וכל עזרא דכות ֹ 3

הַבְּרִ֗ית אֲשֶׁ֨ר כָּרַ֤ת יְהוָה֙ עִמָּכֶ֔ם עַ֥ל כָּל־הַדְּבָרִ֖ים הָאֵֽלֶּה׃   ח בטע

---

28 Mm 532. 29 Mm 2036. 30 Mm 3590. 31 Mm 425. 32 Mp sub loco. 33 Mm 1379. 34 Okhl 274. 35 Mm
533. 36 וחד שׁתי Ps 73,28. 37 Mm 3938. 38 Mm 1081. 39 Mm 534. Cp 24 1 Mp sub loco. 2 Mm 568.
3 Mm 1968.

25 d 𝔊* + καὶ τὸν οἶνόν σου ‖ e 𝔊 ἀφ᾿ ὑμῶν cf 𝔖 ‖ 28 a 𝔊B 2 sg, 𝔊Amin𝔖 1 sg ‖ b 𝔊
+ καὶ τοὺς Ἀμορραίους ‖ c 𝔗 mlt Mss 𝔊𝔖Ms𝔗J וְאֶת ‖ 29 a 𝔊𝔖𝔗𝔗J suff pl ‖ 30 a
cf 29 a ‖ 31 a 𝔗 nonn Mss 𝔗J + כל ‖ b ﹏ ‫‬‪תָם‬‬‬— cf 𝔊𝔘 ‖ 33 a ﹏𝔊𝔖𝔗𝔗J יהיו
‖ Cp 24,1 a ﹏ אֶלְעָזָר וְאִיתָמָר +, it 9 a ‖ b 𝔊 3 pl ‖ c 𝔊 + τῷ κυρίῳ ‖ 2 a 𝔊 τὸν θεόν ‖
b 𝔊 μετ᾿ αὐτῶν ‖ 3 a 𝔊 τοῦ θεοῦ ‖ b 𝔊 + καὶ ἀκουσόμεθα cf 7 ‖ 4 a ﹏𝔊 אֲבָנִים
‖ 5 a 𝔊* τῷ θεῷ ‖ b ﹏ + בְּנֵי בָקָר ‖ 7 a—a 𝔊FS invers ‖ 8 a 𝔗 הַמִּשְׁפָּטִים.

9 10 9 וַיַּעַל מֹשֶׁה וְאַהֲרֹן נָדָב וַאֲבִיהוּא[a] וְשִׁבְעִים מִזִּקְנֵי יִשְׂרָאֵל׃ 10 וַיִּרְאוּ (כט בתור)
אֵת[a] אֱלֹהֵי יִשְׂרָאֵל וְתַחַת רַגְלָיו כְּמַעֲשֵׂה לִבְנַת הַסַּפִּיר וּכְעֶצֶם (כה̇[4] . ב חד פת וחד קמ[5] . ל̇)
11 הַשָּׁמַיִם לָטֹהַר׃ 11 וְאֶל־אֲצִילֵי[a] בְּנֵי יִשְׂרָאֵל לֹא שָׁלַח יָדוֹ וַיֶּחֱזוּ[b] אֶת־ (ל̇ . ב̇[6])
12 הָאֱלֹהִים[a] וַיֹּאכְלוּ וַיִּשְׁתּוּ׃ ס 12 וַיֹּאמֶר יְהוָה אֶל־מֹשֶׁה עֲלֵה אֵלַי (יב בטע בסיפ[7])
הָהָרָה וֶהְיֵה־שָׁם וְאֶתְּנָה לְךָ אֶת־לֻחֹת הָאֶבֶן וְהַתּוֹרָה[a] וְהַמִּצְוָה אֲשֶׁר (יג[8] . ל̇ . ב̇[9])
13 כָּתַבְתִּי לְהוֹרֹתָם׃ 13 וַיָּקָם מֹשֶׁה וִיהוֹשֻׁעַ מְשָׁרְתוֹ וַיַּעַל[a] מֹשֶׁה[b] אֶל־ (ל̇ . יו וכל אל הר הכרמל דכות[10])
14 הַר הָאֱלֹהִים׃ 14 וְאֶל־הַזְּקֵנִים אָמַר שְׁבוּ־לָנוּ בָזֶה עַד אֲשֶׁר־נָשׁוּב (ד . ל̇ . ה בתור)
אֲלֵיכֶם וְהִנֵּה אַהֲרֹן וְחוּר עִמָּכֶם מִי־בַעַל דְּבָרִים יִגַּשׁ אֲלֵהֶם׃
15 16 15 וַיַּעַל מֹשֶׁה[a] אֶל־הָהָר וַיְכַס הֶעָנָן אֶת־הָהָר׃ 16 וַיִּשְׁכֹּן כְּבוֹד־יְהוָה[a] (ה ד חס וחד מל[11])
עַל־הַר סִינַי וַיְכַסֵּהוּ הֶעָנָן שֵׁשֶׁת יָמִים וַיִּקְרָא[b] אֶל־מֹשֶׁה בַּיּוֹם (ג . ב̇[12])
17 הַשְּׁבִיעִי מִתּוֹךְ הֶעָנָן׃ 17 וּמַרְאֵה כְּבוֹד יְהוָה כְּאֵשׁ אֹכֶלֶת בְּרֹאשׁ (ז[13] . לה[14])
18 הָהָר לְעֵינֵי בְּנֵי יִשְׂרָאֵל׃ 18 וַיָּבֹא מֹשֶׁה בְּתוֹךְ הֶעָנָן וַיַּעַל אֶל־הָהָר (ג̇[15])
וַיְהִי מֹשֶׁה[a] בָּהָר אַרְבָּעִים יוֹם וְאַרְבָּעִים לָיְלָה׃ פ קי״ח

ס̄[כ] פרש 25 1 וַיְדַבֵּר יְהוָה אֶל־מֹשֶׁה לֵּאמֹר׃ 2 דַּבֵּר אֶל־בְּנֵי יִשְׂרָאֵל
וְיִקְחוּ־לִי תְּרוּמָה מֵאֵת כָּל־אִישׁ אֲשֶׁר יִדְּבֶנּוּ לִבּוֹ תִּקְחוּ אֶת־תְּרוּמָתִי׃ (ו רפי[1] . ל̇)
3 4 3 וְזֹאת הַתְּרוּמָה אֲשֶׁר תִּקְחוּ מֵאִתָּם זָהָב וָכֶסֶף וּנְחֹשֶׁת׃ 4 וּתְכֵלֶת (כה יו[2] מנה ר״פ . ג)
5 וְאַרְגָּמָן וְתוֹלַעַת שָׁנִי וְשֵׁשׁ וְעִזִּים׃ 5 וְעֹרֹת אֵילִם מְאָדָּמִים וְעֹרֹת
6 תְּחָשִׁים וַעֲצֵי שִׁטִּים׃ 6 שֶׁמֶן לַמָּאֹר בְּשָׂמִים לְשֶׁמֶן הַמִּשְׁחָה וְלִקְטֹרֶת (ח זוגין מחליפין[3] . ג חד חס וב מל בסיפ)
7 8 הַסַּמִּים׃ 7 אַבְנֵי־שֹׁהַם וְאַבְנֵי מִלֻּאִים לָאֵפֹד וְלַחֹשֶׁן׃ 8 וְעָשׂוּ[a] לִי (ח זוגין מחליפין[3] . ג ב מל וחד חס)
9 מִקְדָּשׁ [b]וְשָׁכַנְתִּי בְּתוֹכָם[b]׃ 9 כְּכֹל[a] אֲשֶׁר אֲנִי מַרְאֶה אוֹתְךָ[b] אֵת (יז מל בליש[4])
תַּבְנִית הַמִּשְׁכָּן וְאֵת תַּבְנִית כָּל־כֵּלָיו וְכֵן תַּעֲשׂוּ[c]׃ ס (ל̇ . ב̇[5])
10 10 וְעָשׂוּ[a] אֲרוֹן עֲצֵי שִׁטִּים אַמָּתַיִם וָחֵצִי אָרְכּוֹ וְאַמָּה וָחֵצִי רָחְבּוֹ
11 וְאַמָּה וָחֵצִי קֹמָתוֹ׃ 11 וְצִפִּיתָ אֹתוֹ זָהָב טָהוֹר מִבַּיִת וּמִחוּץ תְּצַפֶּנּוּ (ל̇ בתור)

[4]Mm 2364. [5]Mm 535. [6]Mm 3729. [7]Mm 439. [8]Mm 1100. [9]Mm 536. [10]Mm 385. [11]Mm 537. [12]Mm 538. [13]Mm 539. [14]Mm 2840. [15]Mm 540. **Cp 25** [1]Mm 560. [2]Mm 856. [3]Mm 3964. [4]Mm 541. [5]Mm 1438.

9 [a] cf 1[a] ‖ **10** [a] 𝔊 *τὸν τόπον οὗ εἱστήκει ἐκεῖ* (> 𝔊$^{BO\,min}$) cf 11[a–a] ‖ **11** [a–a] 𝔊 *καὶ τῶν ἐπιλέκτων τοῦ Ισραηλ οὐ διεφώνησεν οὐδὲ εἷς· καὶ ὤφθησαν ἐν τῷ τόπῳ τοῦ θεοῦ* ‖ [b] ш^{Mss} וַיֹּאחֲזוּ ‖ **12** [a] ш𝔊 ה׳ ‖ **13** [a] 𝔊 pl ‖ [b] > 𝔊 ‖ **15** [a] 𝔊* + *καὶ Ἰησοῦς* cf 13 ‖ **16** [a] 𝔊 *τοῦ θεοῦ* ‖ [b] 𝔊(𝔖) + *κύριος* ‖ **18** [a] 𝔊 *ἐκεῖ* ‖ **Cp 25,8** [a] 𝔊 2 sg cf 10[a] ‖ [b–b] 𝔊 *καὶ ὀφθήσομαι ἐν ὑμῖν* ‖ **9** [a] 𝔊 pr *καὶ ποιήσεις μοι* (ex 8) ‖ [b] ш𝔊 + בָּהָר ‖ [c] ш𝔊 תַּעֲשֶׂה ‖ **10** [a] ш𝔊 וְעָשִׂיתָ.

12 וְעָשִׂ֧יתָ עָלָ֛יו[a] זֵ֥ר זָהָ֖ב סָבִֽיב׃ 12 וְיָצַ֣קְתָּ לּ֗וֹ אַרְבַּע֙ טַבְּעֹ֣ת זָהָ֔ב וְנָ֣תַתָּ֔ה
עַ֖ל אַרְבַּ֣ע פַּעֲמֹתָ֑יו וּשְׁתֵּ֣י טַבָּעֹ֗ת עַל־צַלְעוֹ֙ הָֽאֶחָ֔ת וּשְׁתֵּי֙ טַבָּעֹ֔ת עַל־
13 14 צַלְע֖וֹ הַשֵּׁנִֽית׃ 13 וְעָשִׂ֥יתָ בַדֵּ֖י עֲצֵ֣י שִׁטִּ֑ים וְצִפִּיתָ֥ אֹתָ֖ם זָהָֽב׃ 14 וְהֵבֵאתָ֤
אֶת־הַבַּדִּים֙ בַּטַּבָּעֹ֔ת עַ֖ל צַלְעֹ֣ת הָאָרֹ֑ן לָשֵׂ֥את אֶת־הָאָרֹ֖ן בָּהֶֽם׃
15 בְּטַבְּעֹת֙ הָאָרֹ֔ן יִהְי֖וּ הַבַּדִּ֑ים לֹ֥א יָסֻ֖רוּ מִמֶּֽנּוּ׃ 16 וְנָתַתָּ֖ אֶל־הָאָרֹ֑ן
17 אֵ֚ת הָעֵדֻ֔ת אֲשֶׁ֥ר אֶתֵּ֖ן אֵלֶֽיךָ׃ 17 וְעָשִׂ֥יתָ כַפֹּ֖רֶת זָהָ֣ב טָה֑וֹר אַמָּתַ֤יִם
18 וָחֵ֙צִי֙ אָרְכָּ֔הּ וְאַמָּ֥ה וָחֵ֖צִי רָחְבָּֽהּ׃ 18 וְעָשִׂ֛יתָ שְׁנַ֥יִם כְּרֻבִ֖ים זָהָ֑ב מִקְשָׁה֙
19 תַּעֲשֶׂ֣ה אֹתָ֔ם מִשְּׁנֵ֖י קְצ֥וֹת הַכַּפֹּֽרֶת׃ 19 וַ֠עֲשֵׂה[a] כְּר֨וּב אֶחָ֤ד מִקָּצָה֙
מִזֶּ֔ה וּכְרוּב־אֶחָ֥ד מִקָּצָ֖ה מִזֶּ֑ה מִן־הַכַּפֹּ֛רֶת תַּעֲשׂ֥וּ[b] אֶת־הַכְּרֻבִ֖ים עַל־
20 שְׁנֵ֥י קְצוֹתָֽיו׃ 20 וְהָי֣וּ הַכְּרֻבִים֩ פֹּרְשֵׂ֨י כְנָפַ֜יִם לְמַ֗עְלָה סֹכְכִ֤ים
בְּכַנְפֵיהֶם֙ עַל־הַכַּפֹּ֔רֶת וּפְנֵיהֶ֖ם אִ֣ישׁ אֶל־אָחִ֑יו אֶ֨ל־הַכַּפֹּ֔רֶת יִהְי֖וּ פְּנֵ֥י
21 הַכְּרֻבִֽים׃ 21 וְנָתַתָּ֧ אֶת־הַכַּפֹּ֛רֶת עַל־הָאָרֹ֖ן מִלְמָ֑עְלָה וְאֶל־הָ֣אָרֹ֔ן
22 תִּתֵּן֙ אֶת־הָ֣עֵדֻ֔ת [a]אֲשֶׁ֥ר אֶתֵּ֖ן אֵלֶֽיךָ׃[a] 22 וְנוֹעַדְתִּ֣י[a] לְךָ֮ שָׁם֒ וְדִבַּרְתִּ֨י
אִתְּךָ֜ מֵעַ֣ל הַכַּפֹּ֗רֶת מִבֵּין֙ שְׁנֵ֣י הַכְּרֻבִ֔ים אֲשֶׁ֖ר עַל־אֲר֣וֹן הָעֵדֻ֑ת [b]אֵ֛ת[c]
כָּל־[b]אֲשֶׁ֥ר אֲצַוֶּ֛ה אוֹתְךָ֖ אֶל־בְּנֵ֥י יִשְׂרָאֵֽל׃ פ
23 וְעָשִׂ֥יתָ שֻׁלְחָ֖ן [a]עֲצֵ֣י שִׁטִּ֑ים[a] אַמָּתַ֤יִם אָרְכּוֹ֙ וְאַמָּ֣ה רָחְבּ֔וֹ וְאַמָּ֥ה
24 וָחֵ֖צִי קֹמָתֽוֹ׃ 24 [a]וְצִפִּיתָ֥ אֹת֖וֹ זָהָ֣ב טָה֑וֹר[a] וְעָשִׂ֥יתָ לּ֛וֹ זֵ֥ר זָהָ֖ב סָבִֽיב׃
25 וְעָשִׂ֨יתָ לּ֥וֹ מִסְגֶּ֛רֶת טֹ֖פַח סָבִ֑יב וְעָשִׂ֧יתָ זֵר־זָהָ֛ב לְמִסְגַּרְתּ֖וֹ סָבִֽיב׃
26 וְעָשִׂ֣יתָ לּ֔וֹ[a] אַרְבַּ֖ע טַבְּעֹ֣ת זָהָ֑ב וְנָתַתָּ֙ אֶת־הַטַּבָּעֹ֔ת עַ֚ל אַרְבַּ֣ע הַפֵּאֹ֔ת
27 אֲשֶׁ֖ר לְאַרְבַּ֥ע רַגְלָֽיו׃ 27 לְעֻמַּת֙ הַמִּסְגֶּ֔רֶת תִּהְיֶ֖יןָ הַטַּבָּעֹ֑ת לְבָתִּ֣ים
28 לְבַדִּ֔ים לָשֵׂ֖את אֶת־הַשֻּׁלְחָֽן׃ 28 וְעָשִׂ֤יתָ אֶת־הַבַּדִּים֙ עֲצֵ֣י שִׁטִּ֔ים וְצִפִּיתָ֥
29 אֹתָ֖ם זָהָ֑ב וְנִשָּׂא־[a]בָ֖ם אֶת־הַשֻּׁלְחָֽן׃ 29 וְעָשִׂ֨יתָ קְּעָרֹתָ֜יו וְכַפֹּתָ֗יו וּקְשׂוֹתָיו֙
30 וּמְנַקִּיֹּתָ֔יו אֲשֶׁ֥ר יֻסַּ֖ךְ[a] בָּהֵ֑ן[b] זָהָ֥ב טָה֖וֹר תַּעֲשֶׂ֥ה אֹתָֽם׃ 30 וְנָתַתָּ֧ עַֽל־
הַשֻּׁלְחָ֛ן לֶ֥חֶם פָּנִ֖ים לְפָנַ֥י תָּמִֽיד׃ פ

הׄ מלׄ בסיפׄ
גׄ
כדׄ
לׄ חסׄ. כטׄ חסׄ[6]. הׄ בליש[7]. בׄ[8]
כל אורית חס וכל נביא וכתיב מל בׄ מׄ יבׄ[9]
גׄ ר״פ[10]
יׄד פסוק על אל אל[11]. טׄ. בׄ
כטׄ חסׄ[6]. הׄ בליש[7]. לׄ[8]
בׄ חד מל וחד חס[12]
יׄו בתור[13]. יבׄ[14]
יׄז מל בליש[15]
כטׄ חסׄ[6]. בׄ וחס
כדׄ
יבׄ[16]
בׄ. הׄ[17]. כטׄ חסׄ[6]
לׄ

[6] Mm 657. [7] Mm 2775. [8] Mm 542. [9] Cf Mm 543. [10] Mm 196. [11] Mm 4093. [12] Mm 544. [13] Mm 60. [14] Mm 853. [15] Mm 541. [16] Mm 545. [17] Mm 640.

11 [a] pc Mss ɯ𝔊𝔖𝔗Ms לוֹ cf 30,3 ‖ **19** [a] ɯ𝔊 יַעֲשׂוּ (ɯ cj c 18) ‖ [b] ℭ cod Hillel pc Mss ɯ𝔗Mss𝔗J תַּעֲשֶׂה cf 𝔊(𝔖) *καὶ ποιήσεις* ‖ **21** [a–a] > ɯ ‖ **22** [a] 𝔊 *καὶ γνωσθήσομαι* = וְנוֹדַעְתִּי ‖ [b–b] 𝔊 *καὶ κατὰ πάντα* ‖ [c] mlt Mss וְאֵת ‖ **23** [a–a] 𝔊* *χρυσίου καθαροῦ* cf 24 ‖ **24** [a–a] > 𝔊* ‖ **26** [a] > 𝔊*𝔙 ‖ **28** [a] ɯ𝔖𝔗J וְנָשְׂאוּ ‖ **29** [a] ɯ יִסְּכוּ ‖ [b] mlt Mss ɯ בָּהֶם.

ז[18]. ג מל בתור[19] | 31 וְעָשִׂיתָ מְנֹרַת זָהָב טָהוֹר מִקְשָׁה תֵּעָשֶׂה[a] הַמְּנוֹרָה [b]יְרֵכָהּ וְקָנָהּ[b] 31
כל אורית חס | גְּבִיעֶיהָ כַּפְתֹּרֶיהָ וּפְרָחֶיהָ מִמֶּנָּה יִהְיוּ׃ 32 וְשִׁשָּׁה קָנִים יֹצְאִים מִצִּדֶּיהָ 32
ד כת י . ד כת י | שְׁלֹשָׁה | קְנֵי מְנֹרָה מִצִּדָּהּ הָאֶחָד וּשְׁלֹשָׁה קְנֵי מְנֹרָה מִצִּדָּהּ הַשֵּׁנִי׃
33 שְׁלֹשָׁה גְבִעִים מְשֻׁקָּדִים בַּקָּנֶה הָאֶחָד כַּפְתֹּר וָפֶרַח וּשְׁלֹשָׁה גְבִעִים 33
מְשֻׁקָּדִים בַּקָּנֶה הָאֶחָד כַּפְתֹּר וָפָרַח כֵּן[a] לְשֵׁשֶׁת הַקָּנִים הַיֹּצְאִים
ב[20]. כל אורית חס | מִן־הַמְּנֹרָה׃ 34 וּבַמְּנֹרָה אַרְבָּעָה גְבִעִים מְשֻׁקָּדִים[a] כַּפְתֹּרֶיהָ וּפְרָחֶיהָ׃ 34
35 וְכַפְתֹּר תַּחַת שְׁנֵי הַקָּנִים מִמֶּנָּה וְכַפְתֹּר תַּחַת שְׁנֵי[a] הַקָּנִים מִמֶּנָּה 35
וְכַפְתֹּר תַּחַת־שְׁנֵי הַקָּנִים מִמֶּנָּה לְשֵׁשֶׁת[b] הַקָּנִים הַיֹּצְאִים מִן־הַמְּנֹרָה׃
36 כַּפְתֹּרֵיהֶם וּקְנֹתָם מִמֶּנָּה יִהְיוּ כֻּלָּהּ מִקְשָׁה אַחַת זָהָב טָהוֹר׃ 36
ל | 37 וְעָשִׂיתָ אֶת־נֵרֹתֶיהָ שִׁבְעָה וְהֶעֱלָה[a] אֶת־נֵרֹתֶיהָ וְהֵאִיר[b] עַל־עֵבֶר 37
פָּנֶיהָ׃ 38 וּמַלְקָחֶיהָ וּמַחְתֹּתֶיהָ זָהָב טָהוֹר[a]׃ 39 כִּכָּר זָהָב טָהוֹר 38 39
ג ר״פ[21]. ל | יַעֲשֶׂה[a] אֹתָהּ אֵת[b] כָּל־הַכֵּלִים הָאֵלֶּה׃ 40 וּרְאֵה וַעֲשֵׂה בְּתַבְנִיתָם[a] 40
ל | אֲשֶׁר־אַתָּה מָרְאֶה בָּהָר׃ ס
ל | **26** 1 וְאֶת־הַמִּשְׁכָּן תַּעֲשֶׂה עֶשֶׂר יְרִיעֹת שֵׁשׁ מָשְׁזָר וּתְכֵלֶת וְאַרְגָּמָן ס̄ [כא
ב חס[1]. ד דמטע בטע[2] | וְתֹלַעַת שָׁנִי כְּרֻבִים מַעֲשֵׂה חֹשֵׁב תַּעֲשֶׂה אֹתָם׃ 2 אֹרֶךְ | הַיְרִיעָה 2
ד[3] | הָאַחַת שְׁמֹנֶה וְעֶשְׂרִים בָּאַמָּה וְרֹחַב אַרְבַּע בָּאַמָּה הַיְרִיעָה הָאֶחָת
מִדָּה אַחַת לְכָל־הַיְרִיעֹת׃ 3 חֲמֵשׁ[a] הַיְרִיעֹת תִּהְיֶיןָ חֹבְרֹת [b]אִשָּׁה 3
אֶל־אֲחֹתָהּ[b] וְחָמֵשׁ יְרִיעֹת חֹבְרֹת [b]אִשָּׁה אֶל־אֲחֹתָהּ[b]׃ 4 וְעָשִׂיתָ לֻלְאֹת 4
ב[4]. ה[5] | תְּכֵלֶת עַל שְׂפַת הַיְרִיעָה הָאֶחָת [a]מִקָּצָה בַּחֹבָרֶת[a] וְכֵן תַּעֲשֶׂה בִּשְׂפַת
ב מל . ׳ זוגין[6] | הַיְרִיעָה הַקִּיצוֹנָה בַּמַּחְבֶּרֶת הַשֵּׁנִית׃ 5 חֲמִשִּׁים לֻלָאֹת תַּעֲשֶׂה בַּיְרִיעָה 5
ג קמ וכל אתנח זקף וס״פ דכות ב מ ב | הָאֶחָת וַחֲמִשִּׁים לֻלָאֹת תַּעֲשֶׂה בִּקְצֵה הַיְרִיעָה אֲשֶׁר בַּמַּחְבֶּרֶת
הַשֵּׁנִית מַקְבִּילֹת הַלֻּלָאֹת אִשָּׁה אֶל־אֲחֹתָהּ׃ 6 וְעָשִׂיתָ חֲמִשִּׁים קַרְסֵי 6
זָהָב וְחִבַּרְתָּ אֶת־הַיְרִיעֹת אִשָּׁה אֶל־אֲחֹתָהּ בַּקְּרָסִים וְהָיָה הַמִּשְׁכָּן
אֶחָד׃ פ 7 וְעָשִׂיתָ יְרִיעֹת עִזִּים לְאֹהֶל עַל־הַמִּשְׁכָּן עַשְׁתֵּי־ 7

[18] Mm 546. [19] Mm 547. [20] Ex 37,20. [21] Mm 548. **Cp 26** [1] Mm 549. [2] Okhl 222. [3] Mm 2960. [4] Ex 26,10. [5] Mm 550. [6] Mm 456.

31 [a] mlt Mss ш𝔊𝔖𝔗[Ms]𝔗[J] תַּעֲ׳ ‖ [b–b] ш יְרֵכֶיהָ קָנֶיהָ ‖ **33** [a] ш𝔏 + תעשה ‖ **34** [a] > 𝔖; 𝔊 + *ἐν τῷ ἑνὶ καλαμίσκῳ* cf 33 ‖ **35** [a] 𝔊* 4 ‖ [b] 𝔊(𝔖) pr *οὕτως* cf 33 ‖ **37** [a] ш𝔊𝔖𝔗𝔙 וְהַעֲלִיתָ ‖ [b] ш Vrs ־רוּ ‖ **38** [a] 𝔊 + *ποιήσεις* ‖ **39** [a] pc Mss ш𝔊𝔖𝔗[Ms] תַּעֲ׳ ‖ [b] pc Mss ш𝔖 וְאֵת cf 37,24 ‖ **40** [a] nonn Mss 𝔗[Ms] כְּתַ׳ cf 𝔊𝔙 ‖ **Cp 26,3** [a] ш𝔊 וַחֲ׳ ‖ [b–b] ш אַחַת אֶל אַחַת, it in 5sq. 17 cf 36,10. 12sq. 22 ‖ **4** [a–a] ш בַּקָּצֶה בַּמַּחְבָּרֶת.

8 עֶשְׂרֵה יְרִיעֹת תַּעֲשֶׂה אֹתָם׃ 8 אֹרֶךְ ׀ הַיְרִיעָה הָאַחַת שְׁלֹשִׁים בָּאַמָּה ד דמטע בטע[7] . ד[8]
וְרֹחַב אַרְבַּע בָּאַמָּה הַיְרִיעָה הָאֶחָת מִדָּה אַחַת לְעַשְׁתֵּי עֶשְׂרֵה
9 יְרִיעֹת׃ 9 וְחִבַּרְתָּ אֶת־חֲמֵשׁ הַיְרִיעֹת לְבָד וְאֶת־שֵׁשׁ הַיְרִיעֹת לְבָד
10 וְכָפַלְתָּ אֶת־הַיְרִיעָה הַשִּׁשִּׁית אֶל־מוּל פְּנֵי הָאֹהֶל׃ 10 וְעָשִׂיתָ חֲמִשִּׁים ל וחס . ב בתור
לֻלָאֹת עַל שְׂפַת הַיְרִיעָה הָאֶחָת הַקִּיצֹנָה[a] בַּחֹבָרֶת[b] וַחֲמִשִּׁים לֻלָאֹת ב[9] וחד מן ל[10] זוגין
11 עַל שְׂפַת הַיְרִיעָה הַחֹבֶרֶת הַשֵּׁנִית׃ 11 וְעָשִׂיתָ קַרְסֵי נְחֹשֶׁת חֲמִשִּׁים
וְהֵבֵאתָ אֶת־הַקְּרָסִים בַּלֻּלָאֹת וְחִבַּרְתָּ אֶת־הָאֹהֶל[a] וְהָיָה אֶחָד׃
12 וְסֶרַח הָעֹדֵף בִּירִיעֹת הָאֹהֶל חֲצִי הַיְרִיעָה הָעֹדֶפֶת תִּסְרַח עַל ל . ל . ל . ל . ב בליש
13 אֲחֹרֵי הַמִּשְׁכָּן׃ 13 וְהָאַמָּה מִזֶּה וְהָאַמָּה מִזֶּה בָּעֹדֵף[a] בְּאֹרֶךְ יְרִיעֹת ג[12]
14 הָאֹהֶל יִהְיֶה סָרוּחַ עַל־צִדֵּי הַמִּשְׁכָּן מִזֶּה וּמִזֶּה לְכַסֹּתוֹ׃ 14 וְעָשִׂיתָ ל . ל חס
מִכְסֶה לָאֹהֶל עֹרֹת אֵילִם מְאָדָּמִים וּמִכְסֵה עֹרֹת תְּחָשִׁים מִלְמָעְלָה׃ ב . ג[13]
פ 15 וְעָשִׂיתָ אֶת־הַקְּרָשִׁים לַמִּשְׁכָּן עֲצֵי שִׁטִּים עֹמְדִים׃ 16 עֶשֶׂר
17 אַמּוֹת אֹרֶךְ[a] הַקָּרֶשׁ[b] וְאַמָּה וַחֲצִי הָאַמָּה רֹחַב הַקֶּרֶשׁ הָאֶחָד׃ 17 שְׁתֵּי
יָדוֹת[a] לַקֶּרֶשׁ הָאֶחָד מְשֻׁלָּבֹת אִשָּׁה אֶל־אֲחֹתָהּ כֵּן תַּעֲשֶׂה לְכֹל קַרְשֵׁי
18 הַמִּשְׁכָּן׃ 18 וְעָשִׂיתָ אֶת־הַקְּרָשִׁים לַמִּשְׁכָּן עֶשְׂרִים קֶרֶשׁ[a] לִפְאַת[b] נֶגְבָּה יד . ל[14] . כז
19 תֵּימָנָה[b]׃ 19 וְאַרְבָּעִים אַדְנֵי־כֶסֶף תַּעֲשֶׂה תַּחַת עֶשְׂרִים הַקָּרֶשׁ שְׁנֵי
אֲדָנִים תַּחַת־הַקֶּרֶשׁ הָאֶחָד לִשְׁתֵּי יְדֹתָיו וּשְׁנֵי אֲדָנִים תַּחַת־הַקֶּרֶשׁ ל[15]
20 הָאֶחָד לִשְׁתֵּי יְדֹתָיו׃ 20 וּלְצֶלַע הַמִּשְׁכָּן הַשֵּׁנִית לִפְאַת צָפוֹן עֶשְׂרִים ב . יד
21 קָרֶשׁ׃ 21 וְאַרְבָּעִים אַדְנֵיהֶם כָּסֶף שְׁנֵי אֲדָנִים תַּחַת הַקֶּרֶשׁ הָאֶחָד
22 וּשְׁנֵי אֲדָנִים תַּחַת הַקֶּרֶשׁ הָאֶחָד׃ 22 וּלְיַרְכְּתֵי הַמִּשְׁכָּן יָמָּה תַּעֲשֶׂה ב
23 שִׁשָּׁה קְרָשִׁים׃ 23 וּשְׁנֵי קְרָשִׁים[a] תַּעֲשֶׂה לִמְקֻצְעֹת[b] הַמִּשְׁכָּן בַּיַּרְכָתָיִם׃ ב . יא רפי[16]
24 וְיִהְיוּ[a] תֹאֲמִם מִלְּמַטָּה וְיַחְדָּו יִהְיוּ תַמִּים[b] עַל[c]־רֹאשׁוֹ אֶל־הַטַּבַּעַת ב . ג[17] . לב
25 הָאֶחָת כֵּן יִהְיֶה[d] לִשְׁנֵיהֶם לִשְׁנֵי הַמִּקְצֹעֹת יִהְיוּ׃ 25 וְהָיוּ שְׁמֹנָה קְרָשִׁים
וְאַדְנֵיהֶם כֶּסֶף שִׁשָּׁה עָשָׂר אֲדָנִים שְׁנֵי אֲדָנִים [a]תַּחַת הַקֶּרֶשׁ הָאֶחָד[a]

[7] Okhl 222. [8] Mm 551. [9] Ex 26,4. [10] Mm 456 [11] Ez 41,15. [12] Mm 3642. [13] Mm 633. [14] Mm 552. [15] Mm 553. [16] Mm 417. [17] Mm 634.

10 [a] ℭ החיצונה, 𝔊 *τῆς ἀνὰ μέσον* = הַתִּיכוֹנָה cf 36,33 ‖ [b] Smr בַּמַּחְבָּרֶת ‖ **11** [a] 𝔊 *τὰς δέρρεις* cf 9 ‖ **13** [a] 𝔊 + *τῶν δέρρεων* ‖ **16** [a] 𝔊* *ποιήσεις* ‖ [b] Smr𝔊𝔖 + הָאֶחָד ‖ **17** [a] 𝔊 *ἀγκωνίσκους* ‖ **18** [a] pc Mss Smr𝔊𝔖𝔗𝔗[J] קְרָשִׁים, it in 19sq 36,23.25 ‖ [b–b] 𝔊 *πρὸς βορρᾶν* = צָפוֹנָה ut 35 ‖ **23** [a] ℭ אדנים ‖ [b] l לִמְקֻצְעֹת cf 24 ‖ **24** [a] pc Mss Smr Vrs וְהָיוּ ‖ [b] Smr𝔊𝔗𝔗[J] תֹּאֲמִים ‖ [c] Smr אֶל ‖ [d] 𝔊 *ποιήσεις* ‖ **25** [a–a] > Smr.

וּשְׁנֵי[b] אֲדָנִים [c]תַּחַת הַקֶּרֶשׁ[c] הָאֶחָד׃ 26 וְעָשִׂיתָ בְרִיחִם עֲצֵי 26
ל̇[18] שִׁטִּים חֲמִשָּׁה לְקַרְשֵׁי צֶלַע־הַמִּשְׁכָּן הָאֶחָד׃ 27 וַחֲמִשָּׁה בְרִיחִם 27
לְקַרְשֵׁי צֶלַע־הַמִּשְׁכָּן הַשֵּׁנִית וַחֲמִשָּׁה בְרִיחִם לְקַרְשֵׁי צֶלַע הַמִּשְׁכָּן
ג̇ חס בליש[19] לַיַּרְכָתַיִם יָמָּה׃ 28 וְהַבְּרִיחַ הַתִּיכֹן בְּתוֹךְ הַקְּרָשִׁים מַבְרִחַ מִן־הַקָּצֶה 28
ב̇. ל̇ אֶל־הַקָּצֶה׃ 29 וְאֶת־הַקְּרָשִׁים תְּצַפֶּה זָהָב וְאֶת־טַבְּעֹתֵיהֶם תַּעֲשֶׂה 29
ב̇ וחס[20] זָהָב בָּתִּים לַבְּרִיחִם וְצִפִּיתָ אֶת־הַבְּרִיחִם זָהָב׃ 30 וַהֲקֵמֹתָ אֶת־ 30
ב̇ חד מל̇ וחד חס הַמִּשְׁכָּן כְּמִשְׁפָּטוֹ אֲשֶׁר הָרְאֵיתָ בָּהָר׃ ס 31 וְעָשִׂיתָ פָרֹכֶת תְּכֵלֶת ס̄[כג]
וְאַרְגָּמָן וְתוֹלַעַת שָׁנִי וְשֵׁשׁ מָשְׁזָר מַעֲשֵׂה חֹשֵׁב יַעֲשֶׂה[a] אֹתָהּ כְּרֻבִים׃
ה̇י מל̇ בסיפ̇. ד מל̇ בסיפ̇[21] 32 וְנָתַתָּה אֹתָהּ עַל־אַרְבָּעָה עַמּוּדֵי שִׁטִּים מְצֻפִּים זָהָב וָוֵיהֶם זָהָב 32
ה̇י מל̇ בסיפ̇ עַל־אַרְבָּעָה אַדְנֵי־כָסֶף׃ 33 וְנָתַתָּה אֶת־הַפָּרֹכֶת תַּחַת[a] הַקְּרָסִים[b] 33
יב̇[22]. ח̇ מל̇ בתור̇[23]. ל̇ וְהֵבֵאתָ שָׁמָּה מִבֵּית לַפָּרֹכֶת אֵת אֲרוֹן הָעֵדוּת וְהִבְדִּילָה הַפָּרֹכֶת
כ̇ט חס[24] לָכֶם בֵּין הַקֹּדֶשׁ וּבֵין קֹדֶשׁ הַקֳּדָשִׁים׃ 34 וְנָתַתָּ אֶת־הַכַּפֹּרֶת[a] עַל 34
יב̇[22] ג̇ רפ̇[25] אֲרוֹן הָעֵדֻת בְּקֹדֶשׁ הַקֳּדָשִׁים׃ 35 וְשַׂמְתָּ אֶת־הַשֻּׁלְחָן מִחוּץ לַפָּרֹכֶת 35
ג̇[26] וְאֶת־הַמְּנֹרָה נֹכַח הַשֻּׁלְחָן עַל צֶלַע[a] הַמִּשְׁכָּן תֵּימָנָה וְהַשֻּׁלְחָן תִּתֵּן
ג̇ קמ̇ וכל המסך דכות̇ עַל־צֶלַע צָפוֹן[b]׃ 36 וְעָשִׂיתָ מָסָךְ לְפֶתַח הָאֹהֶל תְּכֵלֶת וְאַרְגָּמָן 36
ל̇[27] וְתוֹלַעַת שָׁנִי וְשֵׁשׁ מָשְׁזָר מַעֲשֵׂה רֹקֵם׃ 37 וְעָשִׂיתָ לַמָּסָךְ חֲמִשָּׁה 37
ד מל̇ בסיפ̇[21] עַמּוּדֵי שִׁטִּים וְצִפִּיתָ אֹתָם זָהָב[a] וָוֵיהֶם זָהָב וְיָצַקְתָּ לָהֶם חֲמִשָּׁה
אַדְנֵי נְחֹשֶׁת׃ ס

27 1 וְעָשִׂיתָ [a]אֶת־הַמִּזְבֵּחַ[a] עֲצֵי שִׁטִּים חָמֵשׁ אַמּוֹת אֹרֶךְ וְחָמֵשׁ **27**
אַמּוֹת רֹחַב רָבוּעַ יִהְיֶה הַמִּזְבֵּחַ וְשָׁלֹשׁ אַמּוֹת קֹמָתוֹ׃ 2 וְעָשִׂיתָ קַרְנֹתָיו 2
עַל אַרְבַּע פִּנֹּתָיו מִמֶּנּוּ תִּהְיֶיןָ קַרְנֹתָיו וְצִפִּיתָ אֹתוֹ[a] נְחֹשֶׁת׃ 3 וְעָשִׂיתָ 3
ל̇. ל̇[1] [a]סִּירֹתָיו לְדַשְּׁנוֹ[a] וְיָעָיו וּמִזְרְקֹתָיו וּמִזְלְגֹתָיו וּמַחְתֹּתָיו לְכָל[b]־כֵּלָיו
ב̇ תַּעֲשֶׂה נְחֹשֶׁת׃ 4 וְעָשִׂיתָ לּוֹ מִכְבָּר מַעֲשֵׂה רֶשֶׁת נְחֹשֶׁת וְעָשִׂיתָ עַל־ 4
ה̇י מל̇ בסיפ̇ הָרֶשֶׁת[a] אַרְבַּע טַבְּעֹת נְחֹשֶׁת עַל אַרְבַּע קְצוֹתָיו׃ 5 וְנָתַתָּה אֹתָהּ[a] תַּחַת 5

[18] Mm 636. [19] Mm 554. [20] Mm 555. [21] Mm 637. [22] Mm 853. [23] Mm 556. [24] Mm 657. [25] Mm 557. [26] Mm 584. [27] וחד לְמָּסָךְ Ps 105,39. Cp 27 [1] Mm 959.

25 [b] ⅏ שְׁנֵי || [c–c] ⅏ לַק || **31** [a] ℭ pc Mss 𝔊𝔖 תַּע׳ || **33** [a] 𝔊 *ἐπί* = עַל || [b] ℭ𝔊 הַקְּרָשִׁים || **34** [a] 𝔊 *τῷ καταπετάσματι* = הַפָּרֹכֶת ut 33 || **35** [a] ℭ⅏ יֶרֶךְ || [b] ⅏ huc tr 30,1–10 || **37** [a] ⅏ + טָהוֹר || **Cp 27,1** [a–a] ⅏𝔊 מזבח || **2** [a] 𝔊 *αὐτά* || **3** [a–a] 𝔊 *στεφάνην τῷ θυσιαστηρίῳ* cf Nu 4,13 || [b] ℭ𝔗[J] כל, 𝔊*(𝔖) *καὶ πάντα* || **4** [a] 𝔊 *τῇ ἐσχάρᾳ* = מִכְבָּד || **5** [a] ⅏ אתו, 𝔊(𝔙) *αὐτούς*.

6 כַּרְכֹּ֣ב הַמִּזְבֵּ֔חַ מִלְּמָ֑טָּה וְהָיְתָ֣ה הָרֶ֔שֶׁת עַ֖ד חֲצִ֥י הַמִּזְבֵּֽחַ׃ 6 וְעָשִׂ֤יתָ
7 בַדִּים֙ לַמִּזְבֵּ֔חַ בַּדֵּ֖י עֲצֵ֣י שִׁטִּ֑ים וְצִפִּיתָ֥ אֹתָ֖ם נְחֹֽשֶׁת׃ 7 וְהוּבָ֥א[a] אֶת־ ג
בַּדָּ֖יו בַּטַּבָּעֹ֑ת וְהָי֣וּ הַבַּדִּ֗ים עַל־שְׁתֵּ֛י צַלְעֹ֥ת הַמִּזְבֵּ֖חַ בִּשְׂאֵ֥ת אֹתֽוֹ׃ ל
8 נְב֥וּב לֻחֹ֖ת תַּעֲשֶׂ֣ה אֹת֑וֹ כַּאֲשֶׁ֨ר הֶרְאָ֥ה אֹתְךָ֛ בָּהָ֖ר כֵּ֥ן יַעֲשֽׂוּ׃ ס ב
9 וְעָשִׂ֕יתָ אֵ֖ת חֲצַ֣ר הַמִּשְׁכָּ֑ן לִפְאַ֣ת נֶֽגֶב־תֵּ֠ימָנָה קְלָעִ֨ים לֶחָצֵ֜ר[a] שֵׁ֣שׁ יד . ל[2]
10 מָשְׁזָ֗ר מֵאָ֤ה בָֽאַמָּה֙ אֹ֔רֶךְ לַפֵּאָ֖ה הָאֶחָֽת׃ 10 וְעַמֻּדָ֣יו[a] עֶשְׂרִ֔ים וְאַדְנֵיהֶ֥ם ל[3]
11 עֶשְׂרִ֖ים נְחֹ֑שֶׁת וָוֵ֧י[b] הָעַמֻּדִ֛ים[b] וַחֲשֻׁקֵיהֶ֖ם כָּֽסֶף׃ 11 וְכֵ֨ן לִפְאַ֤ת צָפוֹן֙ יא חס[4] . יד
בָּאֹ֔רֶךְ[a] קְלָעִ֖ים מֵ֣אָה אֹ֑רֶךְ[b] וְעַמֻּדָ֣ו[c] עֶשְׂרִ֔ים וְאַדְנֵיהֶ֤ם עֶשְׂרִים֙ נְחֹ֔שֶׁת ועמודיו ול כת כן ק
12 וָוֵ֧י הָֽעַמֻּדִ֛ים וַחֲשֻׁקֵיהֶ֖ם כָּֽסֶף׃ 12 וְרֹ֤חַב הֶֽחָצֵר֙ לִפְאַת־יָ֔ם קְלָעִ֖ים יא חס[4] . יד
13 חֲמִשִּׁ֣ים אַמָּ֑ה עַמֻּדֵיהֶ֣ם עֲשָׂרָ֔ה וְאַדְנֵיהֶ֖ם עֲשָׂרָֽה[a]׃ 13 וְרֹ֣חַב הֶֽחָצֵ֗ר
14 לִפְאַ֛ת קֵ֥דְמָה מִזְרָ֖חָה חֲמִשִּׁ֥ים אַמָּֽה׃ 14 וַחֲמֵ֨שׁ עֶשְׂרֵ֥ה אַמָּ֛ה[a] קְלָעִ֖ים יד . ל ר״פ
15 לַכָּתֵ֑ף עַמֻּדֵיהֶ֣ם שְׁלֹשָׁ֔ה וְאַדְנֵיהֶ֖ם שְׁלֹשָֽׁה׃ 15 וְלַכָּתֵף֙ הַשֵּׁנִ֔ית חֲמֵ֥שׁ[a]
16 עֶשְׂרֵ֖ה[b] קְלָעִ֑ים עַמֻּדֵיהֶ֣ם שְׁלֹשָׁ֔ה וְאַדְנֵיהֶ֖ם שְׁלֹשָֽׁה׃ 16 וּלְשַׁ֨עַר הֶחָצֵ֜ר
מָסָ֣ךְ ׀ עֶשְׂרִ֣ים אַמָּ֗ה[a] תְּכֵ֨לֶת וְאַרְגָּמָ֜ן וְתוֹלַ֧עַת שָׁנִ֛י וְשֵׁ֥שׁ מָשְׁזָ֖ר מַעֲשֵׂ֣ה ג קמ וכל המסך דכות
17 רֹקֵ֑ם עַמֻּדֵיהֶם֙ אַרְבָּעָ֔ה וְאַדְנֵיהֶ֖ם אַרְבָּעָֽה׃ 17 כָּל־עַמּוּדֵ֨י הֶחָצֵ֤ר ד מל בסיפ[5]
18 סָבִיב֙ מְחֻשָּׁקִ֣ים כֶּ֔סֶף וָוֵיהֶ֖ם[a] כָּ֑סֶף וְאַדְנֵיהֶ֖ם נְחֹֽשֶׁת׃ 18 אֹ֤רֶךְ הֶֽחָצֵר֙
מֵאָ֣ה בָֽאַמָּ֗ה[a] וְרֹ֤חַב ׀ חֲמִשִּׁ֣ים בַּחֲמִשִּׁ֔ים[b] וְקֹמָ֖ה חָמֵ֣שׁ אַמּ֑וֹת שֵׁ֥שׁ מָשְׁזָ֖ר ל חס
19 וְאַדְנֵיהֶ֖ם נְחֹֽשֶׁת׃ 19 לְכֹל֙[a] כְּלֵ֣י הַמִּשְׁכָּ֔ן בְּכֹ֖ל[b] עֲבֹדָת֑וֹ[c] [d]וְכָל־יְתֵדֹתָ֛יו[d] ח פסוק וכל וכל ומילה חדה ביניה
[כג] ס פרש וְכָל־יִתְדֹ֥ת הֶחָצֵ֖ר נְחֹֽשֶׁת׃[e] ס צו 20 וְאַתָּ֞ה תְּצַוֶּ֣ה ׀ אֶת־בְּנֵ֣י ב ר״פ[6]
יִשְׂרָאֵ֗ל וְיִקְח֨וּ אֵלֶ֜יךָ שֶׁ֣מֶן זַ֥יִת זָ֛ךְ כָּתִ֖ית לַמָּא֑וֹר לְהַעֲלֹ֥ת נֵ֖ר תָּמִֽיד׃ ו רפי[7] . ב קמ . ג ב מל וחד חס בסיפ . ג[8] ב[9] מנה בתור
21 בְּאֹ֣הֶל מוֹעֵ֗ד מִח֨וּץ לַפָּרֹ֜כֶת אֲשֶׁ֣ר עַל־הָעֵדֻ֗ת יַעֲרֹךְ֩ אֹת֨וֹ אַהֲרֹ֧ן ב פסוק דמטע בתור
וּבָנָ֛יו מֵעֶ֥רֶב עַד־בֹּ֖קֶר לִפְנֵ֣י יְהוָ֑ה חֻקַּ֤ת עוֹלָם֙ לְדֹ֣רֹתָ֔ם[a] מֵאֵ֖ת בְּנֵ֥י ב[10]
יִשְׂרָאֵֽל׃ ס

[2] Mm 552. [3] וחד לְפֵאָה Neh 9,22. [4] Mm 558. [5] Mm 637. [6] Mm 559. [7] Mm 560. [8] Mm 1523. [9] Mm 561. [10] Mm 562.

7 a ⅏𝔊𝔖𝔗𝔙 וְהֵבֵאתָ ‖ **9** a ℭ + המשכן ‖ **10** a 𝔊 suff pl ‖ b–b ⅏ וויהם cf 𝔊 *καὶ οἱ κρίκοι αὐτῶν* ‖ **11** a > 𝔊 ‖ b ⅏ בָּאַמָּה, 𝔊 *πηχῶν μῆκος* ‖ c ⅏𝔊𝔗^{J} ־דיהם, ℭ תימנה ‖ **12** a ⅏ + נְחֹשֶׁת, it in 14–16 ‖ **14** a 𝔊 + *τὸ ὕψος* cf 15 ‖ **15** a sic L, mlt Mss Edd חֲמֵשׁ ‖ b ⅏𝔊 + אַמָּה cf 14 ‖ **16** a ut 14^{a} ‖ **17** a 𝔊𝔖 pr cop ‖ **18** a 𝔊 *ἐφ' ἑκατόν* = בְּמֵאָה ‖ b ⅏ בָּאַמָּה, 𝔊$^{58.75}$ + *πήχεων* ‖ **19** a ⅏ וְעָשִׂיתָ את כל, 𝔊 *καὶ πᾶσα* ‖ b 𝔊(𝔖) *καὶ πάντα* ‖ c ℭ ־תָם ‖ d–d > 𝔊 ‖ e ⅏𝔊^{min} + וְעָשִׂיתָ בִגְדֵי תְכֵלֶת וְאַרְגָּמָן וְתוֹלַעַת שָׁנִי לְשָׁרֵת בָּהֶם בַּקֹּדֶשׁ ‖ **21** a ⅏𝔊𝔖 ־תֵיכֶם.

28 ¹ 28 וְאַתָּ֡ה הַקְרֵ֣ב אֵלֶ֜יךָ אֶת־אַהֲרֹ֣ן אָחִ֗יךָ וְאֶת־בָּנָ֤יו אִתּוֹ֙ מִתּ֖וֹךְ ב בטע ר״פ בתור . ד[1]
בְּנֵ֥י יִשְׂרָאֵ֖ל לְכַהֲנוֹ^a־לִ֑י אַהֲרֹ֕ן נָדָ֧ב וַאֲבִיה֛וּא אֶלְעָזָ֥ר וְאִֽיתָמָ֖ר בְּנֵ֥י ג
2 אַהֲרֹֽן׃ ² וְעָשִׂ֥יתָ בִגְדֵי־קֹ֖דֶשׁ לְאַהֲרֹ֣ן אָחִ֑יךָ לְכָב֖וֹד וּלְתִפְאָֽרֶת׃ ג[2] . ל[3]
3 ³ וְאַתָּ֗ה תְּדַבֵּר֙ אֶל־כָּל־חַכְמֵי^a־לֵ֔ב אֲשֶׁ֥ר מִלֵּאתִ֖יו ר֣וּחַ חָכְמָ֑ה וְעָשׂ֞וּ
4 אֶת־בִּגְדֵ֧י אַהֲרֹ֛ן לְקַדְּשׁ֖וֹ^b לְכַהֲנוֹ־לִֽי׃ ⁴ וְאֵ֨לֶּה הַבְּגָדִ֜ים אֲשֶׁ֣ר יַעֲשׂ֗וּ ג . יז[4] ר״פ בתור וכל תלדות דכות ב מ ד . ל
חֹ֤שֶׁן וְאֵפוֹד֙ וּמְעִ֔יל וּכְתֹ֥נֶת תַּשְׁבֵּ֖ץ מִצְנֶ֣פֶת וְאַבְנֵ֑ט וְעָשׂ֨וּ בִגְדֵי־קֹ֜דֶשׁ ל . ג[2]
5 לְאַהֲרֹ֥ן אָחִ֛יךָ וּלְבָנָ֖יו לְכַהֲנוֹ־לִֽי׃ ⁵ וְהֵם֙ יִקְח֣וּ אֶת־הַזָּהָ֔ב וְאֶת^a־ ג . ט ר״פ[5] . ו[6]
6 הַתְּכֵ֖לֶת וְאֶת־הָֽאַרְגָּמָ֑ן וְאֶת־תּוֹלַ֥עַת הַשָּׁנִ֖י וְאֶת־הַשֵּֽׁשׁ׃ פ ⁶ וְעָשׂ֖וּ ו
אֶת־הָאֵפֹ֑ד זָ֠הָב תְּכֵ֨לֶת וְאַרְגָּמָ֜ן תּוֹלַ֧עַת שָׁנִ֛י וְשֵׁ֥שׁ מָשְׁזָ֖ר מַעֲשֵׂ֥ה חֹשֵֽׁב׃ ב בטע . ב
7 8 ⁷ שְׁתֵּ֧י כְתֵפֹ֣ת חֹֽבְרֹ֗ת יִֽהְיֶה־לּ֛וֹ אֶל^a־שְׁנֵ֥י קְצוֹתָ֖יו וְחֻבָּֽר^b׃ ⁸ וְחֵ֤שֶׁב ג[7] . ל בתור
אֲפֻדָּתוֹ֙ אֲשֶׁ֣ר עָלָ֔יו כְּמַעֲשֵׂ֖הוּ מִמֶּ֣נּוּ יִהְיֶ֑ה זָהָ֕ב תְּכֵ֧לֶת וְאַרְגָּמָ֛ן וְתוֹלַ֥עַת
9 שָׁנִ֖י וְשֵׁ֥שׁ מָשְׁזָֽר׃ ⁹ וְלָ֣קַחְתָּ֔ אֶת־שְׁתֵּ֖י^a אַבְנֵי־שֹׁ֑הַם וּפִתַּחְתָּ֣ עֲלֵיהֶ֔ם^b ג
10 שְׁמ֖וֹת בְּנֵ֥י יִשְׂרָאֵֽל׃ ¹⁰ שִׁשָּׁה֙ מִשְּׁמֹתָ֔ם עַ֖ל הָאֶ֣בֶן הָאֶחָ֑ת וְאֶת־שְׁמ֞וֹת ל . ל
11 הַשִּׁשָּׁ֧ה הַנּוֹתָרִ֛ים עַל־הָאֶ֥בֶן הַשֵּׁנִ֖ית כְּתוֹלְדֹתָֽם׃ ¹¹ מַעֲשֵׂ֣ה חָרַשׁ֮ אֶבֶן֒ ל . ל . ג[8]
פִּתּוּחֵ֣י חֹתָ֗ם תְּפַתַּח֙ אֶת־שְׁתֵּ֣י הָאֲבָנִ֔ים עַל־שְׁמֹ֖ת בְּנֵ֣י יִשְׂרָאֵ֑ל מֻסַבֹּ֛ת ל . ג חס בסיפ
12 מִשְׁבְּצ֥וֹת זָהָ֖ב תַּעֲשֶׂ֥ה אֹתָֽם׃ ¹² וְשַׂמְתָּ֞ אֶת־שְׁתֵּ֣י הָאֲבָנִ֗ים עַ֚ל כִּתְפֹ֣ת ג מל
הָֽאֵפֹ֔ד אַבְנֵ֥י זִכָּרֹ֖ן^a לִבְנֵ֣י יִשְׂרָאֵ֑ל וְנָשָׂא֩ אַהֲרֹ֨ן אֶת־שְׁמוֹתָ֜ם^b לִפְנֵ֧י יְהוָ֛ה ג חס בליש . יז . ב מל בתור[9]
13 14 עַל־שְׁתֵּ֥י כְתֵפָ֖יו לְזִכָּרֹֽן^c׃ ס ¹³ וְעָשִׂ֥יתָ מִשְׁבְּצֹ֖ת זָהָֽב׃ ¹⁴ וּשְׁתֵּ֤י ז ג מנה חס בליש . יד פסוק בתור[10]
שַׁרְשְׁרֹת֙ זָהָ֣ב טָה֔וֹר מִגְבָּלֹ֛ת תַּעֲשֶׂ֥ה אֹתָ֖ם^a מַעֲשֵׂ֣ה עֲבֹ֑ת וְנָתַתָּ֛ה אֶת־ ל . הי מל בסיפ
15 שַׁרְשְׁרֹ֥ת הָעֲבֹתֹ֖ת עַל־הַֽמִּשְׁבְּצֹֽת^b׃ ס ¹⁵ וְעָשִׂ֜יתָ חֹ֤שֶׁן מִשְׁפָּט֙ ל
מַעֲשֵׂ֣ה חֹשֵׁ֔ב כְּמַעֲשֵׂ֥ה אֵפֹ֖ד^a תַּעֲשֶׂ֑נּוּ זָ֠הָב תְּכֵ֨לֶת וְאַרְגָּמָ֜ן וְתוֹלַ֧עַת שָׁנִ֛י ל בתור . ב בטע
16 וְשֵׁ֥שׁ מָשְׁזָ֖ר תַּעֲשֶׂ֥ה אֹתֽוֹ׃ ¹⁶ רָב֛וּעַ יִהְיֶ֖ה כָּפ֑וּל זֶ֥רֶת אָרְכּ֖וֹ וְזֶ֥רֶת
17 רָחְבּֽוֹ׃ ¹⁷ וּמִלֵּאתָ֥ בוֹ֙ מִלֻּ֣אַת אֶ֔בֶן אַרְבָּעָ֖ה טוּרִ֣ים אָ֑בֶן^a ט֗וּר^b אֹ֤דֶם
18 פִּטְדָה֙ וּבָרֶ֔קֶת הַטּ֖וּר הָאֶחָֽד׃ ¹⁸ וְהַטּ֖וּר הַשֵּׁנִ֑י נֹ֥פֶךְ סַפִּ֖יר וְיָהֲלֹֽם׃ ב . ג[11]

Cp 28 [1]Mm 847. [2]Mm 563. [3]Mm 2218. [4]Mm 267. [5]Mm 564. [6]Mm 1904. [7]Mm 2071. [8]Mm 2375. [9]Mm 905. [10]Mm 750. [11]Mm 650.

Cp 28,1 [a] ɯ𝔊(vid)𝔖 ־ן, it in 3sq ‖ **3** [a] Ms ɯ חֲכַם ‖ [b] 𝔊 *εἰς τὸ ἅγιον* ‖ **5** [a] ℭ mlt Mss את ‖ **7** [a] ℭ על ‖ [b] ɯ יח' cf 39,4 ‖ **9** [a] 𝔊 + *λίθους* ‖ [b] ɯ הן את— ‖ **12** [a] ɯ + הֵנָּה cf 𝔊 ‖ [b] 𝔊 pro suff *τῶν υἱῶν Ισραηλ* ‖ [c] 𝔊 + *περὶ αὐτῶν* ‖ **14** [a] > ℭ𝔊𝔙 ‖ [b] 𝔊 + *κατὰ τὰς παρωμίδας αὐτῶν ἐκ τῶν ἐμπροσθίων* ‖ **15** [a] ɯ𝔊 הָא' ‖ **17** [a] > ɯ ‖ [b] 𝔖(ℭ𝔗[J]) *sdr' qdmj'* = הַטּוּר הָרִאשׁוֹן.

19 וְהַטּוּר הַשְּׁלִישִׁי לֶשֶׁם שְׁבוֹ וְאַחְלָמָה׃ 20 וְהַטּוּר הָרְבִיעִי תַּרְשִׁישׁ ב̇
21 וְשֹׁהַם וְיָשְׁפֵה[a] מְשֻׁבָּצִים[b] זָהָב יִהְיוּ בְּמִלּוּאֹתָם[c]׃ 21 וְהָאֲבָנִים תִּהְיֶיןָ ב̇ בתרי לישנ[12]. ג̇. ב̇ חד מל וחד חס
עַל־שְׁמֹת בְּנֵי־יִשְׂרָאֵל שְׁתֵּים עֶשְׂרֵה עַל־שְׁמֹתָם פִּתּוּחֵי חוֹתָם אִישׁ ג̇ חס בסיפ̇
22 עַל־שְׁמוֹ תִּהְיֶיןָ לִשְׁנֵי עָשָׂר שָׁבֶט׃ 22 וְעָשִׂיתָ עַל־הַחֹשֶׁן [a]שַׁרְשֹׁת גַּבְלֻת[a] ו̇ בליש[13]. ל̇
23 מַעֲשֵׂה עֲבֹת זָהָב טָהוֹר׃ 23 וְעָשִׂיתָ עַל־הַחֹשֶׁן[a] שְׁתֵּי טַבְּעוֹת זָהָב ז̇ מל
24 וְנָתַתָּ אֶת־שְׁתֵּי[b] הַטַּבָּעוֹת עַל־שְׁנֵי[b] קְצוֹת הַחֹשֶׁן׃ 24 וְנָתַתָּה אֶת־שְׁתֵּי כ̇ט̇ חס[14]. ז̇ מל. ה̇י̇ מל בסיפ̇. י̇ד̇ זוגין[15]
25 עֲבֹתֹת הַזָּהָב עַל־שְׁתֵּי הַטַּבָּעֹת אֶל־קְצוֹת הַחֹשֶׁן׃ 25 וְאֵת שְׁתֵּי קְצוֹת ו̇ וכל ואת שתי הכלית דכות[16]
שְׁתֵּי הָעֲבֹתֹת תִּתֵּן עַל־שְׁתֵּי הַמִּשְׁבְּצוֹת וְנָתַתָּה עַל־כִּתְפוֹת הָאֵפֹד ג̇ מל. ה̇י̇ מל בסיפ̇. ב̇ מל בתור
26 אֶל־מוּל פָּנָיו׃ 26 וְעָשִׂיתָ שְׁתֵּי טַבְּעוֹת זָהָב וְשַׂמְתָּ אֹתָם עַל־שְׁנֵי[a] ז̇ מל
27 קְצוֹת הַחֹשֶׁן עַל־שְׂפָתוֹ אֲשֶׁר אֶל־עֵבֶר הָאֵפֹד בָּיְתָה׃ 27 וְעָשִׂיתָ ח̇[17]
שְׁתֵּי טַבְּעוֹת זָהָב וְנָתַתָּה אֹתָם עַל־שְׁתֵּי כִתְפוֹת הָאֵפוֹד מִלְמַטָּה ז̇ מל. ה̇י̇ מל בסיפ̇. ב̇ מל בתור
28 מִמּוּל פָּנָיו לְעֻמַּת מֶחְבַּרְתּוֹ מִמַּעַל לְחֵשֶׁב הָאֵפוֹד׃ 28 וְיִרְכְּסוּ אֶת־ ל̇
הַחֹשֶׁן מִטַּבְּעֹתָו אֶל־טַבְּעֹת הָאֵפֹד בִּפְתִיל תְּכֵלֶת לִהְיוֹת עַל־חֵשֶׁב מטבעתיו ק̇
29 הָאֵפוֹד וְלֹא־יִזַּח הַחֹשֶׁן מֵעַל הָאֵפוֹד׃ 29 וְנָשָׂא אַהֲרֹן אֶת־שְׁמוֹת בְּנֵי־ ז̇ מל. ב̇. י̇ז̇
יִשְׂרָאֵל בְּחֹשֶׁן הַמִּשְׁפָּט עַל־לִבּוֹ בְּבֹאוֹ אֶל־הַקֹּדֶשׁ לְזִכָּרֹן לִפְנֵי־יְהוָה ז̇ ג̇ מנה חס בליש
30 תָּמִיד׃ 30 וְנָתַתָּ[a] אֶל[b]־חֹשֶׁן הַמִּשְׁפָּט אֶת־הָאוּרִים וְאֶת־הַתֻּמִּים וְהָיוּ כ̇ט̇ חס[14]. י̇ח̇ פסוק אל על על[18]. ל̇
עַל־לֵב אַהֲרֹן בְּבֹאוֹ לִפְנֵי יְהוָה וְנָשָׂא אַהֲרֹן אֶת־מִשְׁפַּט בְּנֵי־יִשְׂרָאֵל י̇ז̇
31 עַל־לִבּוֹ לִפְנֵי יְהוָה תָּמִיד׃ ס 31 וְעָשִׂיתָ אֶת־מְעִיל הָאֵפוֹד
32 כְּלִיל תְּכֵלֶת׃ 32 וְהָיָה פִי־רֹאשׁוֹ בְּתוֹכוֹ שָׂפָה יִהְיֶה לְפִיו סָבִיב ג̇[19]
33 מַעֲשֵׂה אֹרֵג כְּפִי תַחְרָא יִהְיֶה־לּוֹ לֹא יִקָּרֵעַ׃ 33 וְעָשִׂיתָ עַל־שׁוּלָיו ב̇. ו̇ בתור
רִמֹּנֵי תְּכֵלֶת וְאַרְגָּמָן וְתוֹלַעַת שָׁנִי[a] עַל־שׁוּלָיו סָבִיב וּפַעֲמֹנֵי זָהָב ב̇ חד מל וחד מן ט̇[20] חס בליש
34 בְּתוֹכָם סָבִיב׃ 34 פַּעֲמֹן זָהָב וְרִמּוֹן פַּעֲמֹן זָהָב וְרִמּוֹן עַל־שׁוּלֵי
35 הַמְּעִיל סָבִיב׃ 35 וְהָיָה עַל־אַהֲרֹן לְשָׁרֵת וְנִשְׁמַע קוֹלוֹ בְּבֹאוֹ אֶל־ ה̇[21]. ג̇ ב̇ פת̇ וחד קמ̇[22]. ל̇ מל בתור[23]
36 הַקֹּדֶשׁ לִפְנֵי יְהוָה וּבְצֵאתוֹ וְלֹא יָמוּת׃ ס 36 וְעָשִׂיתָ צִּיץ זָהָב ב̇[24]
37 טָהוֹר וּפִתַּחְתָּ עָלָיו פִּתּוּחֵי חֹתָם קֹדֶשׁ לַיהוָה׃ 37 וְשַׂמְתָּ אֹתוֹ עַל־ ג̇

[12] Mm 4117. [13] Mm 874. [14] Mm 657. [15] Mm 565. [16] Mm 124. [17] Mm 651. [18] Mm 658. [19] Mm 566. [20] Mm 653. [21] Mm 567. [22] Mm 568. [23] Mm 1669. [24] 2 Ch 23,7.

20 [a] mlt Mss ־ֶה ‖ [b] Sam מוּסַבֹּת מִשְׁבָּצוֹת ‖ [c] 𝔊 *κατὰ στίχον αὐτῶν* = כְּטוּרָם ‖ **22** [a–a] Sam𝔊 שַׁרְשְׁרוֹת גְּבֻלוֹת ‖ **23** [a] Sam + וּ שְׁתֵּי מִשְׁבְּצוֹת זָהָב ‖ [b] > Sam ‖ **26** [a] ℭ שתי ‖ **30** [a] Sam pr וְעָשִׂיתָ אֶת־הָאֻרִים וְאֶת־הַתֻּמִּים ‖ [b] Sam𝔊 עַל ‖ **33** [a] Sam𝔊 + וְשֵׁשׁ מָשְׁזָר.

פְּתִ֣יל תְּכֵ֔לֶת וְהָיָ֖ה עַל־הַמִּצְנָ֑פֶת אֶל־מ֥וּל פְּנֵֽי־הַמִּצְנֶ֖פֶת יִהְיֶֽה׃
ב[25]. יג 38 וְהָיָה֮ עַל־מֵ֣צַח אַהֲרֹן֒ וְנָשָׂ֨א אַהֲרֹ֜ן אֶת־עֲוֺ֣ן הַקֳּדָשִׁ֗ים אֲשֶׁ֤ר יַקְדִּ֙ישׁוּ֙ 38
ל בְּנֵ֣י יִשְׂרָאֵ֔ל לְכָֽל־מַתְּנֹ֖ת קָדְשֵׁיהֶ֑ם וְהָיָ֤ה עַל־מִצְחוֹ֙ תָּמִ֔יד לְרָצ֥וֹן
ל[26]. ב[27] לָהֶ֖ם לִפְנֵ֥י יְהוָֽה׃ 39 וְשִׁבַּצְתָּ֙ הַכְּתֹ֣נֶת שֵׁ֔שׁ וְעָשִׂ֖יתָ מִצְנֶ֣פֶת שֵׁ֑שׁ 39
וְאַבְנֵ֥ט תַּעֲשֶׂ֖ה מַעֲשֵׂ֥ה רֹקֵֽם׃ 40 וְלִבְנֵ֤י אַהֲרֹן֙ תַּעֲשֶׂ֣ה כֻתֳּנֹ֔ת [a]וְעָשִׂ֤יתָ 40
ל. ב מל ול בליש לָהֶם֙[a] אַבְנֵטִ֔ים וּמִגְבָּעוֹת֙ תַּעֲשֶׂ֣ה לָהֶ֔ם לְכָב֖וֹד וּלְתִפְאָֽרֶת׃ 41 וְהִלְבַּשְׁתָּ֤ 41
אֹתָם֙ אֶת־אַהֲרֹ֣ן אָחִ֔יךָ וְאֶת־בָּנָ֖יו אִתּ֑וֹ וּמָשַׁחְתָּ֨ אֹתָ֜ם וּמִלֵּאתָ֧ אֶת־
ג ר״פ[28]. ל זקף קמ וכל הבד דכות יָדָ֛ם וְקִדַּשְׁתָּ֥ אֹתָ֖ם וְכִהֲנ֥וּ לִֽי׃ 42 וַעֲשֵׂ֤ה לָהֶם֙ מִכְנְסֵי־בָ֔ד לְכַסּ֖וֹת בְּשַׂ֣ר 42
ה[29] עֶרְוָ֑ה מִמָּתְנַ֥יִם וְעַד־יְרֵכַ֖יִם יִהְיֽוּ׃ 43 וְהָיוּ֩ עַל־אַהֲרֹ֨ן וְעַל־בָּנָ֜יו בְּבֹאָ֣ם׀ 43
ט[30]. ד. כ אֶל־אֹ֣הֶל מוֹעֵ֗ד א֣וֹ בְגִשְׁתָּ֤ם אֶל־הַמִּזְבֵּ֙חַ֙ לְשָׁרֵ֣ת בַּקֹּ֔דֶשׁ וְלֹא־יִשְׂא֥וּ
ח[31] עָוֺ֖ן וָמֵ֑תוּ חֻקַּ֥ת עוֹלָ֛ם ל֖וֹ וּלְזַרְע֥וֹ אַחֲרָֽיו׃ ס
כג ר״פ. ד ר״פ[1]. ב 29 1 וְזֶ֨ה הַדָּבָ֜ר אֲשֶׁ֨ר תַּעֲשֶׂ֥ה לָהֶ֛ם לְקַדֵּ֥שׁ אֹתָ֖ם לְכַהֵ֣ן לִ֑י לְ֠קַח ס
ז בליש. ד ר״פ[2]. ד חס פַּ֣ר אֶחָ֧ד בֶּן־בָּקָ֛ר וְאֵילִ֥ם שְׁנַ֖יִם תְּמִימִֽם׃ 2 וְלֶ֣חֶם מַצּ֗וֹת וְחַלֹּ֤ת מַצֹּת֙ 2
בְּלוּלֹ֣ת בַּשֶּׁ֔מֶן וּרְקִיקֵ֥י מַצּ֖וֹת [a]מְשֻׁחִ֣ים בַּשָּׁ֑מֶן[a] סֹ֥לֶת חִטִּ֖ים תַּעֲשֶׂ֥ה
כט חס[3]. לט מל בתור. ג[4] אֹתָֽם׃ 3 וְנָתַתָּ֤ אוֹתָם֙ עַל־סַ֣ל אֶחָ֔ד וְהִקְרַבְתָּ֥ אֹתָ֖ם בַּסָּ֑ל וְאֶ֨ת־הַפָּ֔ר 3
ג וְאֵ֖ת שְׁנֵ֥י הָאֵילִֽם׃ 4 וְאֶת־אַהֲרֹ֤ן וְאֶת־בָּנָיו֙ תַּקְרִ֔יב אֶל־פֶּ֖תַח אֹ֣הֶל 4
כו פסוק את את ומילה חדה ביניה מוֹעֵ֑ד וְרָחַצְתָּ֥ אֹתָ֖ם בַּמָּֽיִם׃ 5 וְלָקַחְתָּ֣ אֶת־הַבְּגָדִ֗ים וְהִלְבַּשְׁתָּ֤ אֶֽת־ 5
ל. ב אַהֲרֹן֙ אֶת־הַכֻּתֹּ֔נֶת [a]וְאֵת֙ מְעִ֣יל הָאֵפֹ֔ד[b] וְאֶת־הָאֵפֹ֖ד וְאֶת־הַחֹ֑שֶׁן
ל[5]. לב. כט חס[3] וְאָפַדְתָּ֣ ל֔וֹ בְּחֵ֖שֶׁב הָאֵפֹֽד׃ 6 וְשַׂמְתָּ֥ הַמִּצְנֶ֖פֶת עַל־רֹאשׁ֑וֹ וְנָתַתָּ֛ אֶת־ 6
לב נֵ֥זֶר הַקֹּ֖דֶשׁ עַל־הַמִּצְנָֽפֶת׃ 7 וְלָקַחְתָּ֙ אֶת־שֶׁ֣מֶן הַמִּשְׁחָ֔ה וְיָצַקְתָּ֖ עַל־ 7
ב[6] רֹאשׁ֑וֹ וּמָשַׁחְתָּ֖ אֹתֽוֹ׃ 8 וְאֶת־בָּנָ֖יו תַּקְרִ֑יב וְהִלְבַּשְׁתָּ֖ם כֻּתֳּנֹֽת׃ 9 וְחָגַרְתָּ֨ 8 9
אֹתָ֜ם אַבְנֵ֗ט[a] [b]אַהֲרֹ֣ן וּבָנָ֔יו[b] וְחָבַשְׁתָּ֤ לָהֶם֙ מִגְבָּעֹ֔ת וְהָיְתָ֥ה לָהֶ֛ם כְּהֻנָּ֖ה
ה׳ לְחֻקַּ֣ת עוֹלָ֑ם וּמִלֵּאתָ֥ יַד־אַהֲרֹ֖ן וְיַד־בָּנָֽיו׃ 10 וְהִקְרַבְתָּ֙ אֶת־הַפָּ֔ר 10
ז[7] לִפְנֵ֖י[a] אֹ֣הֶל מוֹעֵ֑ד וְסָמַ֨ךְ אַהֲרֹ֧ן וּבָנָ֛יו אֶת־יְדֵיהֶ֖ם עַל־רֹ֥אשׁ הַפָּֽר׃
11 וְשָׁחַטְתָּ֥ אֶת־הַפָּ֖ר לִפְנֵ֣י יְהוָ֑ה פֶּ֖תַח אֹ֥הֶל מוֹעֵֽד׃ 12 וְלָקַחְתָּ֙ מִדַּ֣ם 11 12

[25] וחד ומצח Jer 3,3. [26] Mm 481. [27] Gn 37,32. [28] Mm 196. [29] Mm 567. [30] Mm 583. [31] Mm 3068.
Cp 29 [1] Mm 569. [2] Mm 349. [3] Mm 657. [4] Mm 570. [5] Mm 481. [6] Mm 571. [7] Mm 671.

40 a–a > 𝔊 ‖ **Cp 29,2** a–a > Sam ‖ **5** a–a Sam וְחָגַרְתָּ אֹתוֹ אַבְנֵיט וְהִלְבַּשְׁתָּ אֹתוֹ אֶת הַמְּעִיל וְנָתַתָּ עָלָיו אֵת ‖ b > 𝔊𝔖 ‖ **9** a Sam Vrs –טִים ‖ b–b > 𝔊 ‖ **10** a 𝔊 *ἐπὶ τὰς θύρας* cf 11; Sam + פֶּתַח יהוה.

הַפָּ֔ר וְנָתַתָּ֛ה עַל־קַרְנֹ֥ת הַמִּזְבֵּ֖חַ בְּאֶצְבָּעֶ֑ךָ וְאֶת־כָּל־הַדָּ֣ם תִּשְׁפֹּ֔ךְ אֶל־
13 יְס֖וֹד הַמִּזְבֵּֽחַ׃ 13 וְלָקַחְתָּ֗ אֶֽת־כָּל־הַחֵלֶב֮ הַֽמְכַסֶּ֣ה אֶת־הַקֶּרֶב֒ וְאֵ֗ת
הַיֹּתֶ֙רֶת֙ עַל־הַכָּבֵ֔ד וְאֵת֙ שְׁתֵּ֣י הַכְּלָיֹ֔ת וְאֶת־הַחֵ֖לֶב אֲשֶׁ֣ר עֲלֵיהֶ֑ן
14 וְהִקְטַרְתָּ֖ הַמִּזְבֵּֽחָה׃ 14 וְאֶת־בְּשַׂ֤ר הַפָּר֙ וְאֶת־עֹר֣וֹ וְאֶת־פִּרְשׁ֔וֹ תִּשְׂרֹ֥ף
15 בָּאֵ֖שׁ מִח֣וּץ לַֽמַּחֲנֶ֑ה חַטָּ֖את הֽוּא׃ 15 וְאֶת־הָאַ֥יִל הָאֶחָ֖ד תִּקָּ֑ח וְ֠סָמְכוּ
16 אַהֲרֹ֧ן וּבָנָ֛יו אֶת־יְדֵיהֶ֖ם עַל־רֹ֥אשׁ הָאָֽיִל׃ 16 וְשָׁחַטְתָּ֖ [a]אֶת־הָאָ֑יִל[a]
17 וְלָקַחְתָּ֙ אֶת־דָּמ֔וֹ וְזָרַקְתָּ֥ עַל־הַמִּזְבֵּ֖חַ סָבִֽיב׃ 17 וְאֶת־הָאַ֔יִל תְּנַתֵּ֖חַ
לִנְתָחָ֑יו וְרָחַצְתָּ֤ קִרְבּוֹ֙ וּכְרָעָ֔יו וְנָתַתָּ֥ עַל־נְתָחָ֖יו [a]וְעַל־רֹאשֽׁוֹ[a]׃
18 18 וְהִקְטַרְתָּ֤ אֶת־כָּל־הָאַ֙יִל֙ הַמִּזְבֵּ֔חָה עֹלָ֥ה ה֖וּא לַֽיהוָ֑ה רֵ֚יחַ[a] נִיח֔וֹחַ
19 אִשֶּׁ֥ה לַיהוָ֖ה הֽוּא׃ 19 וְלָקַחְתָּ֕ אֵ֖ת הָאַ֣יִל הַשֵּׁנִ֑י וְסָמַ֨ךְ אַהֲרֹ֧ן וּבָנָ֛יו אֶת־
20 יְדֵיהֶ֖ם עַל־רֹ֥אשׁ הָאָֽיִל׃ 20 וְשָׁחַטְתָּ֣ אֶת־הָאַ֗יִל וְלָקַחְתָּ֣ מִדָּמוֹ֮ וְנָתַתָּ֡ה
עַל־תְּנ֞וּךְ אֹ֣זֶן אַהֲרֹ֗ן[a] וְעַל־תְּנ֞וּךְ אֹ֤זֶן בָּנָיו֙ הַיְמָנִ֔ית וְעַל־בֹּ֤הֶן יָדָם֙
הַיְמָנִ֔ית וְעַל־בֹּ֥הֶן רַגְלָ֖ם הַיְמָנִ֑ית וְזָרַקְתָּ֧ אֶת־הַדָּ֛ם עַל־הַמִּזְבֵּ֖חַ סָבִֽיב׃
21 [a]21 וְלָקַחְתָּ֞ מִן־הַדָּ֨ם אֲשֶׁ֣ר עַל־הַמִּזְבֵּחַ֮ וּמִשֶּׁ֣מֶן הַמִּשְׁחָה֒ וְהִזֵּיתָ֙ עַל־
אַהֲרֹן֙ וְעַל־בְּגָדָ֔יו וְעַל־בָּנָ֛יו וְעַל־בִּגְדֵ֥י בָנָ֖יו אִתּ֑וֹ [b]וְקָדַ֥שׁ הוּא֙ וּבְגָדָ֔יו
22 וּבָנָ֛יו וּבִגְדֵ֥י[b] בָנָ֖יו אִתּֽוֹ׃ 22 וְלָקַחְתָּ֣ מִן־הָ֠אַיִל הַחֵ֨לֶב וְהָֽאַלְיָ֜ה[a] וְאֶת־
הַחֵ֣לֶב ׀ הַֽמְכַסֶּ֣ה אֶת־הַקֶּ֗רֶב וְאֵ֨ת יֹתֶ֤רֶת הַכָּבֵד֙ וְאֵ֣ת ׀ שְׁתֵּ֣י הַכְּלָיֹ֗ת
וְאֶת־הַחֵ֙לֶב֙ אֲשֶׁ֣ר עֲלֵהֶ֔ן וְאֵ֖ת שׁ֣וֹק הַיָּמִ֑ין כִּ֛י אֵ֥יל מִלֻּאִ֖ים הֽוּא׃
23 23 וְכִכַּ֨ר לֶ֜חֶם אַחַ֗ת וַֽחַלַּ֨ת לֶ֥חֶם שֶׁ֛מֶן אַחַ֖ת וְרָקִ֣יק אֶחָ֑ד מִסַּל֙ הַמַּצּ֔וֹת
24 אֲשֶׁ֖ר לִפְנֵ֥י יְהוָֽה׃ 24 וְשַׂמְתָּ֣ הַכֹּ֔ל עַ֚ל כַּפֵּ֣י אַהֲרֹ֔ן וְעַ֖ל כַּפֵּ֣י בָנָ֑יו וְהֵנַפְתָּ֥
25 אֹתָ֛ם תְּנוּפָ֖ה לִפְנֵ֥י יְהוָֽה׃ 25 וְלָקַחְתָּ֤ אֹתָם֙ מִיָּדָ֔ם וְהִקְטַרְתָּ֥[a] [b]הַמִּזְבֵּ֖חָה
26 עַל־הָעֹלָ֑ה[b] לְרֵ֤יחַ נִיחוֹחַ֙ [c]לִפְנֵ֣י יְהוָ֔ה[c] אִשֶּׁ֥ה ה֖וּא לַיהוָֽה׃ 26 וְלָקַחְתָּ֣
אֶת־הֶחָזֶ֗ה מֵאֵ֤יל הַמִּלֻּאִים֙ אֲשֶׁ֣ר לְאַהֲרֹ֔ן וְהֵנַפְתָּ֥ אֹת֛וֹ תְּנוּפָ֖ה לִפְנֵ֣י
27 יְהוָ֑ה וְהָ֥יָה לְךָ֖ לְמָנָֽה׃ 27 וְקִדַּשְׁתָּ֞ אֵ֣ת ׀ חֲזֵ֣ה הַתְּנוּפָ֗ה וְאֵת֙ שׁ֣וֹק

ה̇ מל בסיפ
יד̇ פסוק את את ואת ואת ואת
ב̇[8]. ג̇[9]
ד̇[10]. ה̇[11]
ה̇[11]. ל̇
כת חס[12]. ל̇ב
ח̇ וכל אשה ריח ניחח דכות . ג̇ מל בתור
ל̇ וכל קריא אשה הוא לײ
ה̇ מל בסיפ
ח̇[13]. כה. ח̇[13]. כה
ל̇. ה̇[14]
ל̇[15]. ד̇
ה̇ וכל ואת שתי הכלית דכות[16]
ב̇
יו̇[17]. ג̇ מל בתור[18]

[8] Mm 2564. [9] Mm 572. [10] Mm 573. [11] Mm 872. [12] Mm 657. [13] Mm 742. [14] Mm 567. [15] Mp sub loco. [16] Mm 669. [17] Mm 574. [18] Mm 575.

16 [a–a] 𝔊*(𝔙) *αὐτόν*, it in 20 ‖ **17** [a–a] 𝔊 *σὺν τῇ κεφαλῇ* ‖ **18** [a] pc Mss 𝔊𝔖𝔗[J] לְר׳ ‖ **20** [a] 𝔊(𝔖𝔗[J]𝔙) + *τοῦ δεξιοῦ* (𝔊 praeterea + *καὶ ἐπὶ τὸ ἄκρον τῆς δεξιᾶς χειρὸς καὶ ἐπὶ τὸ ἄκρον τοῦ ποδὸς τοῦ δεξιοῦ*) ‖ **21** [a] 𝔐 tr post 28 ‖ [b–b] 𝔐 וְקִדַּשְׁתּוֹ וְאֶת־בְּ׳ וְאֶת־בּ׳ ‖ **22** [a] 𝔐 אֶת־הָא׳ ‖ **25** [a] 𝔖 + *ḥdj' mn dkr'* = הֶחָזֶה מִן הָאַיִל ‖ [b–b] 𝔊 *καὶ ἀνοίσεις ἐπὶ τὸ θυσιαστήριον τῆς ὁλοκαυτώσεως* ‖ [c–c] > 𝔐.

הַתְּרוּמָה אֲשֶׁר הוּנַף וַאֲשֶׁר הוּרָם מֵאֵיל הַמִּלֻּאִים מֵאֲשֶׁר לְאַהֲרֹן — ל . ב חד קמ וחד פת
28 וּמֵאֲשֶׁר לְבָנָיו׃ 28 וְהָיָה לְאַהֲרֹן וּלְבָנָיו לְחָק־עוֹלָם מֵאֵת בְּנֵי יִשְׂרָאֵל — ב[19] . ו
כִּי תְרוּמָה הוּא וּתְרוּמָה יִהְיֶה מֵאֵת בְּנֵי־יִשְׂרָאֵל מִזִּבְחֵי שַׁלְמֵיהֶם — ד דמטע[20]
29 תְּרוּמָתָם לַיהוָה[a]׃ 29 וּבִגְדֵי הַקֹּדֶשׁ אֲשֶׁר לְאַהֲרֹן יִהְיוּ לְבָנָיו — ל
30 אַחֲרָיו לְמָשְׁחָה בָהֶם וּלְמַלֵּא־בָם אֶת־יָדָם׃ 30 שִׁבְעַת יָמִים יִלְבָּשָׁם — ל . ל
31 הַכֹּהֵן תַּחְתָּיו מִבָּנָיו אֲשֶׁר יָבֹא אֶל־אֹהֶל מוֹעֵד לְשָׁרֵת בַּקֹּדֶשׁ׃ 31 וְאֵת
32 אֵיל הַמִּלֻּאִים תִּקָּח וּבִשַּׁלְתָּ אֶת־בְּשָׂרוֹ בְּמָקֹם קָדֹשׁ׃ 32 וְאָכַל אַהֲרֹן — ל חס . יג חס[21]
וּבָנָיו אֶת־בְּשַׂר הָאַיִל וְאֶת־הַלֶּחֶם אֲשֶׁר בַּסָּל פֶּתַח אֹהֶל מוֹעֵד׃ — ג
33 33 וְאָכְלוּ אֹתָם אֲשֶׁר כֻּפַּר בָּהֶם לְמַלֵּא אֶת־יָדָם לְקַדֵּשׁ אֹתָם וְזָר — ל
34 לֹא־יֹאכַל[a] כִּי־קֹדֶשׁ הֵם׃ 34 וְאִם־יִוָּתֵר מִבְּשַׂר הַמִּלֻּאִים וּמִן־הַלֶּחֶם — ג[22] . יב ס״פ[23] . ל
עַד־הַבֹּקֶר וְשָׂרַפְתָּ אֶת־הַנּוֹתָר בָּאֵשׁ לֹא יֵאָכֵל כִּי־קֹדֶשׁ הוּא׃ — ד בתור
35 35 וְעָשִׂיתָ לְאַהֲרֹן וּלְבָנָיו כָּכָה כְּכֹל אֲשֶׁר־צִוִּיתִי אֹתָכָה שִׁבְעַת — ל ומל
36 יָמִים תְּמַלֵּא יָדָם׃ 36 וּפַר חַטָּאת תַּעֲשֶׂה לַיּוֹם עַל־הַכִּפֻּרִים וְחִטֵּאתָ — ל . כ[24] . ג[25]
37 עַל־הַמִּזְבֵּחַ בְּכַפֶּרְךָ עָלָיו וּמָשַׁחְתָּ אֹתוֹ לְקַדְּשׁוֹ׃ 37 שִׁבְעַת יָמִים — ל
תְּכַפֵּר עַל־הַמִּזְבֵּחַ וְקִדַּשְׁתָּ אֹתוֹ וְהָיָה הַמִּזְבֵּחַ קֹדֶשׁ קָדָשִׁים כָּל־ — ב . ב
הַנֹּגֵעַ בַּמִּזְבֵּחַ יִקְדָּשׁ׃ ס

38 38 וְזֶה אֲשֶׁר תַּעֲשֶׂה עַל־הַמִּזְבֵּחַ כְּבָשִׂים בְּנֵי־שָׁנָה שְׁנַיִם לַיּוֹם[a] — כג ר״פ . כ[24]
39 תָּמִיד׃ 39 אֶת־הַכֶּבֶשׂ הָאֶחָד תַּעֲשֶׂה בַבֹּקֶר וְאֵת הַכֶּבֶשׂ הַשֵּׁנִי תַּעֲשֶׂה — ד[26]
40 בֵּין הָעַרְבָּיִם׃ 40 וְעִשָּׂרֹן סֹלֶת בָּלוּל בְּשֶׁמֶן כָּתִית רֶבַע הַהִין וְנֵסֶךְ — ה ג מל וב חס[27] . ד . ו רפי[28] . ב בכל שם אנש דכות . ל . ב[29]
41 רְבִיעִת הַהִין יָיִן לַכֶּבֶשׂ הָאֶחָד׃ 41 וְאֵת הַכֶּבֶשׂ הַשֵּׁנִי תַּעֲשֶׂה בֵּין — ד[26]
הָעַרְבַּיִם כְּמִנְחַת הַבֹּקֶר וּכְנִסְכָּהּ[a] תַּעֲשֶׂה־לָּהּ[b] לְרֵיחַ[c] נִיחֹחַ אִשֶּׁה — ל . י[30]
42 לַיהוָה׃ 42 עֹלַת תָּמִיד לְדֹרֹתֵיכֶם פֶּתַח אֹהֶל־מוֹעֵד לִפְנֵי יְהוָה אֲשֶׁר — ד[31]
43 [a]אִוָּעֵד לָכֶם[a] שָׁמָּה לְדַבֵּר אֵלֶיךָ שָׁם׃ 43 [a]וְנֹעַדְתִּי שָׁמָּה[a] לִבְנֵי יִשְׂרָאֵל — ה פסוק שמה שם[32] . ב חד מל וחד חס[33] . י מילין ר״פ ובתר שמה[34]
44 וְנִקְדַּשׁ[b] בִּכְבֹדִי׃ 44 וְקִדַּשְׁתִּי אֶת־אֹהֶל מוֹעֵד וְאֶת־הַמִּזְבֵּחַ וְאֶת־אַהֲרֹן — ד[35]
45 וְאֶת־בָּנָיו אֲקַדֵּשׁ לְכַהֵן לִי׃ 45 וְשָׁכַנְתִּי בְּתוֹךְ בְּנֵי יִשְׂרָאֵל וְהָיִיתִי לָהֶם

[19] Gn 31,1. [20] Mm 811. [21] Mm 783. [22] Mm 942. [23] Mm 294. [24] Mm 875. [25] Mm 2973. [26] Mm 576. [27] Mm 999. [28] Mm 577. [29] Ex 30,9. [30] Mm 574. [31] Mm 578. [32] Mm 2341. [33] Mm 544. [34] Mm 1123. [35] Mm 760.

28 [a] cf 21[a] ‖ **33** [a] 𝔊(𝔙) + *ἀπ' αὐτῶν* (𝔊[B] *-τοῦ*) ‖ **38** [a] ⅏ + תָּמִיד עֹלַת, 𝔊 + *ἐπὶ τὸ θυσιαστήριον* ‖ **41** [a] ⅏ כּוֹ– ‖ [b] ⅏ לוֹ ‖ [c] ⅏ ריח ‖ **42** [a–a] 𝔊 *γνωσθήσομαί σοι* = אִוָּדַע לְךָ, it in 30,6.36 Nu 17,19 ‖ **43** [a–a] ⅏ וְנִדְרַשְׁתִּי שָׁם, 𝔊 *καὶ τάξομαι ἐκεῖ*, 𝔙 *ibique praecipiam* ‖ [b] 𝔊𝔖𝔗𝔗[J] 1 sg.

46 לֵאלֹהִֽים׃ 46 וְיָדְע֗וּ כִּ֣י אֲנִ֤י יְהוָה֙ אֱלֹ֣הֵיהֶ֔ם אֲשֶׁ֨ר הוֹצֵ֧אתִי אֹתָ֛ם מֵאֶ֥רֶץ ח
מִצְרַ֖יִם לְשָׁכְנִ֣י בְתוֹכָ֑ם אֲנִ֖י יְהוָ֥ה אֱלֹהֵיהֶֽם׃ פ ל. ח
[כה] 30 1 וְעָשִׂ֥יתָ[a] מִזְבֵּ֖חַ מִקְטַ֣ר קְטֹ֑רֶת עֲצֵ֥י שִׁטִּ֖ים תַּעֲשֶׂ֥ה אֹתֽוֹ׃ ל
2 אַמָּ֨ה אָרְכּ֜וֹ וְאַמָּ֤ה רָחְבּוֹ֙ רָב֣וּעַ יִהְיֶ֔ה וְאַמָּתַ֖יִם קֹמָת֑וֹ מִמֶּ֖נּוּ קַרְנֹתָֽיו׃
3 וְצִפִּיתָ֨ אֹת֜וֹ זָהָ֣ב טָה֗וֹר אֶת־גַּגּ֧וֹ וְאֶת־קִירֹתָ֛יו סָבִ֖יב וְאֶת־קַרְנֹתָ֑יו ד[1]. ד[2]
4 וְעָשִׂ֥יתָ לּ֛וֹ זֵ֥ר זָהָ֖ב סָבִֽיב׃ 4 וּשְׁתֵּי֩ טַבְּעֹ֨ת זָהָ֜ב תַּֽעֲשֶׂה־לּ֣וֹ ׀ מִתַּ֣חַת
לְזֵר֗וֹ עַ֚ל שְׁתֵּ֣י צַלְעֹתָ֔יו תַּעֲשֶׂ֖ה עַל־שְׁנֵ֣י צִדָּ֑יו וְהָיָה֙[a] לְבָתִּ֣ים לְבַדִּ֔ים ב. ל
5 לָשֵׂ֥את אֹת֖וֹ בָּהֵֽמָּה׃ 5 וְעָשִׂ֥יתָ אֶת־הַבַּדִּ֖ים עֲצֵ֣י שִׁטִּ֑ים וְצִפִּיתָ֥ אֹתָ֖ם כד. ג[3]
6 זָהָֽב׃ 6 וְנָתַתָּ֤ה אֹתוֹ֙ לִפְנֵ֣י הַפָּרֹ֔כֶת אֲשֶׁ֖ר עַל־אֲרֹ֣ן הָעֵדֻ֑ת [a]לִפְנֵ֣י[b] חי מל בסיפ. ג חס. יב[4]
7 הַכַּפֹּ֗רֶת אֲשֶׁר֙ עַל־הָ֣עֵדֻ֔ת[a] אֲשֶׁ֛ר אִוָּעֵ֥ד[c] לְךָ֖ שָֽׁמָּה׃ 7 וְהִקְטִ֥יר עָלָ֛יו
אַהֲרֹ֖ן קְטֹ֣רֶת סַמִּ֑ים בַּבֹּ֣קֶר בַּבֹּ֗קֶר בְּהֵיטִיב֛וֹ אֶת־הַנֵּרֹ֖ת יַקְטִירֶֽנָּה[a]׃ ד[5]. יג[6]. ל
8 וּבְהַעֲלֹ֨ת אַהֲרֹ֧ן אֶת־הַנֵּרֹ֛ת בֵּ֥ין הָעַרְבַּ֖יִם[a] יַקְטִירֶ֑נָּה קְטֹ֧רֶת תָּמִ֛יד ל[7]
9 לִפְנֵ֥י יְהוָ֖ה לְדֹרֹתֵיכֶֽם׃ 9 לֹא־תַעֲל֥וּ עָלָ֛יו קְטֹ֥רֶת זָרָ֖ה וְעֹלָ֣ה וּמִנְחָ֑ה ב
10 וְנֵ֕סֶךְ לֹ֥א תִסְּכ֖וּ עָלָֽיו׃ 10 וְכִפֶּ֤ר אַהֲרֹן֙ עַל־קַרְנֹתָ֔יו אַחַ֖ת בַּשָּׁנָ֑ה ב[8]
מִדַּ֞ם חַטַּ֣את הַכִּפֻּרִ֗ים אַחַ֤ת בַּשָּׁנָה֙ יְכַפֵּ֤ר עָלָיו֙ לְדֹרֹ֣תֵיכֶ֔ם קֹֽדֶשׁ־ ז[9] פת וכל תרי עשר דכות ב מ א. ז[10] ו[11] מנה בתור
קָֽדָשִׁ֥ים ה֖וּא לַיהוָֽה׃ פ קא
פרש 11 וַיְדַבֵּ֥ר יְהוָ֖ה אֶל־מֹשֶׁ֥ה לֵּאמֹֽר׃ 12 כִּ֣י תִשָּׂ֞א אֶת־רֹ֥אשׁ בְּנֵֽי־ י בטע ר״פ בתור[12]
יִשְׂרָאֵל֮ לִפְקֻדֵיהֶם֒ וְ֠נָתְנוּ אִ֣ישׁ כֹּ֧פֶר נַפְשׁ֛וֹ לַיהוָ֖ה [a]בִּפְקֹ֣ד אֹתָ֑ם[a] וְלֹא־ ב ובפסוק
13 יִהְיֶ֥ה בָהֶ֛ם נֶ֖גֶף בִּפְקֹ֥ד אֹתָֽם׃ 13 זֶ֣ה ׀ יִתְּנ֗וּ כָּל־הָעֹבֵר֙ עַל־הַפְּקֻדִ֔ים ב ובפסוק. ג ר״פ בטע לגר[13]
מַחֲצִ֥ית הַשֶּׁ֖קֶל בְּשֶׁ֣קֶל הַקֹּ֑דֶשׁ[a] עֶשְׂרִ֤ים גֵּרָה֙ הַשֶּׁ֔קֶל[b] מַחֲצִ֣ית[c] הַשֶּׁ֔קֶל ה ג כת ה וב בליש שם ברנש כת א[14]
14 תְּרוּמָ֖ה לַיהוָֽה׃ 14 כֹּ֗ל הָעֹבֵר֙ עַל־הַפְּקֻדִ֔ים מִבֶּ֛ן עֶשְׂרִ֥ים שָׁנָ֖ה וָמָ֑עְלָה
15 יִתֵּ֖ן תְּרוּמַ֥ת יְהוָֽה׃ 15 הֶעָשִׁ֣יר לֹֽא־יַרְבֶּ֗ה וְהַדַּל֙ לֹ֣א יַמְעִ֔יט מִמַּחֲצִ֖ית יב וכל דל ואביון דכות ול בליש
16 הַשָּׁ֑קֶל לָתֵת֙ אֶת־תְּרוּמַ֣ת יְהוָ֔ה לְכַפֵּ֖ר עַל־נַפְשֹׁתֵיכֶֽם׃ 16 וְלָקַחְתָּ֞ אֶת־
כֶּ֣סֶף הַכִּפֻּרִ֗ים[a] מֵאֵת֙ בְּנֵ֣י יִשְׂרָאֵ֔ל וְנָתַתָּ֣ אֹת֔וֹ עַל־עֲבֹדַ֖ת אֹ֣הֶל מוֹעֵ֑ד כט חס[15]. כל אורית חס
וְהָיָה֩ לִבְנֵ֨י יִשְׂרָאֵ֤ל לְזִכָּרוֹן֙ לִפְנֵ֣י יְהוָ֔ה לְכַפֵּ֖ר עַל־נַפְשֹׁתֵיכֶֽם׃ פ ז[16]

Cp 30 [1]Mm 641. [2]Mm 642. [3]Mm 579. [4]Mm 853. [5]Mm 580. [6]Mm 688. [7]Mm 581. [8]Ex 29,40. [9]Mm 676. [10]Mm 4108. [11]Mm 831. [12]Mm 1151. [13]Mm 3714. [14]Mm 1405. [15]Mm 657. [16]Mp sub loco.

Cp 30,1 [a] ⅏ tr 1–10 post 26,35 ∥ **4** [a] ⅏𝔊𝔖𝔗[Ms]𝔙 וְהָיוּ ∥ **6** [a–a] > mlt Mss ⅏𝔊 ∥ [b] ℭ mlt Mss 𝔗[Ms] 'וְלִ ∥ [c] cf 29,42 [a–a] ∥ **7** [a] ⅏ נּוּ—, 𝔊 θυμιάσει ἐπ' αὐτοῦ cf 7 ∥ **8** [a] sic L, mlt Mss Edd 'הָעַרְ ∥ **12** [a–a] > 𝔊 ∥ **13** [a] ⅏ + וְשֶׁקֶל הַקֹּדֶשׁ ∥ [b] ⅏ הוּא ∥ [c] > ⅏ ∥ **16** [a] 𝔊 τῆς εἰσφορᾶς = הַתְּרוּמָה?

17 18 ¹⁷ וַיְדַבֵּר יְהוָה אֶל־מֹשֶׁה לֵּאמֹר׃ ¹⁸ וְעָשִׂיתָ כִּיּוֹר נְחֹשֶׁת וְכַנּוֹ — ג בליש וחד מן ג[17] מל רתור וכל נביא דכות ב מ ב
נְחֹשֶׁת לְרָחְצָה וְנָתַתָּ אֹתוֹ בֵּין־אֹהֶל מוֹעֵד וּבֵין הַמִּזְבֵּחַ וְנָתַתָּ שָׁמָּה — ד[18] . כט חס[19] . כט חס[19] . ב
19 מָיִם׃ ¹⁹ וְרָחֲצוּ[a] אַהֲרֹן וּבָנָיו מִמֶּנּוּ אֶת־יְדֵיהֶם וְאֶת־רַגְלֵיהֶם׃
20 ²⁰ בְּבֹאָם אֶל־אֹהֶל מוֹעֵד יִרְחֲצוּ־מַיִם וְלֹא יָמֻתוּ אוֹ בְגִשְׁתָּם אֶל־ — ט[20]
21 הַמִּזְבֵּחַ לְשָׁרֵת לְהַקְטִיר אִשֶּׁה לַיהוָה׃ ²¹ וְרָחֲצוּ יְדֵיהֶם וְרַגְלֵיהֶם[a]
וְלֹא יָמֻתוּ וְהָיְתָה לָהֶם חָק־עוֹלָם לוֹ וּלְזַרְעוֹ לְדֹרֹתָם׃ פ — ה[21]
22 23 ²² וַיְדַבֵּר יְהוָה אֶל־מֹשֶׁה לֵּאמֹר׃ ²³ וְאַתָּה קַח־לְךָ בְּשָׂמִים
רֹאשׁ מָר־דְּרוֹר חֲמֵשׁ מֵאוֹת וְקִנְּמָן־בֶּשֶׂם מַחֲצִיתוֹ חֲמִשִּׁים וּמָאתָיִם — ל מחליפין . ל
24 וּקְנֵה־בֹשֶׂם חֲמִשִּׁים וּמָאתָיִם׃ ²⁴ וְקִדָּה חֲמֵשׁ מֵאוֹת בְּשֶׁקֶל הַקֹּדֶשׁ — ל
25 וְשֶׁמֶן זַיִת הִין׃ ²⁵ וְעָשִׂיתָ אֹתוֹ שֶׁמֶן מִשְׁחַת־קֹדֶשׁ רֹקַח מִרְקַחַת מַעֲשֵׂה
26 רֹקֵחַ שֶׁמֶן מִשְׁחַת־קֹדֶשׁ יִהְיֶה׃ ²⁶ וּמָשַׁחְתָּ בוֹ אֶת־אֹהֶל מוֹעֵד וְאֵת
27 אֲרוֹן הָעֵדֻת׃ ²⁷ וְאֶת־הַשֻּׁלְחָן וְאֶת־כָּל־כֵּלָיו וְאֶת־הַמְּנֹרָה וְאֶת־[a] — יב[22] . ג . ג[23]
28 כֵּלֶיהָ וְאֵת מִזְבַּח הַקְּטֹרֶת׃ ²⁸ וְאֶת־מִזְבַּח הָעֹלָה וְאֶת־כָּל־כֵּלָיו — ט . כו פסוק ואת ואת ואת ואת . ט
29 וְאֶת־הַכִּיֹּר וְאֶת־כַּנּוֹ׃ ²⁹ וְקִדַּשְׁתָּ אֹתָם וְהָיוּ קֹדֶשׁ קָדָשִׁים כָּל־הַנֹּגֵעַ — ג
30 בָּהֶם יִקְדָּשׁ׃ ³⁰ וְאֶת־אַהֲרֹן וְאֶת־בָּנָיו תִּמְשָׁח וְקִדַּשְׁתָּ אֹתָם לְכַהֵן לִי׃
31 ³¹ וְאֶל־בְּנֵי יִשְׂרָאֵל תְּדַבֵּר לֵאמֹר שֶׁמֶן מִשְׁחַת־קֹדֶשׁ יִהְיֶה זֶה לִי[a] — ד[24]
32 לְדֹרֹתֵיכֶם׃ ³² עַל־בְּשַׂר אָדָם לֹא יִיסָךְ[a] וּבְמַתְכֻּנְתּוֹ לֹא תַעֲשׂוּ כָּמֹהוּ — ל קמ . ל[25]
33 קֹדֶשׁ הוּא קֹדֶשׁ יִהְיֶה לָכֶם׃ ³³ אִישׁ אֲשֶׁר יִרְקַח כָּמֹהוּ וַאֲשֶׁר יִתֵּן — ל
34 מִמֶּנּוּ עַל־זָר וְנִכְרַת מֵעַמָּיו׃ ס ³⁴ וַיֹּאמֶר יְהוָה אֶל־מֹשֶׁה קַח־
לְךָ סַמִּים נָטָף ׀ וּשְׁחֵלֶת וְחֶלְבְּנָה סַמִּים וּלְבֹנָה זַכָּה בַּד בְּבַד יִהְיֶה׃ — ל . ל . ל . ג[26]
35 ³⁵ וְעָשִׂיתָ אֹתָהּ קְטֹרֶת רֹקַח מַעֲשֵׂה רוֹקֵחַ מְמֻלָּח טָהוֹר קֹדֶשׁ׃ — ב מל[27]
36 ³⁶ וְשָׁחַקְתָּ מִמֶּנָּה הָדֵק וְנָתַתָּה מִמֶּנָּה לִפְנֵי הָעֵדֻת בְּאֹהֶל מוֹעֵד אֲשֶׁר — הׄ מל בסיפ
37 אִוָּעֵד[a] לְךָ שָׁמָּה קֹדֶשׁ קָדָשִׁים תִּהְיֶה לָכֶם׃ ³⁷ וְהַקְּטֹרֶת אֲשֶׁר תַּעֲשֶׂה[a] — ל[28]
38 בְּמַתְכֻּנְתָּהּ לֹא תַעֲשׂוּ לָכֶם קֹדֶשׁ תִּהְיֶה לְךָ[b] לַיהוָה׃ ³⁸ אִישׁ אֲשֶׁר־ — ל
יַעֲשֶׂה כָמוֹהָ לְהָרִיחַ בָּהּ וְנִכְרַת מֵעַמָּיו׃ ס — ד[29] . ל

[17] Mm 582. [18] Mm 659. [19] Mm 657. [20] Mm 583. [21] Mm 2476. [22] Mm 853. [23] Mm 584. [24] Mm 585. [25] Mm 2981. [26] Mm 586. [27] Mm 587. [28] Mp sub loco. [29] Mm 588.

19 [a] ⅏𝔊 ־ן ‖ **21** [a] 𝔊 + *ὕδατι· ὅταν εἰσπορεύονται εἰς τὴν σκηνὴν τοῦ μαρτυρίου, νίψονται ὕδατι* ‖ **27** [a] pc Mss ⅏𝔊 + כל ‖ **31** [a] 𝔊 *ὑμῖν* cf 37[b] ‖ **32** [a] ⅏ יוסך cf 𝔊 ‖ **36** [a] cf 29,42[a–a] ‖ **37** [a] 𝔖 pl ‖ [b] ⅏𝔊𝔗[J] לָכֶם cf 31[a].

סֹ[כו] **31** ¹ וַיְדַבֵּר יְהוָה אֶל־מֹשֶׁה לֵּאמֹר׃ ² רְאֵה קָרָאתִי בְשֵׁם
3 בְּצַלְאֵל בֶּן־אוּרִי[a] בֶן־חוּר לְמַטֵּה יְהוּדָה׃ ³ וָאֲמַלֵּא אֹתוֹ רוּחַ אֱלֹהִים — ל̇¹. ח̇ וכל שמואל דכות ב̇ מ̇ ה̇ רוח יי
4 בְּחָכְמָה וּבִתְבוּנָה[a] וּבְדַעַת וּבְכָל־[a]מְלָאכָה׃ ⁴ לַחְשֹׁב[a] מַחֲשָׁבֹת — ה̇. ג̇ חס
5 לַעֲשׂוֹת בַּזָּהָב וּבַכֶּסֶף וּבַנְּחֹשֶׁת׃ ⁵ וּבַחֲרֹשֶׁת אֶבֶן לְמַלֹּאת[a] וּבַחֲרֹשֶׁת — ב̇ ר״פ. ו̇ ב̇ חס וד̇ מל². ב̇ מ״פ
6 עֵץ לַעֲשׂוֹת בְּכָל־מְלָאכָה׃ ⁶ וַאֲנִי הִנֵּה נָתַתִּי אִתּוֹ[a] אֵת אָהֳלִיאָב[b] — ט̇ז ר״פ
בֶּן־אֲחִיסָמָךְ לְמַטֵּה־דָן וּבְלֵב כָּל־חֲכַם־לֵב נָתַתִּי חָכְמָה וְעָשׂוּ אֵת
7 כָּל־אֲשֶׁר צִוִּיתִךָ׃ ⁷ אֵת ׀ אֹהֶל מוֹעֵד וְאֶת־הָאָרֹן לָעֵדֻת וְאֶת־הַכַּפֹּרֶת — ל̇ וחס
8 אֲשֶׁר עָלָיו וְאֵת כָּל־כְּלֵי הָאֹהֶל׃ ⁸ וְאֶת־הַשֻּׁלְחָן וְאֶת־[a]כֵּלָיו וְאֶת — ג̇. ג̇³. ג̇⁴
9 הַמְּנֹרָה הַטְּהֹרָה וְאֶת־כָּל־כֵּלֶיהָ וְאֵת מִזְבַּח הַקְּטֹרֶת׃ ⁹ וְאֶת־מִזְבַּח — ט̇. כ̇ו̇ פסוק ואת ואת ואת ואת. ט̇
10 הָעֹלָה וְאֶת־כָּל־כֵּלָיו וְאֶת־הַכִּיּוֹר וְאֶת־כַּנּוֹ׃ ¹⁰ וְאֵת בִּגְדֵי הַשְּׂרָד[a] — ג̇. ג̇⁵ מל̇ בתור̇ וכל נביא דכות ב̇ מ̇ ב̇. ז̇⁶
11 וְאֶת־בִּגְדֵי הַקֹּדֶשׁ לְאַהֲרֹן הַכֹּהֵן וְאֶת־בִּגְדֵי בָנָיו לְכַהֵן[b]׃ ¹¹ וְאֵת שֶׁמֶן — ז̇⁶. ז̇⁶. ז̇
הַמִּשְׁחָה וְאֶת־קְטֹרֶת הַסַּמִּים לַקֹּדֶשׁ כְּכֹל אֲשֶׁר־צִוִּיתִךָ יַעֲשׂוּ׃ פ — ל̇. ד̇⁷
12 ¹² וַיֹּאמֶר יְהוָה אֶל־מֹשֶׁה לֵּאמֹר׃ ¹³ וְאַתָּה דַּבֵּר אֶל־בְּנֵי יִשְׂרָאֵל — ה̇
לֵאמֹר אַךְ אֶת־שַׁבְּתֹתַי תִּשְׁמֹרוּ כִּי אוֹת הִוא בֵּינִי וּבֵינֵיכֶם לְדֹרֹתֵיכֶם
14 לָדַעַת כִּי אֲנִי יְהוָה מְקַדִּשְׁכֶם[a]׃ ¹⁴ וּשְׁמַרְתֶּם אֶת־הַשַּׁבָּת כִּי קֹדֶשׁ — ד̇. ד̇⁸
הִוא לָכֶם מְחַלְלֶיהָ מוֹת יוּמָת כִּי כָּל־הָעֹשֶׂה בָהּ מְלָאכָה וְנִכְרְתָה — ד̇ קמ̇ וכל אתנח̇ וס״פ דכות⁹
15 הַנֶּפֶשׁ הַהִוא [a]מִקֶּרֶב עַמֶּיהָ[a]׃ ¹⁵ שֵׁשֶׁת יָמִים יֵעָשֶׂה[a] מְלָאכָה וּבַיּוֹם — ל̇. ל̇ וכל מעמיה דכות. ל̇ז̇¹⁰. ד̇¹¹
הַשְּׁבִיעִי שַׁבַּת שַׁבָּתוֹן קֹדֶשׁ לַיהוָה כָּל־הָעֹשֶׂה מְלָאכָה בְּיוֹם הַשַּׁבָּת
16 מוֹת יוּמָת׃ ¹⁶ וְשָׁמְרוּ בְנֵי־יִשְׂרָאֵל אֶת־הַשַּׁבָּת לַעֲשׂוֹת [a]אֶת־הַשַּׁבָּת[a] — ד̇. ד̇
17 לְדֹרֹתָם בְּרִית עוֹלָם׃ ¹⁷ בֵּינִי וּבֵין בְּנֵי יִשְׂרָאֵל אוֹת הִוא לְעֹלָם כִּי־ — י̇ח̇¹² חס י̇ מנה̇ בתור̇
שֵׁשֶׁת יָמִים עָשָׂה יְהוָה אֶת־הַשָּׁמַיִם וְאֶת־הָאָרֶץ[a] וּבַיּוֹם הַשְּׁבִיעִי — י̇ג̇¹³
שָׁבַת וַיִּנָּפַשׁ׃ ס — ל̇
18 ¹⁸ וַיִּתֵּן אֶל־מֹשֶׁה כְּכַלֹּתוֹ לְדַבֵּר אִתּוֹ בְּהַר סִינַי שְׁנֵי לֻחֹת הָעֵדֻת — ג̇
לֻחֹת אֶבֶן כְּתֻבִים בְּאֶצְבַּע אֱלֹהִים׃ — ל̇

Cp 31 [1]Mm 3590. [2]Mm 4269. [3]Mm 589. [4]Mm 584. [5]Mm 582. [6]Mm 2895. [7]Mm 1933. [8]Mm 775. [9]Mm 590. [10]Mm 210. [11]Mm 591. [12]Mm 25. [13]Mm 3139.

Cp 31,2 [a] 𝔐^Mss 𝔐^T חורי ‖ **3** [a] nonn Mss ב׳ ‖ [b] 𝔊𝔙 om cop ‖ **4** [a] pc Mss 𝔐𝔗^Ms וְל׳ ‖ **5** [a] > 𝔊𝔊 ‖ **6** [a] 𝔊 *αὐτὸν καί* = אתו ו ‖ [b] 𝔊 *Ελιαβ*, 𝔖 *'ljhb* ‖ **8** [a] 𝔊 mlt Mss 𝔐𝔊𝔖 + כל cf 30,27[a] ‖ **10** [a] pc Mss + לשרת בקדש cf 35,19 39,1; 𝔐^Mss הַשָּׁרֵת cf 𝔊𝔖𝔗𝔗^J ‖ [b] 𝔊 (𝔖) + *μοι* ‖ **13** [a] 𝔊 –שם ‖ **14** [a–a] pc Mss 𝔖𝔗^Ms𝔗^J מֵע׳ ‖ **15** [a] 𝔊 2 sg et 𝔖𝔙 2 pl act ‖ **16** [a–a] 𝔊(𝔙) *αὐτά* ‖ **17** [a] 𝔊^426(𝔖) + *καὶ τὴν θάλασσαν καὶ πάντα τὰ ἐν αὐτοῖς.*

32 וַיַּ֣רְא הָעָ֔ם כִּֽי־בֹשֵׁ֥שׁ מֹשֶׁ֖ה לָרֶ֣דֶת מִן־הָהָ֑ר וַיִּקָּהֵ֨ל הָעָ֜ם 1 32
עַֽל־אַהֲרֹ֗ן וַיֹּאמְר֤וּ אֵלָיו֙ ק֣וּם ׀ עֲשֵׂה־לָ֣נוּ אֱלֹהִ֗ים אֲשֶׁ֤ר יֵֽלְכוּ֙ לְפָנֵ֔ינוּ
כִּי־זֶ֣ה ׀ מֹשֶׁ֣ה הָאִ֗ישׁ אֲשֶׁ֤ר הֶֽעֱלָ֙נוּ֙ מֵאֶ֣רֶץ מִצְרַ֔יִם לֹ֥א יָדַ֖עְנוּ מֶה־הָ֥יָה
2 לֽוֹ׃ 2 וַיֹּ֤אמֶר אֲלֵהֶם֙ אַהֲרֹ֔ן פָּֽרְקוּ֙ נִזְמֵ֣י הַזָּהָ֔ב אֲשֶׁר֙ בְּאָזְנֵ֣י נְשֵׁיכֶ֔ם
3 בְּנֵיכֶ֖ם וּבְנֹתֵיכֶ֑ם וְהָבִ֖יאוּ אֵלָֽי׃ 3 וַיִּתְפָּֽרְקוּ֙ כָּל־הָעָ֔ם אֶת־נִזְמֵ֥י הַזָּהָ֖ב
4 אֲשֶׁ֣ר בְּאָזְנֵיהֶ֑ם וַיָּבִ֖יאוּ אֶל־אַהֲרֹֽן׃ 4 וַיִּקַּ֣ח מִיָּדָ֗ם וַיָּ֤צַר אֹתוֹ֙ בַּחֶ֔רֶט
וַֽיַּעֲשֵׂ֖הוּ עֵ֣גֶל מַסֵּכָ֑ה וַיֹּ֣אמְר֔וּ אֵ֤לֶּה אֱלֹהֶ֙יךָ֙ יִשְׂרָאֵ֔ל אֲשֶׁ֥ר הֶֽעֱל֖וּךָ
5 מֵאֶ֥רֶץ מִצְרָֽיִם׃ 5 וַיַּ֣רְא[a] אַהֲרֹ֔ן וַיִּ֥בֶן מִזְבֵּ֖חַ לְפָנָ֑יו וַיִּקְרָ֤א אַהֲרֹן֙
6 וַיֹּאמַ֔ר חַ֥ג לַיהוָ֖ה מָחָֽר׃ 6 וַיַּשְׁכִּ֙ימוּ֙[a] מִֽמָּחֳרָ֔ת וַיַּעֲל֣וּ[a] עֹלֹ֔ת וַיַּגִּ֖שׁוּ[a]
7 שְׁלָמִ֑ים[b] וַיֵּ֤שֶׁב הָעָם֙ לֶֽאֱכֹ֣ל וְשָׁת֔וֹ וַיָּקֻ֖מוּ לְצַחֵֽק׃ פ 7 וַיְדַבֵּ֥ר
יְהוָ֖ה אֶל־מֹשֶׁ֑ה [a]לֶךְ־רֵ֗ד[a] כִּ֚י שִׁחֵ֣ת עַמְּךָ֔ אֲשֶׁ֥ר הֶעֱלֵ֖יתָ מֵאֶ֥רֶץ מִצְרָֽיִם׃
8 סָ֣רוּ מַהֵ֗ר מִן־הַדֶּ֙רֶךְ֙ אֲשֶׁ֣ר צִוִּיתִ֔ם[a] עָשׂ֣וּ לָהֶ֔ם עֵ֖גֶל מַסֵּכָ֑ה וַיִּשְׁתַּחֲווּ־ 8
ל֣וֹ וַיִּזְבְּחוּ־ל֗וֹ וַיֹּ֣אמְר֔וּ אֵ֤לֶּה אֱלֹהֶ֙יךָ֙ יִשְׂרָאֵ֔ל אֲשֶׁ֥ר הֶעֱל֖וּךָ מֵאֶ֥רֶץ
9 מִצְרָֽיִם׃ 9 [a]וַיֹּ֥אמֶר יְהוָ֖ה אֶל־מֹשֶׁ֑ה רָאִ֙יתִי֙ אֶת־הָעָ֣ם הַזֶּ֔ה וְהִנֵּ֥ה עַם־
10 קְשֵׁה־עֹ֖רֶף הֽוּא׃ 10 וְעַתָּה֙ הַנִּ֣יחָה לִּ֔י וְיִֽחַר־אַפִּ֥י בָהֶ֖ם וַאֲכַלֵּ֑ם
11 וְאֶֽעֱשֶׂ֥ה אוֹתְךָ֖ לְג֥וֹי גָּדֽוֹל[a]׃ 11 וַיְחַ֣ל מֹשֶׁ֔ה אֶת־פְּנֵ֖י יְהוָ֣ה אֱלֹהָ֑יו וַיֹּ֗אמֶר
[a]לָמָ֤ה יְהוָה֙ יֶחֱרֶ֤ה[a] אַפְּךָ֙ בְּעַמֶּ֔ךָ אֲשֶׁ֤ר הוֹצֵ֙אתָ֙ [b]מֵאֶ֣רֶץ מִצְרַ֔יִם[b] בְּכֹ֥חַ
12 גָּד֖וֹל [c]וּבְיָ֥ד חֲזָקָֽה[c]׃ 12 לָ֩מָּה֩ יֹאמְר֨וּ מִצְרַ֜יִם לֵאמֹ֗ר בְּרָעָ֤ה הֽוֹצִיאָם֙
לַהֲרֹ֤ג אֹתָם֙ בֶּֽהָרִ֔ים וּ֨לְכַלֹּתָ֔ם מֵעַ֖ל פְּנֵ֣י הָאֲדָמָ֑ה שׁ֚וּב מֵחֲר֣וֹן אַפֶּ֔ךָ
13 וְהִנָּחֵ֥ם עַל־הָרָעָ֖ה לְעַמֶּֽךָ׃ 13 זְכֹ֡ר לְאַבְרָהָם֩ לְיִצְחָ֨ק וּלְיִשְׂרָאֵ֜ל[a]
עֲבָדֶ֗יךָ אֲשֶׁ֨ר נִשְׁבַּ֣עְתָּ לָהֶם֮ בָּךְ֒ וַתְּדַבֵּ֣ר אֲלֵהֶ֔ם אַרְבֶּה֙[b] אֶֽת־זַרְעֲכֶ֔ם
כְּכוֹכְבֵ֖י הַשָּׁמָ֑יִם וְכָל־הָאָ֨רֶץ הַזֹּ֜את אֲשֶׁ֣ר [c]אָמַ֗רְתִּי אֶתֵּן֙ לְזַרְעֲכֶ֔ם[c]
14 וְנָחֲל֖וּ[d] לְעֹלָֽם׃ 14 וַיִּנָּ֖חֶם יְהוָ֑ה עַל־הָ֣רָעָ֔ה אֲשֶׁ֥ר דִּבֶּ֖ר לַעֲשׂ֥וֹת לְעַמּֽוֹ׃ פ
15 וַיִּ֜פֶן וַיֵּ֤רֶד מֹשֶׁה֙ מִן־הָהָ֔ר וּשְׁנֵ֛י לֻחֹ֥ת הָעֵדֻ֖ת בְּיָד֑וֹ לֻחֹ֗ת כְּתֻבִ֛ים ס 15

ב[1]. ב[2]
ה[3]
כד[4]
ל. לז
ו[5]. ל
ח. לו[6]. ה וחד מן ג[7] בליש וכל לשון עלייה דכות. ל
ג
׳
צא. ג ב חס וחד מל[8]
ל. ׳ בתור
ל
ב ר״פ בתור[9]
ג
ב[10]. ל. לו[11]
יז מל בליש[12]. ד[13]
ג[14]
ל
ב[15]. ד בליש[16]. ו[17]
ל
ה[18]
ל. יח[19] חס י מנה בתור
ג

Cp 32 [1]Jdc 5,28. [2]Jer 26,9. [3]Mm 567. [4]Mm 592. [5]Mm 593. [6]Mp sub loco. [7]Mm 1908, lect Mm frt inc. [8]Mm 1601. [9]Mm 594. [10]Jdc 16,26. [11]Mm 595. [12]Mm 541. [13]Mm 596. [14]Mm 597. [15]Mm 3354. [16]Mm 4147. [17]Mm 967. [18]Mm 310. [19]Mm 25.

Cp 32,5 [a] 𝔖 leg וַיִּרָא ‖ **6** [a] 𝔊 sg ‖ [b] 𝔖 + *wqrbw qwrbn'* ‖ **7** [a–a] 𝔊 *βάδιζε τὸ τάχος ἐντεῦθεν* cf Dt 9,12, 𝔖 *ḥwt zl lk mk'* = רֵד לֵךְ־לְךָ מִזֶּה ‖ **8** [a] Ms 𝔊𝔙 ־ם ‖ **9** [a] > 𝔊, add ex Dt 9,13? ‖ **10** [a] 𝔐𝔊[58] + add ex Dt 9,20 ‖ **11** [a–a] 𝔐 יִחַר ,ל׳ י׳, 𝔖 *l' mrj' l' ntqp* = אַל יהוה אַל יִחַר ‖ [b–b] 𝔐𝔊[129]ℭ𝔖 מִמְּ׳ ‖ [c–c] 𝔐 וּבִזְרוֹעַ נְטוּיָה cf 𝔊𝔖 et 6,1 [b–b] Dt 9,29 ‖ **13** [a] 𝔐𝔊 וּלְיַעֲקֹב ‖ [b] 𝔐 pr הרבה cf 𝔊 ‖ [c–c] 𝔊* *εἶπας δοῦναι αὐτοῖς* ‖ [d] 𝔐𝔊 𝔖 וּנְחָלוּהָ.

16 מִשְּׁנֵי עֶבְרֵיהֶם מִזֶּה וּמִזֶּה הֵם כְּתֻבִים׃ 16 וְהַלֻּחֹת מַעֲשֵׂה אֱלֹהִים — ל̇. ל̇. ל̇
17 הֵמָּה וְהַמִּכְתָּב מִכְתַּב אֱלֹהִים הוּא חָרוּת עַל־הַלֻּחֹת׃ 17 וַיִּשְׁמַע — ה̇ פסוק דמיין דאית בהון ב̇ מילין חד קמ̇ וחד פת̇. ל̇
יְהוֹשֻׁעַ אֶת־קוֹל הָעָם בְּרֵעֹה וַיֹּאמֶר אֶל־מֹשֶׁה קוֹל מִלְחָמָה בַּמַּחֲנֶה[a]׃ — ברעו ק̇ חד מן יו̇[20] כת̇ ה בתור ול̇ בליש
18 וַיֹּאמֶר[a] אֵין קוֹל עֲנוֹת גְּבוּרָה — י̇ אין ואין ר״פ[21]
וְאֵין קוֹל עֲנוֹת חֲלוּשָׁה
קוֹל עַנּוֹת[b] אָנֹכִי שֹׁמֵעַ׃ — ב̇[22]. ד̇
19 וַיְהִי כַּאֲשֶׁר קָרַב אֶל־הַמַּחֲנֶה וַיַּרְא אֶת־הָעֵגֶל וּמְחֹלֹת[a] וַיִּחַר־ — ל̇
20 אַף מֹשֶׁה וַיַּשְׁלֵךְ מִיָּדָו אֶת־הַלֻּחֹת וַיְשַׁבֵּר אֹתָם תַּחַת[b] הָהָר׃ 20 וַיִּקַּח — מידיו ק̇ חד מן ה̇ כת̇ חס̇
אֶת־הָעֵגֶל אֲשֶׁר עָשׂוּ וַיִּשְׂרֹף בָּאֵשׁ וַיִּטְחַן עַד אֲשֶׁר־דָּק וַיִּזֶר עַל־פְּנֵי — ל̇
21 הַמַּיִם וַיַּשְׁקְ אֶת־בְּנֵי יִשְׂרָאֵל׃ 21 וַיֹּאמֶר מֹשֶׁה אֶל־אַהֲרֹן מֶה־עָשָׂה
22 לְךָ הָעָם הַזֶּה כִּי־הֵבֵאתָ עָלָיו חֲטָאָה גְדֹלָה׃ 22 וַיֹּאמֶר אַהֲרֹן אַל־
23 יִחַר אַף אֲדֹנִי אַתָּה יָדַעְתָּ אֶת־[a]הָעָם כִּי בְרָע[b] הוּא[a]׃ 23 וַיֹּאמְרוּ לִי — ה̇. ב̇
עֲשֵׂה־לָנוּ אֱלֹהִים אֲשֶׁר יֵלְכוּ לְפָנֵינוּ כִּי־זֶה ׀ מֹשֶׁה הָאִישׁ אֲשֶׁר הֶעֱלָנוּ
24 מֵאֶרֶץ מִצְרַיִם לֹא יָדַעְנוּ מֶה־הָיָה לוֹ׃ 24 וָאֹמַר לָהֶם לְמִי זָהָב — כ̇ד̇[23]
25 הִתְפָּרָקוּ וַיִּתְּנוּ־לִי וָאַשְׁלִכֵהוּ בָאֵשׁ וַיֵּצֵא הָעֵגֶל הַזֶּה׃ 25 וַיַּרְא מֹשֶׁה — ל̇. ל̇
26 אֶת־הָעָם כִּי פָרֻעַ הוּא כִּי־פְרָעֹה אַהֲרֹן לְשִׁמְצָה בְּקָמֵיהֶם׃ 26 וַיַּעֲמֹד — ב̇ חד מל̇ וחד חס̇[24]. יו̇ כת̇ ה בתור[25]. ל̇. ל̇
מֹשֶׁה בְּשַׁעַר הַמַּחֲנֶה וַיֹּאמֶר מִי לַיהוָה אֵלָי וַיֵּאָסְפוּ אֵלָיו כָּל־בְּנֵי — י̇ב̇
27 לֵוִי׃ 27 וַיֹּאמֶר לָהֶם כֹּה־אָמַר יְהוָה אֱלֹהֵי יִשְׂרָאֵל שִׂימוּ אִישׁ־חַרְבּוֹ — כ̇ב̇[26] וכל ד״ה ועזרא דכות ב̇ מ̇ ה̇ חס̇ בליש̇. כ̇ד̇ ב̇ מנה̇ בתור̇. יו̇
עַל־יְרֵכוֹ עִבְרוּ[a] וָשׁוּבוּ מִשַּׁעַר לָשַׁעַר בַּמַּחֲנֶה וְהִרְגוּ אִישׁ־אֶת־אָחִיו — ג̇ מל̇ בתור[27]. ל̇
28 וְאִישׁ אֶת־רֵעֵהוּ וְאִישׁ אֶת־קְרֹבוֹ׃ 28 וַיַּעֲשׂוּ בְנֵי־לֵוִי כִּדְבַר מֹשֶׁה — ג̇ חס̇[28]
29 וַיִּפֹּל מִן־הָעָם בַּיּוֹם הַהוּא כִּשְׁלֹשֶׁת אַלְפֵי אִישׁ׃ 29 וַיֹּאמֶר מֹשֶׁה
מִלְאוּ[a] יֶדְכֶם[b] הַיּוֹם לַיהוָה כִּי[c] אִישׁ בִּבְנוֹ וּבְאָחִיו וְלָתֵת[d] עֲלֵיכֶם — ח̇[29]
30 הַיּוֹם בְּרָכָה׃ 30 וַיְהִי מִמָּחֳרָת וַיֹּאמֶר מֹשֶׁה אֶל־הָעָם אַתֶּם
חֲטָאתֶם חֲטָאָה גְדֹלָה וְעַתָּה אֶעֱלֶה אֶל־יְהוָה[a] אוּלַי אֲכַפְּרָה[b] בְּעַד — ב̇[30]

[20] Mm 598, Q[Occ] addidi, Or sine Q, cf Mp sub loco. [21] Mm 1269. [22] Mm 2421. [23] Mm 592. [24] Mm 599. [25] Mm 598. [26] Mm 11. [27] Mm 1087. [28] Mm 600. [29] Mm 601. [30] Gn 32,21.

17 [a] sic L, mlt Mss Edd נֶה־ ‖ **18** [a] 𝔊[Fc min](𝔏𝔖) + *Μωυσῆς* ‖ [b] 𝔊 + *οἴνου* cf 𝔏, frt exc vb ‖ **19** [a] 𝔐𝔊 וְאֶת־הַמְּ׳ ‖ [b] 𝔐𝔖𝔗[J] בְּתַחְתִּית ‖ **22** [a–a] 𝔊 *τὸ ὅρμημα* (= עֶבְרַת?) *τοῦ λαοῦ τούτου* ‖ [b] 𝔐 פרוע cf 25 ‖ **27** [a] 𝔐𝔊𝔖 וְעִ׳ ‖ **29** [a] 𝔊(𝔙) *ἐπληρώσατε* ‖ [b] nonn Mss 𝔐𝔊𝔖𝔗𝔙 יְדֵיכֶם ‖ [c] > 𝔊𝔖𝔙 ‖ [d] 𝔊𝔖𝔙 om cop ‖ **30** [a] 𝔊 *τὸν θεόν* ‖ [b] 𝔐 ־ֵר.

31 חַטַּאתְכֶֽם׃ 31 וַיָּ֧שָׁב מֹשֶׁ֛ה אֶל־יְהֹוָ֖ה וַיֹּאמַ֑ר אָ֣נָּא[a] חָטָ֞א הָעָ֤ם הַזֶּה֙
32 חֲטָאָ֣ה גְדֹלָ֔ה וַיַּֽעֲשׂ֥וּ לָהֶ֖ם אֱלֹהֵ֥י זָהָֽב׃ 32 וְעַתָּ֖ה אִם־תִּשָּׂ֣א חַטָּאתָ֑ם[a]
33 וְאִם־אַ֕יִן מְחֵ֣נִי נָ֔א[b] מִֽסִּפְרְךָ֖ אֲשֶׁ֥ר כָּתָֽבְתָּ׃ 33 וַיֹּ֥אמֶר יְהֹוָ֖ה אֶל־מֹשֶׁ֑ה
34 מִ֚י אֲשֶׁ֣ר חָֽטָא־לִ֔י אֶמְחֶ֖נּוּ מִסִּפְרִֽי׃ 34 וְעַתָּ֞ה לֵ֣ךְ ׀ נְחֵ֣ה אֶת־הָעָ֗ם אֶ֤ל[a]
אֲשֶׁר־דִּבַּ֣רְתִּי לָ֔ךְ הִנֵּ֥ה מַלְאָכִ֖י יֵלֵ֣ךְ לְפָנֶ֑יךָ וּבְי֣וֹם פָּקְדִ֔י וּפָקַדְתִּ֥י
35 עֲלֵיהֶ֖ם חַטָּאתָֽם׃ 35 וַיִּגֹּ֥ף יְהֹוָ֖ה אֶת־הָעָ֑ם עַ֚ל אֲשֶׁ֣ר עָשׂ֣וּ[a] אֶת־הָעֵ֔גֶל
אֲשֶׁ֥ר עָשָׂ֖ה אַהֲרֹֽן׃ ס

33 1 וַיְדַבֵּ֨ר יְהֹוָ֤ה אֶל־מֹשֶׁה֙ לֵ֣ךְ עֲלֵ֣ה מִזֶּ֔ה אַתָּ֣ה וְהָעָ֔ם אֲשֶׁ֥ר
הֶעֱלִ֖יתָ מֵאֶ֣רֶץ מִצְרָ֑יִם אֶל־הָאָ֗רֶץ אֲשֶׁ֣ר נִ֠שְׁבַּעְתִּי לְאַבְרָהָ֨ם לְיִצְחָ֤ק
2 וּֽלְיַעֲקֹב֙ לֵאמֹ֔ר לְזַרְעֲךָ֖ אֶתְּנֶֽנָּה׃ 2 וְשָׁלַחְתִּ֥י לְפָנֶ֖יךָ מַלְאָ֑ךְ[a] וְגֵֽרַשְׁתִּ֗י
3 אֶת־הַֽכְּנַעֲנִי֙ הָֽאֱמֹרִ֔י[b] וְהַֽחִתִּי֙[c] וְהַפְּרִזִּ֔י הַחִוִּ֖י[d] וְהַיְבוּסִֽי׃ 3 אֶל[a]־אֶ֛רֶץ
זָבַ֥ת חָלָ֖ב וּדְבָ֑שׁ כִּי֩ לֹ֨א אֶֽעֱלֶ֜ה בְּקִרְבְּךָ֗ כִּ֤י עַם־קְשֵׁה־עֹ֨רֶף֙ אַ֔תָּה פֶּן־
4 אֲכֶלְךָ֖ בַּדָּֽרֶךְ׃ 4 וַיִּשְׁמַ֣ע הָעָ֗ם אֶת־הַדָּבָ֥ר הָרָ֛ע הַזֶּ֖ה וַיִּתְאַבָּ֑לוּ וְלֹא־
5 שָׁ֛תוּ אִ֥ישׁ עֶדְי֖וֹ עָלָֽיו׃ 5 וַיֹּ֨אמֶר יְהֹוָ֜ה אֶל־מֹשֶׁ֗ה אֱמֹ֤ר אֶל־בְּנֵֽי־יִשְׂרָאֵל֙
אַתֶּ֣ם עַם־קְשֵׁה־עֹ֔רֶף רֶ֧גַע אֶחָ֛ד אֶֽעֱלֶ֥ה בְקִרְבְּךָ֖ וְכִלִּיתִ֑יךָ וְעַתָּ֗ה
6 הוֹרֵ֤ד עֶדְיְךָ֙ מֵֽעָלֶ֔יךָ וְאֵדְעָ֖ה[a] מָ֥ה אֶֽעֱשֶׂה־לָּֽךְ׃ 6 וַיִּֽתְנַצְּל֧וּ בְנֵי־יִשְׂרָאֵ֛ל
אֶת־עֶדְיָ֖ם מֵהַ֥ר חוֹרֵֽב׃
7 7 וּמֹשֶׁה֩ יִקַּ֨ח אֶת־הָאֹ֜הֶל וְנָֽטָה־ל֣וֹ ׀ מִח֣וּץ לַֽמַּחֲנֶ֗ה הַרְחֵק֙ מִן־
הַֽמַּחֲנֶ֔ה וְקָ֥רָא ל֖וֹ אֹ֣הֶל מוֹעֵ֑ד וְהָיָה֙ כָּל־מְבַקֵּ֣שׁ יְהֹוָ֔ה יֵצֵא֙ אֶל־אֹ֣הֶל
8 מוֹעֵ֔ד אֲשֶׁ֖ר מִח֥וּץ לַֽמַּחֲנֶֽה׃ 8 וְהָיָ֗ה כְּצֵ֤את מֹשֶׁה֙ אֶל־הָאֹ֔הֶל יָק֨וּמוּ֙
כָּל־הָעָ֔ם וְנִ֨צְּב֔וּ[a] אִ֖ישׁ פֶּ֣תַח אָהֳל֑וֹ וְהִבִּ֨יטוּ֙ אַחֲרֵ֣י מֹשֶׁ֔ה עַד־בֹּא֖וֹ
9 הָאֹֽהֱלָה׃ 9 וְהָיָ֗ה כְּבֹ֤א מֹשֶׁה֙ הָאֹ֔הֱלָה יֵרֵד֙ עַמּ֣וּד הֶֽעָנָ֔ן וְעָמַ֖ד פֶּ֣תַח
10 הָאֹ֑הֶל וְדִבֶּ֖ר עִם־מֹשֶֽׁה׃ 10 וְרָאָ֤ה כָל־הָעָם֙ אֶת־עַמּ֣וּד הֶֽעָנָ֔ן עֹמֵ֖ד
11 פֶּ֣תַח הָאֹ֑הֶל וְקָ֤ם כָּל־הָעָם֙ וְהִֽשְׁתַּחֲוּ֔וּ[a] אִ֖ישׁ פֶּ֥תַח אָהֳלֽוֹ׃ 11 וְדִבֶּ֨ר יְהֹוָ֤ה

צא . ה בטע[31]
ז פסוק אם ואם
ל . ל
ל . ל . ל . ה[32]
ב[33] . ד דמטע
יג חס בתור[34]
י בתור
ג[1]
סימן כמתפוס[2] . ז
כו מלעיל
ל
ד . נ[3] . יב בטע בסיפ[4]
ל
ג[5] . ו[6] . ל
ל מל
ז ר״פ[7]
ג בטע בסיפ[8] . ג[9] . ג מל בתור[10]
ב[11]
ח[12] . ג בטע בסיפ[8] . ה חס[13] . ח[12]
ז[14]

[31] Mm 3160. [32] Mm 602. [33] Gn 28,15. [34] Mm 675 contra textum. Cp 33 [1] Mm 603. [2] Okhl 274. [3] Mm 2796. [4] Mm 439. [5] Mm 604. [6] Mm 961. [7] Mm 3363. [8] Mm 495. [9] Mm 1426. [10] Mm 1216. [11] Mm 3177. [12] Mm 111. [13] Mp sub loco. [14] Mm 441.

31 [a] ш הִנֵּה, 𝔊 + κύριε, 𝔖 + mrj' 'lh' ‖ **32** [a] ш𝔊𝔗^{J} + שָׂא ‖ [b] > ш𝔊𝔖𝔙 ‖ **34** [a] Mss 𝔊𝔗𝔗^{J} + הַמָּקוֹם ‖ **35** [a] 𝔖(𝔗) *plhw* = ministraverunt cf 𝔙 *pro reatu* ‖ **Cp 33,2** [a] 𝔊 + suff 1 sg ‖ [b] nonn Mss ш𝔖𝔗^{Ms}𝔙 וְה׳ ‖ [c] ш + וְהַגִּרְגָּשִׁי cf 𝔊 ‖ [d] ℭ mlt Mss ш𝔊𝔖𝔗𝔙 וְה׳ ‖ **3** [a] 𝔊 pr *καὶ εἰσάξω* (𝔊^{Mss} -*ξει*) *σε* cf 6,8; 𝔙 pr *et intres* ‖ **5** [a] 𝔊 *καὶ δείξω σοι* = וְאוֹדִיעֲךָ ‖ **8** [a] 𝔊 *σκοπεύοντες* = וְצָפוּ? ‖ **10** [a] sic L, mlt Mss Edd וּו—.

אֶל־מֹשֶׁה֙ פָּנִ֣ים אֶל־פָּנִ֔ים כַּאֲשֶׁ֛ר יְדַבֵּ֥ר אִ֖ישׁ אֶל־רֵעֵ֑הוּ וְשָׁב֙ אֶל־ ה̇[15]
הַֽמַּחֲנֶ֔ה וּמְשָׁ֨רְת֜וֹ יְהוֹשֻׁ֤עַ בִּן־נוּן֙ נַ֔עַר לֹ֥א יָמִ֖ישׁ[a] מִתּ֥וֹךְ הָאֹֽהֶל׃ ס ז̇[16] ב מנה בתור
12 וַיֹּ֨אמֶר מֹשֶׁ֜ה אֶל־יְהוָ֗ה רְ֠אֵה אַתָּ֞ה אֹמֵ֤ר אֵלַי֙ הַ֚עַל אֶת־הָעָ֣ם ה
הַזֶּ֔ה וְאַתָּה֙ לֹ֣א הֽוֹדַעְתַּ֔נִי אֵ֥ת אֲשֶׁר־תִּשְׁלַ֖ח עִמִּ֑י וְאַתָּ֣ה אָמַ֗רְתָּ יְדַעְתִּ֣יךָֽ ב ומל[17]
13 בְשֵׁ֔ם[a] וְגַם־מָצָ֥אתָ חֵ֖ן בְּעֵינָֽי׃ 13 וְעַתָּ֡ה אִם־נָא֩ מָצָ֨אתִי חֵ֜ן בְּעֵינֶ֗יךָ כג פסוק וגם ובתר תלת מילין[18] . סו̇
[a]הוֹדִעֵ֤נִי נָא֙ אֶת־דְּרָכֶ֔ךָ[a] וְאֵדָ֣עֲךָ֔ לְמַ֥עַן אֶמְצָא־חֵ֖ן בְּעֵינֶ֑יךָ וּרְאֵ֕ה כִּ֥י ג חס[19] . סו̇
14 15 עַמְּךָ֖ הַגּ֥וֹי הַזֶּֽה׃ 14 וַיֹּאמַ֑ר[a] [b]פָּנַ֥י יֵלֵ֖כוּ[b] וַהֲנִחֹ֥תִי לָֽךְ׃ 15 וַיֹּ֖אמֶר אֵלָ֑יו צא יט מנה ר״פ י מנה בתור . ב חס[20]
16 אִם־אֵ֤ין [a]פָּנֶ֙יךָ֙ הֹלְכִ֔ים[a] אַֽל־תַּעֲלֵ֖נוּ[b] מִזֶּֽה׃ 16 וּבַמֶּ֣ה ׀ יִוָּדַ֣ע אֵפ֗וֹא כִּֽי־ ב מיחד וכל במה ובמה דכות[21]
מָצָ֨אתִי חֵ֤ן בְּעֵינֶ֙יךָ֙ אֲנִ֣י וְעַמֶּ֔ךָ הֲל֖וֹא בְּלֶכְתְּךָ֣ עִמָּ֑נוּ וְנִפְלֵ֙ינוּ֙ אֲנִ֣י וְעַמְּךָ֔ סו̇ . יב מל בתור[22] . ל̇
17 מִכָּל־הָעָ֔ם אֲשֶׁ֖ר עַל־פְּנֵ֥י הָאֲדָמָֽה׃ פ 17 וַיֹּ֤אמֶר יְהוָה֙ אֶל־
מֹשֶׁ֔ה גַּ֚ם אֶת־הַדָּבָ֥ר הַזֶּ֛ה אֲשֶׁ֥ר דִּבַּ֖רְתָּ אֶעֱשֶׂ֑ה כִּֽי־מָצָ֤אתָ חֵן֙ בְּעֵינַ֔י
18 19 וָאֵדָעֲךָ֖ בְּשֵֽׁם׃[a] 18 וַיֹּאמַ֑ר [a]הַרְאֵ֥נִי נָ֖א אֶת־כְּבֹדֶֽךָ׃[a] 19 וַיֹּ֗אמֶר [a]אֲנִ֨י ל̇ . צא יט מנה ר״פ י מנה בתור . ב חס[23]
אַעֲבִ֤יר כָּל־טוּבִי֙ עַל־פָּנֶ֔יךָ[a] וְקָרָ֧אתִֽי בְשֵׁ֛ם[b] יְהוָ֖ה לְפָנֶ֑יךָ וְחַנֹּתִי֙ אֶת־ ג . ב ומל[24] . ב[25]
20 אֲשֶׁ֣ר אָחֹ֔ן וְרִחַמְתִּ֖י אֶת־אֲשֶׁ֥ר אֲרַחֵֽם׃ 20 וַיֹּ֕אמֶר לֹ֥א תוּכַ֖ל לִרְאֹ֣ת ל̇ . ג חס[26] . ב
21 אֶת־פָּנָ֑י כִּ֛י לֹֽא־יִרְאַ֥נִי הָאָדָ֖ם וָחָֽי׃ 21 וַיֹּ֣אמֶר יְהוָ֔ה הִנֵּ֥ה מָק֖וֹם אִתִּ֑י
22 וְנִצַּבְתָּ֖ עַל־הַצּֽוּר׃ 22 וְהָיָה֙ בַּעֲבֹ֣ר כְּבֹדִ֔י וְשַׂמְתִּ֖יךָ בְּנִקְרַ֣ת הַצּ֑וּר ל̇ . ל̇
23 וְשַׂכֹּתִ֥י כַפִּ֛י עָלֶ֖יךָ עַד־עָבְרִֽי׃ 23 וַהֲסִרֹתִי֙ אֶת־כַּפִּ֔י וְרָאִ֖יתָ אֶת־אֲחֹרָ֑י ל̇ . ט[27] . ט[27] . ל̇
וּפָנַ֖י לֹ֥א יֵרָאֽוּ׃ ס ג[28]
[כח] ס̄ 34 1 וַיֹּ֤אמֶר יְהוָה֙ אֶל־מֹשֶׁ֔ה פְּסָל־לְךָ֛ שְׁנֵֽי־לֻחֹ֥ת אֲבָנִ֖ים יח פסוק אל על על[1]
כָּרִאשֹׁנִ֑ים[a] וְכָתַבְתִּי֙ עַל־הַלֻּחֹ֔ת אֶת־הַדְּבָרִ֔ים אֲשֶׁ֥ר הָי֛וּ עַל־הַלֻּחֹ֥ת ד[2]
2 הָרִאשֹׁנִ֖ים אֲשֶׁ֥ר שִׁבַּֽרְתָּ׃ 2 וֶהְיֵ֥ה נָכ֖וֹן לַבֹּ֑קֶר וְעָלִ֤יתָ בַבֹּ֙קֶר֙ אֶל־הַ֣ר כ̇י . יו וכל אל הר הכרמל דכות[3]
3 סִינַ֔י וְנִצַּבְתָּ֥ לִ֛י שָׁ֖ם עַל־רֹ֥אשׁ הָהָֽר׃ 3 וְאִישׁ֙ לֹא־יַֽעֲלֶ֣ה עִמָּ֔ךְ וְגַם־אִ֥ישׁ ה̇[4] . ב[5]
אַל־יֵרָ֖א בְּכָל־הָהָ֑ר גַּם[a]־הַצֹּ֤אן וְהַבָּקָר֙ אַל־יִרְע֔וּ אֶל־מ֖וּל הָהָ֥ר

[15] Mm 243. [16] Mm 3293. [17] Mm 3797. [18] Mm 1629. [19] Mm 605. [20] Mm 606. [21] Mm 607. [22] Mm 27. [23] Mm 3974. [24] Mm 2635. [25] Mm 3495. [26] Mm 608. [27] Mm 609. [28] Mm 610. **Cp 34** [1] Mm 658. [2] Mm 611. [3] Mm 385. [4] Mm 1680. [5] Mm 2608.

11 [a] ш ימויש ‖ **12** [a] 𝔊 *παρὰ πάντας* ‖ **13** [a–a] 𝔊 *ἐμφάνισόν μοι σεαυτόν* cf 18[a–a]; 𝔙 *ostende mihi faciem tuam* ‖ **14** [a] 𝔊^(Fc min) + *αὐτῷ κύριος*, 𝔖 + *mrj' lmwš'* ‖ [b–b] 𝔊 *αὐτὸς προπορεύσομαί σου*, 𝔖 *qdmj zl* = לְפָנַי לֵךְ ‖ **15** [a–a] 𝔊 *αὐτὸς σὺ πορεύῃ* (𝔊^(Mss) + *μεθ' ἡμῶν* cf 𝔖 et 16) ‖ [b] 𝔊 suff sg ‖ **17** [a] ut 12[a] ‖ **18** [a–a] 𝔊 *ἐμφάνισόν μοι σεαυτόν* cf 13[a–a] ‖ **19** [a–a] 𝔊 *ἐγὼ παρελεύσομαι πρότερός σου τῇ δόξῃ μου* ‖ [b] 𝔊 *ἐπὶ τῷ ὀνόματί μου* ‖ **Cp 34,1** [a] 𝔊 + *καὶ ἀνάβηθι πρός με εἰς τὸ ὄρος* (ex 24,12) ‖ **3** [a] ш𝔗^(Ms) וְגַם.

הַהוּא׃ 4 וַיִּפְסֹל[a] שְׁנֵי־לֻחֹת אֲבָנִים כָּרִאשֹׁנִים וַיַּשְׁכֵּם מֹשֶׁה[b] בַבֹּקֶר 4
וַיַּעַל אֶל־הַר סִינַי כַּאֲשֶׁר צִוָּה יְהוָה אֹתוֹ וַיִּקַּח בְּיָדוֹ[c] שְׁנֵי לֻחֹת
אֲבָנִים׃ 5 וַיֵּרֶד יְהוָה בֶּעָנָן וַיִּתְיַצֵּב עִמּוֹ שָׁם וַיִּקְרָא בְשֵׁם יְהוָה׃ 5
6 וַיַּעֲבֹר יְהוָה ׀ עַל־פָּנָיו וַיִּקְרָא יְהוָה ׀ יְהוָה[a] אֵל רַחוּם וְחַנּוּן אֶרֶךְ 6
אַפַּיִם וְרַב־חֶסֶד וֶאֱמֶת׃ 7 נֹצֵר חֶסֶד לָאֲלָפִים נֹשֵׂא עָוֺן וָפֶשַׁע וְחַטָּאָה 7
וְנַקֵּה לֹא יְנַקֶּה פֹּקֵד ׀ עֲוֺן אָבוֹת עַל־בָּנִים וְעַל־בְּנֵי בָנִים עַל־שִׁלֵּשִׁים
וְעַל־רִבֵּעִים׃ 8 וַיְמַהֵר מֹשֶׁה וַיִּקֹּד אַרְצָה וַיִּשְׁתָּחוּ׃ 9 וַיֹּאמֶר אִם־ 8 9
נָא מָצָאתִי חֵן בְּעֵינֶיךָ אֲדֹנָי[a] יֵלֶךְ־נָא אֲדֹנָי[b] בְּקִרְבֵּנוּ כִּי עַם־קְשֵׁה־
עֹרֶף הוּא וְסָלַחְתָּ לַעֲוֺנֵנוּ[c] וּלְחַטָּאתֵנוּ וּנְחַלְתָּנוּ׃ 10 וַיֹּאמֶר[a] הִנֵּה אָנֹכִי 10
כֹּרֵת[b] בְּרִית נֶגֶד כָּל־עַמְּךָ אֶעֱשֶׂה נִפְלָאֹת אֲשֶׁר לֹא־נִבְרְאוּ בְכָל־
הָאָרֶץ וּבְכָל־הַגּוֹיִם וְרָאָה כָל־הָעָם אֲשֶׁר־אַתָּה בְקִרְבּוֹ אֶת־מַעֲשֵׂה
יְהוָה כִּי־נוֹרָא הוּא אֲשֶׁר אֲנִי עֹשֶׂה עִמָּךְ׃ 11 שְׁמָר־לְךָ אֵת אֲשֶׁר אָנֹכִי 11
מְצַוְּךָ הַיּוֹם הִנְנִי גֹרֵשׁ מִפָּנֶיךָ אֶת־הָאֱמֹרִי[a] וְהַכְּנַעֲנִי וְהַחִתִּי[b] וְהַפְּרִזִּי
וְהַחִוִּי וְהַיְבוּסִי׃ 12 הִשָּׁמֶר לְךָ פֶּן־תִּכְרֹת בְּרִית לְיוֹשֵׁב הָאָרֶץ אֲשֶׁר 12
אַתָּה בָּא עָלֶיהָ[a] פֶּן־יִהְיֶה לְמוֹקֵשׁ בְּקִרְבֶּךָ׃ 13 כִּי אֶת־מִזְבְּחֹתָם 13
תִּתֹּצוּן וְאֶת־מַצֵּבֹתָם תְּשַׁבֵּרוּן וְאֶת־אֲשֵׁרָיו[a] תִּכְרֹתוּן[b]׃ 14 כִּי לֹא 14
תִשְׁתַּחֲוֶה[a] לְאֵל[a] אַחֵר כִּי יְהוָה קַנָּא שְׁמוֹ אֵל קַנָּא הוּא׃ 15 פֶּן־ 15
תִּכְרֹת בְּרִית לְיוֹשֵׁב[a] הָאָרֶץ וְזָנוּ ׀ אַחֲרֵי אֱלֹהֵיהֶם וְזָבְחוּ לֵאלֹהֵיהֶם
וְקָרָא לְךָ וְאָכַלְתָּ מִזִּבְחוֹ׃ 16 וְלָקַחְתָּ מִבְּנֹתָיו לְבָנֶיךָ[a] וְזָנוּ בְנֹתָיו[b] 16
אַחֲרֵי אֱלֹהֵיהֶן [c]וְהִזְנוּ אֶת־[c]בָּנֶיךָ אַחֲרֵי אֱלֹהֵיהֶן׃ 17 אֱלֹהֵי מַסֵּכָה 17
לֹא תַעֲשֶׂה־לָּךְ׃ 18 אֶת־חַג הַמַּצּוֹת תִּשְׁמֹר שִׁבְעַת יָמִים תֹּאכַל מַצּוֹת 18
אֲשֶׁר[a] צִוִּיתִךָ לְמוֹעֵד חֹדֶשׁ הָאָבִיב כִּי [b]בְּחֹדֶשׁ הָאָבִיב[b] יָצָאתָ

Masora parva (right margin):
1: ד[6]
2: יו וכל אל הר הכרמל דכות[7]
4: ג
5: ב . ל . לח . ל
6: ה
8: סו . קלד[8] . קלד[8]
9: ל . ל
10: ל חס
11: ל . ב
13: סימן מכתפוס[9]
14: יז מל בתור ב מנה בליש ובסיפ
16: ב . ג . ל . ל
17: ל
18: יז מל בתור ב מנה בליש ובסיפ
19: ל
20: ה[10] . ה[10]
22: ו רפי[11]

[6] Mm 611. [7] Mm 385. [8] Cf Okhl II, 151 et Mp sub loco. [9] Okhl 274. [10] Mm 612. [11] Mm 613.

4 [a] 𝔐𝔊[426]𝔄 + מֹשֶׁה ‖ [b] > 𝔐𝔙 ‖ [c] 𝔊 *Μωυσῆς* (𝔊[Mss] + *μεθ' ἑαυτοῦ*) ‖ **6** [a] > 𝔊* ‖ **9** [a] > 𝔊 ‖ [b] 𝔊* *ὁ κύριός μου* ‖ [c] ℭ mlt Mss נינו— ‖ **10** [a] 𝔊 + *κύριος πρὸς Μωυσῆν* cf 𝔙 ‖ [b] 𝔊[-A] + *σοι* ‖ **11** [a–a] 𝔐𝔖 invers ‖ [b] 𝔐 + וְהַגִּרְגָּשִׁי cf 𝔊 ‖ **12** [a] 𝔐 עליו ‖ **13** [a] Ms 𝔊𝔖𝔗𝔗[J] ־ֵיהֶם cf 𝔐 ‖ [b] 𝔊 + *καὶ τὰ γλυπτὰ τῶν θεῶν αὐτῶν κατακαύσετε ἐν πυρί* cf Dt 7,5.25 12,3 ‖ **14** [a] 𝔊 pl ‖ **15** [a] 𝔊[BA c15] + *πρὸς ἀλλοφύλους*, 𝔊[407] + *ἀλλοφύλοις* ‖ **16** [a] 𝔊(𝔖) + *καὶ τῶν θυγατέρων σου δῷς τοῖς υἱοῖς αὐτῶν* ‖ [b] 𝔊 suff 2 sg, 𝔖 suff 2 pl ‖ [c–c] 𝔊 *καὶ ἐκπορνεύσωσιν* ‖ **18** [a] ℭ mlt Mss 𝔐𝔊𝔖𝔗[Ms]𝔗[J]𝔙 כַּאֲ' ‖ [b–b] 𝔐 בּוֹ.

19 מִמִּצְרָֽיִם׃ 19 כָּל־פֶּטֶר רֶחֶם לִי[a] וְכָל־מִקְנְךָ[a] תִּזָּכָר[b] פֶּטֶר שׁוֹר ל̇
20 וָשֶֽׂה׃ 20 וּפֶטֶר חֲמוֹר תִּפְדֶּה בְשֶׂה וְאִם־לֹא תִפְדֶּה[a] וַעֲרַפְתּוֹ[b] כֹּל[c] ה. יז מ״פ. ב̇
21 בְּכוֹר[d] בָּנֶיךָ תִּפְדֶּה וְלֹא־יֵרָאוּ פָנַי רֵיקָֽם׃ 21 שֵׁשֶׁת יָמִים תַּעֲבֹד וּבַיּוֹם ל̇[12]
22 הַשְּׁבִיעִי תִּשְׁבֹּת בֶּחָרִישׁ[a] וּבַקָּצִיר תִּשְׁבֹּֽת׃ 22 וְחַג שָׁבֻעֹת תַּעֲשֶׂה לְךָ[a] ב חס[13]
23 בִּכּוּרֵי קְצִיר חִטִּים וְחַג הָאָסִיף תְּקוּפַת הַשָּׁנָֽה׃ 23 שָׁלֹשׁ פְּעָמִים ב חד חס וחד מל
24 בַּשָּׁנָה יֵרָאֶה כָּל־זְכוּרְךָ אֶת־פְּנֵי הָאָדֹן[a] ׀ יְהוָה אֱלֹהֵי יִשְׂרָאֵֽל׃ 24 כִּֽי־ יג[14]. ב חס
אוֹרִישׁ גּוֹיִם[a] מִפָּנֶיךָ וְהִרְחַבְתִּי אֶת־גְּבֻלֶךָ וְלֹא־יַחְמֹד אִישׁ אֶת־
אַרְצְךָ בַּעֲלֹתְךָ לֵרָאוֹת אֶת־פְּנֵי יְהוָה אֱלֹהֶיךָ שָׁלֹשׁ פְּעָמִים בַּשָּׁנָֽה׃ ל. ג[15]
25 לֹא־תִשְׁחַט עַל־חָמֵץ דַּם־זִבְחִי וְלֹא־יָלִין לַבֹּקֶר זֶבַח חַג הַפָּֽסַח׃ ג זוגין[16]
26 רֵאשִׁית בִּכּוּרֵי אַדְמָתְךָ תָּבִיא בֵּית יְהוָה אֱלֹהֶיךָ לֹא־תְבַשֵּׁל גְּדִי כח. יג[17]
בַּחֲלֵב אִמּֽוֹ׃ פ
ס[כט] 27 וַיֹּאמֶר יְהוָה אֶל־מֹשֶׁה כְּתָב־לְךָ אֶת־הַדְּבָרִים הָאֵלֶּה כִּי עַל־ ב̇[18]
28 פִּי ׀ הַדְּבָרִים הָאֵלֶּה כָּרַתִּי אִתְּךָ בְּרִית וְאֶת־יִשְׂרָאֵֽל׃ 28 וַיְהִי־שָׁם[a] יו בתור[19]
עִם[b]־יְהוָה אַרְבָּעִים יוֹם וְאַרְבָּעִים לַיְלָה לֶחֶם לֹא אָכַל וּמַיִם לֹא ב̇[20]
29 שָׁתָה וַיִּכְתֹּב עַל־הַלֻּחֹת אֵת דִּבְרֵי הַבְּרִית עֲשֶׂרֶת הַדְּבָרִֽים׃ 29 וַיְהִי
בְּרֶדֶת מֹשֶׁה מֵהַר סִינַי וּשְׁנֵי לֻחֹת הָעֵדֻת [a]בְּיַד־מֹשֶׁה[a] בְּרִדְתּוֹ מִן־ ד. ל. ג. ל
30 הָהָר וּמֹשֶׁה לֹא־יָדַע כִּי קָרַן עוֹר פָּנָיו בְּדַבְּרוֹ אִתּֽוֹ׃ 30 וַיַּרְא אַהֲרֹן ג
וְכָל־בְּנֵי[a] יִשְׂרָאֵל אֶת־מֹשֶׁה וְהִנֵּה[b] קָרַן עוֹר פָּנָיו וַיִּירְאוּ מִגֶּשֶׁת אֵלָֽיו׃ יו[21]. ג
31 וַיִּקְרָא אֲלֵהֶם מֹשֶׁה וַיָּשֻׁבוּ אֵלָיו אַהֲרֹן וְכָל־הַנְּשִׂאִים בָּעֵדָה וַיְדַבֵּר ג. ל
32 מֹשֶׁה אֲלֵהֶֽם׃ 32 וְאַחֲרֵי־כֵן נִגְּשׁוּ[a] כָּל־בְּנֵי יִשְׂרָאֵל וַיְצַוֵּם אֵת כָּל־אֲשֶׁר ל̇[22]
33 דִּבֶּר יְהוָה אִתּוֹ בְּהַר סִינָֽי׃ 33 וַיְכַל מֹשֶׁה מִדַּבֵּר אִתָּם וַיִּתֵּן עַל־פָּנָיו ח[23]. לז
34 מַסְוֶֽה׃ 34 וּבְבֹא מֹשֶׁה לִפְנֵי יְהוָה לְדַבֵּר אִתּוֹ יָסִיר אֶת־הַמַּסְוֶה עַד־ ד בליש ב מל וב חס[24]. ב
35 צֵאתוֹ וְיָצָא וְדִבֶּר אֶל־בְּנֵי יִשְׂרָאֵל אֵת אֲשֶׁר יְצֻוֶּֽה[a]׃ 35 וְרָאוּ בְנֵי־ ל

[12] Mm 1916. [13] Mm 1148. [14] Mm 150. [15] Mm 2209. [16] Mm 509. [17] Mm 1228. [18] Mm 614. [19] Mm 60. [20] Esr 10,6. [21] Mm 1436. [22] Mm 409. [23] Mm 615. [24] Mm 616.

19 [a–a] > 𝔊* ‖ [b] ш[Mss] תזכיר crrp, 𝔊 *τὰ ἀρσενικά* cf 𝔙; > 𝔖; 𝔗(𝔗[J]) + *tqdjš dkrjn* ‖ **20** [a] ш𝔊*𝔖𝔙 תפדנו ‖ [b] 𝔊 *τιμὴν δώσεις* ‖ [c] ℭ mlt Mss ш𝔗[J] וְכֹל ‖ [d] ш + אָדָם בְּ ‖ **21** [a] 𝔊(𝔖𝔗) *τῷ σπόρῳ* ‖ **22** [a] 𝔊 *μοι* ‖ **23** [a] ш הָאָרוֹן cf 23,17[c] ‖ **24** [a] Ms + גְּדוֹלִים, ш + רַבִּים ‖ **28** [a] 𝔊 + *Μωυσῆς* ‖ [b] ш𝔊 לִפְנֵי ‖ **29** [a–a] ш𝔎 בְּיָדוֹ ‖ **30** [a] 𝔊* *οἱ πρεσβύτεροι* ‖ [b] ℭ כי cf 29 ‖ **32** [a] ш𝔊𝔖𝔙 + אֵלָיו ‖ **34** [a] ш𝔊 יְצַוֵּהוּ, 𝔊 + *κύριος*.

ג יִשְׂרָאֵל אֶת־פְּנֵי מֹשֶׁה כִּי קָרַן עוֹר פְּנֵי מֹשֶׁה וְהֵשִׁיב מֹשֶׁה[a] אֶת־
ב הַמַּסְוֶה עַל־פָּנָיו עַד־בֹּאוֹ לְדַבֵּר אִתּוֹ׃ ס קלט
פרש 35 1 וַיַּקְהֵל מֹשֶׁה אֶת־כָּל־עֲדַת בְּנֵי יִשְׂרָאֵל וַיֹּאמֶר אֲלֵהֶם
ה̇[1]. יב חס למערב. ז̇[2] אֵלֶּה הַדְּבָרִים אֲשֶׁר־צִוָּה יְהוָה לַעֲשֹׂת אֹתָם׃ 2 שֵׁשֶׁת יָמִים תֵּעָשֶׂה[a] 2
מְלָאכָה וּבַיּוֹם הַשְּׁבִיעִי יִהְיֶה לָכֶם קֹדֶשׁ שַׁבַּת שַׁבָּתוֹן לַיהוָה כָּל־
ל̇. ג חס[3] הָעֹשֶׂה בוֹ מְלָאכָה יוּמָת׃ 3 לֹא־תְבַעֲרוּ[a] אֵשׁ בְּכֹל מֹשְׁבֹתֵיכֶם בְּיוֹם 3
הַשַּׁבָּת׃ פ
ג 4 וַיֹּאמֶר מֹשֶׁה אֶל־כָּל־עֲדַת בְּנֵי־יִשְׂרָאֵל לֵאמֹר זֶה הַדָּבָר 4
ה ר"פ[4] אֲשֶׁר־צִוָּה יְהוָה לֵאמֹר׃ 5 קְחוּ מֵאִתְּכֶם תְּרוּמָה לַיהוָה כֹּל נְדִיב 5
ל̇[5]. ג לִבּוֹ יְבִיאֶהָ[a] אֵת תְּרוּמַת יְהוָה זָהָב וָכֶסֶף וּנְחֹשֶׁת׃ 6 וּתְכֵלֶת וְאַרְגָּמָן 6
וְתוֹלַעַת שָׁנִי וְשֵׁשׁ וְעִזִּים׃ 7 וְעֹרֹת אֵילִם מְאָדָּמִים וְעֹרֹת תְּחָשִׁים וַעֲצֵי 7
ח̇ זוגין מחליפין[6]. ג ב מל̇ וחד חס בסיפ̇ שִׁטִּים[a]׃ 8 וְשֶׁמֶן לַמָּאוֹר וּבְשָׂמִים לְשֶׁמֶן הַמִּשְׁחָה וְלִקְטֹרֶת הַסַּמִּים׃ 8
ח̇ זוגין מחליפין[6]. ג ב מל̇ וחד חס. ה̇ ר"פ בסיפ[7] 9 וְאַבְנֵי־שֹׁהַם וְאַבְנֵי מִלֻּאִים לָאֵפוֹד וְלַחֹשֶׁן׃ 10 וְכָל־חֲכַם־לֵב בָּכֶם 9 10
ג רפי[8] יָבֹאוּ[a] וְיַעֲשׂוּ אֵת כָּל־אֲשֶׁר צִוָּה יְהוָה׃ 11 אֶת־הַמִּשְׁכָּן אֶת־אָהֳלוֹ 11
בריחיו חד מן ב̇[9] חס ק̇ בליש וְאֶת־מִכְסֵהוּ אֶת־קְרָסָיו וְאֶת־קְרָשָׁיו אֶת־בְּרִיחָו אֶת־עַמֻּדָיו וְאֶת־
ל̇ ר"פ את ואת את ואת[10]. ד̇[11]. ב̇[12] אֲדָנָיו׃ 12 אֶת־הָאָרֹן וְאֶת־בַּדָּיו אֶת־הַכַּפֹּרֶת וְאֵת פָּרֹכֶת הַמָּסָךְ׃ 12
ד̇[11]. ב̇[13]. י̇. כו פסוק ואת ואת ואת ואת. ל̇ 13 אֶת־הַשֻּׁלְחָן וְאֶת־בַּדָּיו וְאֶת־כָּל־כֵּלָיו[a] וְאֵת לֶחֶם הַפָּנִים[a]׃ 14 וְאֶת־ 13 14
ב̇. ז̇. ט̇ מְנֹרַת הַמָּאוֹר וְאֶת־[a]כֵּלֶיהָ [b]וְאֶת־נֵרֹתֶיהָ[b] וְאֵת שֶׁמֶן הַמָּאוֹר׃ 15 וְאֶת־ 15
ד̇[11]. ז̇ מִזְבַּח הַקְּטֹרֶת וְאֶת־בַּדָּיו וְאֵת שֶׁמֶן הַמִּשְׁחָה וְאֵת קְטֹרֶת הַסַּמִּים
וְאֶת־מָסַךְ הַפֶּתַח לְפֶתַח הַמִּשְׁכָּן׃ 16 אֵת ׀ מִזְבַּח הָעֹלָה וְאֶת־מִכְבַּר 16
הַנְּחֹשֶׁת אֲשֶׁר־לוֹ אֶת־[a]בַּדָּיו וְאֶת־כָּל־כֵּלָיו אֶת־הַכִּיֹּר וְאֶת־כַּנּוֹ׃
יח̇ פסוק את את ואת ואת 17 אֵת קַלְעֵי הֶחָצֵר אֶת־עַמֻּדָיו[a] וְאֶת־אֲדָנֶיהָ וְאֵת מָסַךְ שַׁעַר הֶחָצֵר׃ 17
ו̇ ר"פ את ואת ואת[14]. ל̇. מ̇. ד̇ ר"פ את את ואת[14] 18 אֶת־יִתְדֹת הַמִּשְׁכָּן וְאֶת־יִתְדֹת הֶחָצֵר וְאֶת־מֵיתְרֵיהֶם׃ 19 אֶת־בִּגְדֵי 18 19
ז̇[15] הַשְּׂרָד לְשָׁרֵת בַּקֹּדֶשׁ אֶת־בִּגְדֵי הַקֹּדֶשׁ לְאַהֲרֹן הַכֹּהֵן וְאֶת־בִּגְדֵי בָנָיו

Cp 35 [1]Mm 617. [2]Mm 546. [3]Mm 798. [4]Mm 3588. [5]Mm 3861. [6]Mm 3964. [7]Mm 645. [8]Mm 618. [9]Mm 619, Q[Occ] addidi, Or sine Q, cf Mp sub loco. [10]Mm 2692. [11]Mm 620. [12]Mm 654. [13]Mm 621. [14]Mm 2599. [15]Mm 2895.

35 [a] > 𝔐 ‖ **Cp 35,2** [a] 𝔐 יעשה; 𝔊𝔖 leg תֵּעָ׳ cf 𝔙 ‖ **3** [a] 𝔐 תַבְעִירוּ ‖ **5** [a] 𝔐𝔖𝔗[J] יָבִיא cf 𝔊 ‖ **7** [a] sic L, mlt Mss Edd שטים ‖ **10** [a–a] 𝔐𝔊𝔙 יָבוֹא וְעָשָׂה ‖ **11** [a] ℭ nonn Mss וְאת, it in 12sq.16–19 ‖ **13** [a–a] > 𝔊 ‖ **14** [a] ℭ𝔐𝔊 + כל ‖ [b–b] > 𝔐𝔊 ‖ **16** [a] ℭ וְאת ‖ **17** [a] pc Mss 𝔐 ־ֶיהָ.

20 21 לְכַהֵֽן׃ 20 וַיֵּצְא֛וּ כָּל־עֲדַ֥ת בְּנֵֽי־יִשְׂרָאֵ֖ל מִלִּפְנֵ֥י מֹשֶֽׁה׃ 21 וַיָּבֹ֕אוּ[a] כָּל־ ב
אִ֕ישׁ אֲשֶׁר־נְשָׂא֖וֹ לִבּ֑וֹ וְכֹ֗ל[b] אֲשֶׁ֨ר נָֽדְבָ֜ה רוּח֣וֹ אֹת֗וֹ הֵ֠בִיאוּ אֶת־תְּרוּמַ֨ת ג
22 יְהוָ֜ה לִמְלֶ֨אכֶת אֹ֤הֶל מוֹעֵד֙ וּלְכָל־עֲבֹ֣דָת֔וֹ וּלְבִגְדֵ֖י הַקֹּֽדֶשׁ׃ 22 וַיָּבֹ֥אוּ[a]
הָאֲנָשִׁ֖ים עַל־הַנָּשִׁ֑ים כֹּ֣ל ׀ נְדִ֣יב לֵ֗ב הֵ֠בִיאוּ חָ֣ח וָנֶ֜זֶם וְטַבַּ֤עַת[b] וְכוּמָז֙ יג̇ פסוק כל כל וכל . ל . ב
23 כָּל־[c]כְּלִ֣י[d] זָהָ֔ב וְכָל־אִ֕ישׁ[e] אֲשֶׁ֥ר הֵנִ֛יף תְּנוּפַ֥ת[f] זָהָ֖ב לַיהוָֽה׃ 23 וְכָל־ יח̇[16] וכל יוצר חפץ חמדה דכות ב מ א . ג[17] . יו[18] . ח ר״פ בסיפ[19] . יו[18]
אִ֞ישׁ אֲשֶׁר־נִמְצָ֣א אִתּ֗וֹ תְּכֵ֛לֶת וְאַרְגָּמָ֥ן וְתוֹלַ֥עַת שָׁנִ֖י וְשֵׁ֣שׁ וְעִזִּ֑ים וְעֹרֹ֨ת
24 אֵילִ֤ם מְאָדָּמִים֙ וְעֹרֹ֣ת תְּחָשִׁ֔ים הֵבִֽיאוּ׃ 24 כָּל־[a]מֵרִ֗ים תְּר֤וּמַת כֶּ֙סֶף֙ ג[20]
וּנְחֹ֔שֶׁת הֵבִ֕יאוּ אֵ֖ת תְּרוּמַ֣ת יְהוָ֑ה וְכֹ֡ל אֲשֶׁר֩ נִמְצָ֨א אִתּ֜וֹ עֲצֵ֥י שִׁטִּ֛ים
25 [b]לְכָל־מְלֶ֥אכֶת[b] הָעֲבֹדָ֖ה הֵבִֽיאוּ׃ 25 וְכָל־אִשָּׁ֥ה חַכְמַת־לֵ֖ב בְּיָדֶ֣יהָ ב[21] . ח ר״פ בסיפ[19] . ג . ל . ג[22]
טָו֑וּ[a] וַיָּבִ֣יאוּ מַטְוֶ֗ה אֶֽת־[b]הַתְּכֵ֙לֶת֙ וְאֶת־הָֽאַרְגָּמָ֔ן אֶת־[c]תּוֹלַ֥עַת הַשָּׁנִ֖י ב . ל . ל . ל . ל . ו
26 וְאֶת־הַשֵּֽׁשׁ׃ 26 וְכָל־הַ֨נָּשִׁ֔ים אֲשֶׁ֨ר נָשָׂ֥א לִבָּ֛ן אֹתָ֖נָה בְּחָכְמָ֑ה טָו֖וּ אֶת־ ח ר״פ בסיפ[19] . ג[23] . ל . ב חד מל וחד חס[24] . ב
27 הָעִזִּֽים׃ 27 וְהַנְּשִׂאִ֣ם הֵבִ֔יאוּ אֵ֚ת אַבְנֵ֣י הַשֹּׁ֔הַם וְאֵ֖ת אַבְנֵ֣י הַמִּלֻּאִ֑ים ב חד מל וחד[25] חס
28 לָאֵפ֖וֹד וְלַחֹֽשֶׁן׃ 28 וְאֶת־הַבֹּ֖שֶׂם וְאֶת־הַשָּׁ֑מֶן לְמָא֕וֹר וּלְשֶׁ֙מֶן֙ הַמִּשְׁחָ֔ה ג ב מל וחד חס . ל
29 וְלִקְטֹ֖רֶת הַסַּמִּֽים׃ 29 כָּל־[a]אִ֣ישׁ וְאִשָּׁ֗ה אֲשֶׁ֨ר נָדַ֣ב[b] לִבָּם֮ אֹתָם֒[bc] לְהָבִיא֙ כב
לְכָל־הַמְּלָאכָ֔ה אֲשֶׁ֨ר צִוָּ֧ה יְהוָ֛ה לַעֲשׂ֖וֹת בְּיַד־מֹשֶׁ֑ה הֵבִ֧יאוּ בְנֵֽי־ [26]
יִשְׂרָאֵ֛ל נְדָבָ֖ה לַיהוָֽה׃ פ

ס [ל] 30 וַיֹּ֤אמֶר מֹשֶׁה֙ אֶל־בְּנֵ֣י יִשְׂרָאֵ֔ל רְא֛וּ קָרָ֥א יְהוָ֖ה בְּשֵׁ֑ם בְּצַלְאֵ֛ל
31 בֶּן־אוּרִ֥י בֶן־ח֖וּר לְמַטֵּ֥ה יְהוּדָֽה׃ 31 וַיְמַלֵּ֥א אֹת֖וֹ ר֣וּחַ אֱלֹהִ֑ים בְּחָכְמָ֛ה ט . ח וכל שמואל דכות ב מ ה רוח יי
32 בִּתְבוּנָ֥ה[a] וּבְדַ֖עַת וּבְכָל־מְלָאכָֽה׃ 32 וְלַחְשֹׁ֖ב מַחֲשָׁבֹ֑ת[a] לַעֲשֹׂ֛ת[b] בַּזָּהָ֥ב ל . ה . ב . ג חס . יב חס למערב
33 וּבַכֶּ֖סֶף וּבַנְּחֹֽשֶׁת׃ 33 וּבַחֲרֹ֥שֶׁת אֶ֛בֶן לְמַלֹּ֖את וּבַחֲרֹ֣שֶׁת עֵ֑ץ לַעֲשׂ֖וֹת ב ר״פ . ו ב חס וד מל[27] . ב מ״פ
34 בְּכָל־מְלֶ֥אכֶת מַחֲשָֽׁבֶת׃[a] 34 וּלְהוֹרֹ֖ת נָתַ֣ן בְּלִבּ֑וֹ ה֕וּא וְאָהֳלִיאָ֥ב[a] בֶּן־ ב קמ . ב[28]
35 אֲחִיסָמָ֖ךְ לְמַטֵּה־דָֽן׃ 35 מִלֵּ֨א אֹתָ֜ם חָכְמַת־לֵ֗ב לַעֲשׂוֹת֮ כָּל־[a]מְלֶ֣אכֶת
חָרָ֣שׁ ׀ וְחֹשֵׁב֒ וְרֹקֵ֞ם בַּתְּכֵ֣לֶת וּבָֽאַרְגָּמָ֗ן בְּתוֹלַ֧עַת[b] הַשָּׁנִ֛י וּבַשֵּׁ֖שׁ וְאֹרֵ֑ג ו ול בליש
36 עֹשֵׂי֙ כָּל־מְלָאכָ֔ה וְחֹשְׁבֵ֖י מַחֲשָׁבֹֽת׃ 36 1 וְעָשָׂה֩ בְצַלְאֵ֨ל וְאָהֳלִיאָ֜ב יו[29] כת י וחד מן ח[30] קמ קטן וכל דברים מלכים תרי עשר תלים קהלת עזרא ד״ה דכות ב מ כב . ג חס

[16] Mm 2781. [17] Mm 622. [18] Mm 1520. [19] Mm 645. [20] Mm 623. [21] Mm 4050. [22] Mm 624. [23] Mm 625. [24] Mm 626. [25] Mm 1367. [26] Mm 1360. [27] Mm 4269. [28] Lv 10,11. [29] Mm 627. [30] Mm 475.

21 [a] ⅏𝔊𝔖𝔙 ויביאו ‖ [b] ⅏𝔖 + אִישׁ ‖ **22** [a] ⅏𝔊𝔖𝔗𝔙 ויביאו ‖ [b] > pc Mss ⅏; pc Mss ⅏ + וְעָגִיל; 2 Mss 𝔊 + עָגִיל al ordine ‖ [c] nonn Mss 𝔊[min]𝔖𝔗[J] וְכָל ‖ [d] pc Mss כְּלֵי ‖ [e] > ⅏𝔊 ‖ [f] ℭ תרומת ‖ **24** [a] ⅏𝔊* וְכָל ‖ [b–b] ⅏ לְמְ׳ ‖ **25** [a] ⅏ טוה ‖ [b] ℭ וְאֶת ‖ [c] ℭ mlt Mss Vrs וְאֶת ‖ **29** [a] pc Mss ⅏𝔊 וְכָל ‖ [b–b] ⅏ invers ‖ [c] ℭ אֹתָם ‖ **31** [a] pc Mss ⅏𝔊𝔖𝔗𝔙 וּבִ׳ ‖ **32** [a] sic L, mlt Mss Edd מַחְ׳ ‖ [b] pc Mss 𝔙 וְלִ׳ ‖ **33** [a] ⅏ —בוֹת ‖ **34** [a] cf 31,6[b] ‖ **35** [a] mlt Mss בְּכָל ‖ [b] ℭ mlt Mss ⅏𝔖𝔗[J]𝔙 וּבְ׳.

וְכֹל אִישׁ חֲכַם־לֵב [a]אֲשֶׁר נָתַן יְהוָה[a] חָכְמָה וּתְבוּנָה בָּהֵמָּה לָדַעַת ¹יג. ²ג
לַעֲשֹׂת אֶת־כָּל־מְלֶאכֶת עֲבֹדַת הַקֹּדֶשׁ לְכֹל אֲשֶׁר־צִוָּה יְהוָה׃ יב חס למערב. כל אורית חס
2 2 וַיִּקְרָא מֹשֶׁה אֶל־בְּצַלְאֵל וְאֶל־אָהֳלִיאָב וְאֶל כָּל־אִישׁ חֲכַם־
לֵב אֲשֶׁר נָתַן יְהוָה חָכְמָה בְּלִבּוֹ כֹּל אֲשֶׁר נְשָׂאוֹ לִבּוֹ לְקָרְבָה אֶל־ ג
3 הַמְּלָאכָה לַעֲשֹׂת אֹתָהּ׃ 3 וַיִּקְחוּ מִלִּפְנֵי מֹשֶׁה אֵת כָּל־הַתְּרוּמָה אֲשֶׁר יב חס למערב. ב
הֵבִיאוּ בְּנֵי יִשְׂרָאֵל לִמְלֶאכֶת עֲבֹדַת הַקֹּדֶשׁ לַעֲשֹׂת אֹתָהּ וְהֵם הֵבִיאוּ כל אורית חס. יב חס למערב
4 אֵלָיו עוֹד נְדָבָה בַּבֹּקֶר בַּבֹּקֶר׃ 4 וַיָּבֹאוּ כָּל־הַחֲכָמִים הָעֹשִׂים אֵת ³יג. ב
כָּל־מְלֶאכֶת הַקֹּדֶשׁ אִישׁ־אִישׁ מִמְּלַאכְתּוֹ אֲשֶׁר־הֵמָּה עֹשִׂים׃ ⁴ב. ה
5 5 וַיֹּאמְרוּ[a] אֶל־מֹשֶׁה לֵּאמֹר מַרְבִּים הָעָם לְהָבִיא מִדֵּי הָעֲבֹדָה
6 לַמְּלָאכָה אֲשֶׁר־צִוָּה יְהוָה לַעֲשֹׂת אֹתָהּ׃ 6 וַיְצַו מֹשֶׁה [a]וַיַּעֲבִירוּ קוֹל[a] ⁵יב חס למערב. ד
בַּמַּחֲנֶה לֵאמֹר אִישׁ וְאִשָּׁה אַל־יַעֲשׂוּ[b]־עוֹד מְלָאכָה לִתְרוּמַת הַקֹּדֶשׁ כב
7 וַיִּכָּלֵא[c] הָעָם מֵהָבִיא׃ 7 וְהַמְּלָאכָה הָיְתָה דַיָּם לְכָל־הַמְּלָאכָה ⁶ב. ל. ⁷ג. ג
לַעֲשׂוֹת אֹתָהּ וְהוֹתֵר[a]׃ ס ⁸ג
8 8 וַיַּעֲשׂוּ כָל־חֲכַם־[a]לֵב בְּעֹשֵׂי הַמְּלָאכָה [b]אֶת־הַמִּשְׁכָּן[c] עֶשֶׂר ג וכת י
יְרִיעֹת שֵׁשׁ מָשְׁזָר וּתְכֵלֶת וְאַרְגָּמָן וְתוֹלַעַת שָׁנִי כְּרֻבִים מַעֲשֵׂה חֹשֵׁב
9 עָשָׂה אֹתָם׃ 9 אֹרֶךְ הַיְרִיעָה הָאַחַת שְׁמֹנֶה וְעֶשְׂרִים בָּאַמָּה וְרֹחַב ד דמטע בטע⁹. ד¹⁰
10 אַרְבַּע בָּאַמָּה הַיְרִיעָה הָאֶחָת מִדָּה אַחַת לְכָל־הַיְרִיעֹת׃ 10 וַיְחַבֵּר[a]
אֶת־חֲמֵשׁ הַיְרִיעֹת אַחַת אֶל־אֶחָת וְחָמֵשׁ יְרִיעֹת[b] חִבַּר אַחַת אֶל־ ל
11 אֶחָת׃ 11 וַיַּעַשׂ לֻלְאֹת תְּכֵלֶת עַל שְׂפַת הַיְרִיעָה הָאֶחָת מִקָּצָה[a]
בַּמַּחְבָּרֶת כֵּן[b] עָשָׂה בִּשְׂפַת הַיְרִיעָה הַקִּיצוֹנָה בַּמַּחְבֶּרֶת הַשֵּׁנִית׃ י זוגין¹¹. ב מל

Cp 36 [1] Mm 1520. [2] Mm 579. [3] Mm 688. [4] Mm 628. [5] Mm 1826. [6] Gn 8,2. [7] Mm 629. [8] Mm 630. [9] Okhl 222. [10] Mm 2960. [11] Mm 456.

Cp 36,1 [a–a] 𝔊 *ᾧ ἐδόθη* ‖ **5** [a] 𝔐 וַיְדַבְּרוּ ‖ **6** [a–a] 𝔊 *καὶ ἐκήρυξεν*, 𝔖 *wqrw krwz'* = et proclamaverunt praecones ‖ [b] 𝔐 יעשה ‖ [c] 𝔐 ויכל ‖ **7** [a] 𝔊 *καὶ προσκατέλιπον* ‖ **8** [a] 𝔐𝔖𝔗𝔗ᴶ חַכְמֵי ע׳ ‖ [b] 𝔊 abhinc usque ad fin libri ordinem partim admodum abbreviatum et confusum praebet. Invenies 𝔐, quoad exstat, in 𝔊 sub his numeris: 36,8[b]−9 = 37,1sq 𝔊; 36,35−38 = 37,3−6 𝔊; 37,1−24 = 38,1−17 𝔊; 37,29 = 38,25 𝔊; 38,1−7 = 38,22−24 𝔊; 38,8 = 38,26 𝔊; 38,9−23 = 37,7−21 𝔊; 38,20 = 38,21 𝔊; 38,24−29 = 39,1−6 𝔊; 38,30a = 39,7 𝔊; 38,30b = 39,9 𝔊; 38,31a = 39,8 𝔊; 39,1 = 39,12 𝔊; 39,1b−31 = 36,8a−31 𝔊; 39,32b = 39,10 𝔊; 39,33 = 39,13 𝔊; 39,34 = 39,20 𝔊; 39,35 = 39,14 𝔊; 39,36 = 39,17 𝔊; 39,37 = 39,16 𝔊; 39,38 = 39,15 𝔊; 39,40 = 39,19 𝔊; 39,41 = 39,18 𝔊; 39,42 = 39,22 𝔊; 39,43 = 39,45 𝔊; Cp 40 sine 30−32 = Cp 40 𝔊; 40,30−32 = 38,27 𝔊 ‖ [c] 𝔐 + עָשׂוּ ‖ **10** [a] 𝔊 om 10−34 ‖ [b] 𝔐 הַי׳ ‖ **11** [a] 𝔐 בְּקְ׳ ‖ [b] 𝔐 וְכֵן.

12 חֲמִשִּׁים לֻלָאֹת עָשָׂה בַּיְרִיעָה הָאֶחָת וַחֲמִשִּׁים לֻלָאֹת עָשָׂה בִּקְצֵה ג קמ וכל אתנח זקף ס״פ דכות ב מ ב
הַיְרִיעָה אֲשֶׁר בַּמַּחְבֶּרֶת הַשֵּׁנִית מַקְבִּילֹת הַלֻּלָאֹת אַחַת אֶל־אֶחָת׃
13 וַיַּעַשׂ חֲמִשִּׁים קַרְסֵי זָהָב וַיְחַבֵּר אֶת־הַיְרִיעֹת אַחַת אֶל־אַחַת ב[12]
14 בַּקְּרָסִים וַיְהִי הַמִּשְׁכָּן אֶחָד׃ ס 14 וַיַּעַשׂ יְרִיעֹת עִזִּים לְאֹהֶל כל ליש חס ו ב מ ה[13]
15 עַל־הַמִּשְׁכָּן עַשְׁתֵּי־עֶשְׂרֵה יְרִיעֹת עָשָׂה אֹתָם׃ 15 אֹרֶךְ הַיְרִיעָה ד דמטע בטע[14]
הָאַחַת שְׁלֹשִׁים בָּאַמָּה וְאַרְבַּע אַמּוֹת רֹחַב הַיְרִיעָה הָאֶחָת מִדָּה ל[15]
16 אַחַת לְעַשְׁתֵּי עֶשְׂרֵה יְרִיעֹת[a]׃ 16 וַיְחַבֵּר אֶת־חֲמֵשׁ הַיְרִיעֹת לְבָד
17 וְאֶת־שֵׁשׁ הַיְרִיעֹת לְבָד׃ 17 וַיַּעַשׂ לֻלָאֹת חֲמִשִּׁים עַל שְׂפַת הַיְרִיעָה ל
הַקִּיצֹנָה בַּמַּחְבָּרֶת וַחֲמִשִּׁים לֻלָאֹת עָשָׂה עַל־שְׂפַת הַיְרִיעָה הַחֹבֶרֶת ל זוגין[16]
18 הַשֵּׁנִית׃ 18 וַיַּעַשׂ קַרְסֵי נְחֹשֶׁת חֲמִשִּׁים לְחַבֵּר אֶת־הָאֹהֶל לִהְיֹת אֶחָד׃ ל. ה חס בליש[17]
19 וַיַּעַשׂ מִכְסֶה לָאֹהֶל עֹרֹת אֵילִם מְאָדָּמִים וּמִכְסֵה עֹרֹת תְּחָשִׁים ב. ג[18]
20 מִלְמָעְלָה׃ ס 20 וַיַּעַשׂ אֶת־הַקְּרָשִׁים לַמִּשְׁכָּן עֲצֵי שִׁטִּים עֹמְדִים׃
21 עֶשֶׂר אַמֹּת אֹרֶךְ הַקָּרֶשׁ[a] וְאַמָּה[b] וַחֲצִי הָאַמָּה רֹחַב הַקֶּרֶשׁ הָאֶחָד׃ ל חס
22 שְׁתֵּי יָדֹת לַקֶּרֶשׁ הָאֶחָד מְשֻׁלָּבֹת אַחַת אֶל־אֶחָת כֵּן עָשָׂה לְכֹל ג חס
23 קַרְשֵׁי הַמִּשְׁכָּן׃ 23 וַיַּעַשׂ אֶת־הַקְּרָשִׁים לַמִּשְׁכָּן עֶשְׂרִים קְרָשִׁים[a]
24 לִפְאַת נֶגֶב תֵּימָנָה׃ 24 וְאַרְבָּעִים אַדְנֵי־כֶסֶף עָשָׂה תַּחַת עֶשְׂרִים יד
הַקְּרָשִׁים שְׁנֵי אֲדָנִים תַּחַת־הַקֶּרֶשׁ הָאֶחָד לִשְׁתֵּי יְדֹתָיו וּשְׁנֵי אֲדָנִים
25 תַּחַת־הַקֶּרֶשׁ הָאֶחָד לִשְׁתֵּי יְדֹתָיו׃ 25 וּלְצֶלַע הַמִּשְׁכָּן הַשֵּׁנִית לִפְאַת ב[19]. יד
26 צָפוֹן עָשָׂה עֶשְׂרִים קְרָשִׁים׃ 26 וְאַרְבָּעִים אַדְנֵיהֶם כָּסֶף שְׁנֵי אֲדָנִים
27 תַּחַת הַקֶּרֶשׁ הָאֶחָד וּשְׁנֵי אֲדָנִים תַּחַת הַקֶּרֶשׁ הָאֶחָד׃ 27 וּלְיַרְכְּתֵי ב
28 הַמִּשְׁכָּן יָמָּה עָשָׂה שִׁשָּׁה קְרָשִׁים׃ 28 וּשְׁנֵי קְרָשִׁים עָשָׂה לִמְקֻצְעֹת ב
29 הַמִּשְׁכָּן בַּיַּרְכָתָיִם׃ 29 וְהָיוּ תוֹאֲמִם מִלְּמַטָּה וְיַחְדָּו[a] יִהְיוּ[b] תַמִּים[c] אֶל־[d] ב. ג[20]. ב[21]
30 רֹאשׁוֹ אֶל־הַטַּבַּעַת הָאֶחָת כֵּן עָשָׂה לִשְׁנֵיהֶם לִשְׁנֵי הַמִּקְצֹעֹת׃ 30 וְהָיוּ
שְׁמֹנָה קְרָשִׁים וְאַדְנֵיהֶם כֶּסֶף שִׁשָּׁה עָשָׂר אֲדָנִים שְׁנֵי אֲדָנִים שְׁנֵי
31 אֲדָנִים תַּחַת הַקֶּרֶשׁ הָאֶחָד׃ 31 וַיַּעַשׂ בְרִיחֵי עֲצֵי שִׁטִּים חֲמִשָּׁה ל
32 לְקַרְשֵׁי צֶלַע־הַמִּשְׁכָּן הָאֶחָת׃ 32 וַחֲמִשָּׁה בְרִיחִם לְקַרְשֵׁי צֶלַע־ ל[22]. ל

[12] Mm 631. [13] Cf Mm 632. [14] Okhl 222. [15] Mm 551. [16] Mm 456. [17] Mm 725. [18] Mm 633. [19] Mp sub loco. [20] Mm 634. [21] Mm 635. [22] Mm 636.

15 [a] ut 10[b] ‖ **21** [a] ш + הָאֶחָד ‖ [b] ш א׳ ‖ **23** [a] ℭ קרש cf 26,18 ‖ **29** [a] ш י׳ ‖ [b] L (sub rasura) mlt Mss ш𝔖ℭ𝔗[J]𝔙 הָיוּ ‖ [c] шℭ𝔗[J] תאמים ‖ [d] 26,24 עַל.

הַמִּשְׁכָּן הַשֵּׁנִית וַחֲמִשָּׁה בְרִיחִם לְקַרְשֵׁי[a] הַמִּשְׁכָּן לַיַּרְכָתַיִם יָמָּה׃
33 וַיַּעַשׂ אֶת־הַבְּרִיחַ הַתִּיכֹן לִבְרֹחַ בְּתוֹךְ הַקְּרָשִׁים מִן־הַקָּצֶה אֶל־ 33
ב. ל הַקָּצֶה׃ 34 וְאֶת־הַקְּרָשִׁים צִפָּה זָהָב וְאֶת־טַבְּעֹתָם עָשָׂה זָהָב בָּתִּים 34
לַבְּרִיחִם וַיְצַף אֶת־הַבְּרִיחִם זָהָב׃ 35 וַיַּעַשׂ[a] אֶת־הַפָּרֹכֶת[a] 35
תְּכֵלֶת וְאַרְגָּמָן וְתוֹלַעַת שָׁנִי וְשֵׁשׁ מָשְׁזָר מַעֲשֵׂה חֹשֵׁב עָשָׂה אֹתָהּ[b]
ד מל בסיפ[23] כְּרֻבִים׃ 36 וַיַּעַשׂ לָהּ אַרְבָּעָה עַמּוּדֵי שִׁטִּים וַיְצַפֵּם זָהָב וָוֵיהֶם זָהָב 36
ג קמ וכל המסך דכות וַיִּצֹק לָהֶם אַרְבָּעָה אַדְנֵי־כָסֶף׃ 37 וַיַּעַשׂ מָסָךְ לְפֶתַח הָאֹהֶל תְּכֵלֶת 37
ל. ד מל[24] וְאַרְגָּמָן וְתוֹלַעַת שָׁנִי וְשֵׁשׁ מָשְׁזָר מַעֲשֵׂה רֹקֵם׃ 38 וְאֶת־עַמּוּדָיו 38
יג[25] חֲמִשָּׁה וְאֶת־וָוֵיהֶם וְצִפָּה רָאשֵׁיהֶם וַחֲשֻׁקֵיהֶם זָהָב וְאַדְנֵיהֶם חֲמִשָּׁה
נְחֹשֶׁת׃ פ

37 1 וַיַּעַשׂ בְּצַלְאֵל אֶת־הָאָרֹן עֲצֵי שִׁטִּים אַמָּתַיִם וָחֵצִי אָרְכּוֹ ס [לא
וְאַמָּה וָחֵצִי רָחְבּוֹ וְאַמָּה וָחֵצִי קֹמָתוֹ׃ 2 וַיְצַפֵּהוּ זָהָב טָהוֹר מִבַּיִת 2
וּמִחוּץ וַיַּעַשׂ לוֹ זֵר זָהָב סָבִיב׃ 3 וַיִּצֹק לוֹ אַרְבַּע טַבְּעֹת זָהָב עַל 3
אַרְבַּע פַּעֲמֹתָיו וּשְׁתֵּי טַבָּעֹת עַל־צַלְעוֹ הָאֶחָת וּשְׁתֵּי טַבָּעוֹת עַל־
ג. נא[1] יח מנה בתור וחד מן יח ר״פ צַלְעוֹ הַשֵּׁנִית׃ 4 וַיַּעַשׂ בַּדֵּי עֲצֵי שִׁטִּים וַיְצַף אֹתָם זָהָב׃ 5 וַיָּבֵא אֶת־ 4 5
כד הַבַּדִּים בַּטַּבָּעֹת עַל צַלְעֹת הָאָרֹן לָשֵׂאת אֶת־הָאָרֹן[a]׃ 6 וַיַּעַשׂ 6
כַּפֹּרֶת זָהָב טָהוֹר אַמָּתַיִם וָחֵצִי אָרְכָּהּ[a] וְאַמָּה וָחֵצִי רָחְבָּהּ[b]׃ 7 וַיַּעַשׂ 7
שְׁנֵי כְרֻבִים זָהָב מִקְשָׁה עָשָׂה אֹתָם מִשְּׁנֵי קְצוֹת הַכַּפֹּרֶת׃ 8 כְּרוּב־ 8
אֶחָד מִקָּצָה מִזֶּה וּכְרוּב־אֶחָד מִקָּצָה מִזֶּה מִן־הַכַּפֹּרֶת עָשָׂה אֶת־
קצותיו ק חד מן יא[2] כת תרי ו. ב הַכְּרֻבִים מִשְּׁנֵי קְצוֹוֹתָו׃ 9 וַיִּהְיוּ[a] הַכְּרֻבִים פֹּרְשֵׂי כְנָפַיִם לְמַעְלָה 9
יד פסוק על אל אל[3]. ט. ב סֹכְכִים בְּכַנְפֵיהֶם עַל־הַכַּפֹּרֶת וּפְנֵיהֶם [b]אִישׁ אֶל־אָחִיו[b] אֶל־הַכַּפֹּרֶת
הָיוּ פְּנֵי הַכְּרֻבִים׃ פ 10 וַיַּעַשׂ אֶת־הַשֻּׁלְחָן עֲצֵי שִׁטִּים אַמָּתַיִם 10
אָרְכּוֹ וְאַמָּה רָחְבּוֹ וְאַמָּה וָחֵצִי קֹמָתוֹ׃ 11 וַיְצַף אֹתוֹ זָהָב טָהוֹר וַיַּעַשׂ 11
לוֹ זֵר זָהָב סָבִיב׃ 12 וַיַּעַשׂ לוֹ מִסְגֶּרֶת טֹפַח סָבִיב וַיַּעַשׂ זֵר־זָהָב 12
לְמִסְגַּרְתּוֹ סָבִיב׃ 13 וַיִּצֹק לוֹ[a] אַרְבַּע טַבְּעֹת זָהָב וַיִּתֵּן אֶת־הַטַּבָּעֹת 13

[23] Mm 637. [24] Mm 638. [25] Mm 2897. **Cp 37** [1] Mm 639. [2] Mm 648. [3] Mm 4093.

32 [a] 𝔊 mlt Mss 𝔐𝔗[J] + צֶלַע ut 26,27 ‖ **35** [a–a] 𝔐 פ׳ ‖ [b] 𝔊 mlt Mss אתם ‖ **Cp 37,5** [a] 𝔊 *αὐτὴν ἐν αὐτοῖς*, 𝔐 + בָּהֶם ‖ **6** [a] 𝔐 ארכוֹ ‖ [b] 𝔐 רחבוֹ ‖ **9** [a] 𝔊𝔐 וְהָיוּ ‖ [b–b] 𝔐 אֶחָד אֶל־אֶחָד ‖ **13** [a] > 𝔐.

14 עַל אַרְבַּע הַפֵּאֹת אֲשֶׁר לְאַרְבַּע רַגְלָיו׃ 14 לְעֻמַּת הַמִּסְגֶּרֶת הָיוּ ב וחס
15 הַטַּבָּעֹת בָּתִּים לַבַּדִּים לָשֵׂאת אֶת־הַשֻּׁלְחָן׃ 15 וַיַּעַשׂ אֶת־הַבַּדִּים כד . ג[4]
16 עֲצֵי שִׁטִּים וַיְצַף אֹתָם זָהָב לָשֵׂאת אֶת־הַשֻּׁלְחָן׃ 16 וַיַּעַשׂ [a]אֶת־ כד . יד פסוק את את ואת ואת ואת
הַכֵּלִים | אֲשֶׁר עַל־הַשֻּׁלְחָן[a] אֶת־קְעָרֹתָיו וְאֶת־כַּפֹּתָיו וְאֵת מְנַקִּיֹּתָיו
17 וְאֶת־הַקְּשָׂוֹת אֲשֶׁר יֻסַּךְ בָּהֵן[b] זָהָב טָהוֹר׃ פ 17 וַיַּעַשׂ אֶת־ ב . הׄ[5]
הַמְּנֹרָה זָהָב טָהוֹר מִקְשָׁה עָשָׂה אֶת־הַמְּנֹרָה [a]יְרֵכָהּ וְקָנָהּ[a] גְּבִיעֶיהָ
18 כַּפְתֹּרֶיהָ וּפְרָחֶיהָ מִמֶּנָּה הָיוּ׃ 18 וְשִׁשָּׁה קָנִים יֹצְאִים מִצִּדֶּיהָ שְׁלֹשָׁה | כל אורית חס
19 קְנֵי מְנֹרָה מִצִּדָּהּ הָאֶחָד וּשְׁלֹשָׁה קְנֵי מְנֹרָה מִצִּדָּהּ הַשֵּׁנִי׃ 19 שְׁלֹשָׁה ד כת י
גְבִעִים מְשֻׁקָּדִים בַּקָּנֶה הָאֶחָד כַּפְתֹּר וָפֶרַח וּשְׁלֹשָׁה גְבִעִים מְשֻׁקָּדִים
בְּקָנֶה[a] אֶחָד[b] כַּפְתֹּר וָפָרַח כֵּן לְשֵׁשֶׁת הַקָּנִים הַיֹּצְאִים מִן־הַמְּנֹרָה׃ ג[6]
20 וּבַמְּנֹרָה אַרְבָּעָה גְבִעִים מְשֻׁקָּדִים כַּפְתֹּרֶיהָ וּפְרָחֶיהָ׃ 21 וְכַפְתֹּר ב[7]
תַּחַת שְׁנֵי הַקָּנִים מִמֶּנָּה וְכַפְתֹּר תַּחַת שְׁנֵי הַקָּנִים מִמֶּנָּה וְכַפְתֹּר תַּחַת־
22 שְׁנֵי הַקָּנִים מִמֶּנָּה לְשֵׁשֶׁת הַקָּנִים הַיֹּצְאִים מִמֶּנָּה[a]׃ 22 כַּפְתֹּרֵיהֶם ל
23 וּקְנֹתָם מִמֶּנָּה הָיוּ כֻּלָּהּ מִקְשָׁה אַחַת[a] זָהָב טָהוֹר׃ 23 וַיַּעַשׂ אֶת־נֵרֹתֶיהָ
24 שִׁבְעָה וּמַלְקָחֶיהָ וּמַחְתֹּתֶיהָ זָהָב טָהוֹר׃ 24 כִּכָּר[a] זָהָב טָהוֹר עָשָׂה
25 אֹתָהּ וְאֵת כָּל־כֵּלֶיהָ׃ פ 25 וַיַּעַשׂ אֶת־מִזְבַּח הַקְּטֹרֶת עֲצֵי שִׁטִּים
אַמָּה אָרְכּוֹ וְאַמָּה רָחְבּוֹ רָבוּעַ וְאַמָּתַיִם קֹמָתוֹ מִמֶּנּוּ הָיוּ קַרְנֹתָיו׃
26 וַיְצַף אֹתוֹ זָהָב טָהוֹר אֶת־גַּגּוֹ וְאֶת־קִירֹתָיו סָבִיב וְאֶת־קַרְנֹתָיו ד[8] . ד[9]
27 וַיַּעַשׂ לוֹ זֵר זָהָב סָבִיב׃ 27 וּשְׁתֵּי טַבְּעֹת זָהָב עָשָׂה־לוֹ | מִתַּחַת לְזֵרוֹ ב
עַל שְׁתֵּי צַלְעֹתָיו עַל שְׁנֵי צִדָּיו לְבָתִּים לְבַדִּים לָשֵׂאת אֹתוֹ בָּהֶם׃ כד
28 וַיַּעַשׂ אֶת־הַבַּדִּים עֲצֵי שִׁטִּים וַיְצַף אֹתָם זָהָב׃ 29 וַיַּעַשׂ אֶת־שֶׁמֶן ג
הַמִּשְׁחָה קֹדֶשׁ וְאֶת־קְטֹרֶת הַסַּמִּים טָהוֹר מַעֲשֵׂה רֹקֵחַ׃ פ
38 1 וַיַּעַשׂ אֶת־מִזְבַּח הָעֹלָה עֲצֵי שִׁטִּים חָמֵשׁ אַמּוֹת אָרְכּוֹ[a]
2 וְחָמֵשׁ־אַמּוֹת רָחְבּוֹ[b] רָבוּעַ[c] וְשָׁלֹשׁ אַמּוֹת קֹמָתוֹ׃ 2 וַיַּעַשׂ קַרְנֹתָיו עַל
3 אַרְבַּע פִּנֹּתָיו מִמֶּנּוּ הָיוּ קַרְנֹתָיו וַיְצַף אֹתוֹ נְחֹשֶׁת׃ 3 וַיַּעַשׂ אֶת־כָּל־

[4]Mp sub loco. [5]Mm 640. [6]Mm 298. [7]Ex 25,34. [8]Mm 641. [9]Mm 642.

16 [a–a] > 25,29 ‖ [b] ⅏ בָּהֶם ‖ **17** [a–a] ⅏ ירכיה קָנֶיהָ ‖ **19** [a] ℭ בַּקָ׳ cf ⅏ ‖ [b] ⅏ הָאֶ׳ ‖ **21** [a] nonn Mss 𝔖 מִן־הַמְּנוֹרָה ‖ **22** [a] ⅏ אֶחָד ‖ **24** [a] mlt Mss כִּכַּר ‖ **Cp 38,1** [a] ⅏ אֹרֶךְ ‖ [b] ⅏ רֹחַב ‖ [c] > pc Mss ⅏.

כְּלֵי הַמִּזְבֵּחַ אֶת־הַסִּירֹת וְאֶת־הַיָּעִים וְאֶת־הַמִּזְרָקֹת אֶתᵃ־הַמִּזְלָגֹת
4 וְאֶת־הַמַּחְתֹּת כָּל־כֵּלָיו עָשָׂה נְחֹשֶׁת׃ 4 וַיַּעַשׂ לַמִּזְבֵּחַ מִכְבָּר מַעֲשֵׂה
5 רֶשֶׁת נְחֹשֶׁת תַּחַת כַּרְכֻּבּוֹ מִלְּמַטָּה עַד־חֶצְיוֹ׃ 5 וַיִּצֹק אַרְבַּע טַבָּעֹת
6 בְּאַרְבַּע הַקְּצָוֺת לְמִכְבַּר הַנְּחֹשֶׁת בָּתִּים לַבַּדִּים׃ 6 וַיַּעַשׂ אֶת־הַבַּדִּים
7 עֲצֵי שִׁטִּים וַיְצַף אֹתָם נְחֹשֶׁת׃ 7 וַיָּבֵא אֶת־הַבַּדִּים בַּטַּבָּעֹת עַל
צַלְעֹת הַמִּזְבֵּחַ לָשֵׂאת אֹתוֹ בָּהֶם נְבוּב לֻחֹת עָשָׂה אֹתוֹ׃ ס
8 וַיַּעַשׂ אֵת הַכִּיּוֹר נְחֹשֶׁת וְאֵת כַּנּוֹ נְחֹשֶׁת בְּמַרְאֹת הַצֹּבְאֹת אֲשֶׁר צָבְאוּ
9 פֶּתַח אֹהֶל מוֹעֵד׃ ס 9 וַיַּעַשׂ אֶת־הֶחָצֵר לִפְאַת ׀ נֶגֶב תֵּימָנָה
10 קַלְעֵי הֶחָצֵר שֵׁשׁ מָשְׁזָר מֵאָה בָּאַמָּהᵃ׃ 10 עַמּוּדֵיהֶם עֶשְׂרִים וְאַדְנֵיהֶם
11 עֶשְׂרִים נְחֹשֶׁתᵃ וָוֵי הָעַמֻּדִים וַחֲשֻׁקֵיהֶם כָּסֶף׃ 11 וְלִפְאַת צָפוֹן מֵאָה
בָאַמָּהᵃ עַמּוּדֵיהֶם עֶשְׂרִים וְאַדְנֵיהֶם עֶשְׂרִים נְחֹשֶׁת וָוֵי הָעַמּוּדִים
12 וַחֲשֻׁקֵיהֶם כָּסֶף׃ 12 וְלִפְאַת־יָם קְלָעִים חֲמִשִּׁים בָּאַמָּהᵃ עַמּוּדֵיהֶם
13 עֲשָׂרָה וְאַדְנֵיהֶם עֲשָׂרָה וָוֵי הָעַמֻּדִים וַחֲשׁוּקֵיהֶם כָּסֶף׃ 13 וְלִפְאַת
14 קֵדְמָה מִזְרָחָה חֲמִשִּׁים אַמָּה׃ 14 קְלָעִים חֲמֵשׁ־עֶשְׂרֵה אַמָּה אֶל־
15 הַכָּתֵף עַמּוּדֵיהֶם שְׁלֹשָׁה וְאַדְנֵיהֶם שְׁלֹשָׁה׃ 15 וְלַכָּתֵף הַשֵּׁנִית מִזֶּה
וּמִזֶּה לְשַׁעַר הֶחָצֵר קְלָעִים חֲמֵשׁ עֶשְׂרֵה אַמָּה עַמֻּדֵיהֶם שְׁלֹשָׁה
16 17 וְאַדְנֵיהֶם שְׁלֹשָׁה׃ 16 כָּל־קַלְעֵי הֶחָצֵר סָבִיב שֵׁשׁ מָשְׁזָר׃ 17 וְהָאֲדָנִים
לָעַמֻּדִים נְחֹשֶׁת ᵃוָוֵי הָעַמּוּדִים וַחֲשׁוּקֵיהֶםᵃ כֶּסֶף וְצִפּוּי רָאשֵׁיהֶם
18 כֶּסֶף וְהֵם מְחֻשָּׁקִים כֶּסֶף כֹּל עַמֻּדֵי הֶחָצֵר׃ 18 וּמָסַךְ שַׁעַר הֶחָצֵר
מַעֲשֵׂה רֹקֵם תְּכֵלֶת וְאַרְגָּמָן וְתוֹלַעַת שָׁנִי וְשֵׁשׁ מָשְׁזָר וְעֶשְׂרִים
אַמָּה אֹרֶךְ וְקוֹמָה בְרֹחַב חָמֵשׁ אַמּוֹת לְעֻמַּת קַלְעֵי הֶחָצֵר׃
19 וְעַמֻּדֵיהֶם אַרְבָּעָה וְאַדְנֵיהֶם אַרְבָּעָה נְחֹשֶׁת וָוֵיהֶם כֶּסֶף וְצִפּוּי
20 רָאשֵׁיהֶם וַחֲשֻׁקֵיהֶם כָּסֶף׃ 20 וְכָל־הַיְתֵדֹת ᵃלַמִּשְׁכָּן וְלֶחָצֵרᵃ סָבִיב
נְחֹשֶׁת׃ ס קכ״ב
ס פרש 21 אֵלֶּה פְקוּדֵי הַמִּשְׁכָּן מִשְׁכַּן הָעֵדֻת אֲשֶׁר פֻּקַּד עַל־פִּי מֹשֶׁה
22 עֲבֹדַת הַלְוִיִּם בְּיַד אִיתָמָר בֶּן־אַהֲרֹן הַכֹּהֵן׃ 22 וּבְצַלְאֵל בֶּן־אוּרִי

ב כת כן[1] . ב[2]
ל[3] . ב
ל
ל . ג
נא[4] יח מנה בתור וחד מן יח ר״פ
כד . ב
ג[5] מל בתור וכל נביא דכות ב מ ב . ד ב מל וב חס[6] . ב חד חס וחד מל[7]
יד
ד מל[8]
יא חס[9]
ד מל[8]
ד מל[8]
יא חס[9] . ב מל
ד מל[8]
ב חד חס וחד מל . ב מל . ה[10] ב מנה בליש . יג[11]
ב חס[12]
ה[10] ב מנה בליש
יג[11] . ח ר״פ בסיפ[13]
ה פסוק דמיין דאית בהון ב מילין חד קמ וחד פת[14] . ל
כל אורית חס . ל

Cp 38 [1]Mm 2196. [2]Mm 854. [3]Mm 959. [4]Mm 639. [5]Mm 582. [6]Mm 340. [7]Mm 1539. [8]Mm 643. [9]Mm 558. [10]Mm 644. [11]Mm 2897. [12]Nu 3,37. [13]Mm 645. [14]Mp sub loco.

3 ᵃ ℭ mlt Mss 𝔖𝔗^Mss𝔗^J וְאֵת || **9** ᵃ 𝔊 *ἐφ' ἑκατόν* = בְּמֵאָה || **10** ᵃ > ш || **11** ᵃ ut 9ᵃ || **12** ᵃ pc Mss ш א׳ || **17** ᵃ⁻ᵃ ш וָוֵיהֶם || **20** ᵃ⁻ᵃ 𝔊 *τῆς αὐλῆς*.

בֶּן־ח֖וּר לְמַטֵּ֣ה יְהוּדָ֑ה עָשָׂ֕ה אֵ֛ת כָּל־אֲשֶׁר־צִוָּ֥ה יְהוָ֖ה אֶת־מֹשֶֽׁה׃ ל
23 וְאִתּ֗וֹ אָֽהֳלִיאָ֛ב בֶּן־אֲחִיסָמָ֖ךְ לְמַטֵּה־דָ֑ן חָרָ֣שׁ וְחֹשֵׁ֗ב וְרֹקֵם֙ בַּתְּכֵ֣לֶת
24 וּבָֽאַרְגָּמָ֔ן וּבְתוֹלַ֥עַת הַשָּׁנִ֖י וּבַשֵּֽׁשׁ׃ ס 24 כָּל־הַזָּהָב[a] הֶֽעָשׂוּי֙ ו. ב[15]
לַמְּלָאכָ֔ה בְּכֹ֖ל מְלֶ֣אכֶת הַקֹּ֑דֶשׁ וַיְהִ֣י׀ זְהַ֣ב הַתְּנוּפָ֗ה תֵּ֤שַׁע וְעֶשְׂרִים֙ ב. ד
25 כִּכָּ֔ר וּשְׁבַ֤ע מֵאוֹת֙ וּשְׁלֹשִׁ֣ים שֶׁ֔קֶל בְּשֶׁ֖קֶל הַקֹּֽדֶשׁ׃ 25 וְכֶ֛סֶף פְּקוּדֵ֥י
הָעֵדָ֖ה מְאַ֣ת כִּכָּ֑ר וְ֠אֶלֶף וּשְׁבַ֨ע מֵא֜וֹת וַחֲמִשָּׁ֧ה וְשִׁבְעִ֛ים שֶׁ֖קֶל [a]בְּשֶׁ֥קֶל ב
26 הַקֹּֽדֶשׁ[a]׃ 26 בֶּ֚קַע לַגֻּלְגֹּ֔לֶת מַחֲצִ֥ית הַשֶּׁ֖קֶל בְּשֶׁ֣קֶל הַקֹּ֑דֶשׁ לְכֹ֨ל הָעֹבֵ֜ר ב. ג
עַל־הַפְּקֻדִ֗ים מִבֶּ֨ן עֶשְׂרִ֤ים שָׁנָה֙ וָמַ֔עְלָה לְשֵׁשׁ־מֵא֥וֹת אֶ֙לֶף֙ וּשְׁלֹ֣שֶׁת
27 אֲלָפִ֔ים וַחֲמֵ֥שׁ מֵא֖וֹת וַחֲמִשִּֽׁים׃ 27 וַיְהִ֗י מְאַת֮ כִּכַּ֣ר הַכֶּסֶף֒ לָצֶ֗קֶת
אֵ֚ת אַדְנֵ֣י הַקֹּ֔דֶשׁ וְאֵ֖ת אַדְנֵ֣י הַפָּרֹ֑כֶת מְאַ֧ת אֲדָנִ֛ים[a] לִמְאַ֥ת הַכִּכָּ֖ר ב. ב[16]
28 כִּכָּ֥ר לָאָֽדֶן׃ 28 וְאֶת־הָאֶ֜לֶף וּשְׁבַ֤ע הַמֵּאוֹת֙ וַחֲמִשָּׁ֣ה וְשִׁבְעִ֔ים עָשָׂ֥ה ל. ג[17]. ב
29 וָוִ֖ים לָעַמּוּדִ֑ים וְצִפָּ֥ה רָאשֵׁיהֶ֖ם וְחִשַּׁ֥ק אֹתָֽם׃ 29 וּנְחֹ֥שֶׁת הַתְּנוּפָ֖ה ב חד חס וחד מל . יג[18]
30 שִׁבְעִ֣ים כִּכָּ֑ר וְאַלְפַּ֥יִם וְאַרְבַּע־מֵא֖וֹת שָֽׁקֶל׃ 30 וַיַּ֣עַשׂ בָּ֗הּ אֶת־אַדְנֵי֙ ל. ב
פֶּ֚תַח אֹ֣הֶל מוֹעֵ֔ד וְאֵת֙ מִזְבַּ֣ח הַנְּחֹ֔שֶׁת וְאֶת־מִכְבַּ֥ר הַנְּחֹ֖שֶׁת אֲשֶׁר־ל֑וֹ ט. ב בתור
31 וְאֵ֖ת כָּל־כְּלֵ֥י הַמִּזְבֵּֽחַ׃ 31 וְאֶת־אַדְנֵ֤י הֶֽחָצֵר֙ סָבִ֔יב וְאֶת־אַדְנֵ֖י שַׁ֣עַר כו פסוק ואת ואת ואת ואת
הֶחָצֵ֑ר וְאֵ֨ת כָּל־יִתְדֹ֧ת הַמִּשְׁכָּ֛ן וְאֶת־כָּל־יִתְדֹ֥ת הֶחָצֵ֖ר סָבִֽיב׃

39 1 וּמִן־הַתְּכֵ֤לֶת וְהָֽאַרְגָּמָן֙ וְתוֹלַ֣עַת הַשָּׁנִ֔י עָשׂ֥וּ בִגְדֵי־שְׂרָ֖ד ו. ל
לְשָׁרֵ֣ת בַּקֹּ֑דֶשׁ וַֽיַּעֲשׂ֞וּ אֶת־בִּגְדֵ֤י הַקֹּ֙דֶשׁ֙ אֲשֶׁ֣ר לְאַהֲרֹ֔ן כַּאֲשֶׁ֛ר צִוָּ֥ה
2 יְהוָ֖ה אֶת־מֹשֶֽׁה׃ פ 2 וַיַּ֖עַשׂ[a] אֶת־הָאֵפֹ֑ד זָהָ֗ב תְּכֵ֧לֶת וְאַרְגָּמָ֛ן
3 וְתוֹלַ֥עַת שָׁנִ֖י וְשֵׁ֥שׁ מָשְׁזָֽר׃ 3 וַֽיְרַקְּע֞וּ אֶת־פַּחֵ֣י הַזָּהָב֮ וְקִצֵּ֣ץ[a] פְּתִילִם֒ ב
לַעֲשׂ֗וֹת בְּת֤וֹךְ הַתְּכֵ֙לֶת֙ וּבְת֣וֹךְ הָֽאַרְגָּמָ֔ן וּבְת֖וֹךְ תּוֹלַ֣עַת הַשָּׁנִ֑י וּבְת֥וֹךְ יח פסוק דמיין[1]. ו. ל
4 הַשֵּׁ֖שׁ מַעֲשֵׂ֥ה חֹשֵֽׁב׃ 4 כְּתֵפֹ֥ת עָֽשׂוּ־ל֖וֹ חֹֽבְרֹ֑ת עַל־שְׁנֵ֥י קְצוֹוֺתָ֖ו חֻבָּֽר׃ קצותיו ק חד מן יא[2] כת תרי ו. ל
5 וְחֵ֨שֶׁב אֲפֻדָּת֜וֹ אֲשֶׁ֣ר עָלָ֗יו מִמֶּ֣נּוּ הוּא֙ כְּמַעֲשֵׂ֔הוּ זָהָ֕ב תְּכֵ֥לֶת וְאַרְגָּמָ֖ן
6 וְתוֹלַ֣עַת שָׁנִ֑י וְשֵׁ֖שׁ מָשְׁזָ֑ר כַּאֲשֶׁ֛ר צִוָּ֥ה יְהוָ֖ה אֶת־מֹשֶֽׁה׃ 6 וַֽיַּעֲשׂוּ֙[a]
אֶת־אַבְנֵ֣י הַשֹּׁ֔הַם מֻסַבֹּ֖ת מִשְׁבְּצֹ֣ת זָהָ֑ב מְפֻתָּחֹת֙ פִּתּוּחֵ֣י חוֹתָ֔ם עַל־
7 שְׁמ֖וֹת בְּנֵ֥י יִשְׂרָאֵֽל׃ 7 וַיָּ֣שֶׂם[a] אֹתָ֗ם עַ֚ל כִּתְפֹ֣ת הָֽאֵפֹ֔ד אַבְנֵ֥י זִכָּר֖וֹן פד לג מנה בתור

[15] Ex 3,16. [16] Mm 4223. [17] Mm 646. [18] Mm 2897. **Cp 39** [1] Mm 647 et Mm 3911. [2] Mm 648.

24 [a] ⅏ זָ' ‖ **25** [a–a] > ⅏𝔊 ‖ **27** [a] ⅏ הָאֶ' ‖ **Cp 39,2** [a] ⅏𝔖 ־ֲשׂוּ ‖ **3** [a] ⅏𝔖𝔗[J] וְקִצְּצוּ ‖ **6** [a] 2 Mss 𝔙 ־ֲשׂ ‖ **7** [a] ⅏𝔖 וישׂמו.

לִבְנֵי יִשְׂרָאֵל כַּאֲשֶׁר צִוָּה יְהוָה אֶת־מֹשֶׁה׃ פ 8 וַיַּעַשׂ[a] אֶת־ 8
הַחֹשֶׁן מַעֲשֵׂה חֹשֵׁב כְּמַעֲשֵׂה אֵפֹד[b] זָהָב תְּכֵלֶת וְאַרְגָּמָן וְתוֹלַעַת שָׁנִי
וְשֵׁשׁ מָשְׁזָר׃ 9 רָבוּעַ הָיָה כָּפוּל עָשׂוּ[a] אֶת־הַחֹשֶׁן זֶרֶת אָרְכּוֹ וְזֶרֶת 9
רָחְבּוֹ כָּפוּל[b]׃ 10 וַיְמַלְאוּ־בוֹ אַרְבָּעָה טוּרֵי אָבֶן טוּר אֹדֶם פִּטְדָה 10
וּבָרֶקֶת הַטּוּר הָאֶחָד׃ 11 וְהַטּוּר הַשֵּׁנִי נֹפֶךְ סַפִּיר וְיָהֲלֹם[a]׃ 12 וְהַטּוּר 11 12
הַשְּׁלִישִׁי לֶשֶׁם שְׁבוֹ וְאַחְלָמָה׃ 13 וְהַטּוּר הָרְבִיעִי תַּרְשִׁישׁ שֹׁהַם 13
וְיָשְׁפֵה מוּסַבֹּת מִשְׁבְּצוֹת זָהָב בְּמִלֻּאֹתָם׃ 14 וְהָאֲבָנִים עַל־שְׁמֹת בְּנֵי־ 14
יִשְׂרָאֵל הֵנָּה שְׁתֵּים עֶשְׂרֵה עַל־שְׁמֹתָם פִּתּוּחֵי חֹתָם אִישׁ עַל־שְׁמוֹ
לִשְׁנֵים עָשָׂר שָׁבֶט׃ 15 וַיַּעֲשׂוּ עַל־הַחֹשֶׁן שַׁרְשְׁרֹת גַּבְלֻת מַעֲשֵׂה עֲבֹת 15
זָהָב טָהוֹר׃ 16 וַיַּעֲשׂוּ שְׁתֵּי מִשְׁבְּצֹת זָהָב וּשְׁתֵּי טַבְּעֹת זָהָב וַיִּתְּנוּ אֶת־ 16
שְׁתֵּי הַטַּבָּעֹת עַל־שְׁנֵי קְצוֹת הַחֹשֶׁן׃ 17 וַיִּתְּנוּ שְׁתֵּי הָעֲבֹתֹת[a] הַזָּהָב 17
עַל־שְׁתֵּי הַטַּבָּעֹת עַל־קְצוֹת הַחֹשֶׁן׃ 18 וְאֵת שְׁתֵּי קְצוֹת שְׁתֵּי הָעֲבֹתֹת 18
נָתְנוּ עַל־שְׁתֵּי הַמִּשְׁבְּצֹת וַיִּתְּנֻם עַל־כִּתְפֹת הָאֵפֹד אֶל־מוּל פָּנָיו׃
19 וַיַּעֲשׂוּ שְׁתֵּי טַבְּעֹת זָהָב וַיָּשִׂימוּ עַל־שְׁנֵי קְצוֹת הַחֹשֶׁן עַל־שְׂפָתוֹ 19
אֲשֶׁר אֶל־עֵבֶר הָאֵפֹד בָּיְתָה׃ 20 וַיַּעֲשׂוּ שְׁתֵּי טַבְּעֹת זָהָב וַיִּתְּנֻם עַל־ 20
שְׁתֵּי כִתְפֹת הָאֵפֹד מִלְּמַטָּה מִמּוּל פָּנָיו לְעֻמַּת מֶחְבַּרְתּוֹ מִמַּעַל
לְחֵשֶׁב הָאֵפֹד׃ 21 וַיִּרְכְּסוּ אֶת־הַחֹשֶׁן מִטַּבְּעֹתָיו אֶל־טַבְּעֹת הָאֵפֹד 21
בִּפְתִיל תְּכֵלֶת לִהְיֹת עַל־חֵשֶׁב הָאֵפֹד וְלֹא־יִזַּח הַחֹשֶׁן מֵעַל הָאֵפֹד
כַּאֲשֶׁר צִוָּה יְהוָה אֶת־מֹשֶׁה[a]׃ 22 וַיַּעַשׂ[a] אֶת־[b]מְעִיל הָאֵפֹד[b] מַעֲשֵׂה 22
אֹרֵג כְּלִיל תְּכֵלֶת׃ 23 וּפִי־הַמְּעִיל בְּתוֹכוֹ כְּפִי תַחְרָא שָׂפָה לְפִיו 23
סָבִיב לֹא יִקָּרֵעַ׃ 24 וַיַּעֲשׂוּ עַל־שׁוּלֵי הַמְּעִיל רִמּוֹנֵי תְּכֵלֶת וְאַרְגָּמָן 24
וְתוֹלַעַת שָׁנִי[a] מָשְׁזָר׃ 25 וַיַּעֲשׂוּ פַעֲמֹנֵי זָהָב טָהוֹר וַיִּתְּנוּ אֶת־הַפַּעֲמֹנִים 25
בְּתוֹךְ הָרִמֹּנִים עַל־שׁוּלֵי הַמְּעִיל סָבִיב בְּתוֹךְ הָרִמֹּנִים׃ 26 פַּעֲמֹן[a] 26
וְרִמֹּן פַּעֲמֹן וְרִמֹּן עַל־שׁוּלֵי הַמְּעִיל סָבִיב לְשָׁרֵת כַּאֲשֶׁר צִוָּה יְהוָה
אֶת־מֹשֶׁה׃ ס 27 וַיַּעֲשׂוּ אֶת־הַכָּתְנֹת שֵׁשׁ מַעֲשֵׂה אֹרֵג לְאַהֲרֹן 27

ג̇[3]
ב̇ . ג̇[4]
ב̇
ג̇ . ב̇ כת̇ כן . ב̇ חד מל̇ וחד חס̇ . ג̇ חס̇ בסיפ̇
ב̇
יד̇ זוגין[5]
ל̇ . ו̇ וכל ואת שתי הכלית דכות[6]
ג̇ ב̇ חס̇ וחד מל̇[7]
ל̇ה
ח̇[8] . ג̇ ב̇ חס̇ וחד מל̇[7]
ל̇
ח̇ חס̇ בליש̇[9] . ב̇
ג̇[10] . ב̇
ב̇ חד מל̇ וחד חס̇
ט̇ חס̇[11] . ט̇ חס̇[11]
ל̇

[3] Mm 649. [4] Mm 650. [5] Mm 565. [6] Mm 124. [7] Mm 652. [8] Mm 651. [9] Mm 725. [10] Mm 566. [11] Mm 653.

8 [a] ut 2[a] ‖ [b] ⅏𝔊 הָא׳ ‖ **9** [a] ⅏ עָשָׂה ‖ [b] > ⅏ ‖ **11** [a] sic L, mlt Mss Edd וְיַהֲ׳ ‖ **17** [a] ⅏ ע׳ ‖ **21** [a] ⅏ + וַיַּעֲשׂוּ אֶת־הָאֻרִים וְאֶת־הַתֻּמִּים כַּאֲשֶׁר צִוָּה יהוה אֶת־מֹשֶׁה ‖ **22** [a] ut 2[a] ‖ [b–b] ⅏ הַמְּ׳ ‖ **24** [a] pc Mss ⅏𝔊𝔖𝔙 + וְשֵׁשׁ ‖ **26** [a] ⅏ + זָהָב cf 𝔊𝔖𝔙.

28 וּלְבָנָיו׃ 28 וְאֵת הַמִּצְנֶפֶת שֵׁשׁ וְאֶת־פַּאֲרֵי הַמִּגְבָּעֹת שֵׁשׁ וְאֶת־מִכְנְסֵי ב̇[12]
29 הַבָּד שֵׁשׁ מָשְׁזָר׃ 29 וְאֶת־הָאַבְנֵט שֵׁשׁ מָשְׁזָר וּתְכֵלֶת[a] וְאַרְגָּמָן וְתוֹלַעַת ל̇
30 שְׁנִי מַעֲשֵׂה רֹקֵם כַּאֲשֶׁר צִוָּה יְהוָה אֶת־מֹשֶׁה׃ ס 30 וַיַּעֲשׂוּ אֶת־
צִיץ נֵזֶר־הַקֹּדֶשׁ זָהָב טָהוֹר וַיִּכְתְּבוּ עָלָיו מִכְתַּב פִּתּוּחֵי חוֹתָם קֹדֶשׁ
31 לַיהוָה׃ 31 וַיִּתְּנוּ עָלָיו פְּתִיל תְּכֵלֶת לָתֵת עַל־הַמִּצְנֶפֶת מִלְמָעְלָה
כַּאֲשֶׁר צִוָּה יְהוָה אֶת־מֹשֶׁה׃ ס
32 וַתֵּכֶל כָּל־עֲבֹדַת מִשְׁכַּן אֹהֶל מוֹעֵד וַיַּעֲשׂוּ בְּנֵי יִשְׂרָאֵל [a]כְּכֹל ל̇. כל אורית חס
ס[לג] אֲשֶׁר[a] צִוָּה יְהוָה אֶת־מֹשֶׁה [b]כֵּן עָשׂוּ[b]׃ פ 33 וַיָּבִיאוּ [a]אֶת־הַמִּשְׁכָּן[a] ל̇ו
אֶל־מֹשֶׁה אֶת־הָאֹהֶל וְאֶת־כָּל־כֵּלָיו קְרָסָיו קְרָשָׁיו בְּרִיחָו וְעַמֻּדָיו בריחיו חד מן ב̇[13] ק̇ חס בליש
34 וַאֲדָנָיו׃ 34 וְאֶת־מִכְסֵה עוֹרֹת הָאֵילִם הַמְאָדָּמִים וְאֶת־מִכְסֵה עֹרֹת ל̇ כת כן. ל̇
35 הַתְּחָשִׁים וְאֵת פָּרֹכֶת הַמָּסָךְ׃ 35 אֶת־[a]אֲרוֹן הָעֵדֻת וְאֶת־בַּדָּיו וְאֵת ב̇[14]. ו̇ ר״פ את ואת ואת[15]. יב̇[16]. ד̇[17]
36 37 הַכַּפֹּרֶת׃ 36 אֶת־הַשֻּׁלְחָן אֶת־כָּל־כֵּלָיו וְאֵת לֶחֶם הַפָּנִים׃ 37 אֶת־ ד̇ ר״פ את את ואת[15]. ב̇[18]. ב̇[19]. י̇. י̇ח פסוק את את ואת ואת
הַמְּנֹרָה הַטְּהֹרָה אֶת־[a]נֵרֹתֶיהָ נֵרֹת הַמַּעֲרָכָה וְאֶת־כָּל־כֵּלֶיהָ וְאֵת ז̇
38 שֶׁמֶן הַמָּאוֹר׃ 38 וְאֵת מִזְבַּח הַזָּהָב וְאֵת שֶׁמֶן הַמִּשְׁחָה וְאֵת קְטֹרֶת כ̇ו פסוק ואת ואת ואת ואת. ט̇. ז̇
39 הַסַּמִּים וְאֵת מָסַךְ פֶּתַח הָאֹהֶל׃ 39 אֵת ׀ מִזְבַּח הַנְּחֹשֶׁת וְאֶת־מִכְבַּר ב̇ בתור
הַנְּחֹשֶׁת אֲשֶׁר־לוֹ אֶת־בַּדָּיו וְאֶת־כָּל־כֵּלָיו אֶת־הַכִּיֹּר וְאֶת־כַּנּוֹ׃
40 אֵת קַלְעֵי הֶחָצֵר אֶת־[a]עַמֻּדֶיהָ וְאֶת־אֲדָנֶיהָ וְאֶת־הַמָּסָךְ לְשַׁעַר ד̇
הֶחָצֵר אֶת־מֵיתָרָיו[b] וִיתֵדֹתֶיהָ וְאֵת כָּל־כְּלֵי עֲבֹדַת הַמִּשְׁכָּן לְאֹהֶל כל אורית חס. ה̇
41 מוֹעֵד׃ 41 אֶת־[a]בִּגְדֵי הַשְּׂרָד לְשָׁרֵת בַּקֹּדֶשׁ אֶת־[b]בִּגְדֵי הַקֹּדֶשׁ ד̇ ר״פ את את ואת[15]
42 לְאַהֲרֹן הַכֹּהֵן וְאֶת־בִּגְדֵי בָנָיו לְכַהֵן׃ 42 כְּכֹל אֲשֶׁר־צִוָּה יְהוָה אֶת־ ז̇[20]
43 מֹשֶׁה כֵּן עָשׂוּ בְּנֵי יִשְׂרָאֵל אֵת כָּל־הָעֲבֹדָה׃ 43 וַיַּרְא מֹשֶׁה אֶת־
כָּל־הַמְּלָאכָה וְהִנֵּה עָשׂוּ אֹתָהּ כַּאֲשֶׁר צִוָּה יְהוָה כֵּן עָשׂוּ וַיְבָרֶךְ ה̇ בתור
אֹתָם מֹשֶׁה׃ פ
40 1 וַיְדַבֵּר יְהוָה אֶל־מֹשֶׁה לֵּאמֹר׃ 2 בְּיוֹם־הַחֹדֶשׁ הָרִאשׁוֹן סד̇
3 בְּאֶחָד לַחֹדֶשׁ תָּקִים אֶת־מִשְׁכַּן[a] אֹהֶל מוֹעֵד׃ 3 וְשַׂמְתָּ שָׁם אֵת אֲרוֹן יב̇[1]

[12] Ez 44,18. [13] Mm 619. [14] Mm 654. [15] Mm 2599. [16] Mm 853. [17] Mm 620. [18] Mm 655. [19] Mm 621. [20] Mm 2895. **Cp 40** [1] Mm 853.

29 [a] pc Mss ⅏𝔖𝔙 תּ׳ ∥ **32** [a–a] Ms ⅏𝔗[J] כָּא׳ ∥ [b–b] > pc Mss 𝔙 ∥ **33** [a–a] 𝔊 τὰς στολάς ∥ **35** [a] nonn Mss 𝔊𝔖𝔗[J] וְאת ∥ **37** [a] ℭ⅏𝔖𝔗[Ms]𝔗[J] וְאת ∥ **40** [a] ℭ ⅏𝔖𝔗[J]𝔙 וְאת ∥ [b] ⅏ ־רֶיהָ ∥ **41** [a] ℭ𝔖𝔙 וְאת ∥ [b] ⅏𝔖𝔗[Mss] וְאת ∥ **Cp 40,2** [a] ⅏ הַמִּשְׁכָּן, it 6[a].29[b]; > ℭ𝔊.

הָעֵדֻ֑ות וְסַכֹּתָ֥ עַל־הָאָרֹ֖ן אֶת־הַפָּרֹֽכֶת[a]׃ 4 וְהֵבֵאתָ֙ אֶת־הַשֻּׁלְחָ֔ן 4
וְעָרַכְתָּ֖ אֶת־עֶרְכֹּ֑ו וְהֵבֵאתָ֙ אֶת־הַמְּנֹרָ֔ה וְהַעֲלֵיתָ֖ אֶת־נֵרֹתֶֽיהָ׃ 5 וְנָתַתָּ֞ה 5
אֶת־מִזְבַּ֤ח הַזָּהָב֙ לִקְטֹ֔רֶת לִפְנֵ֖י אֲרֹ֣ון הָעֵדֻ֑ת וְשַׂמְתָּ֛ אֶת־מָסַ֥ךְ הַפֶּ֖תַח
לַמִּשְׁכָּֽן׃ 6 וְנָ֣תַתָּ֔ה אֵ֖ת מִזְבַּ֣ח הָעֹלָ֑ה לִפְנֵ֕י פֶּ֖תַח מִשְׁכַּ֥ן[a] אֹֽהֶל־מֹועֵֽד׃ 6
7 וְנָתַתָּ֙ אֶת־הַכִּיֹּ֔ר בֵּין־אֹ֥הֶל מֹועֵ֖ד וּבֵ֣ין הַמִּזְבֵּ֑חַ וְנָתַתָּ֥ שָׁ֖ם מָֽיִם׃ 7
8 וְשַׂמְתָּ֥ אֶת־הֶחָצֵ֖ר סָבִ֑יב וְנָ֣תַתָּ֔ אֶת־מָסַ֖ךְ שַׁ֥עַר הֶחָצֵֽר׃ 9 וְלָקַחְתָּ֙ 8 9
אֶת־שֶׁ֣מֶן הַמִּשְׁחָ֔ה וּמָשַׁחְתָּ֥ אֶת־הַמִּשְׁכָּ֖ן וְאֶת־כָּל־אֲשֶׁר־בֹּ֑ו וְקִדַּשְׁתָּ֥
אֹתֹ֛ו וְאֶת־כָּל־כֵּלָ֖יו וְהָ֥יָה קֹֽדֶשׁ׃ 10 וּמָשַׁחְתָּ֛ אֶת־מִזְבַּ֥ח הָעֹלָ֖ה וְאֶת־ 10
כָּל־כֵּלָ֑יו וְקִדַּשְׁתָּ֙ אֶת־הַמִּזְבֵּ֔חַ וְהָיָ֥ה הַמִּזְבֵּ֖חַ קֹ֥דֶשׁ קָֽדָשִֽׁים׃ 11 וּמָשַׁחְתָּ֥ 11
אֶת־הַכִּיֹּ֖ר וְאֶת־כַּנֹּ֑ו וְקִדַּשְׁתָּ֖ אֹתֹֽו׃ 12 וְהִקְרַבְתָּ֤ אֶת־אַהֲרֹן֙ וְאֶת־בָּנָ֔יו 12
אֶל־פֶּ֖תַח אֹ֣הֶל מֹועֵ֑ד וְרָחַצְתָּ֥ אֹתָ֖ם בַּמָּֽיִם׃ 13 וְהִלְבַּשְׁתָּ֙ אֶֽת־אַהֲרֹ֔ן 13
אֵ֖ת בִּגְדֵ֣י הַקֹּ֑דֶשׁ וּמָשַׁחְתָּ֥ אֹתֹ֛ו וְקִדַּשְׁתָּ֥ אֹתֹ֖ו וְכִהֵ֥ן לִֽי׃ 14 וְאֶת־בָּנָ֖יו 14
תַּקְרִ֑יב וְהִלְבַּשְׁתָּ֥ אֹתָ֖ם כֻּתֳּנֹֽת׃ 15 וּמָשַׁחְתָּ֣ אֹתָ֗ם כַּאֲשֶׁ֤ר מָשַׁ֙חְתָּ֙ אֶת־ 15
אֲבִיהֶ֔ם וְכִהֲנ֖וּ לִ֑י וְ֠הָיְתָה לִהְיֹ֨ת לָהֶ֧ם מָשְׁחָתָ֛ם לִכְהֻנַּ֥ת עֹולָ֖ם לְדֹרֹתָֽם׃
16 וַיַּ֖עַשׂ מֹשֶׁ֑ה כְּ֠כֹל אֲשֶׁ֨ר צִוָּ֧ה יְהוָ֛ה אֹתֹ֖ו כֵּ֥ן עָשָֽׂה׃ ס 17 וַיְהִ֞י 16 17
בַּחֹ֧דֶשׁ הָרִאשֹׁ֛ון בַּשָּׁנָ֥ה הַשֵּׁנִ֖ית[a] בְּאֶחָ֣ד לַחֹ֑דֶשׁ הוּקַ֖ם הַמִּשְׁכָּֽן׃ 18 וַיָּ֨קֶם 18
מֹשֶׁ֜ה אֶת־הַמִּשְׁכָּ֗ן וַיִּתֵּן֙ אֶת־אֲדָנָ֔יו וַיָּ֙שֶׂם֙ אֶת־קְרָשָׁ֔יו וַיִּתֵּ֖ן אֶת־בְּרִיחָ֑יו
וַיָּ֖קֶם אֶת־עַמּוּדָֽיו׃ 19 וַיִּפְרֹ֤שׂ אֶת־הָאֹ֙הֶל֙[a] עַל־הַמִּשְׁכָּ֔ן וַיָּ֜שֶׂם אֶת־ 19
מִכְסֵ֥ה הָאֹ֛הֶל עָלָ֖יו מִלְמָ֑עְלָה כַּאֲשֶׁ֛ר צִוָּ֥ה יְהוָ֖ה אֶת־מֹשֶֽׁה׃ ס
20 וַיִּקַּ֞ח וַיִּתֵּ֤ן אֶת־הָעֵדֻת֙ אֶל־הָ֣אָרֹ֔ן וַיָּ֥שֶׂם אֶת־הַבַּדִּ֖ים עַל־הָאָרֹ֑ן 20
וַיִּתֵּ֧ן אֶת־הַכַּפֹּ֛רֶת עַל־הָאָרֹ֖ן מִלְמָֽעְלָה׃ 21 וַיָּבֵ֣א אֶת־הָאָרֹן֮ אֶל־ 21
הַמִּשְׁכָּן֒ וַיָּ֗שֶׂם אֵ֚ת פָּרֹ֣כֶת הַמָּסָ֔ךְ וַיָּ֕סֶךְ עַ֖ל אֲרֹ֣ון הָעֵד֑וּת כַּאֲשֶׁ֛ר צִוָּ֥ה
יְהוָ֖ה אֶת־מֹשֶֽׁה׃ ס 22 וַיִּתֵּ֤ן[a] אֶת־הַשֻּׁלְחָן֙ בְּאֹ֣הֶל מֹועֵ֔ד עַ֛ל יֶ֥רֶךְ 22
הַמִּשְׁכָּ֖ן צָפֹ֑נָה מִח֖וּץ לַפָּרֹֽכֶת׃ 23 וַיַּעֲרֹ֥ךְ עָלָ֛יו עֵ֥רֶךְ לֶ֖חֶם לִפְנֵ֣י יְהוָ֑ה 23
כַּאֲשֶׁ֛ר צִוָּ֥ה יְהוָ֖ה אֶת־מֹשֶֽׁה׃ ס 24 וַיָּ֤שֶׂם אֶת־הַמְּנֹרָה֙ בְּאֹ֣הֶל 24
מֹועֵ֔ד נֹ֖כַח הַשֻּׁלְחָ֑ן עַ֛ל יֶ֥רֶךְ הַמִּשְׁכָּ֖ן נֶֽגְבָּה׃ 25 וַיַּ֥עַל הַנֵּרֹ֖ת לִפְנֵ֣י 25

ח̇ מל̇ בתור̇[2]. יו̇ פסוק̇ את את את את
ג̇[3]. ל̇ וטעם באות ת. ה̇י מל̇ בסיפ̇[4]
יב̇[5]
ה̇י מל̇ בסיפ̇[4]. ב̇[6]
כט̇ חס̇[7]. כט̇ חס̇[7]. ז̇. ב̇
כט̇ חס̇[7]
יח̇ פסוק̇ את את ואת ואת
ב̇
ל̇[8]
ח̇ חס̇ בליש̇[9]. ב̇ בתרי̇ לישנ̇
סד̇. ג̇[10]. כ̇[11]
פ̇ד̇ ל̇ג̇ מנה̇ בתור̇
כ̇[11]. ד̇ מל̇[12]. פ̇ד̇ ל̇ג̇ מנה̇ בתור̇. ב̇[13]
יח̇ פסוק̇ אל על על[14]. ב̇[15]. פ̇ד̇ ל̇ג̇ מנה̇ בתור̇
נ̇א̇[16] יח̇ מנה̇ בתור̇ וחד מן יח̇ ר״פ. ג̇ בליש̇[17]
פ̇ד̇ ל̇ג̇ מנה̇ בתור̇. ד̇[18]. יב̇[4]. ח̇ מל̇ בתור̇[2]
נ̇ג̇ ח̇[19] מנה̇ בתור̇. ל̇
פ̇ד̇ ל̇ג̇ מנה̇ בתור̇
כ̇ז̇

[2]Mm 556. [3]Mm 3562. [4]Mp sub loco. [5]Mm 853. [6]Mm 656. [7]Mm 657. [8]וחד כהן 1Ch 5,36. [9]Mm 725. [10]Mm 2666. [11]Mm 1991. [12]Mm 638. [13]Gn 8,13. [14]Mm 658. [15]Mm 542. [16]Mm 639. [17]Mm 938. [18]Mm 1764. [19]Mm 845.

3 [a] ш הַכַּפֹּרֶת ‖ 6 [a] cf 2[a] ‖ 17 [a] ш𝔊 + לְצֵאתָם מִמִּצְרַיִם ‖ 19 [a] 𝔊 τὰς αὐλαίας = הַיְרִיעוֹת vel הַקְּלָעִים ‖ 22 [a] ш וַיָּשֶׂם cf 𝔊.

26 יְהוָה כַּאֲשֶׁר צִוָּה יְהוָה אֶת־מֹשֶׁה׃ ס 26 וַיָּשֶׂם אֶת־מִזְבַּח הַזָּהָב — פׄדׄ לֹגׄ מנה בתור
27 בְּאֹהֶל מוֹעֵד לִפְנֵי הַפָּרֹכֶת׃ 27 וַיַּקְטֵר עָלָיו קְטֹרֶת סַמִּים[a] כַּאֲשֶׁר — דׄ[20]
28 צִוָּה יְהוָה אֶת־מֹשֶׁה׃ פ 28 וַיָּשֶׂם אֶת־מָסַךְ הַפֶּתַח לַמִּשְׁכָּן׃ — פׄדׄ לֹגׄ מנה בתור
29 וְאֵת מִזְבַּח הָעֹלָה שָׂם[a] פֶּתַח מִשְׁכַּן[b] אֹהֶל־מוֹעֵד וַיַּעַל עָלָיו אֶת־ — גׄ ר״פ ואת את ואת את[21]. טׄ. בׄ פסוק דמטע[22]. בׄ[23]
30 הָעֹלָה וְאֶת־הַמִּנְחָה כַּאֲשֶׁר צִוָּה יְהוָה אֶת־מֹשֶׁה׃ ס 30 וַיָּשֶׂם — חׄ[24]. פׄדׄ לֹגׄ מנה בתור
אֶת־הַכִּיֹּר בֵּין־אֹהֶל מוֹעֵד וּבֵין הַמִּזְבֵּחַ וַיִּתֵּן שָׁמָּה מַיִם לְרָחְצָה׃ — דׄ[25]
31 וְרָחֲצוּ[a] מִמֶּנּוּ מֹשֶׁה וְאַהֲרֹן וּבָנָיו אֶת־יְדֵיהֶם וְאֶת־רַגְלֵיהֶם׃ — כׄטׄ בתור. גׄ[26]
32 בְּבֹאָם אֶל־אֹהֶל מוֹעֵד וּבְקָרְבָתָם אֶל־הַמִּזְבֵּחַ יִרְחָצוּ כַּאֲשֶׁר צִוָּה — לׄ. טׄ[27]
33 יְהוָה אֶת־מֹשֶׁה׃ ס 33 וַיָּקֶם אֶת־הֶחָצֵר סָבִיב לַמִּשְׁכָּן וְלַמִּזְבֵּחַ — כׄ[28]. בׄ[29]
וַיִּתֵּן אֶת־מָסַךְ שַׁעַר הֶחָצֵר
34 וַיְכַל מֹשֶׁה אֶת־[a]הַמְּלָאכָה׃ פ 34 וַיְכַס הֶעָנָן אֶת־אֹהֶל
35 מוֹעֵד וּכְבוֹד יְהוָה מָלֵא אֶת־הַמִּשְׁכָּן׃ 35 וְלֹא־יָכֹל מֹשֶׁה לָבוֹא — זׄ ר״פ בסיפׄ
אֶל־אֹהֶל מוֹעֵד כִּי־שָׁכַן עָלָיו הֶעָנָן וּכְבוֹד יְהוָה מָלֵא אֶת־הַמִּשְׁכָּן׃
36 וּבְהֵעָלוֹת הֶעָנָן מֵעַל הַמִּשְׁכָּן יִסְעוּ בְּנֵי יִשְׂרָאֵל בְּכֹל מַסְעֵיהֶם׃ — לׄ וחס
37 וְאִם־לֹא יֵעָלֶה הֶעָנָן וְלֹא[a] יִסְעוּ עַד־יוֹם הֵעָלֹתוֹ׃ 38 כִּי עֲנַן יְהוָה[a] — לׄ. דׄ[30]
עַל־הַמִּשְׁכָּן יוֹמָם וְאֵשׁ תִּהְיֶה [b]לַיְלָה בּוֹ[b] לְעֵינֵי כָל־בֵּית־[c]יִשְׂרָאֵל — כׄ[31] דׄ מנה בתור וכל ירמיה ויחזק דכות בׄ מׄ יׄחׄ
בְּכָל־מַסְעֵיהֶם׃ צׄבׄ

סכום הפסוקים של ספר
אלף ומאתים ותשעה:
אׄרׄטׄ
וחציו אלהים לא תקלל[32]
וסדרים לׄגׄ

[20] Mm 580. [21] Mm 2692. [22] Mm 4153. [23] Mm 656. [24] Mm 1930. [25] Mm 659. [26] Mm 851. [27] Mm 583. [28] Mm 1991. [29] Jo 2,17. [30] Mm 758. [31] Mm 953. [32] Ex 22,27, cf Mp sub loco.

27 [a] m + לִפְנֵי יהוה || **29** [a] m + לִפְנֵי cf 𝔊 || [b] ut 2[a] || **31** [a] m וַיִּרְחַץ || **33** [a] m𝔊𝔙 + כל || **37** [a] Ms 𝔊𝔖𝔙 לא || **38** [a] > 𝔊* || [b—b] m𝔊* invers || [c] > 2 Mss 𝔊*.

LEVITICUS ויקרא

1 ¹ וַיִּקְרָא אֶל־מֹשֶׁה וַיְדַבֵּר יְהוָהᵃ אֵלָיו מֵאֹהֶל מוֹעֵד לֵאמֹר׃ ס א
2 ² דַּבֵּר אֶל־בְּנֵי יִשְׂרָאֵל וְאָמַרְתָּ אֲלֵהֶם אָדָם כִּֽי־יַקְרִיב מִכֶּם קָרְבָּן
לַֽיהוָה מִן־הַבְּהֵמָהᵃ מִן־הַבָּקָר וּמִן־הַצֹּאן תַּקְרִיבוּ אֶת־קָרְבַּנְכֶםᵇ׃
3 ³ אִם־עֹלָה קָרְבָּנוֹ מִן־הַבָּקָר זָכָר תָּמִים יַקְרִיבֶנּוּ אֶל־פֶּתַח אֹהֶל
4 מוֹעֵד יַקְרִיב אֹתוֹ לִרְצֹנוֹ לִפְנֵי יְהוָהᵃ׃ ⁴ וְסָמַךְ יָדוֹ עַל רֹאשׁ הָעֹלָהᵃ
5 וְנִרְצָה לוֹ לְכַפֵּר עָלָיו׃ ⁵ וְשָׁחַטᵃ אֶת־בֶּן הַבָּקָר לִפְנֵי יְהוָה וְהִקְרִיבוּ
בְּנֵי אַהֲרֹןᵇ הַכֹּהֲנִים ᶜאֶת־הַדָּםᶜ וְזָרְקוּ אֶת־הַדָּם עַל־הַמִּזְבֵּחַ סָבִיב
6 אֲשֶׁר־פֶּתַח אֹהֶל מוֹעֵד׃ ⁶ וְהִפְשִׁיטᵃ אֶת־הָעֹלָה וְנִתַּחᵃ אֹתָהּ לִנְתָחֶיהָ׃
7 ⁷ וְנָתְנוּ ᵃבְּנֵי אַהֲרֹן הַכֹּהֵןᵃᵇ אֵשׁ עַל־הַמִּזְבֵּחַ וְעָרְכוּ עֵצִים עַל־הָאֵשׁ׃
8 ⁸ וְעָרְכוּ בְּנֵי אַהֲרֹן הַכֹּהֲנִים אֵת הַנְּתָחִים אֶתᵃ־הָרֹאשׁ וְאֶת־הַפָּדֶר
9 עַל־הָעֵצִים אֲשֶׁר ᵇעַל־הָאֵשׁ אֲשֶׁרᵇ עַל־הַמִּזְבֵּחַ׃ ⁹ וְקִרְבּוֹ וּכְרָעָיו
יִרְחַץᵃ בַּמָּיִם ᵇוְהִקְטִיר הַכֹּהֵןᵇ אֶת־הַכֹּל הַמִּזְבֵּחָה עֹלָהᶜ אִשֵּׁה רֵיחַ־
10 נִיחוֹחַ לַיהוָה׃ ס ¹⁰ וְאִם־מִן־הַצֹּאןᵃ קָרְבָּנוֹᵇ מִן־הַכְּשָׂבִים אוֹ
11 מִן־הָעִזִּים לְעֹלָהᶜ זָכָר תָּמִים יַקְרִיבֶנּוּᵈ׃ ¹¹ וְשָׁחַטᵃ אֹתוֹ עַל יֶרֶךְ
הַמִּזְבֵּחַ צָפֹנָה לִפְנֵי יְהוָה וְזָרְקוּ בְּנֵי אַהֲרֹן הַכֹּהֲנִים אֶת־דָּמוֹ עַל־
12 הַמִּזְבֵּחַ סָבִיב׃ ¹² וְנִתַּחᵃ אֹתוֹ לִנְתָחָיו וְאֶת־רֹאשׁוֹ וְאֶת־פִּדְרוֹᵇ וְעָרַךְ
13 הַכֹּהֵןᵇ אֹתָם עַל־הָעֵצִים אֲשֶׁר עַל־הָאֵשׁ אֲשֶׁר עַל־הַמִּזְבֵּחַ׃ ¹³ וְהַקֶּרֶב

בׄ[1]. דׄ[2]
הׄ[3]
דׄ פסוק מן מן ומן[4]
זׄ ר״פ בסיפׄ
דׄ[5] חס וכל לרצנכם דכות ול בליש. דׄ[6] גׄ מנה בתור
וׄ[7]. יגׄ פסוק את את את בסיפׄ[8]. וׄ בטעׄ[9]. בׄ
לׄ ומל. בׄ ובתור[8]
גׄ[10]
יבׄ פסוק את את ואת ומילה חדה ביניה[11]. לׄז
בׄ[12]
הׄ דׄ פת וחד קמׄ[13]. בׄ בטעׄ בסיפׄ[14]
גׄ מל בתור. זׄ בליש[15]
חׄ בטעׄ בסיפׄ[16]
נׄג חׄ[17] מנה בתור
בׄ ובתור. לׄ. לׄ
דׄ[18]

Cp 1 [1]Mm 538. [2]Mm 660. [3]Mm 694. [4]Mm 422. [5]Mm 3874. [6]Mm 3065. [7]Mm 745. [8]Mp sub loco. [9]Mm 3746. [10]Mm 661. [11]Mm 44. [12]Lv 4,11. [13]Mm 662. [14]Mm 663. [15]Mm 220. [16]Mm 747. [17]Mm 845. [18]Mm 664.

Cp 1,1 ᵃ 𝔖 tr post ויקרא ‖ **2** ᵃ 𝔙 + *id est*; num huc tr ‸? ‖ ᵇ ⅏𝔊𝔖 ־ֵיכֶם ‖ **3** ᵃ > ℭ ‖ **4** ᵃ 𝔖 *qwrbnh* = קָרְבָּנוֹ ‖ **5** ᵃ 𝔊 pl, it 11ᵃ ‖ ᵇ > ℭ ‖ ᶜ⁻ᶜ > ℭ ‖ **6** ᵃ ⅏𝔊 pl, it 9ᵃ. 12ᵃ.13ᵃ ‖ **7** ᵃ⁻ᵃ 𝔖 *khn' bnj 'hrwn* = הכהנים ב׳ א׳ cf 5.8.11 etc; > 𝔙 ‖ ᵇ pc Mss ⅏𝔊𝔖𝔗^Ms pl ut 5.8, prb sic l ‖ **8** ᵃ l c pc Mss ⅏𝔊𝔖𝔗^Ms וְאֵת ‖ ᵇ⁻ᵇ > ℭ (homtel) ‖ **9** ᵃ cf 6ᵃ ‖ ᵇ⁻ᵇ 𝔊* pl ‖ ᶜ pc Mss (L sub rasura?) ⅏𝔊 *(ἐστιν)* 𝔖𝔗^J + הוא ut 13.17 ‖ **10** ᵃ ⅏ + עלה cf ᶜ ‖ ᵇ ⅏𝔊 + ליהוה ut 14 ‖ ᶜ > ⅏ ‖ ᵈ ⅏ + 3bα; 𝔊 + *καὶ ἐπιθήσει τὴν χεῖρα ἐπὶ τὴν κεφαλὴν αὐτοῦ* cf 4a ‖ **11** ᵃ cf 5ᵃ ‖ **12** ᵃ cf 6ᵃ ‖ ᵇ⁻ᵇ ⅏ יַעֲרֹךְ ה׳; 𝔊𝔙 pl.

וְהַכְּרָעַיִם יִרְחַץ[a] בַּמָּיִם וְהִקְרִיב הַכֹּהֵן אֶת־הַכֹּל וְהִקְטִיר הַמִּזְבֵּחָה — ה̇ ד פת וחד קמ[19]
14 עֹלָה הוּא אִשֵּׁה רֵיחַ נִיחֹחַ לַיהוָה׃ פ 14 וְאִם מִן־הָעוֹף עֹלָה
קָרְבָּנוֹ לַיהוָה וְהִקְרִיב מִן־הַתֹּרִים[a] אוֹ מִן־בְּנֵי הַיּוֹנָה אֶת־קָרְבָּנוֹ׃ — ד[20] וכל לשון ארמי וכל ד״ה דכות ב מ ז
15 וְהִקְרִיבוֹ הַכֹּהֵן אֶל־הַמִּזְבֵּחַ וּמָלַק אֶת־רֹאשׁוֹ וְהִקְטִיר הַמִּזְבֵּחָה — ג[21]. ט[22]
16 וְנִמְצָה[a] דָמוֹ עַל[b] קִיר הַמִּזְבֵּחַ׃ 16 וְהֵסִיר אֶת־מֻרְאָתוֹ בְּנֹצָתָהּ[a] — ל̇ כת ה. ל̇. ל̇
17 וְהִשְׁלִיךְ[b] אֹתָהּ[c] אֵצֶל הַמִּזְבֵּחַ קֵדְמָה אֶל־מְקוֹם הַדָּשֶׁן׃ 17 וְשִׁסַּע — ל̇
אֹתוֹ בִכְנָפָיו לֹא[a] יַבְדִּיל וְהִקְטִיר אֹתוֹ הַכֹּהֵן הַמִּזְבֵּחָה עַל־הָעֵצִים — ל̇[23]
אֲשֶׁר עַל־הָאֵשׁ עֹלָה הוּא אִשֵּׁה רֵיחַ נִיחֹחַ לַיהוָה׃ ס

2 1 וְנֶפֶשׁ כִּי־תַקְרִיב קָרְבַּן מִנְחָה לַיהוָה סֹלֶת יִהְיֶה קָרְבָּנוֹ וְיָצַק — ג ר״פ[1]
2 עָלֶיהָ שֶׁמֶן וְנָתַן עָלֶיהָ לְבֹנָה[a]׃ 2 וֶהֱבִיאָהּ אֶל[a]־בְּנֵי אַהֲרֹן הַכֹּהֲנִים[a] — ב ר״פ
וְקָמַץ מִשָּׁם[b] מְלֹא קֻמְצוֹ מִסָּלְתָּהּ וּמִשַּׁמְנָהּ עַל כָּל־לְבֹנָתָהּ וְהִקְטִיר — ל̇. ג[2]
3 הַכֹּהֵן אֶת־אַזְכָּרָתָהּ הַמִּזְבֵּחָה אִשֵּׁה רֵיחַ נִיחֹחַ לַיהוָה׃ 3 וְהַנּוֹתֶרֶת
4 מִן־הַמִּנְחָה לְאַהֲרֹן וּלְבָנָיו קֹדֶשׁ קָדָשִׁים[a] מֵאִשֵּׁי יְהוָה׃ ס 4 וְכִי
תַקְרִב קָרְבַּן מִנְחָה מַאֲפֵה תַנּוּר סֹלֶת חַלּוֹת מַצֹּת[a] בְּלוּלֹת בַּשֶּׁמֶן — י̇ חס בליש[3]. ג מל בסיפ. ד חס
5 וּרְקִיקֵי מַצּוֹת[a] מְשֻׁחִים בַּשָּׁמֶן׃ ס 5 וְאִם־מִנְחָה עַל־הַמַּחֲבַת
6 קָרְבָּנֶךָ סֹלֶת בְּלוּלָה בַשֶּׁמֶן מַצָּה תִהְיֶה׃ 6 פָּתוֹת[a] אֹתָהּ פִּתִּים וְיָצַקְתָּ — ל̇. ב
7 עָלֶיהָ שָׁמֶן מִנְחָה הִוא׃ ס 7 וְאִם־מִנְחַת[a] מַרְחֶשֶׁת קָרְבָּנֶךָ סֹלֶת — ל̇
8 בַּשֶּׁמֶן תֵּעָשֶׂה׃ 8 וְהֵבֵאתָ[a] אֶת־הַמִּנְחָה אֲשֶׁר יֵעָשֶׂה[b] מֵאֵלֶּה לַיהוָה — ז[4]. ל̇ו[5]
9 וְהִקְרִיבָהּ[c] אֶל־הַכֹּהֵן וְהִגִּישָׁהּ אֶל־הַמִּזְבֵּחַ׃ 9 וְהֵרִים הַכֹּהֵן מִן־ — ל̇. ל̇. ט[6]
הַמִּנְחָה אֶת־אַזְכָּרָתָהּ וְהִקְטִיר הַמִּזְבֵּחָה אִשֵּׁה רֵיחַ נִיחֹחַ לַיהוָה׃
10 וְהַנּוֹתֶרֶת מִן־הַמִּנְחָה לְאַהֲרֹן וּלְבָנָיו קֹדֶשׁ קָדָשִׁים מֵאִשֵּׁי יְהוָה׃
11 כָּל־הַמִּנְחָה אֲשֶׁר תַּקְרִיבוּ לַיהוָה לֹא תֵעָשֶׂה[a] חָמֵץ כִּי כָל־שְׂאֹר — י̇ג̇ פסוק כל כל וכל. ז[4]. ל̇[7]
12 וְכָל־דְּבַשׁ לֹא־תַקְטִירוּ[b] מִמֶּנּוּ אִשֶּׁה לַיהוָה׃ 12 קָרְבַּן רֵאשִׁית — ב[8]. כת

[19] Mm 662. [20] Mm 665. [21] Mm 670. [22] Mm 583. [23] Mm 666. **Cp 2** [1] Mm 680. [2] Mm 689. [3] Mm 667. [4] Mm 546. [5] Mm 210. [6] Mm 583. [7] Mm 666. [8] 2 Ch 32,12.

13 [a] cf 6[a] ‖ **14** [a] 𝔖 + *lmrj'* = ליהוה ‖ **15** [a] 𝔐 צא–; 𝔊 *καὶ στραγγιεῖ* et 𝔙 *decurrere faciet* = וּמָצָא cf 5,9[b] ‖ [b] 𝔐 אל cf 𝔊 *πρός* ‖ **16** [a] l c 𝔐𝔖𝔗[J] תוֹ–; prp וְאֶת־נ' ‖ [b] ℭ והקטיר ‖ [c] 𝔐𝔖𝔗[J] אתו ‖ **17** [a] nonn Mss 𝔐𝔊𝔖𝔗[Ms]𝔗[J] וְלֹא ‖ **Cp 2,1** [a] 𝔐𝔊 + מנחה היא ut 6.15 ‖ **2** [a–a] 𝔖 *khn' br 'hrwn* = הַכֹּהֵן בֶּן־א' ‖ [b] 𝔐𝔊 מִמֶּנָּה ‖ **3** [a] 𝔖 + *hw* ‖ **4** [a–a] > ℭ (homtel) ‖ **6** [a] 𝔊 *καὶ διαθρύψεις*, prp וּפַתּוֹתָ ‖ **7** [a] 𝔐 מנחה ‖ **8** [a] 𝔊 3 sg ‖ [b] 𝔊(ℭ) *ἂν ποιῇ* = יֵעָשֶׂה ‖ [c] l prb והק' ‖ **11** [a] 𝔊 *ποιήσετε* = תַּעֲשׂוּ ‖ [b] pc Mss 𝔐𝔊𝔗[J] תקריבו.

13 תַּקְרִיבוּ אֹתָם לַיהוָה וְאֶל־הַמִּזְבֵּחַ לֹא־יַעֲלוּ לְרֵיחַ נִיחֹחַ[a]׃ 13 וְכָל־   ג[9]. ״[10]. ל
קָרְבַּן מִנְחָתְךָ[a] בַּמֶּלַח תִּמְלָח[b] וְלֹא תַשְׁבִּית מֶלַח בְּרִית אֱלֹהֶיךָ[c]   ל. ל
14 מֵעַל מִנְחָתֶךָ[d] עַל כָּל־קָרְבָּנְךָ[a] תַּקְרִיב[a] מֶלַח[e]׃ ס 14 וְאִם־   ח̇[11] בטע בסיפ וחד מן ח בטע דין. ל
תַּקְרִיב מִנְחַת בִּכּוּרִים לַיהוָה אָבִיב קָלוּי בָּאֵשׁ גֶּרֶשׂ כַּרְמֶל[a] תַּקְרִיב   ג. ל. ל
15 אֵת מִנְחַת בִּכּוּרֶיךָ[b]׃ 15 וְנָתַתָּ עָלֶיהָ שֶׁמֶן וְשַׂמְתָּ עָלֶיהָ לְבֹנָה מִנְחָה   ג חס[13]. כט חס[12]. ל ומל
16 הִוא[a]׃ 16 וְהִקְטִיר הַכֹּהֵן אֶת־אַזְכָּרָתָהּ מִגִּרְשָׂהּ וּמִשַּׁמְנָהּ עַל כָּל־   ג[14]. ל
לְבֹנָתָהּ אִשֶּׁה לַיהוָה׃ פ

3 3 1 וְאִם־זֶבַח שְׁלָמִים קָרְבָּנוֹ[a] אִם מִן־הַבָּקָר הוּא מַקְרִיב אִם־   ד
2 זָכָר אִם־נְקֵבָה תָּמִים יַקְרִיבֶנּוּ לִפְנֵי יְהוָה׃ 2 וְסָמַךְ יָדוֹ עַל־רֹאשׁ   ד[1] ג מנה בתור
קָרְבָּנוֹ וּשְׁחָטוֹ[a] פֶּתַח אֹהֶל מוֹעֵד וְזָרְקוּ בְּנֵי אַהֲרֹן הַכֹּהֲנִים אֶת־הַדָּם   ל
3 עַל־הַמִּזְבֵּחַ[b] סָבִיב׃ 3 וְהִקְרִיב[a] מִזֶּבַח הַשְּׁלָמִים אִשֶּׁה לַיהוָה אֶת־
4 הַחֵלֶב הַמְכַסֶּה אֶת־הַקֶּרֶב וְאֵת כָּל־הַחֵלֶב אֲשֶׁר עַל־הַקֶּרֶב׃ 4 וְאֵת
שְׁתֵּי הַכְּלָיֹת וְאֶת־הַחֵלֶב אֲשֶׁר עֲלֵהֶן אֲשֶׁר עַל־הַכְּסָלִים וְאֶת־   ג חס בתור
5 הַיֹּתֶרֶת עַל־הַכָּבֵד עַל־הַכְּלָיוֹת יְסִירֶנָּה׃ 5 וְהִקְטִירוּ אֹתוֹ[a] בְנֵי־   ב מל בתור
אַהֲרֹן[a] הַמִּזְבֵּחָה עַל־הָעֹלָה אֲשֶׁר עַל־הָעֵצִים אֲשֶׁר עַל־הָאֵשׁ[b] אִשֵּׁה
6 רֵיחַ נִיחֹחַ לַיהוָה׃ פ 6 וְאִם־מִן־הַצֹּאן קָרְבָּנוֹ לְזֶבַח שְׁלָמִים   ב[2]
7 לַיהוָה זָכָר אוֹ נְקֵבָה תָּמִים יַקְרִיבֶנּוּ׃ 7 אִם־כֶּשֶׂב[a] הוּא־מַקְרִיב   ז ר״פ בסיפ. ל. ו
8 אֶת־קָרְבָּנוֹ וְהִקְרִיב אֹתוֹ לִפְנֵי יְהוָה׃ 8 וְסָמַךְ אֶת־יָדוֹ עַל־רֹאשׁ
קָרְבָּנוֹ וְשָׁחַט אֹתוֹ לִפְנֵי[a] אֹהֶל מוֹעֵד וְזָרְקוּ בְּנֵי אַהֲרֹן[b] אֶת־דָּמוֹ[c] עַל־   ז[3]
9 הַמִּזְבֵּחַ סָבִיב׃ 9 וְהִקְרִיב מִזֶּבַח הַשְּׁלָמִים אִשֶּׁה לַיהוָה[a] חֶלְבּוֹ
הָאַלְיָה[b] תְמִימָה לְעֻמַּת הֶעָצֶה יְסִירֶנָּה וְאֶת[c]־הַחֵלֶב הַמְכַסֶּה אֶת־   ל. ה וכל ואת שתי הכלית דכות[4]
10 הַקֶּרֶב וְאֵת כָּל־הַחֵלֶב אֲשֶׁר עַל־הַקֶּרֶב׃ 10 וְאֵת שְׁתֵּי הַכְּלָיֹת וְאֶת־
הַחֵלֶב אֲשֶׁר עֲלֵהֶן אֲשֶׁר עַל־הַכְּסָלִים וְאֶת־הַיֹּתֶרֶת עַל־הַכָּבֵד עַל־   ג חס בתור

[9] Mm 668. [10] Mm 574. [11] Mm 747. [12] Mm 657. [13] Mp sub loco. [14] Mm 689. **Cp 3** [1] Mm 3065. [2] Mp sub loco. [3] Mm 671. [4] Mm 669.

12 [a] 𝔊 + *κυρίῳ*, it 14[a] 3,1[a] ‖ **13** [a] 𝔊 2 pl ‖ [b] 𝔊 *ἁλισθήσεται* ‖ [c] 𝔊 *κυρίου* ‖ [d] 𝔊 *θυσιασμάτων ὑμῶν* = מִנְחֹתֵיכֶם ‖ [e] 𝔊* pr *κυρίῳ τῷ θεῷ ὑμῶν* ‖ **14** [a] cf 12[a] ‖ [b] 𝔊 *τῶν πρωτογενημάτων* = הַבִּכּוּרִים ‖ **15** [a] ℭ היא ‖ **Cp 3,1** [a] cf 2,12[a] ‖ **2** [a] 𝔊[B] + *ἐναντίον κυρίου*, ex 1 ‖ [b] 𝔊 + *τῶν ὁλοκαυτωμάτων* ‖ **3** [a] 𝔊𝔙 pl ‖ **5** [a–a] > 𝔙; 𝔊 + *οἱ ἱερεῖς*, it 8[b] ‖ [b] ⅏𝔊* + אשר על־המזבח ut 1,8.12 ‖ **7** [a] pc Mss כֶּבֶשׂ ‖ **8** [a] 𝔊 + *τὰς θύρας* cf 13[b]; 𝔖 + *mrj' btr'' d* = יהוה פֶּתַח ‖ [b] 𝔊 + *οἱ ἱερεῖς* cf 5[a–a] ‖ [c] ⅏𝔊* הַדָּם ‖ **9** [a] 𝔊* *τῷ θεῷ* ‖ [b] 𝔊𝔙 pr cop cf 7,3[a] 8,25 Ex 29,22 ‖ [c] mlt Mss ⅏ℭℭ[J] את.

11 הַכְּלָיֹ֖ת יְסִירֶֽנָּה׃ 11 וְהִקְטִיר֥וֹ הַכֹּהֵ֖ן הַמִּזְבֵּ֑חָה לֶ֥חֶם אִשֶּׁ֖ה לַיהוָֽה׃ פ
12 וְאִ֖ם עֵ֣ז קָרְבָּנ֑וֹ וְהִקְרִיב֖וֹ לִפְנֵ֥י יְהוָֽה׃ 13 וְסָמַ֤ךְ אֶת־יָדוֹ֙ עַל־רֹאשׁ֔וֹ ג̇[5]
וְשָׁחַ֣ט[a] אֹת֔וֹ לִפְנֵ֖י[b] אֹ֣הֶל מוֹעֵ֑ד וְזָֽרְק֞וּ בְּנֵ֧י אַהֲרֹ֛ן[c] אֶת־דָּמ֛וֹ עַל־הַמִּזְבֵּ֖חַ ז̇[6]
14 סָבִֽיב׃ 14 וְהִקְרִ֤יב[a] מִמֶּ֙נּוּ֙ קָרְבָּנ֔וֹ אִשֶּׁ֖ה לַֽיהוָ֑ה אֶת־הַחֵ֙לֶב֙ הַֽמְכַסֶּ֣ה
15 אֶת־הַקֶּ֔רֶב וְאֵת֙ כָּל־הַחֵ֔לֶב אֲשֶׁ֖ר עַל־הַקֶּֽרֶב׃ 15 וְאֵת֙ שְׁתֵּ֣י הַכְּלָיֹ֔ת
וְאֶת־הַחֵ֙לֶב֙ אֲשֶׁ֣ר עֲלֵהֶ֔ן אֲשֶׁ֖ר עַל־הַכְּסָלִ֑ים וְאֶת־הַיֹּתֶ֙רֶת֙ עַל־הַכָּבֵ֔ד ג חס בתור
16 עַל־הַכְּלָיֹ֖ת יְסִירֶֽנָּה׃ 16 וְהִקְטִירָ֥ם הַכֹּהֵ֖ן הַמִּזְבֵּ֑חָה לֶ֤חֶם אִשֶּׁה֙ לְרֵ֣יחַ ב̇. ב̇[7]. יו̇[8]
17 נִיחֹ֔חַ[a] כָּל־חֵ֖לֶב לַיהוָֽה׃ 17 חֻקַּ֤ת עוֹלָם֙ לְדֹרֹ֣תֵיכֶ֔ם בְּכֹ֖ל מוֹשְׁבֹתֵיכֶ֑ם ד̇. ל̇ ר״פ
כָּל־חֵ֥לֶב וְכָל־דָּ֖ם לֹ֥א תֹאכֵֽלוּ׃ פ ד̇. ד̇[9]
סֽ[ב] **4** 1 וַיְדַבֵּ֥ר יְהוָ֖ה אֶל־מֹשֶׁ֥ה לֵּאמֹֽר׃ 2 דַּבֵּ֞ר אֶל־בְּנֵ֧י יִשְׂרָאֵ֣ל
לֵאמֹ֗ר נֶ֚פֶשׁ כִּֽי־תֶחֱטָ֣א[a] בִשְׁגָגָ֔ה מִכֹּל֙ מִצְוֺ֣ת יְהוָ֔ה אֲשֶׁ֖ר לֹ֣א תֵעָשֶׂ֑ינָה
3 וְעָשָׂ֕ה מֵאַחַ֖ת מֵהֵֽנָּה׃ 3 אִ֣ם הַכֹּהֵ֧ן הַמָּשִׁ֛יחַ יֶחֱטָ֖א לְאַשְׁמַ֣ת הָעָ֑ם ז̇[1]. ז ר״פ בסיפ. ב̇[2]
וְהִקְרִ֡יב עַ֣ל חַטָּאתוֹ֩ אֲשֶׁ֨ר חָטָ֜א פַּ֣ר בֶּן־בָּקָ֥ר תָּמִ֛ים לַיהוָ֖ה לְחַטָּֽאת[a]׃ ח̇ בטע בסיפ[3]
4 וְהֵבִ֣יא אֶת־הַפָּ֗ר אֶל־פֶּ֛תַח אֹ֥הֶל מוֹעֵ֖ד לִפְנֵ֣י יְהוָ֑ה וְסָמַ֤ךְ אֶת־יָדוֹ֙ י̇ג̇ פסוק את את את בסיפ
5 עַל־רֹ֣אשׁ הַפָּ֔ר[a] וְשָׁחַ֥ט אֶת־הַפָּ֖ר לִפְנֵ֥י יְהוָֽה׃ 5 וְלָקַ֛ח הַכֹּהֵ֥ן הַמָּשִׁ֖יחַ[a]
6 מִדַּ֣ם הַפָּ֑ר וְהֵבִ֥יא אֹת֖וֹ אֶל־אֹ֥הֶל מוֹעֵֽד׃ 6 וְטָבַ֧ל הַכֹּהֵ֛ן אֶת־[a]אֶצְבָּע֖וֹ
בַּדָּ֑ם וְהִזָּ֨ה מִן־הַדָּ֜ם שֶׁ֤בַע פְּעָמִים֙[b] לִפְנֵ֣י יְהוָ֔ה אֶת־פְּנֵ֖י פָּרֹ֥כֶת הַקֹּֽדֶשׁ׃ ל̇
7 וְנָתַן֩ הַכֹּהֵ֨ן מִן־הַדָּ֜ם עַל־קַ֠רְנוֹת מִזְבַּ֨ח[a] קְטֹ֤רֶת הַסַּמִּים֙ לִפְנֵ֣י יְהוָ֔ה ד מל בתור[4]
אֲשֶׁ֖ר בְּאֹ֣הֶל מוֹעֵ֑ד וְאֵ֣ת ׀ כָּל־דַּ֣ם[b] הַפָּ֗ר יִשְׁפֹּךְ֙ אֶל־יְסוֹד֙ מִזְבַּ֣ח הָעֹלָ֔ה
8 אֲשֶׁר־פֶּ֖תַח אֹ֥הֶל מוֹעֵֽד׃ 8 וְאֶת־כָּל־חֵ֛לֶב פַּ֥ר הַחַטָּ֖את[a] יָרִ֣ים מִמֶּ֑נּוּ ד
אֶת־הַחֵ֙לֶב֙ הַֽמְכַסֶּ֣ה עַל־[b]הַקֶּ֔רֶב וְאֵת֙ כָּל־הַחֵ֔לֶב אֲשֶׁ֖ר עַל־הַקֶּֽרֶב׃ ל̇
9 וְאֵת֙ שְׁתֵּ֣י הַכְּלָיֹ֔ת וְאֶת־הַחֵ֙לֶב֙ אֲשֶׁ֣ר[a] עֲלֵיהֶ֔ן אֲשֶׁ֖ר עַל־[a]הַכְּסָלִ֑ים
10 וְאֶת־הַיֹּתֶ֙רֶת֙ עַל־הַכָּבֵ֔ד עַל־הַכְּלָי֖וֹת יְסִירֶֽנָּה׃ 10 כַּאֲשֶׁ֣ר יוּרָ֔ם ב מל בתור. ל̇
11 מִשּׁ֖וֹר זֶ֣בַח הַשְּׁלָמִ֑ים וְהִקְטִירָם֙ הַכֹּהֵ֔ן עַ֖ל מִזְבַּ֥ח הָעֹלָֽה׃ 11 וְאֶת־ ב

[5]Mm 670. [6]Mm 671. [7]Mm 672. [8]Mm 574. [9]Mm 673. **Cp 4** [1]Mm 2967. [2]Mm 674. [3]Mm 747. [4]Mm 704.

13 [a] 𝔊 pl ‖ [b] 𝔊 + *κυρίου παρὰ τὰς θύρας* cf 8[a] ‖ [c] 𝔐𝔊 + הכהנים ‖ **14** [a] 𝔊 *καὶ ἀνοίσει* = והקטיר ‖ **16** [a] 𝔐𝔊 + ליהוה ‖ **Cp 4,2** [a] 𝔊 + *ἔναντι κυρίου*, it 4[a] ‖ **3** [a] 𝔊𝔖 suff 3 sg = תוֹ– ‖ **4** [a] cf 2[a] ‖ **5** [a] 𝔐𝔊 + אֲשֶׁר מִלֵּא אֶת־יָדוֹ ‖ **6** [a] > ℭ ‖ [b] 𝔐𝔊[-BA] + בְּאֶצְבָּעוֹ ‖ **7** [a] ℭ המ׳; ℭ + יהוה ‖ [b] ℭ𝔐 הדם ‖ **8** [a] > ℭ ‖ [b] mlt Mss 𝔐𝔊𝔖ℭ[Mss]ℭ[J] אֶת ‖ **9** [a–a] > ℭ.

עֹ֤ור הַפָּר֙ וְאֶת־כָּל־בְּשָׂרֹ֔ו עַל־רֹאשֹׁ֖ו וְעַל־כְּרָעָ֑יו וְקִרְבֹּ֖ו וּפִרְשֹֽׁו׃ ג̇[5]. ב̇[6]. ל̇
12 12 וְהֹוצִ֣יא[a] אֶת־כָּל־הַ֠פָּר אֶל־מִח֨וּץ לַֽמַּחֲנֶ֜ה אֶל־מָקֹ֤ום טָהֹור֙ אֶל־ ד̇. ל̇
שֶׁ֣פֶךְ הַדֶּ֔שֶׁן וְשָׂרַ֥ף[a] אֹתֹ֛ו עַל־עֵצִ֖ים בָּאֵ֑שׁ עַל־שֶׁ֥פֶךְ הַדֶּ֖שֶׁן יִשָּׂרֵֽף׃ פ ל̇
13 13 וְאִ֨ם כָּל־עֲדַ֤ת יִשְׂרָאֵל֙ יִשְׁגּ֔וּ וְנֶעְלַ֣ם דָּבָ֔ר מֵעֵינֵ֖י הַקָּהָ֑ל וְ֠עָשׂוּ אַחַ֨ת יא̇. ב̇[7]. ד̇[8]
14 מִכָּל־מִצְוֺ֧ת יְהוָ֛ה אֲשֶׁ֥ר לֹא־תֵעָשֶׂ֖ינָה וְאָשֵֽׁמוּ׃ 14 וְנֹֽודְעָה֙ הַֽחַטָּ֔את ל̇. ב̇ ומל
אֲשֶׁ֥ר חָטְא֖וּ עָלֶ֑יהָ וְהִקְרִ֨יבוּ הַקָּהָ֜ל פַּ֤ר[a] בֶּן־בָּקָר֙[b] לְחַטָּ֔את וְהֵבִ֣יאוּ ד̇[9]
15 אֹתֹ֔ו לִפְנֵ֖י[c] אֹ֥הֶל מֹועֵֽד׃ 15 וְ֠סָמְכוּ זִקְנֵ֨י הָעֵדָ֤ה אֶת־יְדֵיהֶם֙ עַל־רֹ֣אשׁ ז̇[10]
16 הַפָּ֔ר לִפְנֵ֖י יְהוָ֑ה וְשָׁחַ֥ט[a] אֶת־הַפָּ֖ר לִפְנֵ֥י יְהוָֽה׃ 16 וְהֵבִ֛יא הַכֹּהֵ֥ן
17 הַמָּשִׁ֖יחַ מִדַּ֣ם הַפָּ֑ר אֶל־אֹ֖הֶל מֹועֵֽד׃ 17 וְטָבַ֧ל הַכֹּהֵ֛ן אֶצְבָּעֹ֖ו מִן־
18 הַדָּ֑ם וְהִזָּ֞ה[a] שֶׁ֤בַע פְּעָמִים֙ לִפְנֵ֣י יְהוָ֔ה אֵ֖ת פְּנֵ֥י הַפָּרֹֽכֶת[b]׃ 18 וּמִן־הַדָּ֞ם ל̇
יִתֵּ֣ן[a] ׀ עַל־קַרְנֹ֣ת הַמִּזְבֵּ֗חַ[b] אֲשֶׁר֙ לִפְנֵ֣י יְהוָ֔ה אֲשֶׁ֖ר בְּאֹ֣הֶל מֹועֵ֑ד וְאֵ֣ת
כָּל־הַדָּ֗ם יִשְׁפֹּךְ֙ אֶל־יְסֹוד֙ מִזְבַּ֣ח הָעֹלָ֔ה אֲשֶׁר־פֶּ֖תַח אֹ֥הֶל מֹועֵֽד[c]׃
19 20 19 וְאֵ֥ת כָּל־חֶלְבֹּ֖ו יָרִ֣ים מִמֶּ֑נּוּ וְהִקְטִ֖יר הַמִּזְבֵּֽחָה׃ 20 וְעָשָׂ֣ה לַפָּ֔ר
כַּאֲשֶׁ֤ר עָשָׂה֙ לְפַ֣ר הַֽחַטָּ֔את כֵּ֖ן יַעֲשֶׂה־לֹּ֑ו וְכִפֶּ֧ר עֲלֵהֶ֛ם[a] הַכֹּהֵ֖ן וְנִסְלַ֥ח ל̇. יג̇ חס בתור[11]. ב̇
21 לָהֶֽם׃ 21 וְהֹוצִ֣יא[a] אֶת־הַפָּ֗ר אֶל־מִחוּץ֙ לַֽמַּחֲנֶ֔ה וְשָׂרַ֣ף[a] אֹתֹ֔ו[b] כַּאֲשֶׁ֣ר
שָׂרַ֔ף[a] אֵ֖ת הַפָּ֣ר הָרִאשֹׁ֑ון חַטַּ֥את הַקָּהָ֖ל הֽוּא[c]׃ פ סד̇. ז̇[12] פת וכל תרי עשר דכות ב̇ מ̇ א̇. ד̇[13]
22 22 אֲשֶׁ֥ר נָשִׂ֖יא יֶחֱטָ֑א וְעָשָׂ֡ה אַחַ֣ת מִכָּל־מִצְוֺת֩ יְהוָ֨ה אֱלֹהָ֜יו אֲשֶׁ֧ר
23 לֹא־תֵעָשֶׂ֛ינָה[a] בִּשְׁגָגָ֖ה וְאָשֵֽׁם׃ 23 [a]אֹֽו־הֹודַ֤ע[a] אֵלָיו֙ חַטָּאתֹ֔ו אֲשֶׁ֥ר חָטָ֖א ל̇
24 בָּ֑הּ וְהֵבִ֣יא אֶת־קָרְבָּנֹ֗ו שְׂעִ֥יר עִזִּ֛ים זָכָ֖ר תָּמִֽים׃ 24 וְסָמַ֤ךְ יָדֹו֙ עַל־ ד̇[14] ג̇ מנה בתור
רֹ֣אשׁ הַשָּׂעִ֔יר וְשָׁחַ֣ט[a] אֹתֹ֔ו בִּמְקֹ֛ום אֲשֶׁר־יִשְׁחַ֥ט[a] אֶת־הָעֹלָ֖ה לִפְנֵ֣י יְהוָ֑ה
25 חַטָּ֖את הֽוּא[b]׃ 25 וְלָקַ֨ח הַכֹּהֵ֜ן מִדַּ֤ם הַֽחַטָּאת֙ בְּאֶצְבָּעֹ֔ו וְנָתַ֕ן עַל־קַרְנֹ֖ת ד̇[13]
26 מִזְבַּ֣ח הָעֹלָ֑ה [a]וְאֶת־[b]דָּמֹ֣ו יִשְׁפֹּ֔ךְ אֶל־יְסֹ֖וד מִזְבַּ֥ח הָעֹלָֽה[a]׃ 26 וְאֶת־ ב̇[15]
כָּל־חֶלְבֹּו֙ יַקְטִ֣יר הַמִּזְבֵּ֔חָה כְּחֵ֖לֶב זֶ֣בַח הַשְּׁלָמִ֑ים וְכִפֶּ֨ר עָלָ֧יו הַכֹּהֵ֛ן

[5]Mm 754. [6]Lv 1,9. [7]Ez 34,6. [8]Mm 866. [9]Mm 749. [10]Mm 671. [11]Mm 675. [12]Mm 676. [13]Mm 573. [14]Mm 3065. [15]Mm 677.

12 a ⅏𝔊 pl ‖ **14** a 𝔖 + *ḥd* = אֶחָד ‖ b ⅏𝔊 + תָּמִים ‖ c 𝔊 *παρὰ τὰς θύρας*, 𝔙 *ad ostium* ‖ **15** a 𝔊𝔖 pl ‖ **17** a pc Mss ⅏ + מִן־הַדָּם cf 𝔗^J ‖ b Ms ⅏𝔊 פ׳ הקדש ut 6 ‖ **18** a ⅏𝔊 + הכהן ‖ b ⅏𝔊 מִזְבַּח קְטֹרֶת הַסַּמִּים ‖ c > ℭ ‖ **20** a ℭ עליהן ‖ **21** a 𝔊 pl ‖ b ℭ + מחוץ למחנה ‖ c ⅏ היא ‖ **22** a ℭ תשינה ‖ **23** a–a 𝔊 *καὶ γνωσθῇ*, 𝔖 *ʼn ʼtjdʻ* = אָם נוֹדַע, it 28 a–a ‖ **24** a 𝔊 pl, it 29 b.33 a ‖ b ⅏𝔗 היא ‖ **25** a–a > ℭ (homtel) ‖ b pc Mss 𝔊 + כָּל.

27 מֵחַטָּאתוֹ וְנִסְלַח לוֹ׃ פ 27 וְאִם־נֶפֶשׁ אַחַת תֶּחֱטָא בִשְׁגָגָה מֵעַם
28 הָאָרֶץ בַּעֲשֹׂתָהּ אַחַת מִמִּצְוֹת[a] יְהוָה אֲשֶׁר לֹא־תֵעָשֶׂינָה וְאָשֵׁם׃ 28 [a]אוֹ ל
הוֹדַע[a] אֵלָיו חַטָּאתוֹ אֲשֶׁר חָטָא[b] וְהֵבִיא קָרְבָּנוֹ שְׂעִירַת עִזִּים תְּמִימָה ב
29 נְקֵבָה עַל־חַטָּאתוֹ אֲשֶׁר חָטָא׃ 29 וְסָמַךְ אֶת־יָדוֹ עַל רֹאשׁ הַחַטָּאת
30 [a]וְשָׁחַט[b] אֶת־הַחַטָּאת[a] בִּמְקוֹם הָעֹלָה׃ 30 וְלָקַח הַכֹּהֵן מִדָּמָהּ ו ה[16] מנה בתור
בְּאֶצְבָּעוֹ וְנָתַן עַל־קַרְנֹת מִזְבַּח הָעֹלָה וְאֶת־כָּל־דָּמָהּ יִשְׁפֹּךְ אֶל־
31 יְסוֹד הַמִּזְבֵּחַ[a]׃ 31 וְאֶת־כָּל־חֶלְבָּהּ יָסִיר כַּאֲשֶׁר הוּסַר[a] חֵלֶב מֵעַל ב[17]
זֶבַח הַשְּׁלָמִים וְהִקְטִיר הַכֹּהֵן הַמִּזְבֵּחָה [b]לְרֵיחַ נִיחֹחַ לַיהוָה[b] וְכִפֶּר יו[18]
32 עָלָיו הַכֹּהֵן וְנִסְלַח לוֹ׃ פ 32 וְאִם־כֶּבֶשׂ[a] יָבִיא קָרְבָּנוֹ לְחַטָּאת יג[19]
33 נְקֵבָה תְמִימָה יְבִיאֶנָּה׃ 33 וְסָמַךְ אֶת־יָדוֹ עַל רֹאשׁ הַחַטָּאת וְשָׁחַט[a]
34 אֹתָהּ לְחַטָּאת בִּמְקוֹם אֲשֶׁר יִשְׁחַט[a] אֶת־הָעֹלָה׃ 34 וְלָקַח הַכֹּהֵן מִדַּם
הַחַטָּאת בְּאֶצְבָּעוֹ וְנָתַן עַל־קַרְנֹת מִזְבַּח הָעֹלָה וְאֶת־כָּל־דָּמָהּ יִשְׁפֹּךְ
35 אֶל־יְסוֹד הַמִּזְבֵּחַ׃ 35 וְאֶת־כָּל־חֶלְבָּהּ[a] יָסִיר כַּאֲשֶׁר יוּסַר[b] חֵלֶב־ ל[20]
הַכֶּשֶׂב מִזֶּבַח הַשְּׁלָמִים וְהִקְטִיר הַכֹּהֵן אֹתָם[c] הַמִּזְבֵּחָה עַל אִשֵּׁי יְהוָה ו . ד[21] . ט[22] כת י וכל מאשי דכות
וְכִפֶּר עָלָיו הַכֹּהֵן עַל־חַטָּאתוֹ אֲשֶׁר־חָטָא וְנִסְלַח לוֹ׃ פ
ס [ג] 5 1 וְנֶפֶשׁ כִּי־תֶחֱטָא וְשָׁמְעָה קוֹל אָלָה וְהוּא עֵד אוֹ רָאָה אוֹ יָדָע ג ר״פ[1] . ל
2 אִם־לוֹא יַגִּיד וְנָשָׂא עֲוֹנוֹ׃ 2 אוֹ נֶפֶשׁ אֲשֶׁר[a] תִּגַּע בְּכָל־דָּבָר טָמֵא אוֹ לה מל ב[2] מנה בתור . יז
בְנִבְלַת חַיָּה טְמֵאָה אוֹ בְּנִבְלַת בְּהֵמָה טְמֵאָה אוֹ בְּנִבְלַת שֶׁרֶץ טָמֵא יא בטע לאחור . ב
3 [b]וְנֶעְלַם מִמֶּנּוּ וְהוּא טָמֵא[c] וְאָשֵׁם[b]׃ 3 אוֹ כִי יִגַּע בְּטֻמְאַת אָדָם לְכֹל
4 טֻמְאָתוֹ אֲשֶׁר יִטְמָא בָּהּ וְנֶעְלַם מִמֶּנּוּ וְהוּא יָדַע וְאָשֵׁם׃ 4 אוֹ נֶפֶשׁ כִּי
תִשָּׁבַע לְבַטֵּא בִשְׂפָתַיִם לְהָרַע׀ אוֹ לְהֵיטִיב לְכֹל אֲשֶׁר יְבַטֵּא הָאָדָם ל . ו[3] . ל[4]
5 בִּשְׁבֻעָה וְנֶעְלַם מִמֶּנּוּ וְהוּא־יָדַע וְאָשֵׁם לְאַחַת מֵאֵלֶּה׃ 5 [a]וְהָיָה כִי־
6 יֶאְשַׁם[b] לְאַחַת מֵאֵלֶּה[a] וְהִתְוַדָּה[c] אֲשֶׁר חָטָא עָלֶיהָ׃ 6 וְהֵבִיא אֶת־ ב
אֲשָׁמוֹ לַיהוָה עַל חַטָּאתוֹ אֲשֶׁר חָטָא נְקֵבָה מִן־הַצֹּאן כִּשְׂבָּה אוֹ־ ח בטע בסיפ[5] . ל

[16] Mm 678. [17] Da 12,11. [18] Mm 574. [19] Mm 679. [20] וחד יושר Jes 26,1. [21] Mm 664. [22] Mp sub loco.
Cp 5 [1] Mm 680. [2] Mm 681. [3] Mm 227. [4] וחד ויבטא Ps 106,33. [5] Mm 747.

27 [a] pc Mss ɯ𝔊 מִכָּל־מצות || **28** [a–a] cf 23[a–a] || [b] ɯ𝔊 + עָלֶיהָ || **29** [a–a] > ℭ (homtel) || [b] cf 24[a] || **30** [a] ɯ מזבח העלה ut 34 || **31** [a] ɯ יסיר, it 35[b] || [b–b] ℭ על אשי יהוה || **32** [a] ɯ כִּשְׂבָּה || **33** [a] cf 24[a] || **35** [a] sic L, mlt Mss Edd –בָּהּ || [b] cf 31[a] || [c] > ɯ || **Cp 5,2** [a] pc Mss ɯ𝔊 כִּי || [b–b] > 𝔊* || [c] ℭ ידע ut 3.4 || **5** [a–a] > ℭ𝔊*𝔙 (homtel?) || [b] ɯ יחטא || [c] 𝔊(ℭ[J]) + τὴν ἁμαρτίαν cf ɯ.

שְׂעִירַ֥ת עִזִּ֖ים לְחַטָּ֑את וְכִפֶּ֥ר עָלָ֛יו הַכֹּהֵ֖ן מֵחַטָּאתֽוֹ[a]׃ 7 וְאִם־לֹ֨א ב
תַגִּ֣יעַ[a] יָדוֹ֮ דֵּ֣י שֶׂה֒ וְהֵבִ֨יא[b] אֶת־אֲשָׁמ֜וֹ[b] אֲשֶׁ֣ר חָטָ֗א שְׁתֵּ֥י תֹרִ֛ים אוֹ־שְׁנֵ֥י ו
8 בְנֵֽי־יוֹנָ֖ה לַֽיהוָ֑ה[c] אֶחָ֥ד לְחַטָּ֖את וְאֶחָ֥ד לְעֹלָֽה׃ 8 וְהֵבִ֤יא אֹתָם֙ אֶל־
הַכֹּהֵ֔ן וְהִקְרִ֛יב אֶת־אֲשֶׁ֥ר לַֽחַטָּ֖את[a] רִאשֹׁנָ֑ה וּמָלַ֧ק[b] אֶת־רֹאשׁ֛וֹ מִמּ֥וּל ל̇[6]. י̇ ג̇[7] מנה מל
9 עָרְפּ֖וֹ וְלֹ֥א יַבְדִּֽיל׃ 9 וְהִזָּ֞ה מִדַּ֤ם הַֽחַטָּאת֙ עַל[a]־קִ֣יר הַמִּזְבֵּ֔חַ וְהַנִּשְׁאָ֣ר ל̇[8]
10 בַּדָּ֔ם יִמָּצֵ֖ה[b] אֶל־יְס֣וֹד הַמִּזְבֵּ֑חַ חַטָּ֖את הֽוּא[c]׃ 10 וְאֶת־הַשֵּׁנִ֛י יַעֲשֶׂ֥ה עֹלָ֖ה ל̇ כת ה. ד̇[9]. ל̇[10]
כַּמִּשְׁפָּ֑ט וְכִפֶּ֨ר עָלָ֧יו הַכֹּהֵ֛ן מֵחַטָּאת֥וֹ אֲשֶׁר־חָטָ֖א וְנִסְלַ֥ח לֽוֹ׃ ס
11 11 וְאִם־לֹא֩ תַשִּׂ֨יג יָד֜וֹ לִשְׁתֵּ֣י תֹרִ֗ים א֣וֹ לִשְׁנֵ֣י בְנֵי־יוֹנָה֒ וְהֵבִ֨יא אֶת־
קָרְבָּנ֜וֹ אֲשֶׁ֣ר חָטָ֗א עֲשִׂירִ֧ת הָאֵפָ֛ה סֹ֖לֶת לְחַטָּ֑את לֹא־יָשִׂ֨ים[a] עָלֶ֜יהָ שֶׁ֗מֶן ב̇ חס
12 וְלֹא־יִתֵּ֤ן עָלֶ֙יהָ֙ לְבֹנָ֔ה כִּ֥י חַטָּ֖את הִֽוא׃ 12 וֶֽהֱבִיאָהּ֮ אֶל־הַכֹּהֵן֒ וְקָמַ֣ץ ג̇[11]. ב̇ ר״פ
הַכֹּהֵ֣ן ׀ מִ֠מֶּנָּה מְל֨וֹא קֻמְצ֜וֹ אֶת־אַזְכָּרָתָה֙[a] וְהִקְטִ֣יר הַמִּזְבֵּ֔חָה עַ֖ל אִשֵּׁ֣י ב̇ מל[12]. ט̇ כת י וכל מאשי דכות
13 יְהוָ֑ה חַטָּ֖את הִֽוא׃ 13 וְכִפֶּר֩ עָלָ֨יו הַכֹּהֵ֜ן עַל־חַטָּאת֧וֹ אֲשֶׁר־חָטָ֛א
מֵאַחַ֥ת מֵאֵ֖לֶּה וְנִסְלַ֣ח ל֑וֹ וְהָיְתָ֥ה[a] לַכֹּהֵ֖ן כַּמִּנְחָֽה[b]׃ ס ל̇
14 15 14 וַיְדַבֵּ֥ר יְהוָ֖ה אֶל־מֹשֶׁ֥ה לֵּאמֹֽר׃ 15 נֶ֣פֶשׁ כִּֽי־תִמְעֹ֥ל מַ֨עַל֙ וְחָֽטְאָה֙
בִּשְׁגָגָ֔ה מִקָּדְשֵׁ֖י יְהוָ֑ה וְהֵבִיא֩ אֶת־אֲשָׁמ֨וֹ לַֽיהוָ֜ה אַ֣יִל תָּמִ֤ים מִן־הַצֹּאן֙
16 בְּעֶרְכְּךָ֥ כֶּֽסֶף־שְׁקָלִ֖ים בְּשֶׁקֶל־הַקֹּ֖דֶשׁ לְאָשָֽׁם׃ 16 וְאֵ֨ת אֲשֶׁר֩ חָטָ֨א מִן־
הַקֹּ֜דֶשׁ יְשַׁלֵּ֗ם וְאֶת־חֲמִישִׁתוֹ֙ יוֹסֵ֣ף עָלָ֔יו וְנָתַ֥ן אֹת֖וֹ לַכֹּהֵ֑ן וְהַכֹּהֵ֗ן יְכַפֵּ֥ר ג̇[13] מל וכל שם ברנש דכות ול בתור
17 עָלָ֛יו בְּאֵ֥יל הָאָשָׁ֖ם וְנִסְלַ֥ח לֽוֹ׃ פ 17 [a]וְאִם־נֶ֙פֶשׁ֙ כִּ֣י[a] תֶֽחֱטָ֔א[b]
וְעָֽשְׂתָ֗ה אַחַת֙ מִכָּל־מִצְוֺ֣ת יְהוָ֔ה אֲשֶׁ֖ר לֹ֣א תֵעָשֶׂ֑ינָה וְלֹֽא־יָדַ֥ע וְאָשֵׁ֖ם י̇א[14] ו̇ מנה בתור
18 וְנָשָׂ֥א עֲוֺנֽוֹ׃ 18 וְ֠הֵבִיא אַ֣יִל תָּמִ֧ים מִן־הַצֹּ֛אן בְּעֶרְכְּךָ֥ לְאָשָׁ֖ם אֶל־הַכֹּהֵ֑ן י̇ז
וְכִפֶּר֩ עָלָ֨יו הַכֹּהֵ֜ן עַ֣ל שִׁגְגָת֧וֹ אֲשֶׁר־שָׁגָ֛ג וְה֥וּא לֹא־יָדַ֖ע וְנִסְלַ֥ח לֽוֹ׃ ל̇. ח̇ בטע בסיפ[15]
19 20 19 [a]אָשָׁ֖ם ה֑וּא[a] אָשֹׁ֥ם אָשַׁ֖ם לַיהוָֽה׃ פ 20 [a]וַיְדַבֵּ֥ר יְהוָ֖ה אֶל־מֹשֶׁ֥ה ב̇[17]. ב̇[16] חד חס וחד מל
21 לֵּאמֹֽר׃ 21 נֶ֚פֶשׁ כִּ֣י תֶחֱטָ֔א וּמָעֲלָ֥ה מַ֖עַל בַּֽיהוָ֑ה וְכִחֵ֨שׁ בַּעֲמִית֜וֹ ג̇[18]

[6] Mp sub loco. [7] Mm 682. [8] Mm 666. [9] Mm 573. [10] וחד את השני Gn 32,20. [11] Mm 683. [12] Mm 684. [13] Mm 3038 א. [14] Mm 130. [15] Mm 747. [16] Mm 685. [17] Mm 863. [18] Mm 3471.

6 [a] 𝔐𝔊 על ח׳ אשר חטא ונסלח לו cf 4,35; ℭ ונסלח לו מח׳ ‖ **7** [a] sic L, mlt Mss Edd תַשִּׂיג 𝔐; ‎–עַ ‖ [b–b] 𝔊 *περὶ τῆς ἁμαρτίας αὐτοῦ* = אֶת־חַטָּאתוֹ ‖ [c] > 𝔖 ‖ **8** [a] ℭ לעלה ‖ [b] 𝔐𝔊 + הכהן ‖ **9** [a] 𝔐 אל ‖ [b] 𝔐 ימצא cf 1,15[a] ‖ [c] 𝔐𝔗 היא ‖ **11** [a] 𝔐𝔊𝔖 יִצֹּק ‖ **12** [a] sic L, mlt Mss Edd ‎–תהּ ‖ **13** [a] 𝔊(𝔙) *τὸ δὲ καταλειφθὲν ἔσται* = וְהָיָה הַנּוֹתָר ‖ [b] 𝔊 *ὡς ἡ θυσία τῆς σεμιδάλεως* ‖ **17** [a–a] 𝔊 *καὶ ἡ ψυχὴ ἢ ἄν* ‖ [b] 𝔙 + *per ignorantiam* ‖ **19** [a–a] > 𝔊 ‖ **20** [a] hic 𝔊[Edd]𝔙 incip cp 6.

22 בְּפִקָּדוֹן אוֹ־בִתְשׂוּמֶת יָד אוֹ בְגָזֵל אוֹ עָשַׁק אֶת־עֲמִיתוֹ׃ 22 אוֹ־מָצָא   ל . ל[19]
אֲבֵדָה וְכִחֶשׁ בָּהּ וְנִשְׁבַּע עַל־שָׁקֶר עַל־אַחַת מִכֹּל אֲשֶׁר־יַעֲשֶׂה הָאָדָם   ג[20] . כא פסוק על על ומילה חדה ביניה[21] . ב
23 לַחֲטֹא בָהֵנָּה׃ 23 וְהָיָה כִּי־יֶחֱטָא וְאָשֵׁם וְהֵשִׁיב אֶת־הַגְּזֵלָה אֲשֶׁר גָּזָל   ג[22] . יו פסוק את את את את . ג ב מנה זקף קמ
אוֹ אֶת־הָעֹשֶׁק אֲשֶׁר עָשָׁק אוֹ אֶת־הַפִּקָּדוֹן אֲשֶׁר הָפְקַד אִתּוֹ אוֹ אֶת־   ל זקף קמ . ב
24 הָאֲבֵדָה אֲשֶׁר מָצָא׃ 24 אוֹ[a] מִכֹּל[b] אֲשֶׁר־יִשָּׁבַע עָלָיו לַשֶּׁקֶר וְשִׁלַּם   ג
אֹתוֹ בְּרֹאשׁוֹ וַחֲמִשִׁתָיו[c] יֹסֵף עָלָיו לַאֲשֶׁר הוּא לוֹ יִתְּנֶנּוּ בְּיוֹם אַשְׁמָתוֹ׃   יד . ל וקמ . ל . ב[23] . ל
25 וְאֶת־אֲשָׁמוֹ יָבִיא לַיהוָה אַיִל תָּמִים מִן־הַצֹּאן בְּעֶרְכְּךָ לְאָשָׁם   ל . יג[24]
26 אֶל[a]־הַכֹּהֵן[a]׃ 26 וְכִפֶּר עָלָיו הַכֹּהֵן לִפְנֵי יְהוָה וְנִסְלַח לוֹ עַל־אַחַת   ב
מִכֹּל אֲשֶׁר־יַעֲשֶׂה לְאַשְׁמָה בָהּ׃ פ קי״א   ב[25]

פרש 6 1 וַיְדַבֵּר יְהוָה אֶל־מֹשֶׁה לֵּאמֹר׃ 2 צַו אֶת־אַהֲרֹן וְאֶת־בָּנָיו
לֵאמֹר זֹאת תּוֹרַת הָעֹלָה הִוא הָעֹלָה עַל מוֹקְדָה[a] עַל־הַמִּזְבֵּחַ כָּל־   כא פסוק על על ומילה חדה ביניה[1] . ל
3 הַלַּיְלָה עַד־הַבֹּקֶר וְאֵשׁ הַמִּזְבֵּחַ תּוּקַד בּוֹ[b]׃ 3 וְלָבַשׁ הַכֹּהֵן מִדּוֹ[a] בַד   ד בתור . ה . ב[2]
וּמִכְנְסֵי־בַד יִלְבַּשׁ[b] עַל־בְּשָׂרוֹ וְהֵרִים אֶת־הַדֶּשֶׁן אֲשֶׁר תֹּאכַל הָאֵשׁ
4 אֶת־הָעֹלָה עַל[c]־הַמִּזְבֵּחַ וְשָׂמוֹ אֵצֶל הַמִּזְבֵּחַ׃ 4 וּפָשַׁט אֶת־בְּגָדָיו   ל[3]
וְלָבַשׁ בְּגָדִים אֲחֵרִים וְהוֹצִיא אֶת־הַדֶּשֶׁן אֶל־מִחוּץ לַמַּחֲנֶה אֶל־
5 מָקוֹם טָהוֹר׃ 5 וְהָאֵשׁ עַל־הַמִּזְבֵּחַ תּוּקַד־בּוֹ לֹא תִכְבֶּה וּבִעֵר[a] עָלֶיהָ   ד . ג . ה . ו[4] . ב[5]
הַכֹּהֵן עֵצִים בַּבֹּקֶר בַּבֹּקֶר[b] וְעָרַךְ עָלֶיהָ הָעֹלָה וְהִקְטִיר עָלֶיהָ חֶלְבֵי   יג[6]
6 הַשְּׁלָמִים׃ 6 אֵשׁ תָּמִיד תּוּקַד עַל־הַמִּזְבֵּחַ לֹא תִכְבֶּה[a]׃ ס   ה . ו[4]
7 וְזֹאת[a] תּוֹרַת הַמִּנְחָה הַקְרֵב[b] אֹתָהּ בְּנֵי־אַהֲרֹן לִפְנֵי יְהוָה אֶל־פְּנֵי   כה יו[7] מנה ר״פ . ד[8] . ט[9] וכל צורת הבית דכות ב מ ד
8 הַמִּזְבֵּחַ׃ 8 וְהֵרִים מִמֶּנּוּ[a] בְּקֻמְצוֹ מִסֹּלֶת הַמִּנְחָה וּמִשַּׁמְנָהּ וְאֵת כָּל־   ו סביר ממנה[10] . ג[11]
הַלְּבֹנָה אֲשֶׁר עַל־הַמִּנְחָה וְהִקְטִיר הַמִּזְבֵּחַ[b] רֵיחַ נִיחֹחַ אַזְכָּרָתָהּ   ג בליש[12] . ח וכל אשה ריח ניחח דכות
9 לַיהוָה׃ 9 וְהַנּוֹתֶרֶת מִמֶּנָּה יֹאכְלוּ[a] אַהֲרֹן וּבָנָיו מַצּוֹת תֵּאָכֵל בְּמָקוֹם   ט[13]
10 קָדֹשׁ בַּחֲצַר אֹהֶל־מוֹעֵד יֹאכְלוּהָ׃ 10 לֹא תֵאָפֶה חָמֵץ חֶלְקָם נָתַתִּי   יג חס[14]

[19] וחד ובגזל Ps 62,11. [20] Mm 3471. [21] Mm 686. [22] Mm 909. [23] Qoh 2,21. [24] Mm 679. [25] 1Ch 21,3.
Cp 6 [1] Mm 686. [2] 2 S 20,8. [3] Mm 2842. [4] Mm 687. [5] Ex 22,4. [6] Mm 688. [7] Mm 856. [8] Mm 847. [9] Mm 3937. [10] Mm 2038. [11] Mm 689. [12] Mm 4235. [13] Mm 690. [14] Mm 783.

24 [a] > 𝔊 ‖ [b] 𝔐𝔊𝔖𝔗[J] + דָּבָר ‖ [c] mlt Mss 𝔐𝔖𝔗[Ms]𝔗[J] ־תו cf 16; 𝔊[BA](𝔙) *καὶ τὸ πέμπτον* = ־ִית ‖ **25** [a–a] > 𝔐𝔊 cf 15 ‖ **Cp 6,2** [a] mlt Mss מ min; 𝔐 הַמּ׳; l ־ָה ‖ [b] 𝔊* + *οὐ σβεσθήσεται* cf 5.6 ‖ **3** [a] 𝔐𝔖𝔗𝔗[J] מְדֵי ‖ [b] pc Mss יִהְיוּ ut 16,4 ‖ [c] 𝔊 *ἀπό*; 𝔖 *d'l* = אֲשֶׁר־עַל ‖ **5** [a] ℭ ונתן ‖ [b] > 𝔊* ‖ **6** [a] sic L, mlt Mss Edd ־בה ‖ **7** [a] Ms 𝔊𝔙 זאת ‖ [b] 𝔐 הקריבו; 𝔊(𝔗𝔗[J]𝔙) *ἣν προσάξουσιν* = אֲשֶׁר יַקְרִיבוּ ‖ **8** [a] ℭ𝔐𝔗[Ms] ־נָּה ‖ [b] ℭ הזבח, 𝔐 ־ֵחָה; Ms 𝔐𝔊 + אשה ut 2,2 etc ‖ **9** [a] 𝔐𝔊 sg.

11 אֹתָהּ[a] מֵאִשָּׁי[b] קֹדֶשׁ קָדָשִׁים הִוא[c] כַּחַטָּאת וְכָאָשָׁם׃ 11 כָּל־זָכָר[a] בִּבְנֵי
אַהֲרֹן[a] יֹאכְלֶנָּה חָק־עוֹלָם לְדֹרֹתֵיכֶם מֵאִשֵּׁי יְהוָה כֹּל אֲשֶׁר־יִגַּע בָּהֶם
13 ס יִקְדָּשׁ׃ פ 12 וַיְדַבֵּר יְהוָה אֶל־מֹשֶׁה לֵּאמֹר׃ 13 זֶה קָרְבַּן אַהֲרֹן
וּבָנָיו אֲשֶׁר־יַקְרִיבוּ לַיהוָה בְּיוֹם הִמָּשַׁח אֹתוֹ עֲשִׂירִת הָאֵפָה סֹלֶת
14 מִנְחָה[a] תָּמִיד מַחֲצִיתָהּ בַּבֹּקֶר וּמַחֲצִיתָהּ בָּעָרֶב[b]׃ 14 עַל־מַחֲבַת
בַּשֶּׁמֶן תֵּעָשֶׂה מֻרְבֶּכֶת תְּבִיאֶנָּה[a] תֻּפִינֵי[b] מִנְחַת פִּתִּים תַּקְרִיב[c] רֵיחַ־
15 נִיחֹחַ לַיהוָה׃ 15 וְהַכֹּהֵן הַמָּשִׁיחַ תַּחְתָּיו מִבָּנָיו יַעֲשֶׂה אֹתָהּ חָק־
16 עוֹלָם לַיהוָה[a] כָּלִיל תָּקְטָר׃ 16 וְכָל־מִנְחַת כֹּהֵן כָּלִיל תִּהְיֶה לֹא
17 18 תֵאָכֵל׃ פ 17 וַיְדַבֵּר יְהוָה אֶל־מֹשֶׁה לֵּאמֹר׃ 18 דַּבֵּר אֶל־
אַהֲרֹן וְאֶל־בָּנָיו לֵאמֹר זֹאת תּוֹרַת הַחַטָּאת בִּמְקוֹם אֲשֶׁר תִּשָּׁחֵט
19 הָעֹלָה תִּשָּׁחֵט הַחַטָּאת לִפְנֵי יְהוָה קֹדֶשׁ קָדָשִׁים הִוא׃ 19 הַכֹּהֵן
הַמְחַטֵּא אֹתָהּ יֹאכְלֶנָּה בְּמָקוֹם קָדֹשׁ תֵּאָכֵל בַּחֲצַר אֹהֶל מוֹעֵד׃
20 20 כֹּל אֲשֶׁר־יִגַּע בִּבְשָׂרָהּ יִקְדָּשׁ וַאֲשֶׁר יִזֶּה מִדָּמָהּ עַל־הַבֶּגֶד אֲשֶׁר יִזֶּה
21 עָלֶיהָ[a] תְּכַבֵּס[b] בְּמָקוֹם קָדֹשׁ׃ 21 וּכְלִי־חֶרֶשׂ אֲשֶׁר תְּבֻשַּׁל־בּוֹ יִשָּׁבֵר
22 וְאִם־בִּכְלִי נְחֹשֶׁת בֻּשָּׁלָה וּמֹרַק וְשֻׁטַּף בַּמָּיִם׃ 22 כָּל־זָכָר בַּכֹּהֲנִים
23 יֹאכַל אֹתָהּ קֹדֶשׁ קָדָשִׁים הִוא[a]׃ 23 וְכָל־חַטָּאת אֲשֶׁר יוּבָא[a] מִדָּמָהּ
אֶל־אֹהֶל מוֹעֵד לְכַפֵּר בַּקֹּדֶשׁ לֹא תֵאָכֵל בָּאֵשׁ תִּשָּׂרֵף׃ פ
7 7 1 וְזֹאת תּוֹרַת הָאָשָׁם קֹדֶשׁ קָדָשִׁים הוּא׃ 2 בִּמְקוֹם אֲשֶׁר
יִשְׁחֲטוּ אֶת־הָעֹלָה יִשְׁחֲטוּ אֶת־הָאָשָׁם[a] וְאֶת־דָּמוֹ יִזְרֹק עַל־הַמִּזְבֵּחַ
3 סָבִיב׃ 3 וְאֵת כָּל־חֶלְבּוֹ יַקְרִיב מִמֶּנּוּ אֵת[a] הָאַלְיָה וְאֶת־הַחֵלֶב
4 הַמְכַסֶּה אֶת־הַקֶּרֶב[b]׃ 4 וְאֵת שְׁתֵּי הַכְּלָיֹת וְאֶת־הַחֵלֶב אֲשֶׁר עֲלֵיהֶן
אֲשֶׁר עַל־הַכְּסָלִים וְאֶת־הַיֹּתֶרֶת עַל־הַכָּבֵד עַל־הַכְּלָיֹת יְסִירֶנָּה׃
5 6 5 וְהִקְטִיר אֹתָם הַכֹּהֵן הַמִּזְבֵּחָה אִשֶּׁה לַיהוָה אָשָׁם הוּא׃ 6 כָּל־זָכָר
7 בַּכֹּהֲנִים יֹאכְלֶנּוּ בְּמָקוֹם קָדוֹשׁ יֵאָכֵל קֹדֶשׁ קָדָשִׁים הוּא׃ 7 כַּחַטָּאת

ל̇. ה̇ דסמיכ̇ בתור
[15] ה̇
ב̇ חס
[16] ל̇. ל̇. ג̇
[17] ז̇. ב̇. ל̇. ל̇. ב̇. ה̇ וכל אשה ריח ניחח דכות
[15] ה̇
ל̇. ל̇
[18] ט̇
ב̇
ב̇. ה̇ דסמיכ̇ בתור[19]. ה̇ ר״פ מיחד[20]
ל̇. יג̇ חס[21]. ט̇[18]
ב̇. ו̇ ה̇[22] מנה̇ בתור. ב̇
יג̇ חס[21]. ל̇
ל̇. ל̇. ל̇
ה̇ דסמיכ̇ בתור[19]. ה̇[23]. ו̇ ה̇ מנה̇ בתור
ט̇[18]. ד̇
כה̇ יו̇[1] מנה̇ ר״פ. ז̇[2] ו̇[3] מנה̇ בתור
ב̇[4]
ג̇ ר״פ ואת את ואת את[5]. ה̇ וכל ואת שתי הכלית דכות[6]
ז̇[2] ו̇[3] מנה̇ בתור

[15] Mm 2476. [16] Mm 693. [17] Mm 546. [18] Mm 690. [19] Q היא suppressi, cf Lv 13,20, Dt 13,16 et Mp sub loco. [20] Mm 944. [21] Mm 783. [22] Mm 678. [23] Mm 691. **Cp 7** [1] Mm 856. [2] Mm 4108. [3] Mm 831. [4] Mm 677. [5] Mm 2692. [6] Mm 669.

10 [a] 𝔊 *αὐτοῖς* ‖ [b] pc Mss 𝔐𝔊𝔙 יהוה ־ֵי ut 11 ‖ [c] ℭ היא ‖ **11** [a–a] 𝔊 *τῶν ἱερέων* ‖ **13** [a] 𝔐𝔊 לְמ׳ ‖ [b] 𝔐 בֵּין הָעַרְבַּיִם ‖ **14** [a] 𝔊𝔙 3 sg ‖ [b] crrp? prp תְּפִתֶּנָּה (a פתת) sec 𝔖 ‖ [c] 𝔊 *θυσίαν* ‖ **15** [a] > 𝔊* ‖ **20** [a] 𝔐 עליו ‖ [b] 𝔐𝔊𝔖𝔗J𝔙 יְכֻבַּס ‖ **22** [a] 𝔊 + *κυρίου* ‖ **23** [a] 𝔐 יָבוֹא ‖ **Cp 7,2** [a] 𝔊 + *ἔναντι κυρίου* ‖ **3** [a] 𝔊 pr cop cf 3,9b ‖ [b] 𝔐𝔊 ins ואת כל הַחֵלֶב אשר על־הַקֶּרֶב.

8 כָּאָשָׁם תּוֹרָה אַחַת לָהֶם הַכֹּהֵן אֲשֶׁר יְכַפֶּר־בּוֹ לוֹ יִהְיֶה׃ 8 וְהַכֹּהֵן
הַמַּקְרִיב אֶת־עֹלַת אִישׁ עוֹר הָעֹלָה אֲשֶׁר הִקְרִיבa לַכֹּהֵןb לוֹc יִהְיֶה׃ ב
9 וְכָל־מִנְחָה אֲשֶׁר תֵּאָפֶה בַּתַּנּוּר וְכָל־נַעֲשָׂה בַמַּרְחֶשֶׁת וְעַל־מַחֲבַתa י ר״פ וכל ומ״פ וכל . ל . ח[7] קמ וכל חומש המגילות דכות ב מ ב . ג[8]
10 לַכֹּהֵן הַמַּקְרִיב אֹתָהּ לוֹb תִהְיֶה׃ 10 וְכָל־מִנְחָה בְלוּלָה־בַשֶּׁמֶן
וַחֲרֵבָה לְכָל־בְּנֵי אַהֲרֹן תִּהְיֶה אִישׁ כְּאָחִיו׃ פ ל[9] . ב
11 וְזֹאתa תּוֹרַת זֶבַח הַשְּׁלָמִים אֲשֶׁר יַקְרִיבb לַיהוָה׃ 12 אִם עַל־ כה יו[10] מנה ר״פ . ז ר״פ בסיפ
תּוֹדָה יַקְרִיבֶנּוּ וְהִקְרִיב ׀ עַל־זֶבַח הַתּוֹדָה חַלּוֹת מַצּוֹת בְּלוּלֹת בַּשֶּׁמֶן ג מל בסיפ
וּרְקִיקֵי מַצּוֹת מְשֻׁחִים בַּשָּׁמֶן וְסֹלֶת מֻרְבֶּכֶתa חַלֹּת בְּלוּלֹתa בַּשָּׁמֶן׃ ב
13 עַל־חַלֹּת לֶחֶם חָמֵץ יַקְרִיב קָרְבָּנוֹ עַל־זֶבַח תּוֹדַת שְׁלָמָיו׃
14 וְהִקְרִיב aמִמֶּנּוּ אֶחָד מִכָּל־קָרְבָּןa תְּרוּמָה לַיהוָה לַכֹּהֵן הַזֹּרֵק אֶת־ ה[11] . ל
15 דַּם הַשְּׁלָמִים לוֹ יִהְיֶה׃ 15 וּבְשַׂר זֶבַח תּוֹדַת שְׁלָמָיוa בְּיוֹם קָרְבָּנוֹ ד
16 יֵאָכֵל לֹא־יַנִּיחַb מִמֶּנּוּ עַד־בֹּקֶר׃ 16 וְאִם־נֶדֶר ׀ אוֹ נְדָבָה זֶבַח קָרְבָּנוֹ
בְּיוֹם הַקְרִיבוֹ אֶת־זִבְחוֹ יֵאָכֵל וּמִמָּחֳרָת aוְהַנּוֹתָר מִמֶּנּוּ יֵאָכֵלa׃ ל . ג[12]
17 וְהַנּוֹתָרa מִבְּשַׂר הַזָּבַח בַּיּוֹם הַשְּׁלִישִׁי בָּאֵשׁ יִשָּׂרֵף׃ 18 וְאִם הֵאָכֹלa
יֵאָכֵל מִבְּשַׂר־זֶבַח שְׁלָמָיו בַּיּוֹם הַשְּׁלִישִׁי לֹא יֵרָצֶה הַמַּקְרִיב אֹתוֹ לֹא
19 יֵחָשֵׁב לוֹ פִּגּוּל יִהְיֶה וְהַנֶּפֶשׁ הָאֹכֶלֶת מִמֶּנּוּ עֲוֹנָהּ תִּשָּׂא׃ 19 וְהַבָּשָׂר ג[13] ב מנה בפסוק
אֲשֶׁר־יִגַּע בְּכָל־טָמֵא לֹא יֵאָכֵל בָּאֵשׁ יִשָּׂרֵף וְהַבָּשָׂרa כָּל־טָהוֹר ג[13] ב מנה בפסוק
20 יֹאכַל בָּשָׂר׃ 20 וְהַנֶּפֶשׁ אֲשֶׁר־תֹּאכַל בָּשָׂר מִזֶּבַח הַשְּׁלָמִים אֲשֶׁר
21 לַיהוָה וְטֻמְאָתוֹ עָלָיו וְנִכְרְתָה הַנֶּפֶשׁ הַהִוא מֵעַמֶּיהָ׃ 21 וְנֶפֶשׁ כִּי־ ב . ג ר״פ[14]
תִגַּע בְּכָל־טָמֵא בְּטֻמְאַת אָדָם אוֹ ׀ בִּבְהֵמָה טְמֵאָה אוֹ בְּכָל־שֶׁקֶץa ד רפי בסיפ[15] . ל וכל קריא שרץ טמא
טָמֵא וְאָכַל מִבְּשַׂר־זֶבַח הַשְּׁלָמִים אֲשֶׁר לַיהוָה וְנִכְרְתָה הַנֶּפֶשׁ הַהִוא
מֵעַמֶּיהָ׃ פ
22 וַיְדַבֵּר יְהוָה אֶל־מֹשֶׁה לֵּאמֹר׃ 23 דַּבֵּר אֶל־בְּנֵי יִשְׂרָאֵל לֵאמֹר ד בטע בסיפ[16]
24 כָּל־חֵלֶב שׁוֹר וְכֶשֶׂב וָעֵז לֹא תֹאכֵלוּ׃ 24 וְחֵלֶב נְבֵלָה וְחֵלֶב טְרֵפָה ד . ו . ל קמ
25 יֵעָשֶׂה לְכָל־מְלָאכָה וְאָכֹל לֹא תֹאכְלֻהוּ׃ 25 כִּיa כָּל־אֹכֵל חֵלֶב מִן־ לו[17] . ל וחס

[7] Mm 692. [8] Mm 693. [9] Mm 3935. [10] Mm 856. [11] Mm 694. [12] Mm 695. [13] Mm 1130. [14] Mm 680. [15] Mm 829. [16] Mm 696. [17] Mm 210.

8 a ⅏ יקריבו ‖ b > 𝔊 ‖ c > 𝔖, it 9b ‖ **9** a ⅏ הַמּ׳ ‖ b cf 8c ‖ **11** a 𝔊𝔖𝔙 om cop ‖ b ⅏𝔊 pl ‖ **12** a–a > 𝔊 ‖ **14** a–a 𝔊 *ἐν ἀπὸ πάντων τῶν δώρων αὐτοῦ* ‖ **15** a 𝔊 + *αὐτῷ ἔσται* cf 14 ‖ b 𝔊 pl ‖ **16** a–a > 𝔊 ‖ **17** a ℭ + מזבח ‖ **18** a ⅏ אָכֹל ‖ **19** a ⅏ ה׳; > 𝔊𝔖𝔙 ‖ **21** a pc Mss ⅏𝔖𝔗Mss שׁרץ ut 5,2 ‖ **25** a > 𝔊.

הַבְּהֵמָה אֲשֶׁר יַקְרִיב[b] מִמֶּנָּה אִשֶּׁה[c] לַיהוָה וְנִכְרְתָה הַנֶּפֶשׁ הָאֹכֶלֶת
26 מֵעַמֶּיהָ׃ 26 וְכָל־דָּם לֹא תֹאכְלוּ בְּכֹל מוֹשְׁבֹתֵיכֶם לָעוֹף וְלַבְּהֵמָה׃ [ד[18]. ל[19]. ג[20]]
27 27 כָּל־נֶפֶשׁ[a] אֲשֶׁר־תֹּאכַל כָּל־דָּם וְנִכְרְתָה הַנֶּפֶשׁ הַהִוא מֵעַמֶּיהָ׃ פ [ל ר״פ]
28 29 28 וַיְדַבֵּר יְהוָה אֶל־מֹשֶׁה לֵּאמֹר׃ 29 [a]דַּבֵּר אֶל־בְּנֵי יִשְׂרָאֵל[a] [ד בטע בסיפ[21]]
לֵאמֹר הַמַּקְרִיב אֶת־זֶבַח שְׁלָמָיו לַיהוָה יָבִיא אֶת־קָרְבָּנוֹ לַיהוָה [יג[22]]
30 מִזֶּבַח שְׁלָמָיו׃ 30 יָדָיו תְּבִיאֶינָה אֵת אִשֵּׁי יְהוָה אֶת־הַחֵלֶב עַל־הֶחָזֶה [ל ומל. יג פסוק את את את בסיפ. ט כת י וכל מאשי דכות]
31 יְבִיאֶנּוּ אֵת[a] הֶחָזֶה[b] לְהָנִיף אֹתוֹ תְּנוּפָה לִפְנֵי יְהוָה׃ 31 וְהִקְטִיר הַכֹּהֵן
32 אֶת־הַחֵלֶב הַמִּזְבֵּחָה וְהָיָה הֶחָזֶה לְאַהֲרֹן וּלְבָנָיו׃ 32 וְאֵת שׁוֹק הַיָּמִין
33 תִּתְּנוּ תְרוּמָה לַכֹּהֵן[a] מִזִּבְחֵי שַׁלְמֵיכֶם׃ 33 הַמַּקְרִיב אֶת־דַּם הַשְּׁלָמִים
34 וְאֶת־הַחֵלֶב מִבְּנֵי אַהֲרֹן לוֹ תִהְיֶה שׁוֹק הַיָּמִין לְמָנָה׃ 34 כִּי אֶת־חֲזֵה [ה וכל ואת שתי הכלית דכות[23]. ו זוגין[24]]
הַתְּנוּפָה[a] וְאֵת ׀ שׁוֹק הַתְּרוּמָה לָקַחְתִּי מֵאֵת בְּנֵי־יִשְׂרָאֵל מִזִּבְחֵי
שַׁלְמֵיהֶם[b] וָאֶתֵּן אֹתָם לְאַהֲרֹן הַכֹּהֵן וּלְבָנָיו לְחָק־עוֹלָם מֵאֵת בְּנֵי [ו]
35 יִשְׂרָאֵל׃ 35 זֹאת מִשְׁחַת אַהֲרֹן וּמִשְׁחַת בָּנָיו מֵאִשֵּׁי יְהוָה בְּיוֹם [ל]
36 הִקְרִיב אֹתָם לְכַהֵן לַיהוָה׃ 36 אֲשֶׁר[a] צִוָּה יְהוָה לָתֵת לָהֶם בְּיוֹם
37 מָשְׁחוֹ אֹתָם מֵאֵת בְּנֵי יִשְׂרָאֵל חֻקַּת עוֹלָם לְדֹרֹתָם׃ 37 זֹאת הַתּוֹרָה [ב[25]]
לָעֹלָה לַמִּנְחָה[a] וְלַחַטָּאת וְלָאָשָׁם וְלַמִּלּוּאִים וּלְזֶבַח הַשְּׁלָמִים׃ [ה[26]. ב[27]. ל. ב מל בליש[28]]
38 38 אֲשֶׁר[a] צִוָּה יְהוָה אֶת־מֹשֶׁה בְּהַר סִינָי[b] בְּיוֹם צַוֺּתוֹ אֶת־בְּנֵי יִשְׂרָאֵל [יג פסוק את את את בסיפ. ל[29]]
לְהַקְרִיב אֶת־קָרְבְּנֵיהֶם לַיהוָה בְּמִדְבַּר סִינָי׃ פ [ל. ל וכל וידבר דכות ב מ ב]
8 1 וַיְדַבֵּר יְהוָה אֶל־מֹשֶׁה לֵּאמֹר׃ 2 קַח אֶת־אַהֲרֹן וְאֶת־בָּנָיו ס [ה [יב ר״פ. ז פסוק את ואת ואת ואת ואת ואת[1]]
אִתּוֹ וְאֵת הַבְּגָדִים וְאֵת שֶׁמֶן הַמִּשְׁחָה וְאֵת ׀ פַּר הַחַטָּאת וְאֵת שְׁנֵי [ל. ז. ב. ג]
3 הָאֵילִים וְאֵת סַל הַמַּצּוֹת׃ 3 וְאֵת כָּל־הָעֵדָה הַקְהֵל אֶל־פֶּתַח אֹהֶל [ד[2] מל בתור וכל נביא דכות ב מ ג. ג[3]]
4 מוֹעֵד׃ 4 וַיַּעַשׂ מֹשֶׁה כַּאֲשֶׁר צִוָּה יְהוָה אֹתוֹ וַתִּקָּהֵל[a] הָעֵדָה אֶל־פֶּתַח [ב[4]]
5 אֹהֶל מוֹעֵד׃ 5 וַיֹּאמֶר מֹשֶׁה אֶל־הָעֵדָה זֶה הַדָּבָר אֲשֶׁר־צִוָּה יְהוָה
6 לַעֲשׂוֹת׃ 6 וַיַּקְרֵב מֹשֶׁה אֶת־אַהֲרֹן וְאֶת־בָּנָיו וַיִּרְחַץ אֹתָם בַּמָּיִם׃
7 7 וַיִּתֵּן עָלָיו אֶת־הַכֻּתֹּנֶת וַיַּחְגֹּר אֹתוֹ בָּאַבְנֵט וַיַּלְבֵּשׁ אֹתוֹ אֶת־הַמְּעִיל [יג פסוק את את את בסיפ]

[18] Mm 673. [19] וחד לָעוֹף Prv 26,2. [20] Mm 697. [21] Mm 696. [22] Mm 679. [23] Mm 669. [24] Mm 2036. [25] Mm 562. [26] Mm 698. [27] Mm 699. [28] Mm 700. [29] וחד בצותו Ez 10,6. **Cp 8** [1] Mm 2135. [2] Mm 879. [3] Mm 701. [4] Mm 702.

25 [b] nonn Mss 𝔐^Mss𝔗 pl ‖ [c] 𝔗 קרבן ‖ **27** [a] 𝔐 הַנּ׳ ‖ **29** [a–a] 𝔊𝔐 ואל־ב׳ י׳ תדבר ‖ **30** [a] mlt Mss 𝔊𝔗^J𝔙 וְאֵת ‖ [b] 𝔊 *τὸν λοβὸν τοῦ ἥπατος* = ?יֹתֶרֶת הַכָּבֵד ‖ **32** [a] 𝔖 *lmrj'* = ליהוה ‖ **34** [a] > 𝔗 ‖ [b] pc Mss 𝔊𝔗^J ־יכם ‖ **36** [a] 𝔊 *καθά* cf 38[a] ‖ **37** [a] mlt Mss 𝔐𝔊𝔖𝔗^Ms וְל׳ ‖ **38** [a] 𝔊 *ὃν τρόπον* cf 36[a] ‖ [b] > 𝔗 ‖ **Cp 8,4** [a] 𝔊 *καὶ ἐξεκκλησίασεν* = וַיַּקְהֵל cf 3.

8 וַיִּתֵּן עָלָיו אֶת־הָאֵפֹד וַיַּחְגֹּר אֹתוֹ בְּחֵשֶׁב הָאֵפֹד וַיֶּאְפֹּד לוֹ בּוֹ׃ 8 וַיָּשֶׂם ל׳. חצי התורה בפסוק. פד לג מנה בתור
9 עָלָיו אֶת־הַחֹשֶׁן וַיִּתֵּן אֶל־[a]הַחֹשֶׁן אֶת־הָאוּרִים וְאֶת־הַתֻּמִּים׃ 9 וַיָּשֶׂם ל׳. פד לג מנה בתור וחד מן ב פסוק וישם וישם
אֶת־הַמִּצְנֶפֶת עַל־רֹאשׁוֹ וַיָּשֶׂם[a] עַל־הַמִּצְנֶפֶת אֶל־מוּל פָּנָיו אֵת צִיץ יג פסוק את את את בסיפ. פד לג מנה בתור
10 הַזָּהָב נֵזֶר הַקֹּדֶשׁ כַּאֲשֶׁר צִוָּה יְהוָה אֶת־מֹשֶׁה׃ 10 וַיִּקַּח מֹשֶׁה[a] אֶת־
שֶׁמֶן[a] הַמִּשְׁחָה [b]וַיִּמְשַׁח אֶת־הַמִּשְׁכָּן וְאֶת־כָּל־אֲשֶׁר־בּוֹ וַיְקַדֵּשׁ אֹתָם[b]׃
11 וַיַּז מִמֶּנּוּ עַל־הַמִּזְבֵּחַ שֶׁבַע פְּעָמִים וַיִּמְשַׁח אֶת־הַמִּזְבֵּחַ[a] וְאֶת־כָּל־ ב[5]
12 כֵּלָיו וְאֶת־הַכִּיֹּר וְאֶת־כַּנּוֹ לְקַדְּשָׁם׃ 12 וַיִּצֹק מִשֶּׁמֶן הַמִּשְׁחָה עַל ג
13 רֹאשׁ אַהֲרֹן וַיִּמְשַׁח אֹתוֹ לְקַדְּשׁוֹ׃ 13 וַיַּקְרֵב מֹשֶׁה אֶת־בְּנֵי אַהֲרֹן
וַיַּלְבִּשֵׁם כֻּתֳּנֹת וַיַּחְגֹּר אֹתָם אַבְנֵט[a] וַיַּחֲבֹשׁ לָהֶם מִגְבָּעוֹת כַּאֲשֶׁר צִוָּה ב וחס. ב מל בליש[6]
14 יְהוָה אֶת־מֹשֶׁה׃ 14 וַיַּגֵּשׁ[a] אֵת פַּר הַחַטָּאת וַיִּסְמֹךְ אַהֲרֹן וּבָנָיו אֶת־ ה[7]
15 יְדֵיהֶם עַל־רֹאשׁ פַּר הַחַטָּאת׃ 15 וַיִּשְׁחָט[a] וַיִּקַּח מֹשֶׁה אֶת־[b]הַדָּם ג קמ וחד מן יא[8] זוגין בטע
וַיִּתֵּן עַל־קַרְנוֹת הַמִּזְבֵּחַ סָבִיב בְּאֶצְבָּעוֹ וַיְחַטֵּא אֶת־הַמִּזְבֵּחַ [c]וְאֶת־ ד מל בתור[9]
16 הַדָּם יָצַק אֶל־יְסוֹד הַמִּזְבֵּחַ[c] וַיְקַדְּשֵׁהוּ לְכַפֵּר עָלָיו׃ 16 וַיִּקַּח[a] אֶת־ ו[10]
כָּל־הַחֵלֶב אֲשֶׁר עַל־הַקֶּרֶב וְאֵת יֹתֶרֶת הַכָּבֵד וְאֶת־שְׁתֵּי הַכְּלָיֹת
17 וְאֶת־חֶלְבְּהֶן[b] וַיַּקְטֵר מֹשֶׁה הַמִּזְבֵּחָה׃ 17 וְאֶת־הַפָּר וְאֶת־עֹרוֹ וְאֶת־ ג[11]
בְּשָׂרוֹ וְאֶת־פִּרְשׁוֹ שָׂרַף בָּאֵשׁ מִחוּץ לַמַּחֲנֶה כַּאֲשֶׁר צִוָּה יְהוָה אֶת־
18 מֹשֶׁה׃ 18 וַיַּקְרֵב[a] אֵת אֵיל הָעֹלָה וַיִּסְמְכוּ[b] אַהֲרֹן וּבָנָיו אֶת־יְדֵיהֶם ל
19 עַל־רֹאשׁ[c] הָאָיִל׃ 19 וַיִּשְׁחָט[a] וַיִּזְרֹק מֹשֶׁה אֶת־הַדָּם עַל־הַמִּזְבֵּחַ ג קמ
20 סָבִיב׃ 20 וְאֶת־הָאַיִל נִתַּח לִנְתָחָיו וַיַּקְטֵר מֹשֶׁה אֶת־הָרֹאשׁ וְאֶת־ ה[12]. לז
21 הַנְּתָחִים וְאֶת־הַפָּדֶר׃ 21 [a]וְאֶת־הַקֶּרֶב[a] [b]וְאֶת־הַכְּרָעַיִם[b] רָחַץ בַּמָּיִם ל. ג
וַיַּקְטֵר מֹשֶׁה אֶת־כָּל־הָאַיִל הַמִּזְבֵּחָה עֹלָה הוּא לְרֵיחַ־נִיחֹחַ אִשֶּׁה יז[13]. ג[14]
22 הוּא לַיהוָה כַּאֲשֶׁר צִוָּה יְהוָה אֶת־מֹשֶׁה׃ 22 וַיַּקְרֵב[a] אֶת־הָאַיִל הַשֵּׁנִי
אֵיל הַמִּלֻּאִים וַיִּסְמְכוּ[b] אַהֲרֹן וּבָנָיו אֶת־יְדֵיהֶם עַל־רֹאשׁ הָאָיִל׃

[5] Mm 703. [6] Mp sub loco. [7] Mm 356. [8] Mm 915. [9] Mm 704. [10] Mm 745. [11] Mm 570. [12] Mm 872. [13] Mm 574. [14] Mm 575.

8 [a] ш𝔊𝔖 על ‖ **9** [a] ш ויתן ‖ **10** [a–a] 𝔊 *ἀπὸ τοῦ ἐλαίου* = מִשׁ׳ ‖ [b–b] 𝔊 tr post 11 ‖ **11** [a] 𝔊 + *καὶ ἡγίασεν αὐτό* = ויקדשהו ut 15 ‖ **13** [a] ш Vrs pl ‖ **14** [a] 𝔊 + *Μωυσῆς*, it 16[a]. 18[a].19[a].22[a].24[a].28[a] ‖ **15** [a] > 𝔗; ш cj c 14, prb sic l cf 19[a].23[a] ‖ [b] 𝔊(𝔖𝔗[Ms]) *ἀπό*, l frt מִן ‖ [c–c] > 𝔗 (homtel) ‖ **16** [a] cf 14[a] ‖ [b] ш בֵּיהן–, it 25[a] ‖ **18** [a] ш ויגש; cf 14[a] ‖ [b] ш𝔊 sg ut 14, it 22[b] ‖ [c] > 𝔗 ‖ **19** [a] cf 14[a]; 𝔖 *wnksh mwš'* = טֵהוּ מֹשֶׁה–; prb huc tr : cf 15[a] ‖ **21** [a–a] ш cj c 20 ‖ [b–b] ш והכ׳ ‖ **22** [a] cf 14[a] ‖ [b] cf 18[b].

23 וַיִּשְׁחָ֓ט ׀ וַיִּקַּ֨ח מֹשֶׁ֜ה מִדָּמ֗וֹ וַיִּתֵּ֛ן עַל־תְּנ֥וּךְ אֹֽזֶן־אַהֲרֹ֖ן הַיְמָנִ֑ית וְעַל־

24 בֹּ֤הֶן יָדוֹ֙ הַיְמָנִ֔ית וְעַל־בֹּ֥הֶן רַגְל֖וֹ הַיְמָנִֽית׃ 24 וַיַּקְרֵ֞ב אֶת־בְּנֵ֣י אַהֲרֹ֗ן

וַיִּתֵּ֨ן מֹשֶׁ֤ה מִן־הַדָּם֙ עַל־תְּנ֤וּךְ אָזְנָם֙ הַיְמָנִ֔ית וְעַל־בֹּ֤הֶן יָדָם֙ הַיְמָנִ֔ית

וְעַל־בֹּ֖הֶן רַגְלָ֣ם הַיְמָנִ֑ית וַיִּזְרֹ֨ק מֹשֶׁ֧ה אֶת־הַדָּ֛ם עַל־הַֽמִּזְבֵּ֖חַ סָבִֽיב׃

25 וַיִּקַּ֞ח אֶת־הַחֵ֣לֶב וְאֶת־הָֽאַלְיָ֗ה וְאֶֽת־כָּל־הַחֵלֶב֮ אֲשֶׁ֣ר עַל־הַקֶּרֶב֒ 25

וְאֵת֙ יֹתֶ֣רֶת הַכָּבֵ֔ד וְאֶת־שְׁתֵּ֥י הַכְּלָיֹ֖ת וְאֶת־חֶלְבְּהֶ֑ן וְאֵ֖ת שׁ֥וֹק הַיָּמִֽין׃

26 וּמִסַּ֨ל הַמַּצּ֜וֹת אֲשֶׁ֣ר ׀ לִפְנֵ֣י יְהוָ֗ה לָקַ֞ח חַלַּ֨ת מַצָּ֤ה אַחַת֙ וְֽחַלַּ֨ת לֶ֜חֶם 26

שֶׁ֤מֶן אַחַת֙ וְרָקִ֣יק אֶחָ֔ד וַיָּ֙שֶׂם֙ עַל־הַ֣חֲלָבִ֔ים וְעַ֖ל שׁ֥וֹק הַיָּמִֽין׃ 27 וַיִּתֵּ֣ן 27

אֶת־הַכֹּ֗ל עַ֚ל כַּפֵּ֣י אַהֲרֹ֔ן וְעַ֖ל כַּפֵּ֣י בָנָ֑יו וַיָּ֧נֶף אֹתָ֛ם תְּנוּפָ֖ה לִפְנֵ֥י

יְהוָֽה׃ 28 וַיִּקַּ֨ח מֹשֶׁ֤ה אֹתָם֙ מֵעַ֣ל כַּפֵּיהֶ֔ם וַיַּקְטֵ֥ר הַמִּזְבֵּ֖חָה עַל־ 28

הָעֹלָ֑ה מִלֻּאִ֥ים הֵ֛ם לְרֵ֥יחַ נִיחֹ֖חַ אִשֶּׁ֥ה ה֖וּא לַיהוָֽה׃ 29 וַיִּקַּ֤ח מֹשֶׁה֙ 29

אֶת־הֶ֣חָזֶ֔ה וַיְנִיפֵ֥הוּ תְנוּפָ֖ה לִפְנֵ֣י יְהוָ֑ה מֵאֵ֣יל הַמִּלֻּאִ֗ים לְמֹשֶׁ֤ה הָיָה֙

לְמָנָ֔ה כַּאֲשֶׁ֛ר צִוָּ֥ה יְהוָ֖ה אֶת־מֹשֶֽׁה׃ 30 וַיִּקַּ֨ח מֹשֶׁ֜ה מִשֶּׁ֣מֶן הַמִּשְׁחָ֗ה וּמִן־ 30

הַדָּם֮ אֲשֶׁ֣ר עַל־הַמִּזְבֵּחַ֒ וַיַּ֤ז עַֽל־אַהֲרֹן֙ עַל־בְּגָדָ֔יו וְעַל־בָּנָ֛יו וְעַל־

בִּגְדֵ֥י בָנָ֖יו אִתּ֑וֹ וַיְקַדֵּ֤שׁ אֶֽת־אַהֲרֹן֙ אֶת־בְּגָדָ֔יו וְאֶת־בָּנָ֛יו וְאֶת־בִּגְדֵ֥י

בָנָ֖יו אִתּֽוֹ׃ 31 וַיֹּ֨אמֶר מֹשֶׁ֜ה אֶל־אַהֲרֹ֣ן וְאֶל־בָּנָ֗יו בַּשְּׁל֤וּ אֶת־הַבָּשָׂר֙ 31

פֶּ֙תַח֙ אֹ֣הֶל מוֹעֵ֔ד וְשָׁם֙ תֹּאכְל֣וּ אֹת֔וֹ וְאֶ֨ת־הַלֶּ֔חֶם אֲשֶׁ֖ר בְּסַ֣ל הַמִּלֻּאִ֑ים

כַּאֲשֶׁ֤ר צִוֵּ֙יתִי֙ לֵאמֹ֔ר אַהֲרֹ֥ן וּבָנָ֖יו יֹאכְלֻֽהוּ׃ 32 וְהַנּוֹתָ֥ר בַּבָּשָׂ֖ר 32

וּבַלָּ֑חֶם בָּאֵ֖שׁ תִּשְׂרֹֽפוּ׃ 33 וּמִפֶּתַח֩ אֹ֨הֶל מוֹעֵ֜ד לֹ֤א תֵֽצְאוּ֙ שִׁבְעַ֣ת יָמִ֔ים 33

עַ֚ד י֣וֹם מְלֹ֔את יְמֵ֖י מִלֻּאֵיכֶ֑ם כִּ֚י שִׁבְעַ֣ת יָמִ֔ים יְמַלֵּ֖א אֶת־יֶדְכֶֽם׃

34 כַּאֲשֶׁ֥ר עָשָׂ֖ה בַּיּ֣וֹם הַזֶּ֑ה צִוָּ֧ה יְהוָ֛ה לַעֲשֹׂ֖ת לְכַפֵּ֥ר עֲלֵיכֶֽם׃ 35 וּפֶ֩תַח֩ 34 35

אֹ֨הֶל מוֹעֵ֜ד תֵּשְׁב֤וּ יוֹמָם֙ וָלַ֔יְלָה שִׁבְעַ֣ת יָמִ֔ים וּשְׁמַרְתֶּ֛ם אֶת־מִשְׁמֶ֥רֶת

יְהוָ֖ה וְלֹ֣א תָמ֑וּתוּ כִּי־כֵ֖ן צֻוֵּֽיתִי׃ 36 וַיַּ֥עַשׂ אַהֲרֹ֖ן וּבָנָ֑יו אֵ֚ת כָּל־ 36

הַדְּבָרִ֔ים אֲשֶׁר־צִוָּ֥ה יְהוָ֖ה בְּיַד־מֹשֶֽׁה׃ ס

ג קְמָ וחד מן ז‏15 בטע
מרעימין וחד מן יאֹ‏16
זוגין בטע . חֹ‏17 . כהֹ

חֹ‏17 . יֹ

† פסוק את ואת ואת ואת
ואת ואת‏18

ל

בֹ . פֿד לגֿ מנהֿ בתורֹ

‏19,20 . גֹ

יֹ

בֹ‏21 . הֹ

יֹחֿ פסוק את את
ואת ואת‏23 . †

ל

גֹ

הֹ . ד וחס

† בֹ . דגשֿ‏24

‏25†

‏26 . יֹ חס למערב . הֹ‏27

† מלֿ בֹ‏28 מנהֿ בתורֹ
הֹ‏29 . יֹגֿ חס האלה‏30

‏31 . יֹ

‏tt

15Mm 705.   16Mm 915.   17Mm 742.   18Mm 2135.   19Mm 574.   20Mm 575.   21Mm 703.   22Mm 567.
23Mm 2895.   24Mm 351.   25Mm 706.   26Mm 53.   27Mm 2965.   28Mm 314.   29Mm 2811.   30Mm 707.
31Mm 1360.

23 ᵃ prb huc tr : cf 15ᵃ ‖ 24 ᵃ cf 14ᵃ ‖ 25 ᵃ cf 16ᵇ ‖ 26 ᵃ 𝔊 τῆς τελειώσεως = המלאים,
ex 31 ‖ 28 ᵃ cf 14ᵃ ‖ 30 ᵃ mlt Mss ᛗ Vrs 𝔗ᴶ ועל cf Ex 29,21 ‖ ᵇ⁻ᵇ > 𝔊ᴮ*ᴬ ‖ ᶜ mlt
Mss ᛗ𝔊𝔖𝔗ᴹˢ𝔗ᴶ ואת ‖ 31 ᵃ 𝔊 ἐν τῇ αὐλῇ = בֶּחָצֵר ? ‖ ᵇ > 𝔄, it 35ᵃ; 𝔊 + ἐν τόπῳ
ἁγίῳ ‖ ᶜ 𝔊𝔖𝔗 pass, 1 prb צַו ut 35 10,13, cf 10,18ᵃ ‖ 33 ᵃ pc Mss ᛗ𝔊𝔖 pl ‖ 35 ᵃ cf
31ᵇ ‖ ᵇ 𝔊 ἐνετείλατό μοι κύριος ὁ θεός.

פרש 9 1 וַיְהִי בַּיּוֹם הַשְּׁמִינִי קָרָא מֹשֶׁה לְאַהֲרֹן וּלְבָנָיו [a]וּלְזִקְנֵי ל̇
2 יִשְׂרָאֵל[a]׃ 2 וַיֹּאמֶר אֶל־אַהֲרֹן קַח־לְךָ עֵגֶל בֶּן־בָּקָר לְחַטָּאת וְאַיִל
3 לְעֹלָה תְּמִימִם וְהַקְרֵב לִפְנֵי יְהוָה׃ 3 וְאֶל־בְּנֵי[a] יִשְׂרָאֵל תְּדַבֵּר ל̇[1]. ד̇[2]
לֵאמֹר קְחוּ שְׂעִיר־עִזִּים לְחַטָּאת וְעֵגֶל וָכֶבֶשׂ בְּנֵי־שָׁנָה תְּמִימִם
4 לְעֹלָה׃ 4 וְשׁוֹר וָאַיִל לִשְׁלָמִים לִזְבֹּחַ לִפְנֵי יְהוָה וּמִנְחָה בְּלוּלָה ה̇
5 בַשָּׁמֶן כִּי הַיּוֹם יְהוָה נִרְאָה[a] אֲלֵיכֶם׃ 5 וַיִּקְחוּ אֵת אֲשֶׁר צִוָּה מֹשֶׁה
6 אֶל־פְּנֵי אֹהֶל מוֹעֵד וַיִּקְרְבוּ כָּל־הָעֵדָה וַיַּעַמְדוּ לִפְנֵי יְהוָה׃ 6 וַיֹּאמֶר ט̇[3] וכל צורת הבית דכות ב̇ מ̇ ד̇
מֹשֶׁה זֶה הַדָּבָר אֲשֶׁר־צִוָּה יְהוָה תַּעֲשׂוּ וְיֵרָא אֲלֵיכֶם כְּבוֹד יְהוָה׃
7 וַיֹּאמֶר מֹשֶׁה אֶל־אַהֲרֹן קְרַב אֶל־הַמִּזְבֵּחַ וַעֲשֵׂה [a]אֶת־חַטָּאתְךָ ט̇[4]. ב̇[5]
וְאֶת־עֹלָתֶךָ וְכַפֵּר בַּעַדְךָ וּבְעַד הָעָם[b] וַעֲשֵׂה[a] אֶת־קָרְבַּן הָעָם וְכַפֵּר ג̇. ד̇[6]. ד̇[6]
8 בַּעֲדָם כַּאֲשֶׁר צִוָּה יְהוָה׃ 8 וַיִּקְרַב אַהֲרֹן אֶל־הַמִּזְבֵּחַ וַיִּשְׁחַט אֶת־ ג̇ ס״פ. ה̇ פת̇[7]. ט̇[4]
9 עֵגֶל הַחַטָּאת [a]אֲשֶׁר־לוֹ[a]׃ 9 וַיַּקְרִבוּ בְּנֵי אַהֲרֹן אֶת־הַדָּם אֵלָיו וַיִּטְבֹּל ל̇[8] חס̇ ב̇ מנה̇ בליש
אֶצְבָּעוֹ בַּדָּם וַיִּתֵּן עַל־קַרְנוֹת הַמִּזְבֵּחַ וְאֶת־הַדָּם יָצַק אֶל־יְסוֹד ד̇ מל̇ בתור̇[9]
10 הַמִּזְבֵּחַ׃ 10 וְאֶת־הַחֵלֶב וְאֶת־הַכְּלָיֹת וְאֶת־הַיֹּתֶרֶת מִן־הַכָּבֵד מִן־ ה̇ וכל ואת שתי הכלית דכות̇[10]
11 הַחַטָּאת הִקְטִיר הַמִּזְבֵּחָה כַּאֲשֶׁר צִוָּה יְהוָה אֶת־מֹשֶׁה׃ 11 וְאֶת־
12 הַבָּשָׂר וְאֶת־הָעוֹר שָׂרַף בָּאֵשׁ מִחוּץ לַמַּחֲנֶה׃ 12 וַיִּשְׁחַט אֶת־הָעֹלָה
וַיַּמְצִאוּ בְּנֵי אַהֲרֹן אֵלָיו אֶת־הַדָּם וַיִּזְרְקֵהוּ עַל־הַמִּזְבֵּחַ סָבִיב׃ ב̇ וחס̇
13 וְאֶת־הָעֹלָה הִמְצִיאוּ אֵלָיו לִנְתָחֶיהָ וְאֶת־הָרֹאשׁ וַיַּקְטֵר עַל־ ג̇[11]. ל̇. ל̇ז. ג̇ בליש[12]
14 הַמִּזְבֵּחַ׃ 14 וַיִּרְחַץ אֶת־הַקֶּרֶב וְאֶת־הַכְּרָעָיִם וַיַּקְטֵר עַל־הָעֹלָה
15 הַמִּזְבֵּחָה׃ 15 וַיַּקְרֵב אֵת קָרְבַּן הָעָם וַיִּקַּח אֶת־שְׂעִיר הַחַטָּאת אֲשֶׁר
16 לָעָם וַיִּשְׁחָטֵהוּ וַיְחַטְּאֵהוּ כָּרִאשׁוֹן׃ 16 וַיַּקְרֵב אֶת־הָעֹלָה[a] וַיַּעֲשֶׂהָ ל̇. ל̇. ב̇
17 כַּמִּשְׁפָּט׃ 17 וַיַּקְרֵב אֶת־הַמִּנְחָה וַיְמַלֵּא כַפּוֹ[a] מִמֶּנָּה וַיַּקְטֵר עַל־ ט̇. ג̇ בליש[12]
18 הַמִּזְבֵּחַ מִלְּבַד עֹלַת הַבֹּקֶר׃ 18 וַיִּשְׁחַט אֶת־הַשּׁוֹר וְאֶת־הָאַיִל זֶבַח ה̇[13]
הַשְּׁלָמִים אֲשֶׁר לָעָם וַיַּמְצִאוּ בְּנֵי אַהֲרֹן אֶת־הַדָּם אֵלָיו וַיִּזְרְקֵהוּ עַל־ ב̇ וחס̇
19 הַמִּזְבֵּחַ סָבִיב׃ 19 וְאֶת־הַחֲלָבִים מִן־הַשּׁוֹר וּמִן־הָאַיִל הָאַלְיָה

Cp 9 [1]Mm 847. [2]Mm 585. [3]Mm 3937. [4]Mm 583. [5]Mm 708. [6]Mm 709. [7]Mm 710. [8]Mm 667. [9]Mm 704. [10]Mm 669. [11]Mm 2983. [12]Mm 4235. [13]Mm 872.

Cp 9,1 [a–a] dl? cf 3[a] || **3** [a] ш𝔊 זִקְנֵי || **4** [a] 𝔊(𝔖𝔗[J]ע') ὀφθήσεται = נִרְאָה cf 6 וירא || **7** [a–a] > 𝔆 (homtel) || [b] 𝔊 τοῦ οἴκου σου cf 16,17 || **8** [a–a] > 𝔊* || **16** [a] 𝔆 קרבן || **17** [a] ш𝔊 כַּפָּיו.

ל̇ה̇ [a]וְהַֽמְכַסֶּ֔ה וְהַכְּלָיֹ֖ת[a] וְיֹתֶ֥רֶת הַכָּבֵֽד׃ 20 וַיָּשִׂ֥ימוּ[a] אֶת־הַחֲלָבִ֖ים עַל־ 20
הֶחָז֑וֹת וַיַּקְטֵ֥ר[b] הַחֲלָבִ֖ים הַמִּזְבֵּֽחָה׃ 21 וְאֵ֣ת הֶחָז֗וֹת וְאֵת֙ שׁ֣וֹק הַיָּמִ֔ין 21
הֵנִ֧יף אַהֲרֹ֛ן תְּנוּפָ֖ה לִפְנֵ֣י יְהוָ֑ה כַּאֲשֶׁ֖ר צִוָּ֥ה[a] מֹשֶֽׁה[b]׃ 22 וַיִּשָּׂ֨א 22
ידיו חד מן ה כת̇ י̇ק̇ חס̇. ב חס̇[14] אַהֲרֹ֧ן אֶת־יָדָ֛ו אֶל־[a]הָעָ֖ם וַֽיְבָרְכֵ֑ם וַיֵּ֗רֶד מֵעֲשֹׂ֧ת הַֽחַטָּ֛את וְהָעֹלָ֖ה
כט בתור̇ וְהַשְּׁלָמִֽים׃ 23 וַיָּבֹ֨א מֹשֶׁ֤ה וְאַהֲרֹן֙ אֶל־אֹ֣הֶל מוֹעֵ֔ד וַיֵּ֣צְא֔וּ וַֽיְבָרְכ֖וּ 23
כ̇[15]. ל̇[16]. ג̇ אֶת־[a]הָעָ֑ם וַיֵּרָ֥א כְבוֹד־יְהוָ֖ה אֶל־כָּל־הָעָֽם׃ 24 וַתֵּ֤צֵא אֵשׁ֙ מִלִּפְנֵ֣י 24
ב̇ יְהוָ֔ה וַתֹּ֙אכַל֙ עַל־הַמִּזְבֵּ֔חַ אֶת־הָעֹלָ֖ה וְאֶת־הַחֲלָבִ֑ים וַיַּ֤רְא[a] כָּל־הָעָם֙
ל̇ וַיָּרֹ֔נּוּ וַֽיִּפְּל֖וּ עַל־פְּנֵיהֶֽם׃

הי̇[1] **10** 1 וַיִּקְח֣וּ בְנֵֽי־אַ֠הֲרֹן נָדָ֨ב וַאֲבִיה֜וּא[a] אִ֣ישׁ מַחְתָּת֗וֹ וַיִּתְּנ֤וּ בָהֵן֙ **10**
ל̇ה̇. יד בטע̇[2] אֵ֔שׁ וַיָּשִׂ֥ימוּ עָלֶ֖יהָ[b] קְטֹ֑רֶת וַיַּקְרִ֜בוּ לִפְנֵ֤י יְהוָה֙ [c]אֵ֣שׁ זָרָ֔ה[c] אֲשֶׁ֛ר לֹ֥א
ג̇. ל̇ט מל̇ בתור̇ צִוָּ֖ה[d] אֹתָֽם׃ 2 וַתֵּ֥צֵא אֵ֛שׁ מִלִּפְנֵ֥י יְהוָ֖ה וַתֹּ֣אכַל אוֹתָ֑ם וַיָּמֻ֖תוּ לִפְנֵ֥י 2
יְהוָֽה׃ 3 וַיֹּ֨אמֶר מֹשֶׁ֜ה אֶֽל־אַהֲרֹ֗ן הוּא֩ אֲשֶׁר־דִּבֶּ֨ר יְהוָ֤ה ׀ לֵאמֹר֙
ל̇. ל̇. ל̇ בִּקְרֹבַ֣י אֶקָּדֵ֔שׁ וְעַל־פְּנֵ֥י כָל־הָעָ֖ם אֶכָּבֵ֑ד
ב̇[3] וַיִּדֹּ֖ם אַהֲרֹֽן׃ 4 וַיִּקְרָ֣א מֹשֶׁ֗ה אֶל־מִֽישָׁאֵל֙[a] וְאֶ֣ל אֶלְצָפָ֔ן[b] בְּנֵ֥י עֻזִּיאֵ֖ל[c] 4
ה̇ בתרי טעמ̇[4]. ה̇[5] דֹּ֣ד אַהֲרֹ֑ן וַיֹּ֣אמֶר אֲלֵהֶ֗ם קִ֠רְב֞וּ שְׂא֤וּ אֶת־אֲחֵיכֶם֙ מֵאֵ֣ת פְּנֵי־הַקֹּ֔דֶשׁ
ב̇ חד חס̇ וחד מל̇[6] אֶל־מִח֖וּץ לַֽמַּחֲנֶֽה׃ 5 וַֽיִּקְרְב֗וּ[a] וַיִּשָּׂאֻם֙ בְּכֻתֳּנֹתָ֔ם אֶל־מִח֖וּץ לַֽמַּחֲנֶ֑ה 5
כַּאֲשֶׁ֖ר דִּבֶּ֥ר מֹשֶֽׁה׃ 6 וַיֹּ֣אמֶר מֹשֶׁ֣ה אֶל־אַ֠הֲרֹן וּלְאֶלְעָזָ֨ר[a] וּלְאִֽיתָמָ֜ר[a] ׀ 6
ו̇[7]. ב̇[8]. ל̇ בָּנָ֗יו[b] רָֽאשֵׁיכֶ֣ם אַל־תִּפְרָ֣עוּ[c] ׀ וּבִגְדֵיכֶ֤ם לֹֽא־תִפְרֹ֙מוּ֙ וְלֹ֣א תָמֻ֔תוּ וְעַ֥ל
כ̇[9] ד מנה בתור̇ וכל ירמיה ויחזק דכות̇ ב מ̇ ו̇ח̇ כָּל־הָעֵדָ֖ה יִקְצֹ֑ף וַאֲחֵיכֶם֙ כָּל־בֵּ֣ית יִשְׂרָאֵ֔ל יִבְכּוּ֙ אֶת־הַשְּׂרֵפָ֔ה
ב̇ אֲשֶׁ֖ר שָׂרַ֥ף יְהוָֽה׃ 7 וּמִפֶּ֨תַח אֹ֤הֶל מוֹעֵד֙ לֹ֣א תֵֽצְא֔וּ פֶּן־תָּמֻ֑תוּ כִּי־ 7
שֶׁ֛מֶן מִשְׁחַ֥ת יְהוָ֖ה עֲלֵיכֶ֑ם וַֽיַּעֲשׂ֖וּ כִּדְבַ֥ר מֹשֶֽׁה׃ פ
ב̇. ל̇ ר״פ 8 וַיְדַבֵּ֣ר יְהוָ֔ה אֶֽל־אַהֲרֹ֖ן לֵאמֹֽר׃ 9 יַ֣יִן וְשֵׁכָ֞ר אַל־תֵּ֣שְׁתְּ ׀ אַתָּ֣ה ׀ ס̇[ז]
ד̇. ד קמ̇ וכל יחזק נקיבה אתנח̇ וס״פ דכות̇[10]. ג̇[11] וּבָנֶ֣יךָ אִתָּ֔ךְ בְּבֹאֲכֶ֛ם אֶל־אֹ֥הֶל מוֹעֵ֖ד[a] וְלֹ֣א תָמֻ֑תוּ חֻקַּ֥ת עוֹלָ֖ם

[14]Mm 711. [15]Mm 1227. [16]Mm 712. Cp 10 [1]Mm 640. [2]Mm 3948. [3]Mm 3247. [4]Mm 2991. [5]Mm 713. [6]1Ch 23,22. [7]Mm 1215. [8]Mm 3593. [9]Mm 953. [10]Mm 172. [11]Mm 920.

19 [a–a] 𝔊 *καὶ τὸ στέαρ τὸ κατακαλύπτον ἐπὶ τῆς κοιλίας καὶ τοὺς δύο νεφροὺς καὶ τὸ στέαρ τὸ ἐπ᾽ αὐτῶν* cf 4,9 ‖ **20** [a] 𝔪𝔊𝔖 sg ‖ [b] 𝔊 pl ‖ **21** [a] mlt Mss 𝔪𝔊 + יְהוָה אֶת, prb sic l; 𝔖 pass ‖ [b] > ℭ ‖ **22** [a] 𝔪𝔊𝔖 על ‖ **23** [a] 𝔊 + *πάντα* ‖ **24** [a] 𝔪𝔗[J] pl ‖ **Cp 10,1** [a] 𝔊 *καὶ Αβιουδ* ‖ [b] 𝔪𝔖𝔗[Ms] עֲלֵיהֶן ‖ [c–c] > ℭ ‖ [d] 𝔊 + *κύριος*; 𝔙 pass ‖ **4** [a] 𝔊* *Μισαδαι* ‖ [b] 𝔪𝔊𝔖 אליצפן ‖ [c] ℭ עזאל, 𝔊[B] *Αζιηλ* ‖ **5** [a] ℭ ויקריבו ‖ **6** [a] 𝔪 ואל א׳ ‖ [b] 𝔊(𝔖) + *τοὺς καταλελειμμένους* cf 12 ‖ [c] 𝔪 לא ‖ **9** [a] 𝔊 + *ἢ προσπορευομένων ὑμῶν πρὸς τὸ θυσιαστήριον*.

10 לְדֹרֹתֵיכֶם׃ 10 וּֽלֲהַבְדִּיל[a] בֵּין הַקֹּדֶשׁ וּבֵין הַחֹל[b] וּבֵין הַטָּמֵא[b] וּבֵין — בׄ[12]. בׄ חד חס וחד מל[13]
11 הַטָּהוֹר׃ 11 וּלְהוֹרֹת אֶת־בְּנֵי יִשְׂרָאֵל אֵת כָּל־הַחֻקִּים[a] אֲשֶׁר דִּבֶּר — בׄ[14]
12 יְהוָה אֲלֵיהֶם בְּיַד־מֹשֶׁה׃ פ 12 וַיְדַבֵּר מֹשֶׁה[a] אֶל־אַהֲרֹן וְאֶל — יׄז מל בתור[15]
אֶלְעָזָר וְאֶל־אִיתָמָר ׀ בָּנָיו הַנּוֹתָרִים קְחוּ אֶת־הַמִּנְחָה הַנּוֹתֶרֶת מֵאִשֵּׁי
13 יְהוָה וְאִכְלוּהָ מַצּוֹת אֵצֶל הַמִּזְבֵּחַ כִּי קֹדֶשׁ קָדָשִׁים הִוא׃ 13 וַאֲכַלְתֶּם — ה̇ דסמיכׄ בתור
אֹתָהּ בְּמָקוֹם קָדֹשׁ כִּי חָקְךָ וְחָק־בָּנֶיךָ הִוא מֵאִשֵּׁי יְהוָה כִּי־כֵן צֻוֵּיתִי׃ — ה̇[16]
14 וְאֵת חֲזֵה הַתְּנוּפָה וְאֵת ׀ שׁוֹק הַתְּרוּמָה תֹּאכְלוּ בְּמָקוֹם טָהוֹר[a] — ד̇
אַתָּה וּבָנֶיךָ וּבְנֹתֶיךָ[b] אִתָּךְ כִּי־חָקְךָ וְחָק־בָּנֶיךָ נִתְּנוּ מִזִּבְחֵי שַׁלְמֵי — ג̇[17]. וׄ דגש[18]
15 בְּנֵי יִשְׂרָאֵל׃ 15 שׁוֹק הַתְּרוּמָה וַחֲזֵה הַתְּנוּפָה עַל אִשֵּׁי הַחֲלָבִים — ח̇ בטעׄ בסיפׄ[19]. ט̇ כת̇ י וכל מאשי דכות
יָבִיאוּ לְהָנִיף תְּנוּפָה לִפְנֵי יְהוָה וְהָיָה לְךָ וּלְבָנֶיךָ[a] אִתְּךָ לְחָק־עוֹלָם — ט̇[20]. יׄו בתור[21]. ו̇ ג̇ ס״פ. ב̇.
16 כַּאֲשֶׁר צִוָּה יְהוָה[b]׃ 16 וְאֵת ׀ שְׂעִיר הַחַטָּאת דָּרֹשׁ דָּרַשׁ מֹשֶׁה — חצי התורה בתיבות
וְהִנֵּה שֹׂרָף וַיִּקְצֹף עַל־אֶלְעָזָר וְעַל־אִיתָמָר בְּנֵי אַהֲרֹן הַנּוֹתָרִם — ל̇. ל̇ חס
17 לֵאמֹר׃ 17 מַדּוּעַ לֹא־אֲכַלְתֶּם אֶת־הַחַטָּאת בִּמְקוֹם הַקֹּדֶשׁ[a] כִּי קֹדֶשׁ — ה̇ דסמיכׄ בתור
קָדָשִׁים הִוא[a] וְאֹתָהּ ׀ נָתַן לָכֶם[b] לָשֵׂאת אֶת־עֲוֺן הָעֵדָה לְכַפֵּר עֲלֵיהֶם — כד̇. ב̇
18 לִפְנֵי יְהוָה׃ 18 הֵן לֹא־הוּבָא אֶת־דָּמָהּ אֶל־הַקֹּדֶשׁ פְּנִימָה אָכוֹל — ה̇[22]. יׄ מל. ב̇[23] מנה בתור
19 תֹּאכְלוּ אֹתָהּ בַּקֹּדֶשׁ כַּאֲשֶׁר צִוֵּיתִי[a]׃ 19 וַיְדַבֵּר אַהֲרֹן אֶל־מֹשֶׁה הֵן — ה̇
הַיּוֹם הִקְרִיבוּ אֶת־חַטָּאתָם וְאֶת־עֹלָתָם לִפְנֵי יְהוָה וַתִּקְרֶאנָה אֹתִי — ד̇
20 כָּאֵלֶּה וְאָכַלְתִּי חַטָּאת הַיּוֹם הַיִּיטַב[a] בְּעֵינֵי יְהוָה׃ 20 וַיִּשְׁמַע מֹשֶׁה — ל̇. לג בתור
וַיִּיטַב בְּעֵינָיו׃ פ — נא
ס [f] **11** 1 וַיְדַבֵּר יְהוָה אֶל־מֹשֶׁה וְאֶל־אַהֲרֹן לֵאמֹר אֲלֵהֶם[a]׃ 2 דַּבְּרוּ — ג̇ בטעׄ דמטעׄ. יׄא[1]. ל̇. גׄ ר״פ בתור[2]
אֶל־בְּנֵי יִשְׂרָאֵל לֵאמֹר זֹאת הַחַיָּה אֲשֶׁר תֹּאכְלוּ[a] מִכָּל־הַבְּהֵמָה אֲשֶׁר
3 עַל־הָאָרֶץ׃ 3 כֹּל ׀ מַפְרֶסֶת פַּרְסָה וְשֹׁסַעַת שֶׁסַע[a] פְּרָסֹת מַעֲלַת[b] — ח̇ זוגין מחליפין[3]
4 גֵּרָה בַּבְּהֵמָה אֹתָהּ תֹּאכֵלוּ׃ 4 אַךְ אֶת־זֶה לֹא תֹאכְלוּ מִמַּעֲלֵי הַגֵּרָה — ח̇ ג̇ כת̇ ה וב̇ בליש שם ברנש כת̇ א[4]. וׄ דגש[5]

[12] Mm 714. [13] Mm 715. [14] Ex 35,34. [15] Mm 250. [16] Mm 2811. [17] Mm 122. [18] Mm 716. [19] Mm 747. [20] Mm 501. [21] Mm 60. [22] Mm 717. [23] Mm 718. **Cp 11** [1] Mm 852. [2] Mm 719. [3] Mm 3964. [4] Mm 1405. [5] Mm 64.

10 [a] 𝔊𝔖 om cop ‖ [b–b] > ℭ ‖ **11** [a] ℭ הדברים ‖ **12** [a] ℭ יהוה ‖ **14** [a] 𝔊 *ἁγίῳ* cf 13.17 ‖ [b] 𝔊 *καὶ ὁ οἶκός σου* = וּבֵיתְךָ ‖ **15** [a] 𝔐𝔊 + וְלִבְנֹתֶיךָ ‖ [b] 𝔊 + *τῷ Μωυσῇ* ‖ **17** [a–a] > ℭ ‖ [b] 𝔊 + *φαγεῖν* = לֶאֱכֹל ‖ **18** [a] 𝔖𝔗[Ms]𝔗[J]𝔙 pass cf 8,31[c]; 𝔊 *μοι συνέταξεν κύριος*; 𝔖 + verba ex 8,31 ‖ **19** [a] 𝔊 *μὴ ἀρεστόν*, l frt הֲיִ׳ ‖ **Cp 11,1** [a] ℭ להם; > 𝔊𝔙 ‖ **2** [a] > ℭ ‖ **3** [a] pc Mss 𝔐𝔊𝔖 + שְׁתֵּי ut Dt 14,6 ‖ [b] 𝔊𝔖𝔙 pr cop.

וּמִמַּפְרִיסֵי הַפַּרְסָה[a] אֶת־הַגָּמָל כִּי־מַעֲלֵה גֵרָה הוּא וּפַרְסָה[b] אֵינֶנּוּ
5 מַפְרִיס טָמֵא הוּא לָכֶם׃ 5 וְאֶת־הַשָּׁפָן כִּי־מַעֲלֵה גֵרָה הוּא וּפַרְסָה[b]
6 לֹא יַפְרִיס טָמֵא הוּא לָכֶם׃[a] 6 וְאֶת־הָאַרְנֶבֶת כִּי־מַעֲלַת גֵּרָה הִוא — ה̇ ג כת ה וב בליש שם ברנש כת א[6]
7 וּפַרְסָה לֹא הִפְרִיסָה טְמֵאָה הִוא לָכֶם׃[a] 7 וְאֶת־הַחֲזִיר כִּי־מַפְרִיס — ל
פַּרְסָה הוּא וְשֹׁסַע שֶׁסַע פַּרְסָה וְהוּא גֵּרָה לֹא־יִגָּר[a] טָמֵא הוּא לָכֶם׃ — ל. ל
8 9 8 מִבְּשָׂרָם לֹא תֹאכֵלוּ וּבְנִבְלָתָם לֹא תִגָּעוּ טְמֵאִים הֵם לָכֶם׃ 9 אֶת־[a]
זֶה תֹּאכְלוּ מִכֹּל אֲשֶׁר בַּמָּיִם כֹּל אֲשֶׁר־לוֹ סְנַפִּיר וְקַשְׂקֶשֶׂת בַּמַּיִם
10 בַּיַּמִּים וּבַנְּחָלִים אֹתָם תֹּאכֵלוּ׃ 10 וְכֹל אֲשֶׁר אֵין־לוֹ סְנַפִּיר וְקַשְׂקֶשֶׂת[a] — ה[7]
בַּיַּמִּים וּבַנְּחָלִים מִכֹּל שֶׁרֶץ הַמַּיִם וּמִכֹּל נֶפֶשׁ הַחַיָּה אֲשֶׁר בַּמָּיִם — ה[7]
11 שֶׁקֶץ הֵם לָכֶם׃ 11 וְשֶׁקֶץ יִהְיוּ לָכֶם מִבְּשָׂרָם לֹא תֹאכֵלוּ וְאֶת־ — ל. ל
12 נִבְלָתָם תְּשַׁקֵּצוּ׃ 12 כֹּל[a] אֲשֶׁר אֵין־לוֹ סְנַפִּיר וְקַשְׂקֶשֶׂת בַּמָּיִם שֶׁקֶץ — ל. ו זוגין[8]
13 הוּא לָכֶם׃ 13 וְאֶת־אֵלֶּה תְּשַׁקְּצוּ מִן־הָעוֹף לֹא יֵאָכְלוּ[a] שֶׁקֶץ — ל
14 הֵם אֶת־הַנֶּשֶׁר וְאֶת־הַפֶּרֶס וְאֵת הָעָזְנִיָּה׃ 14 וְאֶת־הַדָּאָה וְאֶת־הָאַיָּה — ל. ל
15 16 לְמִינָהּ׃ 15 [a] אֵת[b] כָּל־עֹרֵב לְמִינוֹ׃ 16 וְאֵת בַּת הַיַּעֲנָה וְאֶת־הַתַּחְמָס — ל[9]. ד[10]. כו פסוק ואת ואת ואת ואת. ה[11]. ב
17 וְאֶת־הַשָּׁחַף[a] וְאֶת־הַנֵּץ לְמִינֵהוּ׃ 17 וְאֶת־הַכּוֹס וְאֶת־הַשָּׁלָךְ וְאֶת־ — יד. ל
18 19 הַיַּנְשׁוּף׃ 18 וְאֶת־הַתִּנְשֶׁמֶת וְאֶת־הַקָּאָת וְאֶת־הָרָחָם׃ 19 [a]וְאֵת — ל. ל
20 הַחֲסִידָה[b] הָאֲנָפָה לְמִינָהּ וְאֶת־הַדּוּכִיפַת[c] וְאֶת־הָעֲטַלֵּף׃ 20 כֹּל[a] — ב. ל. ל. ל
21 שֶׁרֶץ הָעוֹף הַהֹלֵךְ עַל־אַרְבַּע שֶׁקֶץ הוּא לָכֶם׃ ס 21 אַךְ[a] אֶת־
זֶה תֹּאכְלוּ מִכֹּל שֶׁרֶץ הָעוֹף הַהֹלֵךְ עַל־אַרְבַּע אֲשֶׁר־לֹא[b] כְרָעַיִם — לו ק חד מן יז[12] כת כן
22 מִמַּעַל לְרַגְלָיו לְנַתֵּר בָּהֵן[c] עַל־הָאָרֶץ׃ 22 אֶת־אֵלֶּה מֵהֶם תֹּאכֵלוּ — ד[13]. ה[14]. יד פסוק את את ואת ואת
אֶת־הָאַרְבֶּה לְמִינוֹ וְאֶת־הַסָּלְעָם לְמִינֵהוּ וְאֶת־הַחַרְגֹּל לְמִינֵהוּ וְאֶת־ — ד[10]. ל. יד. ל. יד
23 הֶחָגָב לְמִינֵהוּ׃ 23 וְכֹל[a] שֶׁרֶץ הָעוֹף אֲשֶׁר־לוֹ אַרְבַּע רַגְלָיִם שֶׁקֶץ — ב[15]. יד
24 הוּא לָכֶם׃ 24 וּלְאֵלֶּה תִּטַּמָּאוּ כָּל־הַנֹּגֵעַ בְּנִבְלָתָם יִטְמָא עַד־הָעָרֶב׃ — ג ר״פ[16]. ב חס[17]

[6] Mm 1405. [7] Mm 720. [8] Mm 2036. [9] Mm 721. [10] Mm 722. [11] Mm 768. [12] Mm 1795. [13] Mm 396. [14] Mm 640. [15] Qoh 12,5. [16] Mm 2803. [17] Lv 11,31.

4/5 [a] 𝔊 + *καὶ ὀνυχιζόντων ὀνυχιστῆρας* (it 𝔊 Dt 14,7) cf 3 ∥ [b–b] > ℭ (homtel) ∥ **6** [a–a] > ℭ (homtel) ∥ **7** [a] ш יגור cf Dt 14,8 ∥ **9** [a] Mss ш𝔊𝔖 וְאֶת ∥ **10** [a] ш + במים cf 𝔊 ∥ **12** [a] nonn Mss ш𝔊𝔖 וְכֹל ∥ **13** [a] ш תאכלו ∥ **15** [a] v 15 > 𝔊[B*A min], it Dt 14,14 ∥ [b] mlt Mss ш𝔊𝔖𝔗[J] וְאֵת ∥ **16** [a] ш𝔊 + לְמִינוֹ ∥ **19** [a] 𝔊* pr *καὶ γλαῦκα* = והתחמס ut 16 Dt 14,15 ∥ [b] 𝔊 + *καί*, ins frt וְאֵת ∥ [c] ш הדגיפת ∥ **20** [a] pc Mss ш𝔊𝔖𝔗[J] וְכֹל ∥ **21** [a] > ℭ𝔊[Mss] ∥ [b] ℭ Vrs לו ∥ [c] mlt Mss ш בָּהֶם ∥ **23** [a] pc Mss 𝔊* כֹּל.

25 וְכָל־הַנֹּשֵׂא מִנִּבְלָתָם[a] יְכַבֵּס בְּגָדָיו[b] וְטָמֵא עַד־הָעָֽרֶב׃ 26 לְכָל־[a]
הַבְּהֵמָה אֲשֶׁר הִוא מַפְרֶסֶת פַּרְסָה וְשֶׁסַע ׀ אֵינֶנָּה[b] שֹׁסַעַת וְגֵרָה אֵינֶנָּה
27 מַעֲלָה טְמֵאִים הֵם לָכֶם כָּל־הַנֹּגֵעַ בָּהֶם[c] יִטְמָֽא׃ 27 וְכֹל ׀ הוֹלֵךְ עַל־
כַּפָּיו[a] בְּכָל־הַחַיָּה הַהֹלֶכֶת עַל־אַרְבַּע טְמֵאִים הֵם לָכֶם כָּל־הַנֹּגֵעַ
28 בְּנִבְלָתָם יִטְמָא עַד־הָעָֽרֶב׃ 28 וְהַנֹּשֵׂא [a]אֶת־נִבְלָתָם[a] יְכַבֵּס בְּגָדָיו
29 וְטָמֵא עַד־הָעָרֶב טְמֵאִים הֵמָּה לָכֶֽם׃ ס 29 וְזֶה לָכֶם הַטָּמֵא
בַּשֶּׁרֶץ הַשֹּׁרֵץ עַל־הָאָרֶץ הַחֹלֶד וְהָעַכְבָּר[a] וְהַצָּב לְמִינֵֽהוּ[b]׃
30 וְהָאֲנָקָה וְהַכֹּחַ וְהַלְּטָאָה וְהַחֹמֶט וְהַתִּנְשָֽׁמֶת׃ 31 אֵלֶּה הַטְּמֵאִים
לָכֶם בְּכָל־[a]הַשָּׁרֶץ כָּל־הַנֹּגֵעַ בָּהֶם בְּמֹתָם יִטְמָא עַד־הָעָֽרֶב׃
32 וְכֹל אֲשֶׁר־יִפֹּל־עָלָיו מֵהֶם ׀ בְּמֹתָם יִטְמָא מִכָּל־כְּלִי־עֵץ אוֹ בֶגֶד
אוֹ־עוֹר אוֹ שָׂק כָּל־כְּלִי אֲשֶׁר־יֵעָשֶׂה מְלָאכָה בָּהֶם בַּמַּיִם יוּבָא[a]
33 וְטָמֵא עַד־הָעֶרֶב וְטָהֵֽר׃ 33 וְכָל־כְּלִי־חֶרֶשׂ אֲשֶׁר־יִפֹּל מֵהֶם אֶל־
34 תּוֹכוֹ כֹּל אֲשֶׁר בְּתוֹכוֹ יִטְמָא וְאֹתוֹ תִשְׁבֹּֽרוּ׃ 34 מִכָּל־הָאֹכֶל אֲשֶׁר
יֵאָכֵל אֲשֶׁר יָבוֹא עָלָיו מַיִם יִטְמָא וְכָל־מַשְׁקֶה אֲשֶׁר יִשָּׁתֶה בְּכָל־
35 כְּלִי יִטְמָֽא׃ 35 וְכֹל אֲשֶׁר־יִפֹּל מִנִּבְלָתָם ׀ עָלָיו יִטְמָא תַּנּוּר וְכִירַיִם
36 יֻתָּץ[a] טְמֵאִים הֵם וּטְמֵאִים יִהְיוּ לָכֶֽם׃ 36 אַךְ מַעְיָן[a] וּבוֹר מִקְוֵה־מַיִם
37 יִהְיֶה טָהוֹר וְנֹגֵעַ בְּנִבְלָתָם יִטְמָֽא׃ 37 וְכִי יִפֹּל מִנִּבְלָתָם עַל־כָּל־
38 זֶרַע זֵרוּעַ אֲשֶׁר יִזָּרֵעַ טָהוֹר הֽוּא׃ 38 וְכִי יֻתַּן־מַיִם עַל־זֶרַע[a] וְנָפַל
39 מִנִּבְלָתָם עָלָיו טָמֵא הוּא לָכֶֽם׃ ס 39 וְכִי יָמוּת מִן־הַבְּהֵמָה
אֲשֶׁר־הִיא[a] לָכֶם לְאָכְלָה הַנֹּגֵעַ בְּנִבְלָתָהּ יִטְמָא עַד־הָעָֽרֶב׃
40 וְהָאֹכֵל מִנִּבְלָתָהּ יְכַבֵּס בְּגָדָיו וְטָמֵא עַד־הָעָרֶב וְהַנֹּשֵׂא [a]אֶת־
41 נִבְלָתָהּ[a] יְכַבֵּס בְּגָדָיו[b] וְטָמֵא עַד־הָעָֽרֶב׃ 41 וְכָל־הַשֶּׁרֶץ הַשֹּׁרֵץ
42 עַל־הָאָרֶץ שֶׁקֶץ הוּא לֹא יֵאָכֵֽל׃ 42 כֹּל[a] הוֹלֵךְ עַל־גָּחוֹן[b] וְכֹל ׀ הוֹלֵךְ

ג̊[18] קמ̊ ול̊ בליש . כ̊ז[19] מל̊ ט̊[20] מנה̊ בתור̊ ג̊ בסיפ̊ וכל משלי וקהלת דכות̊ ב̊ מ̊ ה̊
ג̊ ב̊ חס̊ וחד מל̊[21]
כ̊ג̊ ר״פ
י̊ד
ל̊ . ל̊ . ל̊ . ל̊ . ב̊ ול̊ בסיפ̊[22]
ב̊ חס̊[23]
ד̊ קמ̊ וכל בשק אתנח̊ וס״פ דכות̊[24] . ל̊ו[25] . ד̊[26] . ה̊[27]
ה̊[28]
ז̊ מל̊ בתור̊ . ל̊
ל̊
ל̊ . ל̊
ל̊[22] . ל̊
ל̊ . ב̊ בתור̊[29] . ז̊[30]
ב̊[31]
י̊א̊ כת̊ י בתור̊
ה̊ פסוק̊ כל וכל כל . כ̊ז[19] מל̊ ט̊[20] מנה̊ בתור̊ ג̊ בסיפ̊ וכל משלי וקהלת דכות̊ ב̊ מ̊ ה̊ .
חצי אותיות בתור̊[32]
כ̊ז[19] מל̊ ט̊[20] מנה̊ בתור̊ ג̊ בסיפ̊ וכל משלי וקהלת דכות̊ ב̊ מ̊ ה̊

[18] Mm 3909. [19] Mm 1788. [20] Mm 935. [21] Mm 241. [22] Mp sub loco. [23] Lv 11,24. [24] Mm 2484. [25] Mm 210. [26] Mm 591. [27] Mm 691. [28] Mm 945. [29] Dt 21,4. [30] Mm 723. [31] Mm 724. [32] Littera ו major est quam aliae litterae.

25 [a] 𝕮 pc Mss 𝕾 אֶת־נ׳ ut 28.40 || [b] 𝔪 + ורחץ במים cf 40[b] || **26** [a] pc Mss 𝕲*𝕾 וּל׳ || [b] > 𝕲 || [c] pc Mss 𝕲 בְּנִבְלָתָם || **27** [a] 𝕮 גחון || **28** [a–a] 𝔪𝕲 מִנּ׳ ut 25 || **29** [a] 𝔪 –בור || [b] > 𝕲* || **31** [a] 𝔪𝕲 מִכֹּל || **32** [a] 𝔪 יָבוֹא, 𝕲 *βαφήσεται* || **35** [a] 𝔪𝕲𝕾𝕮𝕮[J]𝔙 pl || **36** [a] 𝔪 𝕲 מעין מים || **38** [a] 𝔪 הַזּ׳; 𝕲 pr *πᾶν* = כָּל־ || **39** [a] 𝕮 הוא || **40** [a–a] 𝕲 *ἀπὸ θνησιμαίων αὐτῶν* = מנבלתם ut 25 || [b] 𝕲* + *καὶ λούσεται ὕδατι* cf 25[b] || **42/43** [a] pc Mss 𝕲𝕾𝕮 וְכֹל || [b] mlt Mss ו maj.

עַל־אַרְבַּע עַד[c] כָּל־מַרְבֵּה רַגְלַיִם לְכָל־הַשֶּׁרֶץ הַשֹּׁרֵץ [d]עַל־הָאָרֶץ
43 לֹא תֹאכְלוּם כִּי־שֶׁקֶץ הֵם׃ 43 אַל־תְּשַׁקְּצוּ אֶת־נַפְשֹׁתֵיכֶם בְּכָל־ ל̇. יב ס״פ[33]
44 הַשֶּׁרֶץ הַשֹּׁרֵץ[d] וְלֹא תִטַּמְּאוּ בָּהֶם וְנִטְמֵתֶם בָּם׃ 44 כִּי אֲנִי יְהוָה ט̇[34] כת חס א ול בליש. ג. י
אֱלֹהֵיכֶם וְהִתְקַדִּשְׁתֶּם וִהְיִיתֶם קְדֹשִׁים כִּי קָדוֹשׁ אָנִי[a] וְלֹא תְטַמְּאוּ
45 אֶת־נַפְשֹׁתֵיכֶם בְּכָל־הַשֶּׁרֶץ הָרֹמֵשׂ עַל־הָאָרֶץ׃ 45 כִּי ׀ אֲנִי יְהוָה[a]
הַמַּעֲלֶה אֶתְכֶם מֵאֶרֶץ מִצְרַיִם לִהְיֹת לָכֶם לֵאלֹהִים וִהְיִיתֶם קְדֹשִׁים ח̇ חס בליש[35]
46 כִּי קָדוֹשׁ אָנִי[b]׃ 46 זֹאת תּוֹרַת הַבְּהֵמָה וְהָעוֹף וְכֹל נֶפֶשׁ ג̇[36]. [37]
47 הַחַיָּה הָרֹמֶשֶׂת בַּמָּיִם וּלְכָל־נֶפֶשׁ הַשֹּׁרֶצֶת עַל־הָאָרֶץ׃ 47 לְהַבְדִּיל ג. ל̇[37]. ל̇
בֵּין הַטָּמֵא וּבֵין הַטָּהֹר וּבֵין הַחַיָּה הַנֶּאֱכֶלֶת וּבֵין הַחַיָּה אֲשֶׁר לֹא ה̇ חס. ל̇
תֵאָכֵל׃ פ צא ט̇[38]

ס פר 12 1 וַיְדַבֵּר יְהוָה אֶל־מֹשֶׁה לֵּאמֹר׃ 2 דַּבֵּר אֶל־בְּנֵי יִשְׂרָאֵל
לֵאמֹר אִשָּׁה כִּי תַזְרִיעַ[a] וְיָלְדָה זָכָר וְטָמְאָה שִׁבְעַת יָמִים כִּימֵי נִדַּת ל̇
3 4 דְּוֺתָהּ תִּטְמָא׃ 3 וּבַיּוֹם הַשְּׁמִינִי יִמּוֹל[a] בְּשַׂר עָרְלָתוֹ׃ 4 וּשְׁלֹשִׁים ל̇
יוֹם וּשְׁלֹשֶׁת יָמִים תֵּשֵׁב בִּדְמֵי טָהֳרָה בְּכָל־קֹדֶשׁ לֹא־תִגָּע וְאֶל־ ג. ל̇ זקף קמ
5 הַמִּקְדָּשׁ לֹא תָבֹא עַד־מְלֹאת יְמֵי טָהֳרָהּ׃ 5 וְאִם־נְקֵבָה תֵלֵד יז̇[1] חס וכל משלי דכות ב מ ד
וְטָמְאָה שְׁבֻעַיִם כְּנִדָּתָהּ וְשִׁשִּׁים יוֹם וְשֵׁשֶׁת יָמִים תֵּשֵׁב עַל־דְּמֵי ל̇. יב
6 טָהֳרָה׃ 6 וּבִמְלֹאת ׀ יְמֵי טָהֳרָהּ לְבֵן אוֹ לְבַת תָּבִיא כֶּבֶשׂ בֶּן־שְׁנָתוֹ ג. ב̇ ר״פ חד חס וחד מל[2]. יג̇[3]
לְעֹלָה וּבֶן־יוֹנָה אוֹ־תֹר לְחַטָּאת אֶל־פֶּתַח אֹהֶל־מוֹעֵד אֶל־הַכֹּהֵן׃
7 7 וְהִקְרִיבוֹ לִפְנֵי יְהוָה וְכִפֶּר עָלֶיהָ[a] וְטָהֲרָה[b] מִמְּקֹר דָּמֶיהָ זֹאת תּוֹרַת ג̇[4]. ב חד מל וחד חס. ג̇[5]
8 הַיֹּלֶדֶת לַזָּכָר אוֹ לַנְּקֵבָה׃ 8 וְאִם־לֹא תִמְצָא יָדָהּ דֵּי שֶׂה וְלָקְחָה ו
שְׁתֵּי־תֹרִים אוֹ שְׁנֵי[a] בְּנֵי יוֹנָה אֶחָד לְעֹלָה וְאֶחָד לְחַטָּאת וְכִפֶּר עָלֶיהָ ל̇. ל̇
הַכֹּהֵן וְטָהֵרָה׃ פ ל̇

13 13 1 וַיְדַבֵּר יְהוָה אֶל־מֹשֶׁה וְאֶל־אַהֲרֹן לֵאמֹר׃ 2 אָדָם כִּי־ יא̇[1]
יִהְיֶה בְעוֹר־בְּשָׂרוֹ שְׂאֵת אוֹ־סַפַּחַת אוֹ בַהֶרֶת וְהָיָה בְעוֹר־בְּשָׂרוֹ יד
לְנֶגַע צָרָעַת וְהוּבָא אֶל־אַהֲרֹן הַכֹּהֵן אוֹ אֶל־אַחַד מִבָּנָיו הַכֹּהֲנִים׃ ל̇. כה[2]

[33]Mm 294. [34]Mm 922. [35]Mm 725. [36]Mm 726. [37]Mm 766. [38]Mm 690. **Cp 12** [1]Mp sub loco. [2]Mm 727. [3]Mm 1228. [4]Mm 670. [5]Mm 2303. **Cp 13** [1]Mm 852. [2]Mm 187.

42/43 [c] > Ms ‖ [d–d] > 𝕮 (homtel) ‖ **44** [a] 𝕲 + *κύριος ὁ θεὸς ὑμῶν* ‖ **45** [a] 𝔐𝔖 + אלהיכם ‖ [b] 𝕲* + *κύριος* ‖ **Cp 12,2** [a] 𝔐𝕲 תְּזָּרַע ‖ **3** [a] 𝔐 + את ‖ **7** [a] Ms 𝔐𝕲𝔖 𝕿[J] + הכהן ut 8 ‖ [b] 𝕲 *καὶ καθαριεῖ αὐτήν* = וְטִהֲרָהּ ‖ **8** [a] 𝕮 לשני.

3 וְרָאָה הַכֹּהֵן אֶת־הַנֶּגַע בְּעוֹר־הַבָּשָׂר וְשֵׂעָר בַּנֶּגַע הָפַךְ ׀ לָבָן וּמַרְאֵה ל̇ . ז̇[3]
הַנֶּגַע עָמֹק מֵעוֹר בְּשָׂרוֹ נֶגַע צָרַעַת הוּא וְרָאֵהוּ[a] הַכֹּהֵן וְטִמֵּא אֹתוֹ׃ כל חס ב מ ב[4] מל . ד . ה[5]
4 וְאִם־בַּהֶרֶת לְבָנָה הִוא בְּעוֹר בְּשָׂרוֹ וְעָמֹק אֵין־מַרְאֶהָ מִן־הָעוֹר[a] כל חס ב מ ב[4] מל
וּשְׂעָרָה[b] לֹא־הָפַךְ לָבָן וְהִסְגִּיר הַכֹּהֵן אֶת־הַנֶּגַע שִׁבְעַת יָמִים׃ ל̇ . ד זוגין[6]
5 וְרָאָהוּ[a] הַכֹּהֵן בַּיּוֹם הַשְּׁבִיעִי וְהִנֵּה הַנֶּגַע עָמַד בְּעֵינָיו[b] לֹא־פָשָׂה ה̇[5] . נ̇א
6 הַנֶּגַע בָּעוֹר וְהִסְגִּירוֹ הַכֹּהֵן שִׁבְעַת יָמִים שֵׁנִית׃ 6 וְרָאָה הַכֹּהֵן אֹתוֹ ג̇ ובעינ̇
בַּיּוֹם הַשְּׁבִיעִי שֵׁנִית וְהִנֵּה כֵּהָה הַנֶּגַע וְלֹא־פָשָׂה הַנֶּגַע בָּעוֹר וְטִהֲרוֹ ל̇ . ו̇ . ד בפרש
7 הַכֹּהֵן מִסְפַּחַת הִיא וְכִבֶּס בְּגָדָיו וְטָהֵר׃ 7 וְאִם־פָּשֹׂה תִפְשֶׂה ט̇[7] וכל במדבר דכות ב מ ב
הַמִּסְפַּחַת בָּעוֹר אַחֲרֵי הֵרָאֹתוֹ אֶל־הַכֹּהֵן לְטָהֳרָתוֹ וְנִרְאָה שֵׁנִית ל̇ . ה̇[8]
8 אֶל־הַכֹּהֵן׃ 8 וְרָאָה הַכֹּהֵן וְהִנֵּה פָּשְׂתָה הַמִּסְפַּחַת בָּעוֹר וְטִמְּאוֹ הַכֹּהֵן ד̇ בעינ̇
9 צָרַעַת הִוא׃ פ 9 נֶגַע[a] צָרַעַת כִּי תִהְיֶה[b] בְּאָדָם וְהוּבָא אֶל־ ל̇א ר״פ וס״פ נ̇[9] . ד̇[10]
10 הַכֹּהֵן׃ 10 וְרָאָה הַכֹּהֵן וְהִנֵּה שְׂאֵת־לְבָנָה בָּעוֹר וְהִיא הָפְכָה שֵׂעָר י̇ד . י̇א כת̇ י בתור
11 לָבָן וּמִחְיַת בָּשָׂר חַי בַּשְׂאֵת׃ 11 צָרַעַת נוֹשֶׁנֶת הִוא בְּעוֹר בְּשָׂרוֹ ל̇ . ל̇[11] . ל̇
12 וְטִמְּאוֹ הַכֹּהֵן לֹא יַסְגִּרֶנּוּ כִּי טָמֵא הוּא׃ 12 וְאִם־פָּרוֹחַ תִּפְרַח הַצָּרַעַת ד̇ בעינ̇ . ל̇ וחס . ב̇[12]ול מל
בָּעוֹר וְכִסְּתָה הַצָּרַעַת אֵת כָּל־עוֹר הַנֶּגַע מֵרֹאשׁוֹ וְעַד־רַגְלָיו לְכָל־ ל̇ . ל̇
13 מַרְאֵה עֵינֵי הַכֹּהֵן׃ 13 וְרָאָה הַכֹּהֵן וְהִנֵּה כִסְּתָה הַצָּרַעַת אֶת־כָּל־ ד̇ . ג̇[13]
14 בְּשָׂרוֹ וְטִהַר אֶת־הַנָּגַע כֻּלּוֹ הָפַךְ לָבָן טָהוֹר הוּא׃ 14 וּבְיוֹם הֵרָאוֹת ד̇[14]
15 בּוֹ בָּשָׂר חַי יִטְמָא׃ 15 וְרָאָה הַכֹּהֵן אֶת־הַבָּשָׂר הַחַי וְטִמְּאוֹ הַבָּשָׂר ד̇ בעינ̇
16 הַחַי טָמֵא הוּא צָרַעַת הוּא[a]׃ 16 אוֹ כִי יָשׁוּב הַבָּשָׂר הַחַי וְנֶהְפַּךְ לְלָבָן ד̇
17 וּבָא אֶל־הַכֹּהֵן׃ 17 וְרָאָהוּ[a] הַכֹּהֵן וְהִנֵּה נֶהְפַּךְ הַנֶּגַע לְלָבָן וְטִהַר ה̇[5]
18 הַכֹּהֵן אֶת־הַנֶּגַע טָהוֹר הוּא׃ פ 18 וּבָשָׂר כִּי־יִהְיֶה [a]בוֹ־בְעֹרוֹ[a] ח̇[15]
19 שְׁחִין וְנִרְפָּא׃ 19 וְהָיָה בִּמְקוֹם הַשְּׁחִין שְׂאֵת לְבָנָה אוֹ בַהֶרֶת לְבָנָה י̇ד
20 אֲדַמְדָּמֶת וְנִרְאָה אֶל־הַכֹּהֵן׃ 20 וְרָאָה הַכֹּהֵן וְהִנֵּה מַרְאֶהָ[a] שָׁפָל[b] ה̇[8]
מִן־הָעוֹר וּשְׂעָרָה הָפַךְ[c] לָבָן וְטִמְּאוֹ הַכֹּהֵן נֶגַע־צָרַעַת הִוא בַּשְּׁחִין ל̇ . ד̇ זוגין[6] . ד̇ בעינ̇ . ד̇ דסמיכ̇[16]
21 פָּרָחָה׃ 21 וְאִם ׀ יִרְאֶנָּה[a] הַכֹּהֵן וְהִנֵּה אֵין־בָּהּ שֵׂעָר לָבָן וּשְׁפָלָה

[3] Mm 539. [4] Cf Mm 3990. [5] Mm 728. [6] Mm 1940. [7] Mm 734. [8] Mm 732. [9] Mm 729. [10] Mm 730. [11] Mm 3750. [12] Mp sub loco. [13] Mm 754. [14] Mm 731. [15] Mm 527. [16] Q היא suppressi, cf Lv 6,18.22; Dt 13,16 et Mp sub loco.

Cp 13,3 [a] 𝔐𝔊 וראה, it 5[a].17[a].27[a].36[a] ‖ **4** [a] 𝔊* + αὐτῆς ‖ [b] Or ℭ𝔗[J] הּ— cf 𝔊 + αὐτοῦ ‖ **5** [a] cf 3[a] ‖ [b] 𝔊 ἐναντίον αὐτοῦ cf עינו 55 ‖ **9** [a] 𝔐𝔊𝔖 וְנ׳ ut 18.29 etc ‖ [b] ℭ יהיה ‖ **15** [a] 𝔐𝔗 היא ‖ **17** [a] cf 3[a], it ℭ ‖ **18** [a—a] l c 𝔐 בו vel c pc Mss 𝔊𝔖𝔗 בערו (cf 24) ‖ **20** [a] 𝔐𝔊[58] ־ֶהוּ ‖ [b] ℭ עמק ‖ [c] ℭ pr לא ‖ **21** [a] 𝔐𝔊*𝔖 יִרְאֶה, it 26[a].

22 אֵינֶנָּה מִן־הָעוֹר וְהִוא כֵהָה וְהִסְגִּירוֹ הַכֹּהֵן שִׁבְעַת יָמִים׃ 22 וְאִם־ יא כת י בתור
23 פָּשֹׂה תִפְשֶׂה בָּעוֹר וְטִמֵּא הַכֹּהֵן אֹתוֹ נֶגַע הִוא[a]׃ 23 וְאִם־תַּחְתֶּיהָ ג ובעינ . ל̇
תַּעֲמֹד הַבַּהֶרֶת לֹא פָשָׂתָה צָרֶבֶת הַשְּׁחִין הִוא וְטִהֲרוֹ הַכֹּהֵן׃ ס ו . ד בפרש
24 24 אוֹ בָשָׂר כִּי־יִהְיֶה בְעֹרוֹ מִכְוַת־אֵשׁ וְהָיְתָה מִחְיַת הַמִּכְוָה בַּהֶרֶת
25 לְבָנָה אֲדַמְדֶּמֶת אוֹ לְבָנָה׃ 25 וְרָאָה אֹתָהּ הַכֹּהֵן וְהִנֵּה נֶהְפַּךְ שֵׂעָר
לָבָן בַּבַּהֶרֶת וּמַרְאֶהָ עָמֹק מִן־הָעוֹר צָרַעַת הִוא בַּמִּכְוָה פָּרָחָה כל חס ב מ ב[17] מל
26 וְטִמֵּא אֹתוֹ הַכֹּהֵן נֶגַע צָרַעַת הִוא׃ 26 וְאִם ׀ יִרְאֶנָּה[a] הַכֹּהֵן וְהִנֵּה ד דסמיכ
אֵין־[b]בַּבַּהֶרֶת[c] שֵׂעָר לָבָן וּשְׁפָלָה אֵינֶנָּה מִן־הָעוֹר וְהִוא כֵהָה וְהִסְגִּירוֹ
27 הַכֹּהֵן שִׁבְעַת יָמִים׃ 27 וְרָאָהוּ[a] הַכֹּהֵן בַּיּוֹם הַשְּׁבִיעִי אִם־פָּשֹׂה תִפְשֶׂה ה[18]
28 בָּעוֹר וְטִמֵּא הַכֹּהֵן אֹתוֹ נֶגַע צָרַעַת הִוא[b]׃ 28 וְאִם־תַּחְתֶּיהָ תַעֲמֹד[a] ג ובעינ . ד דסמיכ
הַבַּהֶרֶת לֹא־פָשְׂתָה בָעוֹר וְהִוא כֵהָה שְׂאֵת הַמִּכְוָה הִוא וְטִהֲרוֹ יד . ו . ד בפרש
[ט] ס̄ הַכֹּהֵן כִּי־צָרֶבֶת הַמִּכְוָה הִוא׃ פ 29 וְאִישׁ אוֹ אִשָּׁה כִּי־יִהְיֶה בוֹ
30 נָגַע בְּרֹאשׁ אוֹ בְזָקָן׃ 30 וְרָאָה הַכֹּהֵן אֶת־הַנֶּגַע וְהִנֵּה מַרְאֵהוּ עָמֹק לה[19] . כל חס ב מ ב[17] מל
מִן־הָעוֹר וּבוֹ שֵׂעָר צָהֹב דָּק וְטִמֵּא אֹתוֹ הַכֹּהֵן נֶתֶק הוּא צָרַעַת ד
31 הָרֹאשׁ אוֹ הַזָּקָן הוּא[a]׃ 31 וְכִי־יִרְאֶה הַכֹּהֵן אֶת־נֶגַע הַנֶּתֶק וְהִנֵּה לז . ג[20] . ל̇
אֵין־[a]מַרְאֵהוּ עָמֹק מִן־הָעוֹר וְשֵׂעָר שָׁחֹר אֵין בּוֹ וְהִסְגִּיר הַכֹּהֵן אֶת־ יו מ״פ אין אין . כל חס ב מ ב[17] מל
32 נֶגַע הַנֶּתֶק שִׁבְעַת יָמִים׃ 32 וְרָאָה הַכֹּהֵן אֶת־הַנֶּגַע[a] בַּיּוֹם הַשְּׁבִיעִי
וְהִנֵּה לֹא־פָשָׂה הַנֶּתֶק וְלֹא־הָיָה בוֹ שֵׂעָר צָהֹב וּמַרְאֵה הַנֶּתֶק אֵין כה . ז[21]
33 עָמֹק מִן־הָעוֹר׃ 33 וְהִתְגַּלָּח[a] וְאֶת־הַנֶּתֶק לֹא יְגַלֵּחַ וְהִסְגִּיר הַכֹּהֵן כל חס ב מ ב[17] מל . ל̇ . ל̇
34 אֶת־הַנֶּתֶק שִׁבְעַת יָמִים שֵׁנִית׃ 34 וְרָאָה הַכֹּהֵן אֶת־הַנֶּתֶק בַּיּוֹם
הַשְּׁבִיעִי וְהִנֵּה לֹא־פָשָׂה הַנֶּתֶק בָּעוֹר וּמַרְאֵהוּ אֵינֶנּוּ עָמֹק מִן־הָעוֹר ב . כל חס ב מ ב[17] מל
35 וְטִהַר אֹתוֹ הַכֹּהֵן וְכִבֶּס בְּגָדָיו וְטָהֵר׃ 35 וְאִם־פָּשֹׂה יִפְשֶׂה הַנֶּתֶק ט[22] וכל במדבר דכות ב מ ב
36 בָּעוֹר אַחֲרֵי טָהֳרָתוֹ׃ 36 וְרָאָהוּ[a] הַכֹּהֵן וְהִנֵּה פָּשָׂה הַנֶּתֶק בָּעוֹר לֹא־ ה[18]
37 יְבַקֵּר הַכֹּהֵן לַשֵּׂעָר הַצָּהֹב טָמֵא הוּא׃ 37 וְאִם־בְּעֵינָיו[a] עָמַד הַנֶּתֶק ל̇ . נא
וְשֵׂעָר שָׁחֹר[b] צָמַח־בּוֹ נִרְפָּא הַנֶּתֶק טָהוֹר הוּא וְטִהֲרוֹ הַכֹּהֵן׃ ס ל̇ . ו . ד בפרש

[17] Cf Mm 3990. [18] Mm 728. [19] Mm 2840. [20] Mm 733. [21] Mm 539. [22] Mm 734.

22 [a] 𝔊 + ἐν τῷ ἕλκει ἐξήνθησεν (ex 20), it 27[b] || **26** [a] cf 21[a] || [b] > ℭ || [c] sic L, mlt Mss Edd בַּבַּ׳ || **27** [a] cf 3[a] || [b] cf 22[a] || **28** [a] > ℭ || **30** [a] ⅏ היא || **31** [a] > ℭ || **32** [a] ⅏ הנתק cf 53[a] || **33** [a] mlt Mss ג maj || **36** [a] cf 3[a] || **37** [a] l נוֹ–? cf 5[b] || [b] > ℭ.

38 וְאִישׁ אוֹ־אִשָּׁה כִּי־יִהְיֶה בְעוֹר־בְּשָׂרָם בֶּהָרֹת בֶּהָרֹת לְבָנֹת׃ ד ב חס וב מל[23]
39 וְרָאָה הַכֹּהֵן וְהִנֵּה בְעוֹר־בְּשָׂרָם בֶּהָרֹת כֵּהוֹת לְבָנֹת בֹּהַק הוּא ד ב חס וב מל[23]. ל
40 פָּרַח בָּעוֹר טָהוֹר הוּא׃ ס 40 וְאִישׁ כִּי יִמָּרֵט רֹאשׁוֹ קֵרֵחַ הוּא
41 טָהוֹר הוּא׃ 41 וְאִם מִפְּאַת פָּנָיו ᵃיִמָּרֵט רֹאשׁוֹᵃ גִּבֵּחַ הוּא טָהוֹר הוּא׃
42 וְכִי־יִהְיֶה בַקָּרַחַת אוֹ בַגַּבַּחַתᵃ נֶגַע לָבָן אֲדַמְדָּם צָרַעַת פֹּרַחַת ד[24]
43 הִוא בְּקָרַחְתּוֹ אוֹ בְגַבַּחְתּוֹ׃ 43 וְרָאָה אֹתוֹᵃ הַכֹּהֵן וְהִנֵּה שְׂאֵת־הַנֶּגַע ג. יד
לְבָנָה אֲדַמְדֶּמֶת בְּקָרַחְתּוֹ אוֹ בְגַבַּחְתּוֹ כְּמַרְאֵה צָרַעַת עוֹר בָּשָׂר׃ ג
44 אִישׁ־צָרוּעַ הוּא טָמֵא הוּא טַמֵּא יְטַמְּאֶנּוּ הַכֹּהֵן בְּרֹאשׁוֹ נִגְעוֹ׃ ב[25]. יד. ב[26]
45 וְהַצָּרוּעַ אֲשֶׁר־בּוֹ הַנֶּגַע בְּגָדָיו יִהְיוּ פְרֻמִים וְרֹאשׁוֹ יִהְיֶה פָרוּעַ ל. ד[27] ב חד מל וחד חס[28]
46 וְעַל־שָׂפָם יַעְטֶהᵃ וְטָמֵא ׀ טָמֵא יִקְרָא׃ 46 כָּל־יְמֵי אֲשֶׁר הַנֶּגַע בּוֹ יִטְמָא ד[29]
47 טָמֵא הוּא בָּדָד יֵשֵׁב מִחוּץ לַמַּחֲנֶה מוֹשָׁבוֹ׃ ס 47 וְהַבֶּגֶד כִּי־ ח[30]. ב[31]. ב[32]
48 יִהְיֶה בוֹ נֶגַע צָרָעַת בְּבֶגֶד צֶמֶר אוֹ בְּבֶגֶד פִּשְׁתִּים׃ 48 אוֹ בִשְׁתִי אוֹ ל
49 בְעֵרֶב לַפִּשְׁתִּים וְלַצָּמֶר אוֹ בְעוֹר אוֹ בְּכָל־מְלֶאכֶת עוֹר׃ 49 וְהָיָה ל
הַנֶּגַע יְרַקְרַק ׀ אוֹ אֲדַמְדָּם בַּבֶּגֶד אוֹ בָעוֹר אוֹ־בַשְּׁתִי אוֹ־בָעֵרֶב אוֹ ל
50 בְכָל־כְּלִי־עוֹר נֶגַע צָרַעַת הוּא וְהָרְאָה אֶת־הַכֹּהֵן׃ 50 וְרָאָה הַכֹּהֵן ד. ל
51 אֶת־הַנֶּגַע וְהִסְגִּירᵃ אֶת־הַנֶּגַע שִׁבְעַת יָמִים׃ 51 וְרָאָה אֶת־הַנֶּגַע בַּיּוֹם
הַשְּׁבִיעִי כִּי־פָשָׂה הַנֶּגַע בַּבֶּגֶד אוֹ־בַשְּׁתִי אוֹ־בָעֵרֶב אוֹ בָעוֹר לְכֹל
אֲשֶׁר־יֵעָשֶׂה הָעוֹר לִמְלָאכָה צָרַעַת מַמְאֶרֶתᵃ הַנֶּגַע טָמֵא הוּא׃ לו[33]. ל וכל יחזק דכות[34]
52 וְשָׂרַף אֶת־הַבֶּגֶד אוֹ אֶת־הַשְּׁתִי ׀ אוֹ אֶת־הָעֵרֶב בַּצֶּמֶר אוֹ בַפִּשְׁתִּים יו פסוק את את את את. ל
אוֹ אֶת־כָּל־כְּלִי הָעוֹר אֲשֶׁר־יִהְיֶה בוֹ הַנָּגַע כִּי־צָרַעַת מַמְאֶרֶתᵃ הִוא
53 בָּאֵשׁ תִּשָּׂרֵף׃ 53 וְאִם יִרְאֶה הַכֹּהֵן וְהִנֵּה לֹא־פָשָׂה הַנֶּגַעᵃ בַּבֶּגֶד אוֹ ד. ב בטע בעינ
54 בַשְּׁתִי אוֹ בָעֵרֶב אוֹ בְּכָל־כְּלִי־עוֹר׃ 54 וְצִוָּה הַכֹּהֵן וְכִבְּסוּ אֵת אֲשֶׁר־
55 בּוֹ הַנָּגַע וְהִסְגִּירוֹᵃ שִׁבְעַת־יָמִים שֵׁנִית׃ 55 וְרָאָה הַכֹּהֵן אַחֲרֵי ׀ הֻכַּבֵּס ב[35]
אֶת־הַנֶּגַע וְהִנֵּה לֹא־הָפַךְ הַנֶּגַע אֶת־עֵינוֹᵃ וְהַנֶּגַע לֹא־פָשָׂה טָמֵא הוּא ט[36]. ל
56 בָּאֵשׁ תִּשְׂרְפֶנּוּ פְּחֶתֶת הִוא בְּקָרַחְתּוֹ אוֹ בְגַבַּחְתּוֹ׃ 56 וְאִם רָאָה הַכֹּהֵן ל. ג. ב בטע בעינ[37]

[23] Mm 222. [24] Mm 1147. [25] Lv 20,3. [26] 2 Ch 6,29. [27] Mm 3498. [28] Mm 599. [29] Mm 2703. [30] Mm 2544. [31] 1 S 20,25. [32] Mm 737. [33] Mm 210. [34] Cf Ez 15,3.4.5. [35] Mm 735. [36] Mm 3145. [37] Mp sub loco.

41 ᵃ⁻ᵃ > 𝔗 ‖ **42** ᵃ 𝔖𝔪𝔊𝔖𝔗^Ms ־חְתּוֹ ‖ **43** ᵃ 𝔖𝔪 אֹתָהּ ‖ **45** ᵃ 𝔖𝔪 יעטא ‖ **50** ᵃ 2 Mss 𝔊𝔖 + הַכֹּהֵן cf 54ᵃ ‖ **51** ᵃ 𝔖𝔪 ממראת, it 52ᵃ 14,44ᵇ ‖ **52** ᵃ cf 51ᵃ ‖ **53** ᵃ 𝔗 הנתק cf 32ᵃ ‖ **54** ᵃ pc Mss 𝔊𝔖𝔗 + הַכֹּהֵן cf 50ᵃ ‖ **55** ᵃ 𝔖𝔪 עיניו ut 5.37.

ב̇[38]. ב. ב פסוק מן מן מן מן וְהִנֵּה֙ כֵּהָ֣ה הַנֶּ֔גַע אַחֲרֵ֖י הֻכַּבֵּ֣ס[a] אֹת֑וֹ וְקָרַ֣ע[b] אֹת֗וֹ מִן־הַבֶּ֙גֶד֙ א֣וֹ מִן־
ב̇[39] הָע֔וֹר א֥וֹ מִן־הַשְּׁתִ֖י א֥וֹ מִן־הָעֵֽרֶב׃ 57 וְאִם־תֵּרָאֶ֨ה ע֜וֹד בַּבֶּ֗גֶד אֽוֹ־ 57
בַשְּׁתִ֤י אֽוֹ־בָעֵ֙רֶב֙ א֣וֹ בְכָל־כְּלִי־ע֔וֹר פֹּרַ֖חַת הִ֑וא בָּאֵ֣שׁ תִּשְׂרְפֶ֔נּוּ אֵ֥ת
ב̇[40] אֲשֶׁר־בּ֖וֹ הַנָּֽגַע׃ 58 וְהַבֶּ֡גֶד אֽוֹ־הַשְּׁתִ֡י אֽוֹ־הָעֵ֜רֶב אֽוֹ־כָל־כְּלִ֤י הָעוֹר֙ 58
ב אֲשֶׁ֣ר תְּכַבֵּ֔ס וְסָ֥ר מֵהֶ֖ם הַנָּ֑גַע וְכֻבַּ֥ס שֵׁנִ֖ית וְטָהֵֽר׃ 59 זֹ֠את תּוֹרַ֨ת נֶֽגַע־ 59
ל̇ צָרַ֜עַת[a] בֶּ֣גֶד הַצֶּ֣מֶר ׀ א֣וֹ הַפִּשְׁתִּ֗ים א֤וֹ הַשְּׁתִי֙ א֣וֹ הָעֵ֔רֶב א֖וֹ כָּל־כְּלִי־
ע֑וֹר[b] לְטַהֲר֖וֹ א֥וֹ לְטַמְּאֽוֹ׃ פ סז
14 1 וַיְדַבֵּ֥ר יְהוָ֖ה אֶל־מֹשֶׁ֥ה לֵּאמֹֽר׃ 2 זֹ֤את תִּֽהְיֶה֙ תּוֹרַ֣ת הַמְּצֹרָ֔ע ס פרש
בְּי֖וֹם טָהֳרָת֑וֹ וְהוּבָ֖א אֶל־הַכֹּהֵֽן׃ 3 וְיָצָא֙ הַכֹּהֵ֔ן אֶל־מִח֖וּץ לַֽמַּחֲנֶ֑ה 3
ג̇[1] וְרָאָה֙ הַכֹּהֵ֔ן וְהִנֵּ֛ה נִרְפָּ֥א נֶֽגַע־הַצָּרַ֖עַת מִן־הַצָּרֽוּעַ׃ 4 וְצִוָּה֙ הַכֹּהֵ֔ן 4
וְלָקַ֧ח[a] לַמִּטַּהֵ֛ר שְׁתֵּֽי־צִפֳּרִ֥ים[b] חַיּ֖וֹת טְהֹר֑וֹת[b] וְעֵ֣ץ אֶ֔רֶז וּשְׁנִ֥י תוֹלַ֖עַת
ט מל בתור . ז̇[2] וְאֵזֹֽב׃ 5 וְצִוָּה֙ הַכֹּהֵ֔ן וְשָׁחַ֖ט[a] אֶת־הַצִּפּ֣וֹר הָאֶחָ֑ת אֶל־כְּלִי־חֶ֖רֶשׂ עַל־ 5
ל̇ מַ֥יִם חַיִּֽים׃ 6 אֶת־[a]הַצִּפֹּ֤ר הַֽחַיָּה֙ יִקַּ֣ח אֹתָ֔הּ וְאֶת־עֵ֥ץ הָאֶ֖רֶז[b] וְאֶת־ 6
לט מל בתור . ג̇[3] ול פסיק שְׁנִ֣י הַתּוֹלַ֑עַת וְאֶת־הָאֵזֹ֑ב וְטָבַ֣ל אוֹתָ֗ם וְאֵ֣ת ׀ הַצִּפֹּ֣ר הַֽחַיָּ֔ה בְּדַם֙
ב חד מל וחד חס . ד̇ וכל תלים דכות̇[4] . ל̇[5] . ג̇ הַצִּפֹּ֣ר[b] הַשְּׁחֻטָ֔ה עַ֖ל [c]הַמַּ֥יִם הַחַיִּֽים[c]׃ 7 וְהִזָּ֗ה עַ֧ל הַמִּטַּהֵ֛ר מִן־ 7
ו̇ הַצָּרַ֖עַת שֶׁ֣בַע פְּעָמִ֑ים וְטִהֲר֗וֹ[a] וְשִׁלַּ֛ח אֶת־הַצִּפֹּ֥ר הַחַיָּ֖ה עַל־פְּנֵ֥י
ט̇[6] וכל במדבר דכות ב מ ב הַשָּׂדֶֽה׃ 8 וְכִבֶּ֣ס הַמִּטַּהֵר֩ אֶת־בְּגָדָ֜יו וְגִלַּ֣ח אֶת־כָּל־שְׂעָר֗וֹ וְרָחַ֤ץ 8
ז מל בתור בַּמַּ֙יִם֙ וְטָהֵ֔ר וְאַחַ֖ר יָב֣וֹא אֶל־הַֽמַּחֲנֶ֑ה וְיָשַׁ֛ב מִח֥וּץ לְאָהֳל֖וֹ שִׁבְעַ֥ת
ב̇ יָמִֽים׃ 9 וְהָיָה֩ בַיּ֨וֹם הַשְּׁבִיעִ֜י יְגַלַּ֣ח אֶת־כָּל־שְׂעָר֗וֹ אֶת־רֹאשׁ֤וֹ וְאֶת־ 9
ט̇[6] וכל במדבר דכות ב מ ב זְקָנוֹ֙ וְאֵת֙ גַּבֹּ֣ת עֵינָ֔יו וְאֶת־כָּל־שְׂעָר֖וֹ יְגַלֵּ֑חַ וְכִבֶּ֣ס אֶת־בְּגָדָ֗יו וְרָחַ֧ץ
אֶת־בְּשָׂר֛וֹ בַּמַּ֖יִם וְטָהֵֽר׃ 10 וּבַיּ֣וֹם הַשְּׁמִינִ֗י יִקַּ֤ח שְׁנֵֽי־כְבָשִׂים֙ 10
תְּמִימִ֔ים[a] וְכַבְשָׂ֥ה אַחַ֛ת בַּת־שְׁנָתָ֖הּ תְּמִימָ֑ה וּשְׁלֹשָׁ֣ה עֶשְׂרֹנִ֗ים סֹ֤לֶת
ל̇ מִנְחָה֙ בְּלוּלָ֣ה בַשֶּׁ֔מֶן וְלֹ֥ג[b] אֶחָ֖ד שָֽׁמֶן[b]׃ 11 וְהֶעֱמִ֞יד הַכֹּהֵ֣ן הַֽמְטַהֵ֗ר 11
ג ב מל וחד חס̇[7] אֵ֛ת הָאִ֥ישׁ הַמִּטַּהֵ֖ר וְאֹתָ֑ם לִפְנֵ֣י יְהוָ֔ה פֶּ֖תַח אֹ֥הֶל מוֹעֵֽד׃ 12 וְלָקַ֨ח 12
הַכֹּהֵ֜ן אֶת־הַכֶּ֣בֶשׂ הָֽאֶחָ֗ד וְהִקְרִ֥יב אֹת֛וֹ לְאָשָׁ֖ם וְאֶת־לֹ֣ג הַשָּׁ֑מֶן וְהֵנִ֥יף

[38] Mm 735. [39] Mm 736. [40] Mm 737. **Cp 14** [1] Mm 738. [2] Mm 739. [3] Mm 740. [4] Mm 741. [5] Mm 880. [6] Mm 734. [7] Mm 2807.

56 [a] ⅏ הכבסו ‖ [b] ⅏ pl ‖ **59** [a] ⅏ הַצ׳ ‖ [b] ⅏ הָע׳ ‖ **Cp 14,4** [a] ⅏𝔊𝔖 pl, it 5[a] ‖ [b–b] > ℭ ‖ **5** [a] cf 4[a] ‖ **6** [a] pc Mss ⅏𝔊𝔖𝔗 ואת ‖ [b] > ℭ ‖ [c–c] ⅏ מ׳ ח׳ ‖ **7** [a] 𝔊 *καὶ καθαρὸς ἔσται* cf 8.9 ‖ **10** [a] ⅏𝔊 + בני שנה ‖ [b–b] ⅏𝔊 invers cf 21[a].

13 אֹתָם תְּנוּפָה לִפְנֵי יְהוָה׃ 13 וְשָׁחַט אֶת־הַכֶּבֶשׂ בִּמְקוֹם אֲשֶׁר יִשְׁחַט[a]
אֶת־הַחַטָּאת וְאֶת־הָעֹלָה בִּמְקוֹם הַקֹּדֶשׁ כִּי כַּחַטָּאת הָאָשָׁם[b] הוּא ג[8]
14 לַכֹּהֵן קֹדֶשׁ קָדָשִׁים הוּא׃ 14 וְלָקַח הַכֹּהֵן מִדַּם הָאָשָׁם וְנָתַן הַכֹּהֵן[a] ז[9] ו[10] מנה בתור
עַל־תְּנוּךְ אֹזֶן הַמִּטַּהֵר הַיְמָנִית וְעַל־בֹּהֶן יָדוֹ הַיְמָנִית וְעַל־בֹּהֶן רַגְלוֹ ח[11]. כה
15 הַיְמָנִית׃ 15 וְלָקַח הַכֹּהֵן מִלֹּג הַשָּׁמֶן וְיָצַק עַל־כַּף הַכֹּהֵן הַשְּׂמָאלִית׃
16 וְטָבַל הַכֹּהֵן אֶת־אֶצְבָּעוֹ הַיְמָנִית מִן־הַשֶּׁמֶן אֲשֶׁר עַל־כַּפּוֹ
הַשְּׂמָאלִית וְהִזָּה מִן־הַשֶּׁמֶן בְּאֶצְבָּעוֹ[a] שֶׁבַע פְּעָמִים לִפְנֵי יְהוָה׃
17 וּמִיֶּתֶר הַשֶּׁמֶן אֲשֶׁר עַל־כַּפּוֹ יִתֵּן הַכֹּהֵן עַל־תְּנוּךְ אֹזֶן הַמִּטַּהֵר ל. ח[11]. כה
הַיְמָנִית וְעַל־בֹּהֶן יָדוֹ הַיְמָנִית וְעַל־בֹּהֶן רַגְלוֹ הַיְמָנִית עַל[a] דַּם
18 הָאָשָׁם׃ 18 וְהַנּוֹתָר בַּשֶּׁמֶן אֲשֶׁר עַל־כַּף הַכֹּהֵן יִתֵּן עַל־רֹאשׁ הַמִּטַּהֵר
19 וְכִפֶּר עָלָיו הַכֹּהֵן לִפְנֵי יְהוָה׃ 19 וְעָשָׂה הַכֹּהֵן אֶת־הַחַטָּאת וְכִפֶּר[a]
20 עַל־הַמִּטַּהֵר מִטֻּמְאָתוֹ וְאַחַר יִשְׁחַט[a] אֶת־הָעֹלָה׃ 20 וְהֶעֱלָה הַכֹּהֵן ג
אֶת־הָעֹלָה וְאֶת־הַמִּנְחָה הַמִּזְבֵּחָה[a] וְכִפֶּר עָלָיו הַכֹּהֵן וְטָהֵר׃ ס ח[12]. ה[13] וכל הקטרה דכות ב מ ג
21 וְאִם־דַּל הוּא וְאֵין יָדוֹ מַשֶּׂגֶת וְלָקַח כֶּבֶשׂ אֶחָד אָשָׁם לִתְנוּפָה ל[14]. יב וכל דל ואביון דכות. ל[15]. ל
לְכַפֵּר עָלָיו וְעִשָּׂרוֹן סֹלֶת אֶחָד בָּלוּל בַּשֶּׁמֶן לְמִנְחָה וְלֹג שָׁמֶן[a]׃ ו[16]. ה ג מל וב חס[17]. ד
22 וּשְׁתֵּי תֹרִים אוֹ שְׁנֵי בְּנֵי יוֹנָה אֲשֶׁר תַּשִּׂיג יָדוֹ וְהָיָה אֶחָד[a] חַטָּאת
23 וְהָאֶחָד[b] עֹלָה׃ 23 וְהֵבִיא אֹתָם בַּיּוֹם הַשְּׁמִינִי לְטָהֳרָתוֹ אֶל־הַכֹּהֵן ד[18]
24 אֶל־פֶּתַח אֹהֶל־מוֹעֵד לִפְנֵי יְהוָה׃ 24 וְלָקַח הַכֹּהֵן אֶת־כֶּבֶשׂ הָאָשָׁם
25 וְאֶת־לֹג הַשָּׁמֶן וְהֵנִיף אֹתָם הַכֹּהֵן[a] תְּנוּפָה לִפְנֵי יְהוָה׃ 25 וְשָׁחַט אֶת־
כֶּבֶשׂ הָאָשָׁם וְלָקַח הַכֹּהֵן מִדַּם הָאָשָׁם וְנָתַן עַל־תְּנוּךְ אֹזֶן־הַמִּטַּהֵר ח[11]. כה
26 הַיְמָנִית וְעַל־בֹּהֶן יָדוֹ הַיְמָנִית וְעַל־בֹּהֶן רַגְלוֹ הַיְמָנִית׃ 26 וּמִן־הַשֶּׁמֶן ל
27 יִצֹק הַכֹּהֵן עַל־כַּף הַכֹּהֵן הַשְּׂמָאלִית׃ 27 [a]וְהִזָּה הַכֹּהֵן בְּאֶצְבָּעוֹ
הַיְמָנִית מִן־הַשֶּׁמֶן אֲשֶׁר עַל־כַּפּוֹ הַשְּׂמָאלִית[a] שֶׁבַע פְּעָמִים לִפְנֵי
28 יְהוָה׃ 28 וְנָתַן הַכֹּהֵן מִן־הַשֶּׁמֶן ׀ אֲשֶׁר עַל־כַּפּוֹ עַל־תְּנוּךְ אֹזֶן הַמִּטַּהֵר ח[11]. כה
הַיְמָנִית וְעַל־בֹּהֶן יָדוֹ הַיְמָנִית וְעַל־בֹּהֶן רַגְלוֹ הַיְמָנִית עַל־מְקוֹם דַּם ג[19]

[8] Mm 2983. [9] Mm 4108. [10] Mm 831. [11] Mm 742. [12] Mm 1930. [13] Mm 4235. [14] וחד אם דל Ru 3,10. [15] וחד למשגת 1Ch 21,12. [16] Mm 745. [17] Mm 999. [18] Mm 743. [19] Mm 744.

13 [a] 𝔐𝔊 pl ‖ [b] Ms 𝔐 כָּא׳ ‖ **14** [a] > pc Mss 𝔐$𝔊^{min}$ ‖ **16** [a] > 𝔐 ‖ **17** [a] 𝔊𝔖$𝔗^{J}$ + *τὸν τόπον* cf 28 ‖ **19** [a] 𝔊 + *ὁ ἱερεύς* ‖ **20** [a] 𝔐𝔊 + לפני יהוה ‖ **21** [a] 𝔊 *ἐλαίου μίαν* cf 10^{b-b} ‖ **22** [a] 𝔊(𝔖$𝔗^{J}$) *ἡ μία* = הָאחד ut 22bβ.31 ‖ [b] 𝔐$𝔊^{min}$ ואחד ‖ **24** [a] > ℭ Ms 𝔐𝔊$𝔗^{J}$ ‖ **27** [a–a] > ℭ (homtel).

29 הָאָשָׁ֑ם 29 וְהַנּוֹתָ֗ר מִן־הַשֶּׁ֙מֶן֙ אֲשֶׁר֙ עַל־כַּ֣ף הַכֹּהֵ֔ן יִתֵּ֖ן עַל־רֹ֣אשׁ

30 הַמִּטַּהֵ֑ר לְכַפֵּ֥ר עָלָ֖יו לִפְנֵ֥י יְהוָֽה׃ 30 וְעָשָׂ֤ה אֶת־הָֽאֶחָד֙ מִן־הַתֹּרִ֔ים

31 א֥וֹ מִן־בְּנֵ֖י הַיּוֹנָ֑ה מֵאֲשֶׁ֥ר תַּשִּׂ֖יג יָדֽוֹ׃ 31 אֵ֣ת אֲשֶׁר־תַּשִּׂ֞יג יָד֗וֹ אֶת־

הָאֶחָ֤ד חַטָּאת֙ וְאֶת־הָאֶחָ֣ד עֹלָ֔ה עַל־הַמִּנְחָ֑ה וְכִפֶּ֧ר הַכֹּהֵ֛ן עַ֥ל

32 הַמִּטַּהֵ֖ר לִפְנֵ֥י יְהוָֽה׃ 32 זֹ֣את תּוֹרַ֔ת אֲשֶׁר־בּ֖וֹ נֶ֣גַע צָרָ֑עַת אֲשֶׁ֣ר לֹֽא־

תַשִּׂ֥יג יָד֖וֹ בְּטָהֳרָתֽוֹ׃ פ

33 33 וַיְדַבֵּ֣ר יְהוָ֔ה אֶל־מֹשֶׁ֥ה וְאֶֽל־אַהֲרֹ֖ן לֵאמֹֽר׃ 34 כִּ֤י תָבֹ֙אוּ֙ אֶל־

אֶ֣רֶץ כְּנַ֗עַן אֲשֶׁ֧ר אֲנִ֛י נֹתֵ֥ן לָכֶ֖ם לַאֲחֻזָּ֑ה וְנָתַתִּי֙ נֶ֣גַע צָרַ֔עַת בְּבֵ֖ית אֶ֥רֶץ

35 אֲחֻזַּתְכֶֽם׃ 35 וּבָא֙ אֲשֶׁר־ל֣וֹ הַבַּ֔יִת וְהִגִּ֥יד לַכֹּהֵ֖ן לֵאמֹ֑ר כְּנֶ֕גַע נִרְאָ֥ה לִ֖י

36 בַּבָּֽיִת׃ 36 וְצִוָּ֨ה הַכֹּהֵ֜ן וּפִנּ֣וּ אֶת־הַבַּ֗יִת בְּטֶ֨רֶם יָבֹ֤א הַכֹּהֵן֙ לִרְא֣וֹת

אֶת־הַנֶּ֔גַע וְלֹ֥א יִטְמָ֖א כָּל־אֲשֶׁ֣ר בַּבָּ֑יִת וְאַ֣חַר כֵּ֛ן יָבֹ֥א הַכֹּהֵ֖ן לִרְא֥וֹת

37 אֶת־הַבָּֽיִת׃ 37 וְרָאָ֣ה אֶת־הַנֶּ֗גַע וְהִנֵּ֤ה הַנֶּ֙גַע֙ בְּקִירֹ֣ת הַבַּ֔יִת שְׁקַֽעֲרוּרֹת֙

38 יְרַקְרַקֹּ֔ת א֖וֹ אֲדַמְדַּמֹּ֑ת וּמַרְאֵיהֶ֥ן שָׁפָ֖ל מִן־הַקִּֽיר׃ 38 וְיָצָ֧א הַכֹּהֵ֛ן

39 מִן־הַבַּ֖יִת אֶל־פֶּ֣תַח הַבָּ֑יִת וְהִסְגִּ֥יר אֶת־הַבַּ֖יִת שִׁבְעַ֥ת יָמִֽים׃ 39 וְשָׁ֥ב

40 הַכֹּהֵ֖ן בַּיּ֣וֹם הַשְּׁבִיעִ֑י וְרָאָ֕ה וְהִנֵּ֛ה פָּשָׂ֥ה הַנֶּ֖גַע בְּקִירֹ֥ת הַבָּֽיִת׃ 40 וְצִוָּה֙

הַכֹּהֵ֔ן וְחִלְּצוּ֙ אֶת־הָ֣אֲבָנִ֔ים אֲשֶׁ֥ר בָּהֵ֖ן הַנָּ֑גַע וְהִשְׁלִ֤יכוּ אֶתְהֶן֙ אֶל־

41 מִח֣וּץ לָעִ֔יר אֶל־מָק֖וֹם טָמֵֽא׃ 41 וְאֶת־הַבַּ֛יִת יַקְצִ֥עַ מִבַּ֖יִת סָבִ֑יב

וְשָׁפְכ֗וּ אֶת־הֶֽעָפָר֙ אֲשֶׁ֣ר הִקְצ֔וּ אֶל־מִח֣וּץ לָעִ֔יר אֶל־מָק֖וֹם טָמֵֽא׃

42 42 וְלָקְחוּ֙ אֲבָנִ֣ים אֲחֵר֔וֹת וְהֵבִ֖יאוּ אֶל־תַּ֣חַת הָאֲבָנִ֑ים וְעָפָ֥ר אַחֵ֛ר

43 יִקַּ֖ח וְטָ֥ח אֶת־הַבָּֽיִת׃ 43 וְאִם־יָשׁ֤וּב הַנֶּ֙גַע֙ וּפָרַ֣ח בַּבַּ֔יִת אַחַ֖ר חִלֵּ֣ץ

44 אֶת־הָאֲבָנִ֑ים וְאַחֲרֵ֧י הִקְצ֛וֹת אֶת־הַבַּ֖יִת וְאַחֲרֵ֥י הִטּֽוֹחַ׃ 44 וּבָא֙

הַכֹּהֵ֔ן וְרָאָ֕ה וְהִנֵּ֛ה פָּשָׂ֥ה הַנֶּ֖גַע בַּבָּ֑יִת צָרַ֨עַת מַמְאֶ֥רֶת הִ֛וא בַּבַּ֖יִת

45 טָמֵ֥א הֽוּא׃ 45 וְנָתַ֣ץ אֶת־הַבַּ֗יִת אֶת־אֲבָנָיו֙ וְאֶת־עֵצָ֔יו וְאֵ֖ת כָּל־עֲפַ֣ר

46 הַבָּ֑יִת וְהוֹצִיא֙ אֶל־מִח֣וּץ לָעִ֔יר אֶל־מָק֖וֹם טָמֵֽא׃ 46 וְהַבָּא֙ אֶל־

א‏20
ד‏21 וכל לשׁון ארמי
וכל ד"ה דכות ב מ‏ב‏י ‏.‏
ד ר"פ את ואת‏22

ד‏23‏. ח‏24 בטע בסיפ
רחד מן ח בטע דין ‏.‏ ג

א‏25

ב‏26‏. ל ‏.‏ יד ר"פ

יג פסוק את את את בסיפ

ל

ד‏27‏. ל ‏.‏ ל

ג בעינ

ל ‏.‏ ה‏28

ה‏29‏. ל רחם

ל

ג‏30

ל קמ ‏.‏ ל‏31

ב ‏.‏ יז ר"פ

ג בעינ

יח פסוק את את
ואת ואת ‏.‏ ל‏32‏. ה
דקדמין לעצים‏33‏. ב

ב‏34

20 Mm 745. 21 Mm 665. 22 Mm 2599. 23 Mm 746. 24 Mm 747. 25 Mm 852. 26 Jer 31,3. 27 Mm 302. 28 Mm
640. 29 Mm 748. 30 Mm 749. 31 Mm 2172. 32 רחד ואת אבניו Sach 5,4. 33 Mm 4157. 34 2 Ch 23,7.

29 ᵃ⁻ᵃ ﬡﬡﬡ בַּשֶּׁמֶן ‖ 31 ᵃ⁻ᵃ > 𝔊𝔖, dl (dttg) ‖ ᵇ > ﬡﬡﬡ ‖ 36 ᵃ ﬡﬡﬡﬡﬡ ־רֵי־ cf 43ᵃ ‖ 37 ᵃ ﬡﬡﬡ𝔊ᴹᵐⁱⁿ
𝔊𝔗ᴶ + הכהן ; l ‖ 39 ᵃ 𝔊 + τὴν οἰκίαν ‖ 41 ᵃ ﬡﬡﬡﬡﬡ𝔊𝔖𝔗𝔗ᴶ pl ‖ ᵇ⁻ᵇ > ﬡﬡﬡ𝔊* ‖ ᶜ ﬡﬡﬡ הקיצו
prb 𝔊ᴹˢˢ𝔖𝔗𝔗ᴶ et 43ᶜ ‖ 42 ᵃ 𝔊 + ἀπεξυσμένους ‖ ᵇ 𝔊ᴮᴬ στερεούς ‖ ᶜ ﬡﬡﬡ
pl ‖ 43 ᵃ cf 36ᵃ ‖ ᵇ 𝔊(𝔖𝔗𝔗ᴶ) τὸ ἐξελεῖν = חַלֵּץ, ﬡﬡﬡ חלצו ‖ ᶜ crrp; 𝔊(𝔖𝔗𝔗ᴶ) τὸ ἀπο-
ξυσθῆναι (ad inf cf הטוח), l הַקְצִיעַ cf 41ᶜ ‖ 44 ᵃ ﬡﬡﬡ פרח, it 48ᵃ ‖ ᵇ cf 13,51ᵃ ‖ ᶜ >
ﬡﬡﬡ ‖ 45 ᵃ ﬡﬡﬡ𝔊𝔖𝔗ᴶ pl ‖ ᵇ ﬡﬡﬡ𝔊𝔖 pl.

47 הַבַּיִת כָּל־יְמֵי הִסְגִּיר אֹתוֹ יִטְמָא עַד־הָעָרֶב׃ 47 וְהַשֹּׁכֵב בַּבַּיִת יְכַבֵּס
48 אֶת־בְּגָדָיו וְהָאֹכֵל בַּבַּיִת יְכַבֵּס אֶת־בְּגָדָיו[a]׃ 48 וְאִם־בֹּא יָבֹא הַכֹּהֵן — Masora: ל̇
וְרָאָה וְהִנֵּה לֹא־פָשָׂה[a] הַנֶּגַע בַּבַּיִת אַחֲרֵי הִטֹּחַ אֶת־הַבָּיִת וְטִהַר — Masora: ג̇ בעינ̇. ב̇ ול חס
49 הַכֹּהֵן אֶת־הַבַּיִת כִּי נִרְפָּא הַנָּגַע׃ 49 וְלָקַח[a] לְחַטֵּא אֶת־הַבַּיִת שְׁתֵּי — Masora: ל̇
50 צִפֳּרִים[b] וְעֵץ אֶרֶז וּשְׁנִי תוֹלַעַת וְאֵזֹב׃ 50 וְשָׁחַט אֶת־הַצִּפֹּר הָאֶחָת
51 אֶל־כְּלִי־חֶרֶשׂ עַל־מַיִם חַיִּים׃ 51 וְלָקַח אֶת־עֵץ־הָאֶרֶז[a] וְאֶת־הָאֵזֹב — Masora: ז̇[35]
וְאֵת ׀ שְׁנִי הַתּוֹלַעַת[a] וְאֵת הַצִּפֹּר הַחַיָּה וְטָבַל אֹתָם[b] בְּדַם הַצִּפֹּר — Masora: ג̇[36]
52 הַשְּׁחוּטָה וּבַמַּיִם הַחַיִּים וְהִזָּה אֶל־הַבַּיִת שֶׁבַע פְּעָמִים׃ 52 וְחִטֵּא אֶת־ — Masora: ב̇ חד מל וחד חס. ל̇
הַבַּיִת בְּדַם הַצִּפּוֹר וּבַמַּיִם הַחַיִּים וּבַצִּפֹּר הַחַיָּה וּבְעֵץ הָאֶרֶז[a] וּבָאֵזֹב — Masora: ט̇ מל בתור. ל̇
53 וּבִשְׁנִי הַתּוֹלָעַת[a]׃ 53 וְשִׁלַּח אֶת־הַצִּפֹּר הַחַיָּה אֶל־מִחוּץ לָעִיר אֶל־ — Masora: ט̇[37] וכל צורת הבית דכות ב̇ מ̇ ד̇
54 פְּנֵי הַשָּׂדֶה וְכִפֶּר עַל־הַבַּיִת וְטָהֵר׃ 54 זֹאת הַתּוֹרָה לְכָל־נֶגַע הַצָּרַעַת — Masora: ד̇ וכל מלכים וישעיה דכות ב̇ מ̇ ד̇. ג̇[38]
55 56 וְלַנָּתֶק׃ 55 וּלְצָרַעַת הַבֶּגֶד וְלַבָּיִת׃ 56 וְלַשְׂאֵת וְלַסַּפַּחַת וְלַבֶּהָרֶת׃ — Masora: ל̇. יד̇ פסוק בתור[39]. ל̇ וחד מן יד̇[39] פסוק בתור. ל̇. ל̇
57 לְהוֹרֹת[a] בְּיוֹם הַטָּמֵא וּבְיוֹם הַטָּהֹר זֹאת תּוֹרַת הַצָּרָעַת׃ ס — Masora: ה̇ חס
ס[יב] **15** 1 וַיְדַבֵּר יְהוָה אֶל־מֹשֶׁה וְאֶל־אַהֲרֹן לֵאמֹר׃ 2 דַּבְּרוּ[a] אֶל־ — Masora: יא̇[1]. ג̇ ר״פ בתור[2]
בְּנֵי יִשְׂרָאֵל וַאֲמַרְתֶּם[a] אֲלֵהֶם אִישׁ אִישׁ[b] כִּי יִהְיֶה זָב[b] מִבְּשָׂרוֹ זוֹבוֹ — Masora: ב̇
3 טָמֵא הוּא׃ 3 וְזֹאת תִּהְיֶה[a] טֻמְאָתוֹ בְּזוֹבוֹ רָר בְּשָׂרוֹ אֶת־זוֹבוֹ אוֹ־ — Masora: כה̇ יו̇[3] מנה ר״פ. ל̇
4 הֶחְתִּים בְּשָׂרוֹ מִזּוֹבוֹ[b] טֻמְאָתוֹ הִוא׃ 4 כָּל[a]־הַמִּשְׁכָּב אֲשֶׁר יִשְׁכַּב — Masora: ל̇
5 עָלָיו הַזָּב יִטְמָא וְכָל־הַכְּלִי אֲשֶׁר־יֵשֵׁב עָלָיו יִטְמָא׃ 5 וְאִישׁ אֲשֶׁר — Masora: ב̇
6 יִגַּע בְּמִשְׁכָּבוֹ יְכַבֵּס בְּגָדָיו וְרָחַץ בַּמַּיִם וְטָמֵא עַד־הָעָרֶב׃ 6 וְהַיֹּשֵׁב
עַל־הַכְּלִי אֲשֶׁר־יֵשֵׁב עָלָיו הַזָּב יְכַבֵּס בְּגָדָיו וְרָחַץ בַּמַּיִם וְטָמֵא עַד־ — Masora: ב̇
7 הָעָרֶב׃ 7 וְהַנֹּגֵעַ בִּבְשַׂר הַזָּב יְכַבֵּס בְּגָדָיו וְרָחַץ בַּמַּיִם וְטָמֵא עַד־ — Masora: **חצי הספר בפסוקים** ג̇ בתור
8 הָעָרֶב׃ 8 וְכִי־יָרֹק הַזָּב בַּטָּהוֹר וְכִבֶּס[a] בְּגָדָיו וְרָחַץ בַּמַּיִם וְטָמֵא — Masora: ג̇ ב̇ חס וחד מל[4]. ט̇[5] ד̇ מנה בעינ̇ וכל במדבר דכות ב̇ מ̇ ב̇
9 10 עַד־הָעָרֶב׃ 9 וְכָל־הַמֶּרְכָּב אֲשֶׁר יִרְכַּב[a] עָלָיו הַזָּב יִטְמָא[b]׃ 10 וְכָל־
הַנֹּגֵעַ בְּכֹל אֲשֶׁר יִהְיֶה תַחְתָּיו יִטְמָא עַד־הָעָרֶב וְהַנּוֹשֵׂא אוֹתָם יְכַבֵּס — Masora: ל̇ מל. לט̇ מל בתור

[35] Mm 739. [36] Mm 740. [37] Mm 3937. [38] Mm 738. [39] Mm 750. **Cp 15** [1] Mm 852. [2] Mm 719. [3] Mm 856. [4] Mm 751. [5] Mm 734.

47 [a] 𝔊 + *καὶ ἀκάθαρτος ἔσται ἕως ἑσπέρας* ‖ **48** [a] cf 44[a] ‖ **49** [a] ш pl ‖ [b] 𝔊* + *ζῶντα καθαρά* cf 4 ‖ **51** [a–a] ш𝔊 invers ut 49 ‖ [b] 𝔊[BA] *αὐτό* = אתה ‖ **52** [a–a] ш invers ‖ **57** [a] pc Mss 𝔊𝔖 'וּלְ ‖ **Cp 15,2** [a] 𝔊 sg ‖ [b–b] 𝔊 *ᾧ ἐὰν γένηται ῥύσις* ‖ **3** [a] 𝔊 *ὁ νόμος* cf 32 ‖ [b] ш𝔊 + טמא הוא כל־יְמֵי־זֹב בשרו או החתים בשרו מזובו ‖ **4** [a] pc Mss 𝔖 וְכָל ‖ **8** [a] ш𝔊𝔖𝔗[Ms] יכבס cf 11[b] ‖ **9** [a] > ℭ 1°, 2° יִשְׁכַּב ‖ [b] 𝔊 + *ἕως ἑσπέρας*.

11 בְּגָדָיו וְרָחַץ בַּמַּיִם וְטָמֵא עַד־הָעָרֶב׃ 11 וְכֹל אֲשֶׁר יִגַּע־בּוֹ הַזָּב
וְיָדָיו[a] לֹא־שָׁטַף בַּמָּיִם וְכִבֶּס[b] בְּגָדָיו וְרָחַץ בַּמַּיִם וְטָמֵא עַד־הָעָרֶב׃ ד . ט[6] ד מנה בעינ וכל במדבר דכות ב מ ב
12 וּכְלִי־חֶרֶשׂ אֲשֶׁר־יִגַּע־בּוֹ הַזָּב יִשָּׁבֵר [a]וְכָל־כְּלִי[a]־עֵץ יִשָּׁטֵף בַּמָּיִם׃ 12 ה[7]
13 וְכִי־יִטְהַר הַזָּב מִזּוֹבוֹ וְסָפַר לוֹ שִׁבְעַת יָמִים לְטָהֳרָתוֹ וְכִבֶּס בְּגָדָיו 13 ל . ט[6] ד מנה בעינ וכל במדבר דכות ב מ ב
14 וְרָחַץ בְּשָׂרוֹ בְּמַיִם חַיִּים[a] וְטָהֵר׃ 14 וּבַיּוֹם הַשְּׁמִינִי יִקַּח־לוֹ שְׁתֵּי ד[8] . ז רפי[9]
תֹרִים אוֹ שְׁנֵי בְּנֵי יוֹנָה וּבָא[a] ׀ לִפְנֵי יְהוָה אֶל־פֶּתַח אֹהֶל מוֹעֵד וּנְתָנָם
15 אֶל־הַכֹּהֵן׃ 15 וְעָשָׂה אֹתָם הַכֹּהֵן אֶחָד חַטָּאת וְהָאֶחָד[a] עֹלָה וְכִפֶּר ד[10]
16 עָלָיו הַכֹּהֵן לִפְנֵי יְהוָה מִזּוֹבוֹ׃ ס 16 וְאִישׁ כִּי־תֵצֵא מִמֶּנּוּ
17 שִׁכְבַת־זָרַע וְרָחַץ בַּמַּיִם אֶת־כָּל־בְּשָׂרוֹ וְטָמֵא עַד־הָעָרֶב׃ 17 וְכָל־ ג[11] . ח פסוק וכל וכל ומילה חדה ביניה וחד מן י ר״פ וכל ומ״פ וכל
בֶּגֶד וְכָל־עוֹר אֲשֶׁר־יִהְיֶה עָלָיו שִׁכְבַת־זָרַע וְכֻבַּס בַּמַּיִם וְטָמֵא ל . ב
18 עַד־הָעָרֶב׃ פ 18 וְאִשָּׁה אֲשֶׁר יִשְׁכַּב אִישׁ[a] אֹתָהּ שִׁכְבַת־זָרַע כב
19 וְרָחֲצוּ בַמַּיִם וְטָמְאוּ עַד־הָעָרֶב׃ 19 וְאִשָּׁה כִּי־תִהְיֶה זָבָה דָּם יִהְיֶה כב
זֹבָהּ בִּבְשָׂרָהּ שִׁבְעַת יָמִים תִּהְיֶה בְנִדָּתָהּ וְכָל־הַנֹּגֵעַ בָּהּ יִטְמָא עַד־ ב
20 הָעָרֶב׃ 20 וְכֹל אֲשֶׁר תִּשְׁכַּב עָלָיו בְּנִדָּתָהּ יִטְמָא וְכֹל אֲשֶׁר־תֵּשֵׁב י ר״פ וכל ומ״פ וכל
21 עָלָיו יִטְמָא׃ 21 וְכָל־הַנֹּגֵעַ בְּמִשְׁכָּבָהּ יְכַבֵּס בְּגָדָיו וְרָחַץ בַּמַּיִם וְטָמֵא
22 עַד־הָעָרֶב׃ 22 וְכָל־הַנֹּגֵעַ [a]בְּכָל־כְּלִי[b] אֲשֶׁר־תֵּשֵׁב עָלָיו[a] יְכַבֵּס
23 בְּגָדָיו וְרָחַץ בַּמַּיִם וְטָמֵא עַד־הָעָרֶב׃ 23 וְאִם עַל־הַמִּשְׁכָּב הוּא[a] אוֹ
עַל־הַכְּלִי אֲשֶׁר־הִוא יֹשֶׁבֶת־עָלָיו בְּנָגְעוֹ־בוֹ יִטְמָא עַד־הָעָרֶב׃ ב . ח חס[12]
24 וְאִם שָׁכֹב יִשְׁכַּב אִישׁ[a] אֹתָהּ וּתְהִי נִדָּתָהּ עָלָיו וְטָמֵא[b] שִׁבְעַת יָמִים 24 יד רפי[13] . ב
וְכָל־הַמִּשְׁכָּב אֲשֶׁר־יִשְׁכַּב עָלָיו יִטְמָא׃ פ 25 וְאִשָּׁה כִּי־יָזוּב ס[יג] כב ב מנה בטע
זוֹב דָּמָהּ יָמִים רַבִּים בְּלֹא עֶת־נִדָּתָהּ אוֹ כִי־תָזוּב עַל־נִדָּתָהּ כָּל־
26 יְמֵי זוֹב טֻמְאָתָהּ כִּימֵי נִדָּתָהּ תִּהְיֶה טְמֵאָה הִוא׃ 26 [a]כָּל־הַמִּשְׁכָּב יג פסוק כל כל וכל
אֲשֶׁר־תִּשְׁכַּב עָלָיו כָּל־יְמֵי זוֹבָהּ כְּמִשְׁכַּב נִדָּתָהּ יִהְיֶה־לָּהּ וְכָל־ ב . ב
27 הַכְּלִי אֲשֶׁר תֵּשֵׁב עָלָיו טָמֵא יִהְיֶה כְּטֻמְאַת נִדָּתָהּ׃ 27 [a]וְכָל־הַנּוֹגֵעַ ב[14] . ג מל[15]
28 בָּם[b] יִטְמָא וְכִבֶּס בְּגָדָיו וְרָחַץ בַּמַּיִם וְטָמֵא עַד־הָעָרֶב׃ 28 וְאִם־ ט[6] ד מנה בעינ וכל במדבר דכות ב מ ב

[6] Mm 734. [7] Mm 945. [8] Mm 752. [9] Mm 753. [10] Mm 743. [11] Mm 754. [12] Mm 2184. [13] Mm 174. [14] Ez 36,17. [15] Mm 755.

11 [a] pc Mss ш וידוֹ ‖ [b] ш𝔊𝔖 ut 8[a] ‖ **12** [a–a] Ms 𝔊𝔙 וּכְלִי ‖ **13** [a] > 𝔊[BA] ‖ **14** [a] 𝔊(𝔖𝔗[J]) *καὶ οἴσει αὐτά* = וֶהֱבִיאָם cf 29 ‖ **15** [a] ш𝔊𝔖𝔗𝔗[J] ואחד ‖ **18** [a] ш אִישָׁהּ, it 24[a] ‖ **22** [a–a] > ℭ ‖ [b] ш𝔗𝔗[J] הַכְּלִי ‖ **23** [a] ш היא ‖ **24** [a] cf 18[a] ‖ [b] ш יטמא ‖ **26** [a] pc Mss 𝔊*𝔖𝔗[J] וְכל ‖ **27** [a] 2 Mss 𝔊 om cop ‖ [b] pc Mss 𝔊 בהּ.

29 טָהֳרָה מִזּוֹבָהּ וְסָפְרָה לָּהּ שִׁבְעַת יָמִים וְאַחַר תִּטְהָר׃ 29 וּבַיּוֹם ל
הַשְּׁמִינִי תִּקַּח־לָהּ שְׁתֵּי תֹרִים אוֹ שְׁנֵי בְּנֵי יוֹנָה וְהֵבִיאָה אוֹתָם אֶל־ ל[16]. לט מל בתור
30 הַכֹּהֵן אֶל־פֶּתַח אֹהֶל מוֹעֵד׃ 30 וְעָשָׂה הַכֹּהֵן אֶת־הָאֶחָד חַטָּאת
וְאֶת־הָאֶחָד עֹלָה וְכִפֶּר עָלֶיהָ הַכֹּהֵן לִפְנֵי יְהוָה מִזּוֹב טֻמְאָתָהּ׃ ד[17]
31 וְהִזַּרְתֶּם[a] אֶת־בְּנֵי־יִשְׂרָאֵל מִטֻּמְאָתָם וְלֹא יָמֻתוּ בְּטֻמְאָתָם בְּטַמְּאָם ל. ב. ל
32 אֶת־מִשְׁכָּנִי אֲשֶׁר בְּתוֹכָם׃ 32 זֹאת תּוֹרַת הַזָּב וַאֲשֶׁר תֵּצֵא ג[18]. ל
33 מִמֶּנּוּ שִׁכְבַת־זֶרַע לְטָמְאָה־בָהּ׃ 33 וְהַדָּוָה בְּנִדָּתָהּ וְהַזָּב אֶת־זוֹבוֹ ל
לַזָּכָר וְלַנְּקֵבָה וּלְאִישׁ אֲשֶׁר יִשְׁכַּב עִם־טְמֵאָה׃ פ צ ג[19]
פרש 16 1 וַיְדַבֵּר יְהוָה אֶל־מֹשֶׁה אַחֲרֵי מוֹת שְׁנֵי בְּנֵי אַהֲרֹן בְּקָרְבָתָם[a] ל בתור. ג בטע
2 לִפְנֵי־יְהוָה וַיָּמֻתוּ׃ 2 וַיֹּאמֶר יְהוָה אֶל־מֹשֶׁה דַּבֵּר אֶל־אַהֲרֹן אָחִיךָ
וְאַל־יָבֹא בְכָל־עֵת אֶל־הַקֹּדֶשׁ מִבֵּית לַפָּרֹכֶת [a]אֶל־פְּנֵי הַכַּפֹּרֶת[a] ב[1]. ט[2] וכל צורת הבית דכות ב מ ד
3 אֲשֶׁר עַל־הָאָרֹן וְלֹא יָמוּת כִּי בֶּעָנָן אֵרָאֶה עַל־הַכַּפֹּרֶת׃ 3 בְּזֹאת ב. ד[3]
יָבֹא אַהֲרֹן אֶל־הַקֹּדֶשׁ בְּפַר בֶּן־בָּקָר לְחַטָּאת וְאַיִל לְעֹלָה׃ ב[4]
4 [a]כְּתֹנֶת־בַּד קֹדֶשׁ יִלְבָּשׁ וּמִכְנְסֵי־בַד יִהְיוּ עַל־בְּשָׂרוֹ וּבְאַבְנֵט בַּד ל זקף קמ[5]
יַחְגֹּר וּבְמִצְנֶפֶת בַּד יִצְנֹף בִּגְדֵי־קֹדֶשׁ הֵם וְרָחַץ בַּמַּיִם אֶת־[b]בְּשָׂרוֹ ל. ג[6]. ג[7]
5 וּלְבֵשָׁם׃ 5 וּמֵאֵת עֲדַת בְּנֵי יִשְׂרָאֵל יִקַּח שְׁנֵי־שְׂעִירֵי עִזִּים לְחַטָּאת ל
6 וְאַיִל אֶחָד לְעֹלָה׃ 6 וְהִקְרִיב אַהֲרֹן אֶת־פַּר הַחַטָּאת אֲשֶׁר־לוֹ וְכִפֶּר
7 בַּעֲדוֹ וּבְעַד בֵּיתוֹ׃ 7 וְלָקַח אֶת־שְׁנֵי הַשְּׂעִירִם וְהֶעֱמִיד אֹתָם לִפְנֵי
8 יְהוָה פֶּתַח אֹהֶל מוֹעֵד׃ 8 וְנָתַן אַהֲרֹן עַל־שְׁנֵי הַשְּׂעִירִם גֹּרָלוֹת ל חס[8]
9 גּוֹרָל אֶחָד לַיהוָה וְגוֹרָל אֶחָד לַעֲזָאזֵל[a]׃ 9 וְהִקְרִיב אַהֲרֹן אֶת־ ב[9]
10 הַשָּׂעִיר אֲשֶׁר עָלָה עָלָיו הַגּוֹרָל לַיהוָה וְעָשָׂהוּ חַטָּאת׃ 10 וְהַשָּׂעִיר ל
אֲשֶׁר עָלָה עָלָיו הַגּוֹרָל לַעֲזָאזֵל[a] יָעֳמַד[b]־חַי לִפְנֵי יְהוָה לְכַפֵּר עָלָיו ל. ו[10]
11 לְשַׁלַּח אֹתוֹ לַעֲזָאזֵל[a] הַמִּדְבָּרָה׃ 11 וְהִקְרִיב אַהֲרֹן אֶת־פַּר[a] יב[11]
הַחַטָּאת [b]אֲשֶׁר־לוֹ[b] וְכִפֶּר בַּעֲדוֹ וּבְעַד בֵּיתוֹ וְשָׁחַט אֶת־פַּר הַחַטָּאת
12 אֲשֶׁר־לוֹ׃ 12 וְלָקַח מְלֹא־הַמַּחְתָּה גַּחֲלֵי־אֵשׁ מֵעַל הַמִּזְבֵּחַ מִלִּפְנֵי

[16] Mm 4173א. [17] Mm 746. [18] Mm 756. [19] Mm 1710. **Cp 16** [1] 2 Ch 23,6. [2] Mm 3937. [3] Mm 405. [4] 2 Ch 13,9. [5] Mp sub loco. [6] Mm 563. [7] Mm 942. [8] Mm 4119 contra textum. [9] Jes 17,14. [10] Mm 745. [11] Mm 757.

31 [a] prb l c ⅏𝔖 וְהִזְהַרְתֶּם, 𝔊 *καὶ εὐλαβεῖς ποιήσετε* ‖ **Cp 16,1** [a] 𝔊(𝔖𝔗𝔙) *ἐν τῷ προσάγειν αὐτοὺς πῦρ ἀλλότριον*, ex Nu 3,4 ‖ **2** [a–a] > ℭ (homtel) ‖ **4** [a] ⅏𝔊𝔖 וכ׳ ‖ [b] ⅏𝔊 + כל ‖ **8** [a] 𝔊 *τῷ ἀποπομπαίῳ*, 𝔖 *l'zz'jl* cf 10[a].26[a] ‖ **10** [a] 𝔊𝔖 sim ac 8[a] ‖ [b] 𝔊 *στήσει αὐτόν* = יַעֲמִיד אֹתוֹ ‖ **11** [a] > ℭ ‖ [b–b] 𝔊[BA] *τὸν αὐτοῦ καὶ τοῦ οἴκου αὐτοῦ μόνον*.

13 יְהוָה וּמְלֹא חָפְנָיו קְטֹרֶת סַמִּים דַּקָּה וְהֵבִיא מִבֵּית לַפָּרֹכֶת׃ 13 וְנָתַן — ב̇[12] . ד̇[13] . ב̇
אֶת־הַקְּטֹרֶת עַל־הָאֵשׁ לִפְנֵי יְהוָה וְכִסָּה ׀ עֲנַן הַקְּטֹרֶת אֶת־הַכַּפֹּרֶת — ד̇[14] . ב̇
14 אֲשֶׁר עַל־הָעֵדוּת וְלֹא יָמוּת׃ 14 וְלָקַח מִדַּם הַפָּר וְהִזָּה בְאֶצְבָּעוֹ — ח מל בתור[15]
עַל־פְּנֵי הַכַּפֹּרֶת קֵדְמָה וְלִפְנֵי הַכַּפֹּרֶת יַזֶּה שֶׁבַע־פְּעָמִים מִן־הַדָּם — יו וכל לפני ולפני דכות . ב̇[16]
15 בְּאֶצְבָּעוֹ׃ 15 וְשָׁחַט אֶת־שְׂעִיר הַחַטָּאת אֲשֶׁר לָעָם[a] וְהֵבִיא [b]אֶת־דָּמוֹ[b] — יג פסוק את את בסיפ
אֶל־מִבֵּית לַפָּרֹכֶת וְעָשָׂה אֶת־דָּמוֹ כַּאֲשֶׁר עָשָׂה לְדַם הַפָּר וְהִזָּה
16 אֹתוֹ עַל־הַכַּפֹּרֶת וְלִפְנֵי הַכַּפֹּרֶת׃ 16 וְכִפֶּר עַל־הַקֹּדֶשׁ מִטֻּמְאֹת — יו וכל לפני ולפני דכות
בְּנֵי יִשְׂרָאֵל וּמִפִּשְׁעֵיהֶם לְכָל־חַטֹּאתָם וְכֵן יַעֲשֶׂה לְאֹהֶל מוֹעֵד הַשֹּׁכֵן — ל̇ . ט בליש וכל בחטאתם ובחטאתם דכות[17] . ה̇
17 אִתָּם בְּתוֹךְ טֻמְאֹתָם׃ 17 וְכָל־אָדָם לֹא־יִהְיֶה ׀ בְּאֹהֶל מוֹעֵד בְּבֹאוֹ — ל̇ז . ל̇
לְכַפֵּר בַּקֹּדֶשׁ עַד־צֵאתוֹ וְכִפֶּר בַּעֲדוֹ וּבְעַד בֵּיתוֹ וּבְעַד כָּל־קְהַל[a]
18 יִשְׂרָאֵל׃ 18 וְיָצָא אֶל־הַמִּזְבֵּחַ אֲשֶׁר לִפְנֵי־יְהוָה וְכִפֶּר עָלָיו וְלָקַח — ט̇[18]
19 מִדַּם הַפָּר וּמִדַּם הַשָּׂעִיר וְנָתַן עַל־קַרְנוֹת הַמִּזְבֵּחַ סָבִיב׃ 19 [a]וְהִזָּה — ד מל בתור[19]
עָלָיו מִן־הַדָּם בְּאֶצְבָּעוֹ שֶׁבַע פְּעָמִים וְטִהֲרוֹ וְקִדְּשׁוֹ מִטֻּמְאֹת בְּנֵי — ו̇ . ל̇
20 יִשְׂרָאֵל׃ 20 וְכִלָּה מִכַּפֵּר אֶת־הַקֹּדֶשׁ וְאֶת־אֹהֶל מוֹעֵד וְאֶת־הַמִּזְבֵּחַ[a] — ו̇[20] ג̇[21] מנה בתור . יח פסוק את ואת ואת את . ה̇ . ד̇[22]
21 וְהִקְרִיב אֶת־הַשָּׂעִיר הֶחָי׃ 21 וְסָמַךְ אַהֲרֹן[a] אֶת־שְׁתֵּי יָדָו עַל רֹאשׁ — ידיו חד מן ה כת חס ק̇
הַשָּׂעִיר הַחַי וְהִתְוַדָּה עָלָיו אֶת־כָּל־עֲוֺנֹת בְּנֵי יִשְׂרָאֵל וְאֶת־כָּל־ — ב̇ . ד חס
פִּשְׁעֵיהֶם לְכָל־חַטֹּאתָם וְנָתַן אֹתָם עַל־רֹאשׁ הַשָּׂעִיר וְשִׁלַּח בְּיַד־ — ט בליש וכל בחטאתם ובחטאתם דכות[17]
22 אִישׁ עִתִּי הַמִּדְבָּרָה׃ 22 וְנָשָׂא הַשָּׂעִיר עָלָיו אֶת־כָּל־עֲוֺנֹתָם אֶל־אֶרֶץ — יב̇[23] . יז̇
23 גְּזֵרָה וְשִׁלַּח אֶת־הַשָּׂעִיר בַּמִּדְבָּר׃ 23 וּבָא אַהֲרֹן אֶל־אֹהֶל מוֹעֵד — ל̇ . יז ר״פ
וּפָשַׁט אֶת־בִּגְדֵי הַבָּד אֲשֶׁר לָבַשׁ בְּבֹאוֹ אֶל־הַקֹּדֶשׁ וְהִנִּיחָם שָׁם׃ — ב̇
24 24 וְרָחַץ אֶת־בְּשָׂרוֹ בַמַּיִם בְּמָקוֹם קָדוֹשׁ וְלָבַשׁ אֶת־בְּגָדָיו וְיָצָא וְעָשָׂה
25 אֶת־עֹלָתוֹ וְאֶת־עֹלַת הָעָם וְכִפֶּר בַּעֲדוֹ[a] וּבְעַד הָעָם[b]׃ 25 וְאֵת חֵלֶב — ל̇[24]
26 הַחַטָּאת יַקְטִיר הַמִּזְבֵּחָה׃ 26 וְהַמְשַׁלֵּחַ אֶת־הַשָּׂעִיר לַעֲזָאזֵל[a] יְכַבֵּס — ל̇
27 בְּגָדָיו וְרָחַץ אֶת־בְּשָׂרוֹ בַּמָּיִם וְאַחֲרֵי־כֵן יָבוֹא אֶל־הַמַּחֲנֶה׃ 27 וְאֵת — ז מל בתור . ב̇
פַּר הַחַטָּאת [a]וְאֵת ׀ שְׂעִיר הַחַטָּאת[a] אֲשֶׁר[b] הוּבָא אֶת־דָּמָם לְכַפֵּר — ב̇

[12] Mm 1745. [13] Mm 580. [14] Mm 758. [15] Mm 556. [16] Jes 52,15. [17] Mm 759 et Mm 929. [18] Mm 583. [19] Mm 704. [20] Mm 1385. [21] Mm 304. [22] Mm 760. [23] Mm 757. [24] וחד את חלב Gn 45,18.

15 [a] 𝔊 + *ἔναντι κυρίου* ‖ [b–b] 𝔊 *ἀπὸ τοῦ αἵματος αὐτοῦ* ‖ **17** [a] 𝔊*(𝔖) + *υἱῶν* ‖ **19** [a] v 19 > ℭ ‖ **20** [a] 𝔊 + *καὶ περὶ τῶν ἱερέων καθαριεῖ* ‖ **21** [a] > ℭ ‖ **24** [a] 𝔊 + *καὶ περὶ τοῦ οἴκου αὐτοῦ* ‖ [b] 𝔊 + *ὡς περὶ τῶν ἱερέων* ‖ **26** [a] 𝔊 *τὸν διεσταλμένον εἰς ἄφεσιν*, 𝔖 ut 8[a] ‖ **27** [a–a] > ℭ (homtel) ‖ [b] ℭ + לעם.

בַּקֹּ֔דֶשׁ יוֹצִ֖יא אֶל־מִח֣וּץ לַֽמַּחֲנֶ֑ה וְשָׂרְפ֣וּ[c] בָאֵ֔שׁ אֶת־עֹרֹתָ֥ם וְאֶת־
28 בְּשָׂרָ֖ם וְאֶת־פִּרְשָֽׁם׃ 28 וְהַשֹּׂרֵ֣ף אֹתָ֔ם יְכַבֵּ֣ס בְּגָדָ֔יו וְרָחַ֥ץ אֶת־בְּשָׂר֖וֹ
29 בַּמָּ֑יִם וְאַחֲרֵי־כֵ֖ן יָב֥וֹא אֶל־הַֽמַּחֲנֶֽה׃ 29 וְהָיְתָ֥ה[a] לָכֶ֖ם לְחֻקַּ֣ת — ז מל בתור
עוֹלָ֑ם בַּחֹ֣דֶשׁ הַ֠שְּׁבִיעִי בֶּֽעָשׂ֨וֹר לַחֹ֜דֶשׁ תְּעַנּ֣וּ אֶת־נַפְשֹׁתֵיכֶ֗ם וְכָל־ — ג[25]
30 מְלָאכָה֙ לֹ֣א תַעֲשׂ֔וּ הָֽאֶזְרָ֕ח וְהַגֵּ֖ר הַגָּ֥ר בְּתוֹכְכֶֽם׃ 30 כִּֽי־בַיּ֥וֹם הַזֶּ֛ה — יב בתור . ו[26]
יְכַפֵּ֥ר[a] עֲלֵיכֶ֖ם לְטַהֵ֣ר אֶתְכֶ֑ם מִכֹּל֙ חַטֹּ֣אתֵיכֶ֔ם לִפְנֵ֥י יְהוָ֖ה תִּטְהָֽרוּ׃
31 שַׁבַּ֨ת שַׁבָּת֥וֹן הִיא֙[a] לָכֶ֔ם וְעִנִּיתֶ֖ם אֶת־נַפְשֹׁתֵיכֶ֑ם חֻקַּ֖ת עוֹלָֽם׃ — יא כת י בתור
32 וְכִפֶּ֨ר[a] הַכֹּהֵ֜ן אֲשֶׁר־יִמְשַׁ֣ח[b] אֹת֗וֹ וַאֲשֶׁ֤ר יְמַלֵּא֙[c] אֶת־יָד֔וֹ לְכַהֵ֖ן תַּ֣חַת — ז[27]
33 אָבִ֑יו וְלָבַ֛שׁ אֶת־בִּגְדֵ֥י הַבָּ֖ד בִּגְדֵ֥י הַקֹּֽדֶשׁ׃ 33 וְכִפֶּר֙ אֶת־מִקְדַּ֣שׁ
הַקֹּ֔דֶשׁ וְאֶת־אֹ֧הֶל מוֹעֵ֛ד וְאֶת־הַמִּזְבֵּ֖חַ יְכַפֵּ֑ר וְעַ֧ל[a] הַכֹּהֲנִ֛ים וְעַל־ — ה . ד[28] . ל[29]
34 כָּל־עַ֥ם הַקָּהָ֖ל יְכַפֵּֽר׃ 34 וְהָיְתָה־זֹּ֨את לָכֶ֜ם לְחֻקַּ֣ת עוֹלָ֗ם לְכַפֵּ֞ר
עַל־בְּנֵ֤י יִשְׂרָאֵל֙ מִכָּל־חַטֹּאתָ֔ם אַחַ֖ת בַּשָּׁנָ֑ה וַיַּ֕עַשׂ[a] כַּאֲשֶׁ֛ר צִוָּ֥ה יְהוָ֖ה — ז[30] . ט בליש וכל בחטאתם ובחטאתם דכות[31]
אֶת־מֹשֶֽׁה׃ פ

ס [יד] **17** 1 וַיְדַבֵּ֥ר יְהוָ֖ה אֶל־מֹשֶׁ֥ה לֵּאמֹֽר׃ 2 דַּבֵּ֨ר אֶֽל־אַהֲרֹ֜ן וְאֶל־
בָּנָ֗יו וְאֶל֙ כָּל־בְּנֵ֣י יִשְׂרָאֵ֔ל וְאָמַרְתָּ֖ אֲלֵיהֶ֑ם זֶ֣ה הַדָּבָ֔ר אֲשֶׁר־צִוָּ֥ה יְהוָ֖ה — יז מל בתור[1]
3 לֵאמֹֽר׃ 3 אִ֥ישׁ אִישׁ֙ מִבֵּ֣ית[a] יִשְׂרָאֵ֔ל[b] אֲשֶׁ֨ר יִשְׁחַ֜ט שׁ֥וֹר אוֹ־כֶ֛שֶׂב אוֹ־עֵ֖ז — ו[2] . ו
4 בַּֽמַּחֲנֶ֑ה א֚וֹ אֲשֶׁ֣ר יִשְׁחַ֔ט מִח֖וּץ לַֽמַּחֲנֶֽה׃ 4 וְאֶל־פֶּ֜תַח אֹ֤הֶל מוֹעֵד֙ לֹ֣א
הֱבִיאוֹ֒[a] לְהַקְרִ֤יב[b] קָרְבָּן֙ לַֽיהוָ֔ה לִפְנֵ֖י מִשְׁכַּ֣ן יְהוָ֑ה דָּ֣ם יֵחָשֵׁ֞ב לָאִ֤ישׁ — ב[3] . ה[4] . לב[5]
5 הַהוּא֙[c] דָּ֣ם שָׁפָ֔ךְ וְנִכְרַ֛ת [d]הָאִ֥ישׁ הַה֖וּא[cd] מִקֶּ֥רֶב עַמּֽוֹ׃ 5 לְמַ֡עַן אֲשֶׁר֩ — ב זקף קמ . ג
יָבִ֨יאוּ בְּנֵ֜י יִשְׂרָאֵ֗ל אֶת־זִבְחֵיהֶם֮ אֲשֶׁ֣ר הֵ֣ם זֹבְחִים֮ עַל־פְּנֵ֣י הַשָּׂדֶה֒ — ט[6] . יד פסוק על אל אל[7]
וֶהֱבִיאֻ֣ם לַֽיהוָ֗ה אֶל־פֶּ֛תַח אֹ֥הֶל מוֹעֵ֖ד אֶל־הַכֹּהֵ֑ן וְזָבְח֗וּ זִבְחֵ֧י שְׁלָמִ֛ים — ג ב מל וחד חס[8]
6 לַיהוָ֖ה אוֹתָֽם׃ 6 וְזָרַ֨ק הַכֹּהֵ֤ן אֶת־הַדָּם֙ עַל־מִזְבַּ֣ח[a] יְהוָ֔ה[b] פֶּ֖תַח אֹ֣הֶל — לט מל בתור
7 מוֹעֵ֑ד וְהִקְטִ֣יר הַחֵ֔לֶב[c] לְרֵ֥יחַ נִיחֹ֖חַ לַֽיהוָֽה׃ 7 וְלֹֽא־יִזְבְּח֥וּ עוֹד֙ אֶת־ — יו[9]

[25] Mm 2558. [26] Mm 53. [27] Mm 706. [28] Mm 760. [29] Mm 761. [30] Mm 762. [31] Mm 759 et Mm 929. **Cp 17** [1] Mm 250. [2] Mm 764. [3] Mm 3332. [4] Mm 694. [5] Mm 319. [6] Mm 501. [7] Mm 4093. [8] Mm 763. [9] Mm 574.

27 [c] ꟺ sg ‖ **29** [a] 𝔊 + *τοῦτο* cf 34 et 𝔗[J]𝔙 ‖ **30** [a] 𝔖 *nthsʾ*, l frt יְכֻפַּר cf 𝔙 *expiatio erit* ‖ **31** [a] ℭꟺ𝔗[J] הוא ‖ **32** [a] ꟺ𝔊 יכפר ‖ [b] 𝔊 pl; 𝔖𝔙 pass ‖ [c] 𝔊 pl ‖ **33** [a] pc Mss Or ꟺ על ‖ **34** [a] 𝔊 *(ἅπαξ τοῦ ἐνιαυτοῦ) ποιηθήσεται*; 𝔖 pl ‖ **Cp 17,3** [a] Ms 𝔊 מבני ut 13, it 8[a].10[b] ‖ [b] 𝔊* + *ἢ τῶν προσηλύτων τῶν προσκειμένων ἐν ὑμῖν* cf 16,29 17,8.10.13 ‖ **4** [a] ꟺ𝔊 + לַעֲשׂוֹת אֹתוֹ עֹלָה אוֹ שְׁלָמִים לַיהוה לִרְצוֹנְכֶם לְרֵיחַ נִיחֹחַ וִישְׁחָטֵהוּ בַחוּץ ואל־ + ꟺ פתח אהל מועד לא הביאו ‖ [b] ꟺ בוֹ– ‖ [c–c] > ℭ (homtel) ‖ [d–d] 𝔊 *ἡ ψυχὴ ἐκείνη* (cf 22,3) et tum *τοῦ λαοῦ αὐτῆς* pro עמו ‖ **6** [a] 𝔊 *τὸ θυσιαστήριον κύκλῳ ἀπέναντι* ‖ [b] ꟺ + אשר ‖ [c] > ℭ.

זִבְחֵיהֶם לַשְּׂעִירִם אֲשֶׁר הֵם זֹנִים אַחֲרֵיהֶם חֻקַּת עוֹלָם תִּהְיֶה־זֹּאת — ל
8 לָהֶם לְדֹרֹתָם׃ 8 וַאֲלֵהֶם תֹּאמַר אִישׁ אִישׁ מִבֵּית[a] יִשְׂרָאֵל — ב חד חס וחד מל . ו[10]
9 וּמִן־הַגֵּר אֲשֶׁר־יָגוּר בְּתוֹכָם[b] אֲשֶׁר־יַעֲלֶה[c] עֹלָה אוֹ־זָבַח׃ 9 וְאֶל־
פֶּתַח אֹהֶל מוֹעֵד לֹא יְבִיאֶנּוּ לַעֲשׂוֹת אֹתוֹ לַיהוָה וְנִכְרַת הָאִישׁ הַהוּא
10 מֵעַמָּיו׃ 10 וְאִישׁ[a] אִישׁ מִבֵּית[b] יִשְׂרָאֵל וּמִן־הַגֵּר הַגָּר בְּתוֹכָם[c] — ב בטע . ו[10]
אֲשֶׁר יֹאכַל כָּל־[d]דָּם וְנָתַתִּי פָנַי בַּנֶּפֶשׁ הָאֹכֶלֶת אֶת־הַדָּם וְהִכְרַתִּי — ד[11]
11 אֹתָהּ מִקֶּרֶב עַמָּהּ׃ 11 כִּי נֶפֶשׁ הַבָּשָׂר בַּדָּם[a] הִוא וַאֲנִי נְתַתִּיו לָכֶם — ג . ב פסוק דמטע[12]
עַל־הַמִּזְבֵּחַ לְכַפֵּר עַל־נַפְשֹׁתֵיכֶם כִּי־הַדָּם הוּא בַּנֶּפֶשׁ יְכַפֵּר׃
12 12 עַל־כֵּן אָמַרְתִּי לִבְנֵי יִשְׂרָאֵל כָּל־נֶפֶשׁ מִכֶּם לֹא־תֹאכַל דָּם וְהַגֵּר
13 הַגָּר בְּתוֹכְכֶם לֹא־יֹאכַל דָּם׃ ס 13 וְאִישׁ אִישׁ מִבְּנֵי[a] יִשְׂרָאֵל — יב בתור . ב בטע
וּמִן־הַגֵּר הַגָּר בְּתוֹכָם[b] אֲשֶׁר יָצוּד צֵיד חַיָּה אוֹ־עוֹף אֲשֶׁר יֵאָכֵל — ל
14 וְשָׁפַךְ אֶת־דָּמוֹ וְכִסָּהוּ בֶּעָפָר׃ 14 כִּי־נֶפֶשׁ כָּל־בָּשָׂר דָּמוֹ בְנַפְשׁוֹ[a] — ב פסוק דמטע[13]
הוּא[b] וָאֹמַר לִבְנֵי יִשְׂרָאֵל דַּם כָּל־בָּשָׂר לֹא תֹאכֵלוּ כִּי נֶפֶשׁ כָּל־
15 בָּשָׂר דָּמוֹ הִוא כָּל־אֹכְלָיו[c] יִכָּרֵת׃ 15 וְכָל־נֶפֶשׁ אֲשֶׁר תֹּאכַל — ג[14]
נְבֵלָה וּטְרֵפָה בָּאֶזְרָח וּבַגֵּר וְכִבֶּס בְּגָדָיו וְרָחַץ בַּמַּיִם וְטָמֵא עַד־ — ט[15] וכל במדבר דכות ב מ ב
16 הָעֶרֶב וְטָהֵר[a]׃ 16 וְאִם לֹא יְכַבֵּס וּבְשָׂרוֹ לֹא יִרְחָץ וְנָשָׂא עֲוֺנוֹ׃ פ — ה ד פת וחד קמ[16] . יז
ס[ה״י] **18** 1 וַיְדַבֵּר יְהוָה אֶל־מֹשֶׁה לֵּאמֹר׃ 2 דַּבֵּר אֶל־בְּנֵי יִשְׂרָאֵל
3 וְאָמַרְתָּ אֲלֵהֶם אֲנִי יְהוָה אֱלֹהֵיכֶם׃ 3 כְּמַעֲשֵׂה אֶרֶץ־מִצְרַיִם אֲשֶׁר — כד ס״פ
יְשַׁבְתֶּם־בָּהּ לֹא תַעֲשׂוּ וּכְמַעֲשֵׂה אֶרֶץ־כְּנַעַן אֲשֶׁר אֲנִי מֵבִיא אֶתְכֶם — מז פסוק לא לא לא . ב[1]
4 שָׁמָּה לֹא תַעֲשׂוּ וּבְחֻקֹּתֵיהֶם לֹא תֵלֵכוּ׃ 4 אֶת־מִשְׁפָּטַי תַּעֲשׂוּ וְאֶת־ — ג[2] . ה[3]
5 חֻקֹּתַי תִּשְׁמְרוּ לָלֶכֶת בָּהֶם אֲנִי יְהוָה אֱלֹהֵיכֶם׃ 5 וּשְׁמַרְתֶּם אֶת־ — כד ס״פ
חֻקֹּתַי וְאֶת־מִשְׁפָּטַי אֲשֶׁר יַעֲשֶׂה אֹתָם הָאָדָם וָחַי[a] בָּהֶם אֲנִי יְהוָה[b]׃
6 ס 6 אִישׁ אִישׁ אֶל־כָּל־שְׁאֵר בְּשָׂרוֹ לֹא תִקְרְבוּ לְגַלּוֹת עֶרְוָה
7 אֲנִי יְהוָה׃ ס 7 עֶרְוַת אָבִיךָ וְעֶרְוַת אִמְּךָ לֹא תְגַלֵּה אִמְּךָ הִוא — ג . כל אתנח וס״פ כת כן[4]
8 לֹא תְגַלֶּה עֶרְוָתָהּ׃ ס 8 עֶרְוַת אֵשֶׁת־אָבִיךָ לֹא תְגַלֵּה עֶרְוַת

[10] Mm 764. [11] Mm 2825. [12] Mm 765. [13] Mm 765. [14] Mm 766. [15] Mm 734. [16] Mm 662. **Cp 18** [1] Mm 2598. [2] Mm 818. [3] Mm 2786. [4] Mm 767.

8 [a] cf 3[a] ‖ [b] 2 Mss 𝔊𝔖𝔙 כֶם—, it 10[c] ‖ [c] ш𝔊 יעשׂה cf 9 ‖ **10** [a] ℭ om 10–12 (homark) ‖ [b] cf 3[a] ‖ [c] cf 8[b] ‖ [d] > 2 Mss 𝔖𝔙 ‖ **11** [a] 𝔊 *αἷμα αὐτοῦ* cf 14 ‖ **13** [a] pc Mss ш𝔗[J] מבית ut 3 ‖ [b] ш[Mss]𝔊𝔖𝔗[Mss]𝔗[J]𝔙 כֶם— ‖ **14** [a] > 𝔊𝔖𝔙 ‖ [b] ℭ היא ‖ [c] ш𝔊𝔖𝔗𝔗[J] לוֹ—, it 19,8[a] ‖ **15** [a] > ш ‖ **Cp 18,5** [a] ш וְחָיָה ‖ [b] 𝔊 + *ὁ θεὸς ὑμῶν.*

9 אָבִיךָ הִוא׃ ס 9 עֶרְוַת אֲחוֹתְךָ בַת־אָבִיךָ אוֹ בַת־אִמֶּךָ מוֹלֶדֶת
10 בַּיִת אוֹ מוֹלֶדֶת חוּץ לֹא תְגַלֶּה עֶרְוָתָן׃[a] ס 10 עֶרְוַת בַּת־בִּנְךָ אוֹ ב̇
11 בַת־בִּתְּךָ לֹא תְגַלֶּה עֶרְוָתָן כִּי עֶרְוָתְךָ הֵנָּה׃ ס 11 עֶרְוַת בַּת־ ב̇
אֵשֶׁת אָבִיךָ[a] מוֹלֶדֶת אָבִיךָ אֲחוֹתְךָ הִוא לֹא תְגַלֶּה עֶרְוָתָהּ׃ ס
12 עֶרְוַת אֲחוֹת־אָבִיךָ לֹא תְגַלֵּה[a] שְׁאֵר אָבִיךָ הִוא׃ ס 13 עֶרְוַת
14 אֲחוֹת־אִמְּךָ לֹא תְגַלֵּה כִּי־[a]שְׁאֵר אִמְּךָ הִוא׃ ס 14 עֶרְוַת אֲחִי־
15 אָבִיךָ לֹא תְגַלֵּה[a] אֶל־[b]אִשְׁתּוֹ לֹא תִקְרָב דֹּדָתְךָ הִוא׃ ס 15 עֶרְוַת ל̇ זקף קמ̇. ל̇
16 כַּלָּתְךָ לֹא תְגַלֵּה אֵשֶׁת בִּנְךָ הִוא לֹא תְגַלֶּה עֶרְוָתָהּ׃ ס 16 עֶרְוַת
17 אֵשֶׁת־אָחִיךָ לֹא תְגַלֵּה עֶרְוַת אָחִיךָ הִוא׃ ס 17 עֶרְוַת אִשָּׁה
וּבִתָּהּ לֹא תְגַלֵּה אֶת־בַּת־בְּנָהּ וְאֶת־בַּת־בִּתָּהּ לֹא תִקַּח לְגַלּוֹת ה̇[5]
18 עֶרְוָתָהּ[a] שַׁאֲרָה[b] הֵנָּה זִמָּה הִוא׃ 18 וְאִשָּׁה אֶל־אֲחֹתָהּ לֹא תִקָּח לִצְרֹר ל̇. כב̇. ל̇
19 לְגַלּוֹת עֶרְוָתָהּ עָלֶיהָ בְּחַיֶּיהָ׃ 19 וְאֶל־אִשָּׁה בְּנִדַּת טֻמְאָתָהּ ג̇ בליש[6]. ב̇[7]. ב̇[8]
20 לֹא תִקְרַב לְגַלּוֹת עֶרְוָתָהּ׃ 20 וְאֶל־אֵשֶׁת עֲמִיתְךָ לֹא־תִתֵּן שְׁכָבְתְּךָ
21 לְזָרַע לְטָמְאָה־בָהּ׃ 21 וּמִזַּרְעֲךָ לֹא־תִתֵּן לְהַעֲבִיר[a] לַמֹּלֶךְ[b] וְלֹא ל̇
22 תְחַלֵּל אֶת־שֵׁם אֱלֹהֶיךָ[c] אֲנִי יְהוָה׃ 22 וְאֶת־זָכָר לֹא תִשְׁכַּב מִשְׁכְּבֵי ל̇[9]
23 אִשָּׁה תּוֹעֵבָה הִוא׃ 23 וּבְכָל־בְּהֵמָה לֹא־תִתֵּן שְׁכָבְתְּךָ לְטָמְאָה־בָהּ
24 וְאִשָּׁה לֹא־תַעֲמֹד לִפְנֵי בְהֵמָה לְרִבְעָהּ[a] תֶּבֶל הוּא[b]׃ 24 אַל־ כב̇. ל̇
תִּטַּמְּאוּ בְּכָל־אֵלֶּה כִּי בְכָל־אֵלֶּה נִטְמְאוּ הַגּוֹיִם אֲשֶׁר־אֲנִי מְשַׁלֵּחַ ז̇
25 מִפְּנֵיכֶם׃ 25 וַתִּטְמָא הָאָרֶץ וָאֶפְקֹד עֲוֺנָהּ עָלֶיהָ וַתָּקִא הָאָרֶץ אֶת־ ג̇. ל̇ וחס
26 יֹשְׁבֶיהָ׃ 26 וּשְׁמַרְתֶּם אַתֶּם[a] אֶת־חֻקֹּתַי וְאֶת־מִשְׁפָּטַי וְלֹא תַעֲשׂוּ ג̇[10]
27 מִכֹּל הַתּוֹעֵבֹת הָאֵלֶּה הָאֶזְרָח וְהַגֵּר הַגָּר בְּתוֹכְכֶם׃ 27 כִּי אֶת־כָּל־ יב̇ בתור
הַתּוֹעֵבֹת הָאֵל[a] עָשׂוּ אַנְשֵׁי־הָאָרֶץ אֲשֶׁר לִפְנֵיכֶם וַתִּטְמָא הָאָרֶץ׃ ח̇ לשון חול[11]. ג̇
28 28 וְלֹא־תָקִיא הָאָרֶץ אֶתְכֶם בְּטַמַּאֲכֶם אֹתָהּ כַּאֲשֶׁר קָאָה[a] אֶת־הַגּוֹי[b] ב̇. ל̇. ל̇

[5] Mm 768. [6] Mm 769. [7] Mm 2848. [8] Mm 3924. [9] Mm 776. [10] Mm 770. [11] Mm 119.

9 [a] nonn Mss ɯ𝔊𝔖 תָהּ– || **11** [a] 𝔊 + *οὐκ ἀποκαλύψεις* = לא תגלה, it aliqui codd teste R. Elia Karaeo || **12** [a] pc Mss 𝔊𝔖𝔙 + כִּי, it 14[a] || **13** [a] > pc Mss ɯ || **14** [a] cf 12[a] || [b] nonn Mss ɯ𝔊𝔖𝔗[Ms]𝔗[J]𝔙 וְאֶל || **17** [a] 𝔊𝔖 suff 3 pl f = תָן– || [b] 𝔊 *οἰκεῖαι γάρ σου*; l prb שְׁאֵרָהּ || **21** [a] ɯ יד– cf 𝔊 *λατρεύειν* || [b] 𝔊 *ἄρχοντι*, α′σ′θ′ *τῷ Μολοχ*, 𝔖 *(b)nwkrjt'* mulier aliena, it 20,2[c].3[a].4[a] || [c] 𝔊 *τὸ ἅγιον* cf 20,3 22,2.32 || **23** [a] cf עָה– 20,16 || [b] ɯ𝔖𝔗[Mss]𝔗[J] היא || **26** [a] > pc Mss ɯ𝔊𝔖𝔙 || **27** [a] ɯ האלה || **28** [a] l frt paenultimam acutam (3 f pf) || [b] 𝔊𝔖𝔗 pl cf 24.

29 אֲשֶׁר לִפְנֵיכֶם׃ 29 כִּי כָּל־אֲשֶׁר יַעֲשֶׂה מִכֹּל הַתּוֹעֵבוֹת הָאֵלֶּה וְנִכְרְתוּ ב̇[12]
30 הַנְּפָשׁוֹת הָעֹשֹׂת מִקֶּרֶב עַמָּם׃ 30 וּשְׁמַרְתֶּם אֶת־מִשְׁמַרְתִּי לְבִלְתִּי ל̇ וחס
עֲשׂוֹת מֵחֻקּוֹת הַתּוֹעֵבֹת אֲשֶׁר נַעֲשׂוּ לִפְנֵיכֶם וְלֹא תִטַּמְּאוּ בָּהֶם[a] אֲנִי ל̇ ומל̇[13]. כ̇ד ס״פ
יְהוָה אֱלֹהֵיכֶם׃ פ פ
ס̇[י̇ פרש 19 1 וַיְדַבֵּר יְהוָה אֶל־מֹשֶׁה לֵּאמֹר׃ 2 דַּבֵּר אֶל־[a]כָּל־עֲדַת[a] בְּנֵי־
יִשְׂרָאֵל וְאָמַרְתָּ אֲלֵהֶם קְדֹשִׁים תִּהְיוּ כִּי קָדוֹשׁ אֲנִי יְהוָה אֱלֹהֵיכֶם׃ כ̇ד ס״פ
3 3 אִישׁ [a]אִמּוֹ וְאָבִיו[a] תִּירָאוּ וְאֶת־שַׁבְּתֹתַי תִּשְׁמֹרוּ אֲנִי יְהוָה אֱלֹהֵיכֶם׃ ל̇ וכל קריא אביו ואמו. ט̇[1]. כ̇ד ס״פ
4 4 אַל־תִּפְנוּ אֶל־הָאֱלִילִם וֵאלֹהֵי מַסֵּכָה לֹא תַעֲשׂוּ לָכֶם אֲנִי יְהוָה ב̇ חס בליש[2]. כ̇ד ס״פ
5 אֱלֹהֵיכֶם׃ 5 וְכִי תִזְבְּחוּ זֶבַח שְׁלָמִים לַיהוָה לִרְצֹנְכֶם תִּזְבָּחֻהוּ׃ ד̇. ד̇[3]. ל̇ וחס
6 6 בְּיוֹם זִבְחֲכֶם יֵאָכֵל וּמִמָּחֳרָת וְהַנּוֹתָר עַד־יוֹם הַשְּׁלִישִׁי בָּאֵשׁ ג̇[4]
7 יִשָּׂרֵף׃ 7 וְאִם הֵאָכֹל[a] יֵאָכֵל בַּיּוֹם הַשְּׁלִישִׁי פִּגּוּל הוּא לֹא יֵרָצֶה׃
8 8 וְאֹכְלָיו[a] עֲוֹנוֹ יִשָּׂא כִּי־אֶת־קֹדֶשׁ יְהוָה חִלֵּל וְנִכְרְתָה הַנֶּפֶשׁ הַהִוא ל̇ז̇
9 מֵעַמֶּיהָ׃ 9 וּבְקֻצְרְכֶם אֶת־קְצִיר אַרְצְכֶם לֹא תְכַלֶּה פְּאַת ב̇
10 שָׂדְךָ לִקְצֹר וְלֶקֶט קְצִירְךָ לֹא תְלַקֵּט׃ 10 וְכַרְמְךָ לֹא תְעוֹלֵל וּפֶרֶט
כַּרְמְךָ לֹא תְלַקֵּט לֶעָנִי וְלַגֵּר תַּעֲזֹב אֹתָם אֲנִי יְהוָה אֱלֹהֵיכֶם׃ כ̇ד ס״פ
11 12 11 לֹא תִּגְנֹבוּ וְלֹא־תְכַחֲשׁוּ וְלֹא־תְשַׁקְּרוּ אִישׁ בַּעֲמִיתוֹ׃ 12 וְלֹא־ ל̇ד פסוק לא ולא ולא[5]. ל̇
13 תִשָּׁבְעוּ בִשְׁמִי לַשָּׁקֶר וְחִלַּלְתָּ[a] אֶת־שֵׁם אֱלֹהֶיךָ[a] אֲנִי יְהוָה[b]׃ 13 לֹא־ ג̇ ר״פ לא ולא לא[6]
תַעֲשֹׁק אֶת־רֵעֲךָ וְלֹא תִגְזֹל לֹא־[a]תָלִין פְּעֻלַּת שָׂכִיר אִתְּךָ עַד־בֹּקֶר׃ י̇ו̇ בתור̇[7]
14 14 לֹא־תְקַלֵּל חֵרֵשׁ וְלִפְנֵי עִוֵּר לֹא תִתֵּן מִכְשֹׁל וְיָרֵאתָ מֵּאֱלֹהֶיךָ[a] אֲנִי י̇ו̇ וכל לפני ולפני דכות. ל̇ חס
15 יְהוָה[b]׃ 15 לֹא־תַעֲשׂוּ[a] עָוֶל בַּמִּשְׁפָּט לֹא־[b]תִשָּׂא פְנֵי־דָל וְלֹא ו̇ ר״פ לא לא ולא[8]. ח̇[9] דגש וכל איוב דכות ב̇ מ̇ א̇. ל̇
16 תֶהְדַּר פְּנֵי גָדוֹל בְּצֶדֶק תִּשְׁפֹּט עֲמִיתֶךָ׃ 16 לֹא־תֵלֵךְ רָכִיל בְּעַמֶּיךָ[a] ל̇ מל
17 לֹא[b] תַעֲמֹד עַל־דַּם רֵעֶךָ אֲנִי יְהוָה[c]׃ 17 לֹא־תִשְׂנָא אֶת־אָחִיךָ
18 בִּלְבָבֶךָ הוֹכֵחַ תּוֹכִיחַ אֶת־עֲמִיתֶךָ וְלֹא[a]־תִשָּׂא עָלָיו חֵטְא׃ 18 [a]לֹא־[b] ה̇. ג̇[10]
תִקֹּם[ac] וְלֹא־תִטֹּר אֶת־בְּנֵי עַמֶּךָ וְאָהַבְתָּ לְרֵעֲךָ כָּמוֹךָ אֲנִי יְהוָה׃ ל̇. ל̇

[12] Qoh 3,14. [13] Mm 2640. **Cp 19** [1] Mm 3056. [2] Mp contra textum, lectio L plena sicut K[Or], cf 26,1 et Mp sub loco. [3] Mm 789. [4] Mm 695. [5] Mm 771. [6] Mm 3021. [7] Mm 60. [8] Mm 1245. [9] Mm 772. [10] Mm 773.

30 [a] > ℭ; ш בהן ‖ **Cp 19,2** [a–a] > ℭ pc Mss; 𝔊* om כל־ ‖ **3** [a–a] 𝔊𝔖𝔗[Ms]𝔙 invers cf 21,2[a–a] ‖ **7** [a] ш אָכֹל ‖ **8** [a] cf 17,14[c] ‖ **12** [a] 𝔊 pl ‖ [b] 𝔊 + *ὁ θεὸς ὑμῶν*, it 14[b].16[c].28[b].32[a].37[a] ‖ **13** [a] mlt Mss ш𝔊𝔗[Ms]𝔗[J] וְלֹא ‖ **14** [a] 𝔊 *κύριον τὸν θεόν σου* ‖ [b] cf 12[b]; 𝔖 *'n' 'n'* cf 2[b] ‖ **15** [a] ш sg ‖ [b] pc Mss 𝔖 וְלֹא ‖ **16** [a] mlt Mss ш Vrs בעמך ‖ [b] mlt Mss ш[Mss]𝔖𝔗[Mss] וְלֹא ‖ [c] cf 12[b] ‖ **17** [a] pc Mss לֹא ‖ **18** [a–a] > 𝔖 ‖ [b] 𝔊 pr cop ‖ [c] 𝔊 + *σου ἡ χείρ*.

19 אֶת־חֻקֹּתַיᵃ תִּשְׁמֹרוּ בְּהֶמְתְּךָ לֹא־תַרְבִּיעַ כִּלְאַיִם שָׂדְךָᵇ לֹא־תִזְרַע | מז פסוק לא לא לא
20 כִּלְאָיִם וּבֶגֶד כִּלְאַיִם שַׁעַטְנֵז לֹא יַעֲלֶה עָלֶיךָ׃ פ 20 וְאִישׁ כִּי־ | ב̇
יִשְׁכַּב אֶת־אִשָּׁה שִׁכְבַת־זֶרַע וְהִוא שִׁפְחָה נֶחֱרֶפֶת לְאִישׁ וְהָפְדֵּהᵃ לֹא | ל̇ . ל̇ . ח̇ פסוק לא לא לא לא[11]
נִפְדָּתָה אוֹ חֻפְשָׁה לֹא נִתַּן־לָהּ בִּקֹּרֶת תִּהְיֶהᵇ לֹא יוּמְתוּᶜ כִּי־לֹא | ל̇ . כא[12] . ל̇
21 חֻפָּשָׁה׃ 21 וְהֵבִיא אֶת־אֲשָׁמוֹ לַיהוָה אֶל־פֶּתַח אֹהֶל מוֹעֵד אֵיל | ל̇
22 אָשָׁם׃ 22 וְכִפֶּר עָלָיו הַכֹּהֵן בְּאֵיל הָאָשָׁם לִפְנֵי יְהוָה עַל־חַטָּאתוֹ
ס [יז] אֲשֶׁר חָטָא וְנִסְלַח לוֹ מֵחַטָּאתוֹ אֲשֶׁר חָטָא׃ פ 23 וְכִי־תָבֹאוּ | ב̇[13]
אֶל־הָאָרֶץᵃ וּנְטַעְתֶּם כָּל־עֵץ מַאֲכָל וַעֲרַלְתֶּם עָרְלָתוֹ אֶת־פִּרְיוֹ | ג בסיפ[14] . ל̇[15] . ל̇
24 שָׁלֹשׁ שָׁנִים יִהְיֶה לָכֶם עֲרֵלִים לֹא יֵאָכֵל׃ 24 וּבַשָּׁנָה הָרְבִיעִת יִהְיֶהᵃ
25 כָּל־פִּרְיוֹᵇ קֹדֶשׁ הִלּוּלִיםᶜ לַיהוָה׃ 25 וּבַשָּׁנָה הַחֲמִישִׁת תֹּאכְלוּ אֶת־ | ב̇ ומל[16] . ח̇ ג מל וב חס[17]
26 פִּרְיוֹ לְהוֹסִיף לָכֶם תְּבוּאָתוֹ אֲנִי יְהוָה אֱלֹהֵיכֶם׃ 26 לֹא | ד̇ . כד ס״פ . ו̇ ר״פ לא לא ולא[18]
27 תֹאכְלוּ ᵃעַל־הַדָּםᵃ לֹאᵇ תְנַחֲשׁוּ וְלֹא תְעוֹנֵנוּ׃ 27 לֹאᵃ תַקִּפוּ פְּאַת | ל̇ וחס
28 רֹאשְׁכֶם וְלֹא תַשְׁחִיתᵇ אֵת פְּאַת זְקָנֶךָᶜ׃ 28 וְשֶׂרֶטᵃ לָנֶפֶשׁ לֹא תִתְּנוּ | ל̇ . ג̇
29 בִּבְשַׂרְכֶם וּכְתֹבֶת קַעֲקַע לֹא תִתְּנוּ בָּכֶם אֲנִי יְהוָהᵇ׃ 29 אַל־תְּחַלֵּל | ל̇ . ל̇
אֶת־בִּתְּךָ לְהַזְנוֹתָהּ וְלֹא־תִזְנֶה הָאָרֶץ וּמָלְאָה הָאָרֶץ זִמָּה׃ | ל̇
30 אֶת־שַׁבְּתֹתַי תִּשְׁמֹרוּ וּמִקְדָּשִׁי תִּירָאוּ אֲנִי יְהוָה׃ 31 אַל־תִּפְנוּ אֶל־ | כו ר״פ אל אל[19]
הָאֹבֹת וְאֶל־הַיִּדְּעֹנִים אַל־תְּבַקְשׁוּ לְטָמְאָה בָהֶם אֲנִי יְהוָה אֱלֹהֵיכֶם׃ | כד ס״פ
32 מִפְּנֵי שֵׂיבָה תָּקוּם וְהָדַרְתָּ פְּנֵי זָקֵן וְיָרֵאתָ מֵּאֱלֹהֶיךָ אֲנִי יְהוָהᵃ׃ | כל ליש כת כן
33 פ 33 וְכִי־יָגוּר אִתְּךָᵃ גֵּר בְּאַרְצְכֶם לֹא תוֹנוּ אֹתוֹ׃ 34 כְּאֶזְרָח | י̇ו̇ בתור[20] . ל̇ . ד̇ ג קמ וחד פת[21]
מִכֶּם יִהְיֶה לָכֶם הַגֵּר ׀ הַגָּר אִתְּכֶם וְאָהַבְתָּ לוֹ כָּמוֹךָ כִּי־גֵרִים הֱיִיתֶם | ב̇
35 בְּאֶרֶץ מִצְרָיִם אֲנִי יְהוָה אֱלֹהֵיכֶם׃ 35 לֹא־תַעֲשׂוּ עָוֶל בַּמִּשְׁפָּט | כד ס״פ . ח̇[22] דגש וכל איוב דכות ב מ א
36 בַּמִּדָּה בַּמִּשְׁקָל וּבַמְּשׂוּרָה׃ 36 מֹאזְנֵי צֶדֶק אַבְנֵי־צֶדֶק ᵃאֵיפַת צֶדֶקᵃ | ג דגש[23] . ד̇ דגש[24] . ל̇
וְהִין צֶדֶק יִהְיֶה לָכֶם אֲנִי יְהוָה אֱלֹהֵיכֶם אֲשֶׁר־הוֹצֵאתִי אֶתְכֶם מֵאֶרֶץ | ל̇

[11] Mm 3132. [12] Mm 2838. [13] Mm 892. [14] Mm 793. [15] Mp sub loco. [16] Mm 1453. [17] Mm 1976. [18] Mm 1245. [19] Mm 3261. [20] Mm 60. [21] Mm 455. [22] Mm 772. [23] Mm 774. [24] Mm 820.

19 ᵃ 𝔊 *τὸν νόμον μου* ‖ ᵇ 𝔊 *καὶ τὸν ἀμπελῶνά σου* ‖ **20** ᵃ l frt וְהָפְדֵּה ‖ ᵇ ⅏ + לו, 𝔊 + *αὐτοῖς* ‖ ᶜ ⅏ sg ‖ **23** ᵃ 𝔊 + *ἣν κύριος ὁ θεὸς δίδωσιν ὑμῖν* ‖ **24** ᵃ ⅏ pl ‖ ᵇ dl ‸ ‖ ᶜ ⅏ חלו׳ ‖ **26** ᵃ⁻ᵃ 𝔊 *ἐπὶ τῶν ὀρέων* cf Ez 18,6.11.15 22,9 ‖ ᵇ 2 Mss ⅏𝔊 וְלֹא ‖ **27** ᵃ Ms ⅏𝔊[19.314]𝔗𝔙𝔄 וְלֹא ‖ ᵇ ⅏𝔊𝔖𝔗[J] pl ‖ ᶜ ⅏𝔊𝔖𝔗[J] זְקַנְכֶם ‖ **28** ᵃ ⅏ ושׂרטה cf 21,5 ‖ ᵇ pc Mss 𝔊𝔖 + אֱלֹהֵיכֶם cf 12ᵇ ‖ **32** ᵃ cf 12ᵇ; 𝔊[54.75](𝔖𝔄) + *ὁ θεός σου* ‖ **33** ᵃ ⅏ Vrs אתכם ‖ **36** ᵃ⁻ᵃ > 𝔊.

מִצְרָֽיִם׃ 37 וּשְׁמַרְתֶּם אֶת־כָּל־חֻקֹּתַי וְאֶת־כָּל־מִשְׁפָּטַי וַעֲשִׂיתֶם אֹתָם 37
אֲנִי יְהוָֽה[a]׃ פ
20 1 וַיְדַבֵּר יְהוָה אֶל־מֹשֶׁה לֵּאמֹר׃ 2 וְאֶל־בְּנֵי יִשְׂרָאֵל תֹּאמַר[a] 20
אִישׁ אִישׁ מִבְּנֵי[b] יִשְׂרָאֵל וּמִן־הַגֵּר ׀ הַגָּר בְּיִשְׂרָאֵל אֲשֶׁר יִתֵּן מִזַּרְעוֹ
לַמֹּלֶךְ[c] מוֹת יוּמָת עַם הָאָרֶץ יִרְגְּמֻהוּ בָאָבֶן׃ 3 וַאֲנִי אֶתֵּן אֶת־פָּנַי 3 | סז ר״פ . ב[1] . יג פסוק את את את בסיפ
בָּאִישׁ הַהוּא וְהִכְרַתִּי אֹתוֹ מִקֶּרֶב עַמּוֹ כִּי מִזַּרְעוֹ נָתַן לַמֹּלֶךְ[a] לְמַעַן | ה בתור . ג
טַמֵּא אֶת־מִקְדָּשִׁי וּלְחַלֵּל[b] אֶת־שֵׁם קָדְשִׁי׃ 4 וְאִם הַעְלֵם יַעְלִימוּ עַם 4 | ב[2] . ל
הָאָרֶץ אֶת־עֵינֵיהֶם מִן־הָאִישׁ הַהוּא בְּתִתּוֹ מִזַּרְעוֹ לַמֹּלֶךְ[a] לְבִלְתִּי
הָמִית אֹתוֹ׃ 5 וְשַׂמְתִּי אֲנִי אֶת־פָּנַי בָּאִישׁ הַהוּא וּבְמִשְׁפַּחְתּוֹ וְהִכְרַתִּי 5 | ה בתור . ל
אֹתוֹ וְאֵת ׀ כָּל־הַזֹּנִים אַחֲרָיו לִזְנוֹת [a]אַחֲרֵי הַמֹּלֶךְ[a] מִקֶּרֶב עַמָּם׃
6 וְהַנֶּפֶשׁ אֲשֶׁר תִּפְנֶה אֶל־הָאֹבֹת וְאֶל־הַיִּדְּעֹנִים לִזְנוֹת אַחֲרֵיהֶם וְנָתַתִּי 6 | ל חס
אֶת־פָּנַי בַּנֶּפֶשׁ הַהִוא וְהִכְרַתִּי אֹתוֹ[a] מִקֶּרֶב עַמּוֹ[b]׃ 7 וְהִתְקַדִּשְׁתֶּם[a] 7 | ג
וִהְיִיתֶם קְדֹשִׁים כִּי[b] אֲנִי יְהוָה אֱלֹהֵיכֶם׃ 8 וּשְׁמַרְתֶּם אֶת[a]־חֻקֹּתַי 8 | י . כד ס״פ
וַעֲשִׂיתֶם אֹתָם אֲנִי יְהוָה מְקַדִּשְׁכֶם׃ 9 כִּי־אִישׁ אִישׁ אֲשֶׁר יְקַלֵּל אֶת־ 9 | ד[3]
אָבִיו וְאֶת־אִמּוֹ מוֹת יוּמָת אָבִיו וְאִמּוֹ קִלֵּל דָּמָיו[a] בּוֹ׃ 10 וְאִישׁ אֲשֶׁר 10 | ג
יִנְאַף אֶת־אֵשֶׁת [a]אִישׁ אֲשֶׁר[b] יִנְאַף אֶת־אֵשֶׁת[a] רֵעֵהוּ מוֹת־יוּמַת[c] הַנֹּאֵף
וְהַנֹּאָפֶת׃ 11 וְאִישׁ אֲשֶׁר יִשְׁכַּב אֶת־אֵשֶׁת אָבִיו עֶרְוַת אָבִיו גִּלָּה מוֹת־ 11 | ל
יוּמְתוּ שְׁנֵיהֶם דְּמֵיהֶם בָּם׃ 12 וְאִישׁ אֲשֶׁר יִשְׁכַּב אֶת־כַּלָּתוֹ מוֹת יוּמְתוּ 12
שְׁנֵיהֶם תֶּבֶל עָשׂוּ דְּמֵיהֶם בָּם׃ 13 וְאִישׁ אֲשֶׁר יִשְׁכַּב אֶת־זָכָר מִשְׁכְּבֵי 13 | ל[4]
אִשָּׁה תּוֹעֵבָה עָשׂוּ שְׁנֵיהֶם[a] מוֹת יוּמָתוּ דְּמֵיהֶם בָּם׃ 14 וְאִישׁ אֲשֶׁר 14 | ג
יִקַּח אֶת־אִשָּׁה וְאֶת־אִמָּהּ זִמָּה הִוא בָּאֵשׁ יִשְׂרְפוּ אֹתוֹ וְאֶתְהֶן וְלֹא־ | ח[5]
תִהְיֶה זִמָּה בְּתוֹכְכֶם׃ 15 וְאִישׁ אֲשֶׁר יִתֵּן שְׁכָבְתּוֹ בִּבְהֵמָה מוֹת יוּמָת 15 | יב בתור . ד רפי בסיפ[6]
וְאֶת־הַבְּהֵמָה תַּהֲרֹגוּ׃ 16 וְאִשָּׁה אֲשֶׁר תִּקְרַב אֶל־כָּל־בְּהֵמָה לְרִבְעָה 16 | כב . ל
אֹתָהּ[a] וְהָרַגְתָּ אֶת־הָאִשָּׁה וְאֶת־הַבְּהֵמָה מוֹת יוּמָתוּ דְּמֵיהֶם בָּם׃ | ג
17 וְאִישׁ אֲשֶׁר־יִקַּח אֶת־אֲחֹתוֹ בַּת־אָבִיו אוֹ בַת־אִמּוֹ וְרָאָה אֶת־ 17 | יג פסוק את את את בסיפ

Cp 20 [1]Ex 2,9. [2]Lv 13,44. [3]Mm 775. [4]Mm 776. [5]Mm 777. [6]Mm 829.

37 [a] cf 12[b] || **Cp 20,2** [a] Smr תדבר || [b] Smr מבית || [c] cf 18,21[b] || **3** [a] cf 18,21[b] || [b] Smr וחלל || **4** [a] cf 18,21[b] || **5** [a–a] 𝔊 *εἰς τοὺς ἄρχοντας* || **6** [a] Smr𝔊 אֹתָהּ || [b] Smr𝔊 עמה || **7** [a] > Smr𝔊* || [b] pc Mss 𝔊 + קָדוֹשׁ cf 26 || **8** [a] Smr + כל || **9** [a] Smr דמו || **10** [a–a] > 𝔊[min], dl (dttg) || [b] pc Mss 𝔊𝔖𝔗[Ms]𝔗[J] וַאֲ׳ ע׳ || [c] 𝔊*𝔖𝔙 pl ut 11–13 || **13** [a] Smr𝔊[72]𝔄 tr post יומתו || **16** [a] cf 18,23[a]; 𝔊(𝔖) *ὑπ᾽ αὐτοῦ*.

עֶרְוָתָהּ וְהִֽיא־תִרְאֶ֤ה אֶת־עֶרְוָתוֹ֙ חֶ֣סֶד ה֔וּא וְנִ֨כְרְת֔וּ לְעֵינֵ֖י בְּנֵ֣י עַמָּ֑ם יא כת י בתור
18 עֶרְוַ֧ת אֲחֹת֛וֹ גִּלָּ֖ה [a]עֲוֹנ֥וֹ יִשָּֽׂא[a]׃ 18 וְ֠אִישׁ אֲשֶׁר־יִשְׁכַּ֨ב אֶת־אִשָּׁ֜ה דָּוָ֗ה לז. יז פסוק את את את את. ג[7]
וְגִלָּ֨ה אֶת־עֶרְוָתָ֜הּ אֶת־[a]מְקֹרָ֣הּ הֶֽעֱרָ֔ה וְהִ֕יא גִּלְּתָ֖ה אֶת־מְק֣וֹר דָּמֶ֑יהָ ב חד מל וחד חס[8]. ג[9]. °[10]. ל[11]. ג[12]
19 וְנִכְרְת֥וּ שְׁנֵיהֶ֖ם מִקֶּ֥רֶב עַמָּֽם׃ 19 וְעֶרְוַ֨ת[a] [b]אֲח֤וֹת אִמְּךָ֙ וַאֲח֣וֹת אָבִ֔יךָ[b] ג
20 לֹ֣א תְגַלֵּ֑ה כִּ֧י אֶת־שְׁאֵר֛וֹ הֶֽעֱרָ֖ה עֲוֹנָ֥ם יִשָּֽׂאוּ׃ 20 וְאִ֗ישׁ אֲשֶׁ֤ר יִשְׁכַּב֙ ג[9]. ו
21 אֶת־דֹּ֣דָת֔וֹ עֶרְוַ֥ת דֹּד֖וֹ גִּלָּ֑ה [a]חֶטְאָ֥ם יִשָּׂ֖אוּ[a] עֲרִירִ֥ים יָמֻֽתוּ[b]׃ 21 וְאִ֗ישׁ ו
אֲשֶׁ֥ר יִקַּ֛ח אֶת־אֵ֥שֶׁת אָחִ֖יו נִדָּ֣ה הִ֑וא[a] עֶרְוַ֥ת אָחִ֛יו גִּלָּ֖ה עֲרִירִ֥ים יִהְיֽוּ[b]׃
22 וּשְׁמַרְתֶּ֤ם אֶת־כָּל־חֻקֹּתַי֙ וְאֶת־כָּל־מִשְׁפָּטַ֔י וַעֲשִׂיתֶ֖ם אֹתָ֑ם
וְלֹֽא־תָקִ֤יא [a]אֶתְכֶם֙ הָאָ֔רֶץ[a] אֲשֶׁ֨ר אֲנִ֜י מֵבִ֥יא אֶתְכֶ֛ם שָׁ֖מָּה לָשֶׁ֥בֶת בָּֽהּ׃ ב
23 וְלֹ֤א תֵֽלְכוּ֙ בְּחֻקֹּ֣ת הַגּ֔וֹי[a] אֲשֶׁר־אֲנִ֥י מְשַׁלֵּ֖חַ מִפְּנֵיכֶ֑ם כִּ֤י אֶת־כָּל־ ב[13]. ג[14] חס בליש וכל אורית דכות ב מ א. ז
24 אֵ֙לֶּה֙ עָשׂ֔וּ וָאָקֻ֖ץ בָּֽם׃ 24 וָאֹמַ֣ר לָכֶ֗ם אַתֶּם֮ תִּירְשׁ֣וּ אֶת־אַדְמָתָם֒ וַאֲנִ֞י ל וחס
אֶתְּנֶ֤נָּה לָכֶם֙ לָרֶ֣שֶׁת אֹתָ֔הּ אֶ֛רֶץ זָבַ֥ת חָלָ֖ב וּדְבָ֑שׁ אֲנִי֙ יְהוָ֣ה אֱלֹֽהֵיכֶ֔ם
25 אֲשֶׁר־הִבְדַּ֥לְתִּי אֶתְכֶ֖ם מִן[a]־הָעַמִּֽים׃ 25 וְהִבְדַּלְתֶּ֞ם בֵּין־הַבְּהֵמָ֤ה
הַטְּהֹרָה֙ לַטְּמֵאָ֔ה וּבֵין־הָע֥וֹף הַטָּמֵ֖א לַטָּהֹ֑ר וְלֹֽא־תְשַׁקְּצ֨וּ אֶת־ ל. ה חס ול[15] בליש
נַפְשֹֽׁתֵיכֶ֜ם בַּבְּהֵמָ֣ה וּבָע֗וֹף וּבְכֹל֙° אֲשֶׁ֣ר תִּרְמֹ֣שׂ הָֽאֲדָמָ֔ה אֲשֶׁר־ ו דגש[16]. ה[17]
26 הִבְדַּ֥לְתִּי לָכֶ֖ם לְטַמֵּֽא[a]׃ 26 וִהְיִ֤יתֶם לִי֙ קְדֹשִׁ֔ים כִּ֥י קָד֖וֹשׁ[a] אֲנִ֣י יְהוָ֑ה[b] ל
27 וָאַבְדִּ֥ל אֶתְכֶ֛ם מִן[c]־הָֽעַמִּ֖ים לִהְי֥וֹת לִֽי׃ 27 וְאִ֣ישׁ אֽוֹ־אִשָּׁ֗ה ל וחס
כִּֽי־יִהְיֶ֨ה בָהֶ֥ם א֛וֹב א֥וֹ יִדְּעֹנִ֖י מ֣וֹת יוּמָ֑תוּ [b]בָּאֶ֛בֶן יִרְגְּמ֥וּ אֹתָ֖ם[b] דְּמֵיהֶ֥ם ד למערב[18]. ג
בָּֽם׃ פ סד
[יא] 21 1 וַיֹּ֤אמֶר יְהוָה֙ אֶל־מֹשֶׁ֔ה אֱמֹ֥ר אֶל־הַכֹּהֲנִ֖ים בְּנֵ֣י אַהֲרֹ֑ן וְאָמַרְתָּ֣ ד בליש[1]
2 אֲלֵהֶ֔ם לְנֶ֥פֶשׁ לֹֽא־יִטַּמָּ֖א בְּעַמָּֽיו[a]׃ 2 כִּ֚י אִם־לִשְׁאֵר֔וֹ הַקָּרֹ֖ב אֵלָ֑יו ה[2]. ב בתור
3 [a]לְאִמּ֣וֹ וּלְאָבִ֔יו[a] וְלִבְנ֥וֹ[b] וּלְבִתּ֖וֹ וּלְאָחִֽיו[c]׃ 3 וְלַאֲחֹת֤וֹ הַבְּתוּלָה֙ ג[3]
4 הַקְּרוֹבָ֣ה אֵלָ֔יו אֲשֶׁ֥ר לֹא־הָיְתָ֖ה לְאִ֑ישׁ לָ֖הּ[a] יִטַּמָּֽא׃ 4 לֹ֥א יִטַּמָּ֖א בַּ֣עַל[a] ב חד מל וחד חס. ה[2]. ה[2]

7 Mm 778. 8 Mm 779. 9 Mm 780. 10 L והיא contra TM והוא, cf Mp sub loco et Mp יא כת י בתור, Lv 13,10.21; 20,17 etc. 11 Mm 476. 12 Mm 2303. 13 Mm 3091. 14 Mm 2640. 15 Mp sub loco. 16 Mm 64. 17 Mm 781. 18 Mm 1158. **Cp 21** 1 Mm 4228. 2 Mm 870. 3 Mm 337.

17 [a–a] 𝔊 ἁμαρτίαν κομιοῦνται cf 𝔖𝔙 ‖ **18** [a] mlt Mss 𝔗[Mss]𝔗[J] וְאֶת ‖ **19** [a] 2 Mss 𝔊[min]𝔖𝔙 ע׳ ‖ [b–b] ⅏𝔊 invers ‖ **20** [a–a] > 𝔊* ‖ [b] ⅏ יוּמָתוּ ‖ **21** [a] 𝔔 הִיא ‖ [b] 𝔊 ἀποθανοῦνται, ex 20 ‖ **22** [a–a] ⅏ invers ‖ **23** [a] Ms ⅏ Vrs pl ‖ **24** [a] 𝔊 + πάντων, it 26[c] ‖ **25** [a] ⅏𝔊𝔖 לְטֻמְאָה ‖ **26** [a] > ⅏; 𝔊[376] ut 7 ‖ [b] 𝔊 + ὁ θεὸς ὑμῶν, ex 7 ‖ [c] cf 24[a] ‖ **27** [a] ⅏𝔊𝔖𝔗[Mss] אשר ‖ [b–b] ⅏𝔊 בַּאֲבָנִים תִּרְגְּמוּם ‖ **Cp 21,1** [a] ⅏𝔊𝔖𝔗𝔗[J] מִוּ–, it 4[b].14[b].15[a] ‖ **2** [a–a] ⅏𝔊𝔖 invers cf 19,3[a–a] ‖ [b] ⅏𝔊[min]𝔗[Ms] ל׳ ‖ [c] ⅏𝔊[min] ל׳ ‖ **3** [a] 𝔊 ἐπὶ τούτοις ‖ **4** [a] inc.

5 בְּעַמָּיו[b] לְהֵחַלּוֹ׃ 5 [a]לֹא־יִקְרְחָה[a] קָרְחָה בְּרֹאשָׁם[b] וּפְאַת זְקָנָם לֹא
6 יְגַלֵּחוּ וּבִבְשָׂרָם לֹא יִשְׂרְטוּ שָׂרָטֶת[c]׃ 6 קְדֹשִׁים יִהְיוּ לֵאלֹהֵיהֶם וְלֹא
יְחַלְּלוּ שֵׁם אֱלֹהֵיהֶם כִּי אֶת־אִשֵּׁי יְהוָה לֶחֶם אֱלֹהֵיהֶם הֵם מַקְרִיבִם
7 וְהָיוּ קֹדֶשׁ[a]׃ 7 אִשָּׁה זֹנָה וַחֲלָלָה לֹא יִקָּחוּ וְאִשָּׁה גְּרוּשָׁה מֵאִישָׁהּ[a] לֹא
8 יִקָּחוּ[a] כִּי־קָדֹשׁ הוּא לֵאלֹהָיו[b]׃ 8 וְקִדַּשְׁתּוֹ[a] כִּי־אֶת־לֶחֶם אֱלֹהֶיךָ[b] הוּא
9 מַקְרִיב קָדֹשׁ יִהְיֶה־לָּךְ כִּי קָדוֹשׁ אֲנִי יְהוָה מְקַדִּשְׁכֶם[c]׃ 9 וּבַת אִישׁ
כֹּהֵן כִּי תֵחֵל לִזְנוֹת אֶת־[a]אָבִיהָ הִיא מְחַלֶּלֶת בָּאֵשׁ תִּשָּׂרֵף׃ ס
10 וְהַכֹּהֵן הַגָּדוֹל מֵאֶחָיו אֲשֶׁר־יוּצַק עַל־רֹאשׁוֹ ׀ שֶׁמֶן הַמִּשְׁחָה וּמִלֵּא 10
אֶת־יָדוֹ לִלְבֹּשׁ אֶת־הַבְּגָדִים אֶת־רֹאשׁוֹ לֹא יִפְרָע וּבְגָדָיו לֹא יִפְרֹם׃
11 12 וְעַל כָּל־נַפְשֹׁת[a] מֵת לֹא יָבֹא לְאָבִיו וּלְאִמּוֹ לֹא יִטַּמָּא׃ 12 וּמִן־ 11
הַמִּקְדָּשׁ לֹא יֵצֵא וְלֹא יְחַלֵּל אֵת מִקְדַּשׁ אֱלֹהָיו כִּי נֵזֶר שֶׁמֶן מִשְׁחַת
13 14 אֱלֹהָיו עָלָיו אֲנִי יְהוָה׃ 13 וְהוּא אִשָּׁה בִבְתוּלֶיהָ[a] יִקָּח׃ 14 אַלְמָנָה
וּגְרוּשָׁה וַחֲלָלָה זֹנָה[a] אֶת־אֵלֶּה לֹא יִקָּח כִּי אִם־בְּתוּלָה מֵעַמָּיו[b] יִקַּח
15 אִשָּׁה׃ 15 וְלֹא־יְחַלֵּל זַרְעוֹ בְּעַמָּיו[a] כִּי אֲנִי יְהוָה מְקַדְּשׁוֹ׃ פ
16 17 וַיְדַבֵּר יְהוָה אֶל־מֹשֶׁה לֵּאמֹר׃ 17 דַּבֵּר אֶל־אַהֲרֹן לֵאמֹר אִישׁ 16
מִזַּרְעֲךָ לְדֹרֹתָם אֲשֶׁר יִהְיֶה בוֹ מוּם לֹא יִקְרַב לְהַקְרִיב[a] לֶחֶם
18 אֱלֹהָיו׃ 18 כִּי[a] כָל־אִישׁ אֲשֶׁר־בּוֹ מוּם לֹא יִקְרָב אִישׁ עִוֵּר אוֹ פִסֵּחַ
19 אוֹ חָרֻם אוֹ שָׂרוּעַ׃ 19 אוֹ אִישׁ אֲשֶׁר־יִהְיֶה בוֹ שֶׁבֶר רָגֶל אוֹ שֶׁבֶר יָד׃
20 אוֹ־גִבֵּן אוֹ־דַק אוֹ תְּבַלֻּל בְּעֵינוֹ[a] אוֹ גָרָב אוֹ יַלֶּפֶת אוֹ מְרוֹחַ אָשֶׁךְ׃ 20
21 כָּל־אִישׁ אֲשֶׁר־בּוֹ מוּם מִזֶּרַע אַהֲרֹן הַכֹּהֵן לֹא [a]יִגַּשׁ לְהַקְרִיב[a] 21
[b]אֶת־אִשֵּׁי יְהוָה[b] מוּם בּוֹ [c]אֵת לֶחֶם אֱלֹהָיו[c] לֹא יִגַּשׁ לְהַקְרִיב׃
22 23 [a]לֶחֶם אֱלֹהָיו[a] מִקָּדְשֵׁי הַקֳּדָשִׁים וּמִן־הַקֳּדָשִׁים יֹאכֵל׃ 23 אַךְ אֶל־ 22
הַפָּרֹכֶת לֹא יָבֹא וְאֶל־הַמִּזְבֵּחַ לֹא יִגַּשׁ כִּי־מוּם בּוֹ וְלֹא יְחַלֵּל אֶת־

Masora: ד̇ בטע ס״פ[4]. מ̇ז פסוק לא לא לא ד̇[5] מנה ר״פ. יקרחו חד מן יד̇[6] כת ה וקר ו. ח̇[7]. ח̇ — ל̇. ל̇. ל̇ — ל̇. ט̇ כת י וכל מאשי דכות. ל̇ חס — ג̇ חס. י̇[8]. כ̇ב — ל̇[8]. י̇ג חס[9]. ב̇ חד ר״פ וחד ס״פ[10] — י̇ג חס[9]. ד̇[11] — י̇א כת י בתור. ד̇ — ב̇[12]. ח̇ מל בתור[13]. ב̇ מל[14]. ל̇ — י̇ג פסוק את את את בסיפ. ב̇[15]. ל̇. ד̇ — ל̇[16]. ל̇ חס. ה̇[17] — ל̇ג ר״פ ג̇ מנה בתור. ל̇ — ג̇ חס — ל̇ וחס — ל̇ וחס. ב̇. ל̇. ל̇ — ט̇ כת י וכל מאשי דכות — י̇ג[18] — ג̇[19]

[4]Mm 4015. [5]Mm 814. [6]Mm 782. [7]Mm 2876. [8]Mm 1853. [9]Mm 783. [10]Mm 508. [11]Mm 775. [12]Mm 2114. [13]Mm 73. [14]Hi 22,16. [15]Gn 28,20. [16]Mm 712. [17]Mm 870. [18]Mm 784. [19]Mm 668.

4 [b] cf 1[a] || **5** [a–a] ⅏ ולא יקרחו || [b] 𝔊 + ἐπὶ νεκρῷ, ex Dt 14,1 || [c] ⅏ שׂרטה || **6** [a] ⅏ Vrs קדשים || **7** [a–a] > 𝔊 || [b] 𝔊 pr τῷ κυρίῳ || **8** [a] 𝔊 3 sg || [b] 𝔊 κυρίου θεοῦ ὑμῶν || [c] ⅏𝔊 דְּשָׁם— ut 23, cf 22,32[a] || **9** [a] 𝔊(𝔙) + τὸ ὄνομα || **11** [a] 𝔊𝔖 sg ut Nu 6,6 || **13** [a] 𝔊 + ἐκ τοῦ γένους αὐτοῦ || **14** [a] ⅏𝔊𝔗[J] וְ׳ עַ׳ || [b] cf 1[a] || **15** [a] cf 1[a] || **17** [a] > ℭ; ⅏ להגיש || **18** [a] > Ms 𝔊𝔙 || **20** [a] ⅏𝔖𝔗𝔗[J] —נָיו cf 𝔊 || **21** [a–a] ⅏ יגיש || [b–b] 𝔊 τὰς θυσίας τῷ θεῷ σου· ὅτι || [c–c] ⅏ tr ad fin || **22** [a–a] > ⅏.

24 מִקְדָּשַׁ֑יᵃ כִּ֛י אֲנִ֥י יְהוָ֖ה מְקַדְּשָֽׁם׃ 24 וַיְדַבֵּ֣ר מֹשֶׁ֔ה אֶֽל־אַהֲרֹ֖ן וְאֶל־ ל̇. ד̇[20]
בָּנָ֑יו וְאֶֽל־כָּל־בְּנֵ֖י יִשְׂרָאֵֽל׃ פ
22 1 וַיְדַבֵּ֥ר יְהוָ֖ה אֶל־מֹשֶׁ֥ה לֵּאמֹֽר׃ 2 דַּבֵּ֨ר אֶֽל־אַהֲרֹ֜ן וְאֶל־
בָּנָ֗יו וְיִנָּֽזְרוּ֙ מִקָּדְשֵׁ֣י בְנֵֽי־יִשְׂרָאֵ֔ל וְלֹ֥א יְחַלְּל֖וּ אֶת־שֵׁ֣ם קָדְשִׁ֑י אֲשֶׁ֨ר הֵ֧ם ל̇
3 מַקְדִּשִׁ֛ים לִ֖י אֲנִ֥י יְהוָֽה׃ 3 אֱמֹ֣ר אֲלֵהֶ֗ם לְדֹרֹ֨תֵיכֶ֜ם כָּל־אִ֣ישׁ ׀ אֲשֶׁר־ ו̇ חס ב̇ מנה בליש
יִקְרַ֣ב ᵃמִכָּל־זַרְעֲכֶ֘םᵃ אֶל־הַקֳּדָשִׁים֮ אֲשֶׁ֨ר יַקְדִּ֤ישׁוּ בְנֵֽי־יִשְׂרָאֵל֙ לַֽיהוָ֔ה
4 וְטֻמְאָת֖וֹ עָלָ֑יו וְנִכְרְתָ֞ה הַנֶּ֧פֶשׁ הַהִ֛וא מִלְּפָנַ֖י אֲנִ֥י יְהוָֽהᵇ׃ 4 אִ֣ישׁ אִ֞ישׁ ב̇. י̇ב̇
מִזֶּ֣רַע אַהֲרֹ֗ןᵃ וְה֤וּא צָר֙וּעַ֙ א֣וֹ זָ֔ב בַּקֳּדָשִׁים֙ לֹ֣א יֹאכַ֔ל עַ֖ד אֲשֶׁ֣ר יִטְהָ֑ר
5 וְהַנֹּגֵ֙עַ֙ בְּכָל־טְמֵא־נֶ֔פֶשׁ א֣וֹ אִ֔ישׁ אֲשֶׁר־תֵּצֵ֥א מִמֶּ֖נּוּ שִׁכְבַת־זָֽרַע׃ 5 אוֹ־ ג̇ בתור. ד̇
אִישׁ֙ אֲשֶׁ֣ר יִגַּ֔ע בְּכָל־שֶׁ֖רֶץᵃ אֲשֶׁ֣ר יִטְמָא־ל֑וֹ א֤וֹ בְאָדָם֙ אֲשֶׁ֣ר יִטְמָא־ל֔וֹ ד̇[1]
6 לְכֹ֖ל טֻמְאָתֽוֹ׃ 6 נֶ֚פֶשׁ אֲשֶׁ֣ר תִּגַּע־בּ֔וֹ וְטָמְאָ֖ה עַד־הָעָ֑רֶב וְלֹ֣א יֹאכַל֙ ל̇
7 מִן־הַקֳּדָשִׁ֔ים כִּ֛י אִם־רָחַ֥ץ בְּשָׂר֖וֹ בַּמָּֽיִם׃ 7 וּבָ֥א הַשֶּׁ֖מֶשׁ וְטָהֵ֑ר וְאַחַר֙ ג̇. ד̇[2]. י̇ז̇ ר״פ
8 יֹאכַ֣ל מִן־הַקֳּדָשִׁ֔ים כִּ֥י לַחְמ֖וֹ הֽוּא׃ 8 נְבֵלָ֧ה וּטְרֵפָ֛ה לֹ֥א יֹאכַ֖לᵃ
9 לְטָמְאָה־בָ֑הּ אֲנִ֖י יְהוָֽה׃ 9 וְשָׁמְר֣וּ אֶת־מִשְׁמַרְתִּ֗י וְלֹֽא־יִשְׂא֤וּ עָלָיו֙ חֵ֔טְא ד̇. כ̇
10 וּמֵ֥תוּ ב֖וֹ כִּ֣י יְחַלְּלֻ֑הוּ אֲנִ֥י יְהוָ֖הᵃ מְקַדְּשָֽׁם׃ 10 וְכָל־זָ֖ר לֹא־יֹ֣אכַל קֹ֑דֶשׁ ד̇[3]
11 תּוֹשַׁ֥ב כֹּהֵ֛ן וְשָׂכִ֖יר לֹא־יֹ֥אכַל קֹֽדֶשׁ׃ 11 וְכֹהֵ֗ן כִּֽי־יִקְנֶ֥ה נֶ֙פֶשׁ֙ קִנְיַ֣ן ל̇ פת. ב̇ חד ר״פ וחד ס״פ
12 כַּסְפּ֔וֹ ה֖וּא יֹ֣אכַל בּ֑וֹ וִילִ֣ידᵃ בֵּית֔וֹ הֵ֖ם יֹאכְל֥וּ בְלַחְמֽוֹ׃ 12 וּבַת־כֹּהֵ֔ן ג̇[4]
13 כִּ֥י תִהְיֶ֖ה לְאִ֣ישׁ זָ֑ר הִ֕וא בִּתְרוּמַ֥ת הַקֳּדָשִׁ֖ים לֹ֥א תֹאכֵֽל׃ 13 וּבַת־כֹּהֵ֡ן י̇ז̇[5]
כִּי֩ תִהְיֶ֨ה אַלְמָנָ֜ה וּגְרוּשָׁ֗ה וְזֶ֘רַע֮ אֵ֣ין לָהּ֒ וְשָׁבָ֞ה אֶל־בֵּ֣ית אָבִ֗יהָ ג̇ בטע מלרע ב̇ מנה בליש
כִּנְעוּרֶ֔יהָᵃ מִלֶּ֥חֶם אָבִ֖יהָ תֹּאכֵ֑ל וְכָל־זָ֖ר לֹא־יֹ֥אכַל בּֽוֹ׃ ס ל̇ ומל. י̇ז̇[5]
14 וְאִ֕ישׁ כִּֽי־יֹאכַ֥ל קֹ֖דֶשׁ בִּשְׁגָגָ֑ה וְיָסַ֤ף חֲמִשִׁיתוֹ֙ עָלָ֔יו וְנָתַ֥ן לַכֹּהֵ֖ן אֶת־
15 הַקֹּֽדֶשׁ׃ 15 וְלֹ֣א יְחַלְּל֔וּ אֶת־קָדְשֵׁ֖י בְּנֵ֣י יִשְׂרָאֵ֑ל אֵ֥ת אֲשֶׁר־יָרִ֖ימוּ
16 לַיהוָֽה׃ 16 וְהִשִּׂ֤יאוּ אוֹתָם֙ עֲוֹ֣ן אַשְׁמָ֔ה בְּאָכְלָ֖ם אֶת־קָדְשֵׁיהֶ֑ם כִּ֛י אֲנִ֥י ב̇[6]. ל̇ט מל באור. ב̇[7]. ד̇[3]
יְהוָ֖ה מְקַדְּשָֽׁם׃ פ
ס̇ [יט] 17 וַיְדַבֵּ֥ר יְהוָ֖ה אֶל־מֹשֶׁ֥ה לֵּאמֹֽר׃ 18 דַּבֵּ֨ר אֶֽל־אַהֲרֹ֜ן וְאֶל־בָּנָ֗יו

[20] Mm 785. Cp 22 [1] Mm 730. [2] Mm 752. [3] Mm 785. [4] Mm 786. [5] Mm 787. [6] 2 S 17,13. [7] Mm 788.

23 ᵃ 𝔊 *τὸ ἅγιον τοῦ θεοῦ αὐτοῦ* || **Cp 22,3** ᵃ⁻ᵃ 2 Mss 𝔊[B*min]𝔙 מִזּ׳ || ᵇ 𝔊* + *ὁ θεὸς ὑμῶν* || **4** ᵃ pc Mss 𝔊 + הַכֹּהֵן || **5** ᵃ ⅏𝔊 + טמא || **8** ᵃ ⅏𝔙 pl || **9** ᵃ 𝔊* + *ὁ θεός* || **11** ᵃ ⅏[Mss]𝔊𝔖𝔗𝔗[J] ־דֵי || **13** ᵃ nonn Mss ׳בִּנ.

וְאֶל כָּל־בְּנֵי[a] יִשְׂרָאֵל וְאָמַרְתָּ אֲלֵהֶם אִישׁ אִישׁ מִבֵּית[b] יִשְׂרָאֵל וּמִן־ [8]ל
הַגֵּר[c] בְּיִשְׂרָאֵל אֲשֶׁר יַקְרִיב קָרְבָּנוֹ לְכָל־נִדְרֵיהֶם וּלְכָל־נִדְבוֹתָם ל ומל
19 אֲשֶׁר־יַקְרִיבוּ לַיהוָה[d] לְעֹלָה׃ 19 לִרְצֹנְכֶם תָּמִים זָכָר בַּבָּקָר [9]ד
20 בַּכְּשָׂבִים וּבָעִזִּים׃ 20 כֹּל אֲשֶׁר־בּוֹ מוּם[a] לֹא תַקְרִיבוּ[b] כִּי־לֹא לְרָצוֹן [10]ז בליש
21 יִהְיֶה לָכֶם׃ 21 וְאִישׁ כִּי־יַקְרִיב זֶבַח־שְׁלָמִים לַיהוָה לְפַלֵּא־נֶדֶר אוֹ [11]ג. ד
לִנְדָבָה[a] בַּבָּקָר אוֹ בַצֹּאן תָּמִים יִהְיֶה לְרָצוֹן כָּל־מוּם לֹא יִהְיֶה־בּוֹ׃
22 22 עַוֶּרֶת אוֹ שָׁבוּר אוֹ־חָרוּץ אוֹ־יַבֶּלֶת אוֹ גָרָב אוֹ יַלֶּפֶת לֹא־תַקְרִיבוּ ב
23 אֵלֶּה לַיהוָה וְאִשֶּׁה לֹא־תִתְּנוּ מֵהֶם עַל־הַמִּזְבֵּחַ לַיהוָה׃ 23 וְשׁוֹר ל. ה
24 וָשֶׂה שָׂרוּעַ וְקָלוּט נְדָבָה תַּעֲשֶׂה[a] אֹתוֹ וּלְנֵדֶר לֹא יֵרָצֶה׃ 24 [a]וּמָעוּךְ ה. ל. ה ול בליש. ל וחד מן [12] פסוק מן ד מילין נסבין ו ר״פ
וְכָתוּת וְנָתוּק וְכָרוּת לֹא תַקְרִיבוּ[b] לַיהוָה וּבְאַרְצְכֶם לֹא תַעֲשׂוּ׃ ל. ל.
25 25 וּמִיַּד בֶּן־נֵכָר לֹא תַקְרִיבוּ אֶת־לֶחֶם אֱלֹהֵיכֶם מִכָּל־אֵלֶּה כִּי
מָשְׁחָתָם בָּהֶם מוּם בָּם לֹא יֵרָצוּ לָכֶם׃ פ ב בתרי לישנ. ל
26 27 26 וַיְדַבֵּר יְהוָה אֶל־מֹשֶׁה לֵּאמֹר׃ 27 שׁוֹר אוֹ־כֶשֶׂב אוֹ־עֵז כִּי יִוָּלֵד ו
וְהָיָה שִׁבְעַת יָמִים תַּחַת אִמּוֹ וּמִיּוֹם הַשְּׁמִינִי וָהָלְאָה יֵרָצֶה לְקָרְבַּן ל. ל
28 אִשֶּׁה לַיהוָה׃ 28 וְשׁוֹר[a] אוֹ־שֶׂה[a] אֹתוֹ וְאֶת־בְּנוֹ לֹא תִשְׁחֲטוּ בְּיוֹם אֶחָד׃ ה. ב
29 30 29 וְכִי־תִזְבְּחוּ זֶבַח־תּוֹדָה לַיהוָה לִרְצֹנְכֶם תִּזְבָּחוּ[a]׃ 30 בַּיּוֹם הַהוּא [9]ד
31 יֵאָכֵל לֹא[a]־תוֹתִירוּ מִמֶּנּוּ עַד־בֹּקֶר אֲנִי יְהוָה׃ 31 וּשְׁמַרְתֶּם
32 מִצְוֹתַי וַעֲשִׂיתֶם אֹתָם[a] אֲנִי יְהוָה[a]׃ 32 וְלֹא תְחַלְּלוּ אֶת־שֵׁם קָדְשִׁי
33 וְנִקְדַּשְׁתִּי בְּתוֹךְ בְּנֵי יִשְׂרָאֵל אֲנִי יְהוָה מְקַדִּשְׁכֶם[a]׃ 33 הַמּוֹצִיא אֶתְכֶם [13]ד
מֵאֶרֶץ מִצְרַיִם לִהְיוֹת לָכֶם לֵאלֹהִים אֲנִי יְהוָה׃ פ
23 23 1 וַיְדַבֵּר יְהוָה אֶל־מֹשֶׁה לֵּאמֹר׃ 2 דַּבֵּר אֶל־בְּנֵי יִשְׂרָאֵל
וְאָמַרְתָּ אֲלֵהֶם מוֹעֲדֵי יְהוָה אֲשֶׁר־תִּקְרְאוּ אֹתָם מִקְרָאֵי[a] קֹדֶשׁ אֵלֶּה
3 הֵם מוֹעֲדָי׃ 3 שֵׁשֶׁת יָמִים תֵּעָשֶׂה[a] מְלָאכָה וּבַיּוֹם הַשְּׁבִיעִי שַׁבַּת [1]ז
שַׁבָּתוֹן מִקְרָא־קֹדֶשׁ[b] כָּל־מְלָאכָה לֹא תַעֲשׂוּ[c] שַׁבָּת הִוא לַיהוָה
בְּכֹל מוֹשְׁבֹתֵיכֶם׃ פ

[8]Mm 764. [9]Mm 789. [10]Mm 220. [11]Mm 790. [12]Mm 4162. [13]Mm 775. Cp 23 [1]Mm 546.

18 [a] 𝔊 συναγωγῆ = עֲדַת ‖ [b] 𝔊(𝔗[Ms]) ἀπὸ τῶν υἱῶν = מִבְּנֵי ‖ [c] nonn Mss 𝔐𝔊𝔖𝔙 + הַגָּר ‖ [d] 𝔊* τῷ θεῷ ‖ **20** [a] > ℭ ‖ [b] 𝔊 + κυρίῳ ‖ **21** [a] 𝔐𝔗[J] נ׳ ‖ **23** [a] 𝔐 pl ‖ **24** [a] 𝔐𝔊𝔙 מ׳ ע׳ ‖ [b] 𝔊* προσάξεις αὐτά ‖ **28** [a–a] 𝔐𝔊* ושה ut 23 ‖ **29** [a] pc Mss 𝔐𝔊𝔖 ־חָהוּ ut 19,5 ‖ **30** [a] Ms 𝔊[52]𝔖𝔄𝔄 Bo ולא ‖ **31** [a–a] > 𝔐𝔊* ‖ **32** [a] 𝔐𝔗[Ms] דְּשָׁם— cf 21,8[c] ‖ **Cp 23,2** [a] ℭ𝔗 sg cf 4[b] ‖ **3** [a] 𝔐 יעשה, 𝔊 ποιήσεις, 𝔊[min](𝔖𝔙) -σετε ‖ [b] 𝔊(𝔖) + τῷ κυρίῳ ‖ [c] 𝔊* sg.

4 אֵ֚לֶּה[a] מוֹעֲדֵ֣י יְהוָ֔ה מִקְרָאֵ֖י[b] קֹ֑דֶשׁ אֲשֶׁר־תִּקְרְא֥וּ אֹתָ֖ם בְּמוֹעֲדָֽם׃
5 בַּחֹ֣דֶשׁ הָרִאשׁ֗וֹן בְּאַרְבָּעָ֥ה עָשָׂ֛ר[a] לַחֹ֖דֶשׁ בֵּ֣ין הָעַרְבָּ֑יִם פֶּ֖סַח לַיהוָֽה׃ ז ר״פ[2]. סד
6 וּבַחֲמִשָּׁ֨ה עָשָׂ֥ר י֙וֹם֙ לַחֹ֣דֶשׁ הַזֶּ֔ה חַ֥ג הַמַּצּ֖וֹת לַיהוָ֑ה שִׁבְעַ֥ת יָמִ֖ים ג ר״פ[3]
7 מַצּ֥וֹת תֹּאכֵֽלוּ׃ 7 בַּיּוֹם֙ הָרִאשׁ֔וֹן מִקְרָא־קֹ֖דֶשׁ יִהְיֶ֣ה לָכֶ֑ם כָּל־מְלֶ֥אכֶת סד
8 עֲבֹדָ֖ה לֹ֥א תַעֲשֽׂוּ׃ 8 וְהִקְרַבְתֶּ֥ם[a] אִשֶּׁ֛ה[b] לַיהוָ֖ה שִׁבְעַ֣ת יָמִ֑ים בַּיּ֤וֹם[c]
הַשְּׁבִיעִי֙ מִקְרָא־קֹ֔דֶשׁ כָּל־מְלֶ֥אכֶת עֲבֹדָ֖ה לֹ֥א תַעֲשֽׂוּ׃ פ
ס [כ] 9 וַיְדַבֵּ֥ר יְהוָ֖ה אֶל־מֹשֶׁ֥ה לֵּאמֹֽר׃ 10 דַּבֵּ֞ר אֶל־בְּנֵ֤י יִשְׂרָאֵל֙ וְאָמַרְתָּ֣
אֲלֵהֶ֔ם כִּֽי־תָבֹ֣אוּ אֶל־הָאָ֗רֶץ אֲשֶׁ֤ר אֲנִי֙ נֹתֵ֣ן לָכֶ֔ם וּקְצַרְתֶּ֖ם אֶת־קְצִירָ֑הּ ג בסיפ[4]. ב[5]
11 וַהֲבֵאתֶ֥ם אֶת־עֹ֛מֶר[a] רֵאשִׁ֥ית קְצִירְכֶ֖ם אֶל־הַכֹּהֵֽן׃ 11 וְהֵנִ֧יף אֶת־ כה
12 הָעֹ֛מֶר לִפְנֵ֥י יְהוָ֖ה לִֽרְצֹנְכֶ֑ם מִֽמָּחֳרַת֙ הַשַּׁבָּ֔ת יְנִיפֶ֖נּוּ הַכֹּהֵֽן׃ 12 וַעֲשִׂיתֶ֕ם ד[6]. יא זוגין דמטע בטע[7]
בְּי֥וֹם הֲנִֽיפְכֶ֖ם אֶת־הָעֹ֑מֶר כֶּ֣בֶשׂ תָּמִ֧ים בֶּן־שְׁנָת֛וֹ לְעֹלָ֖ה לַיהוָֽה׃ ל
13 וּמִנְחָתוֹ֩ שְׁנֵ֨י עֶשְׂרֹנִ֜ים סֹ֣לֶת בְּלוּלָ֥ה בַשֶּׁ֛מֶן אִשֶּׁ֥ה לַיהוָ֖ה רֵ֣יחַ נִיחֹ֑חַ[a] ח וכל אשה ריח ניחח דכות
14 וְנִסְכֹּ֥ה[b] יַ֖יִן רְבִיעִ֥ת הַהִֽין׃ 14 וְלֶחֶם֩ וְקָלִ֨י וְכַרְמֶ֜ל לֹ֣א תֹֽאכְל֗וּ עַד־ ונסכו[8] חד מן יג[9] ק כת ה בתור ול בליש . ד ר״פ[10] . ג[11] . ג[12]
עֶ֗צֶם הַיּ֣וֹם הַזֶּ֔ה עַ֚ד הֲבִ֣יאֲכֶ֔ם אֶת־קָרְבַּ֖ן אֱלֹהֵיכֶ֑ם חֻקַּ֤ת עוֹלָם֙
15 לְדֹרֹ֣תֵיכֶ֔ם בְּכֹ֖ל מֹשְׁבֹתֵיכֶֽם׃ ס 15 וּסְפַרְתֶּ֤ם לָכֶם֙ מִמָּחֳרַ֣ת ג חס[13] . ל
הַשַּׁבָּ֔ת מִיּוֹם֙ הֲבִ֣יאֲכֶ֔ם אֶת־עֹ֖מֶר הַתְּנוּפָ֑ה שֶׁ֥בַע שַׁבָּת֖וֹת תְּמִימֹ֥ת ל ומל
16 תִּהְיֶֽינָה[a]׃ 16 עַ֣ד מִֽמָּחֳרַ֤ת הַשַּׁבָּת֙ הַשְּׁבִיעִ֔ת תִּסְפְּר֖וּ חֲמִשִּׁ֣ים י֑וֹם ו חד מן ד[14] מילין דגש א וחד מן יג[15] מפק א
17 וְהִקְרַבְתֶּ֛ם מִנְחָ֥ה חֲדָשָׁ֖ה לַיהוָֽה׃ 17 מִמּוֹשְׁבֹ֨תֵיכֶ֜ם[a] תָּבִ֣יאּוּ ׀ לֶ֣חֶם
תְּנוּפָ֗ה שְׁתַּ֙יִם֙[b] שְׁנֵ֣י[c] עֶשְׂרֹנִ֔ים סֹ֣לֶת תִּהְיֶ֔ינָה חָמֵ֖ץ תֵּאָפֶ֑ינָה בִּכּוּרִ֖ים
18 לַיהוָֽה׃ 18 וְהִקְרַבְתֶּ֣ם עַל־הַלֶּ֗חֶם שִׁבְעַ֨ת[a] כְּבָשִׂ֤ים תְּמִימִם֙ בְּנֵ֣י שָׁנָ֔ה ב
וּפַ֧ר בֶּן־בָּקָ֛ר אֶחָ֖ד וְאֵילִ֣ם שְׁנָ֑יִם[b] יִהְי֤וּ עֹלָה֙ לַֽיהוָ֔ה וּמִנְחָתָם֙ וְנִסְכֵּיהֶ֔ם ב[16]. ד[17]. ז בליש
19 אִשֵּׁ֥ה רֵֽיחַ־נִיחֹ֖חַ לַיהוָֽה׃ 19 וַעֲשִׂיתֶ֛ם[a] שְׂעִיר־עִזִּ֥ים אֶחָ֖ד לְחַטָּ֑את[b] ב בטע בסיפ[18]. יא זוגין דמטע בטע[7]
20 וּשְׁנֵ֧י כְבָשִׂ֛ים בְּנֵ֥י שָׁנָ֖ה לְזֶ֥בַח שְׁלָמִֽים[c]׃ 20 וְהֵנִ֣יף הַכֹּהֵ֣ן ׀ אֹתָ֡ם עַל֩ ד . ב . ד[19]. ח בטע בסיפ[20]. ב

[2] Mm 791. [3] Mm 792. [4] Mm 793. [5] Jes 27,11. [6] Mm 789. [7] Mm 794. [8] Q ונסכו addidi, cf Mp sub loco. [9] Mm 598. [10] Mm 349. [11] Mm 1802. [12] Mm 795. [13] Mm 798. [14] Mp sub loco. [15] Mm 411. [16] Mm 2974. [17] Mm 998. [18] Mm 663. [19] Mm 664. [20] Mm 747.

4 [a] 𝔐𝔊[min] וְא׳ ‖ [b] ℭ𝔗[Mss] sg cf 2[a] ‖ **5** [a] 𝔐𝔊𝔙 + יוֹם ‖ **8** [a] v 8 > ℭ ‖ [b] ℭ + עולה ‖ [c] Ms 𝔐𝔊𝔖 וּבַ׳ ‖ **10** [a] 𝔐𝔗[J] הָעֹ׳ ‖ **13** [a] 𝔊 + *κυρίῳ* ‖ [b] 𝔐 —כוֹ ‖ **15** [a] > 𝔊*; 𝔊[FM min] *ἀριθμήσεις*; 𝔊[376.426](𝔖) + *ὑμῖν* ‖ **17** [a] 𝔙 *ex omnibus habitaculis* = מִכָּל־מ׳ ‖ [b] 𝔐𝔊𝔖𝔗[J] + חַלּוֹת ‖ [c] 𝔊(𝔖𝔙) *ἐκ δύο* = מִשְּׁ׳ ‖ **18** [a] 𝔐𝔗[J] שִׁבְעָה ‖ [b] 𝔐𝔊 + תמימם ‖ **19** [a] 𝔊* 3 pl ‖ [b] ℭ ליהוה ‖ [c] 𝔐 הַשְּׁ׳, 𝔊 + *μετὰ τῶν ἄρτων τοῦ πρωτογενήματος*, ex 20.

ב̇ חד מל̇ וחד חס לֶחֶם הַבִּכֻּרִים תְּנוּפָה לִפְנֵי יְהוָה ᵃעַל־שְׁנֵי כְּבָשִׂיםᵇ קֹדֶשׁ יִהְיוּ
לַיהוָה לַכֹּהֵןᵃᶜ׃ 21 וּקְרָאתֶם ᵃבְּעֶצֶם ׀ הַיּוֹם הַזֶּה מִקְרָא־ᵃקֹדֶשׁᵇ יִהְיֶה 21
ח̇ בטע̇[21] לָכֶםᵇ כָּל־מְלֶאכֶת עֲבֹדָה לֹא תַעֲשׂוּ חֻקַּת עוֹלָם בְּכָל־מוֹשְׁבֹתֵיכֶם
ב̇ לְדֹרֹתֵיכֶם׃ 22 וּבְקֻצְרְכֶם אֶת־קְצִיר אַרְצְכֶם לֹא־תְכַלֶּה פְּאַת שָׂדְךָ 22
כ̇ד ס״פ בְּקֻצְרֶךָᵃ וְלֶקֶט קְצִירְךָ לֹא תְלַקֵּט לֶעָנִי וְלַגֵּר תַּעֲזֹב אֹתָם אֲנִי יְהוָה
ד̇ בטע̇ בסיפ̇[22] אֱלֹהֵיכֶם׃ ס 23 וַיְדַבֵּר יְהוָה אֶל־מֹשֶׁה לֵּאמֹר׃ 24 דַּבֵּר אֶל־ 23 24
בְּנֵי יִשְׂרָאֵל לֵאמֹר בַּחֹדֶשׁ הַשְּׁבִיעִי בְּאֶחָד לַחֹדֶשׁ יִהְיֶה לָכֶם שַׁבָּתוֹן
ג̇[23] זִכְרוֹן תְּרוּעָה מִקְרָא־קֹדֶשׁ׃ 25 כָּל־מְלֶאכֶת עֲבֹדָה לֹא תַעֲשׂוּ 25
וְהִקְרַבְתֶּם אִשֶּׁהᵃ לַיהוָה׃ ס 26 וַיְדַבֵּר יְהוָה אֶל־מֹשֶׁה לֵּאמֹרᵃ׃ 26
ל̇ 27 אַךְ בֶּעָשׂוֹר לַחֹדֶשׁ הַשְּׁבִיעִי הַזֶּה יוֹם הַכִּפֻּרִיםᵃ הוּא מִקְרָא־קֹדֶשׁ 27
ג̇[24] יִהְיֶה לָכֶם וְעִנִּיתֶם אֶת־נַפְשֹׁתֵיכֶם וְהִקְרַבְתֶּם אִשֶּׁה לַיהוָה׃ 28 וְכָל־ 28
ל̇ מְלָאכָה לֹא תַעֲשׂוּ בְּעֶצֶם הַיּוֹם הַזֶּה כִּי יוֹם כִּפֻּרִים הוּא לְכַפֵּר
ד̇ בתור̇ . ל̇ עֲלֵיכֶם לִפְנֵי יְהוָה אֱלֹהֵיכֶם׃ 29 כִּי כָל־הַנֶּפֶשׁ אֲשֶׁר לֹא־תְעֻנֶּה 29
ד̇ בתור̇ בְּעֶצֶם הַיּוֹם הַזֶּה וְנִכְרְתָה מֵעַמֶּיהָ׃ 30 וְכָל־הַנֶּפֶשׁ אֲשֶׁר תַּעֲשֶׂה כָּל־ 30
ג̇ מְלָאכָה בְּעֶצֶם הַיּוֹם הַזֶּה וְהַאֲבַדְתִּי אֶת־הַנֶּפֶשׁ הַהִוא מִקֶּרֶב עַמָּהּᵃ׃
ל̇ ר״פ . ג̇ חס̇[25] 31 כָּל־ᵃמְלָאכָה לֹא תַעֲשׂוּ חֻקַּת עוֹלָם לְדֹרֹתֵיכֶם בְּכֹל מֹשְׁבֹתֵיכֶם׃ 31
ד̇ 32 שַׁבַּת שַׁבָּתוֹן הוּא לָכֶם וְעִנִּיתֶם אֶת־נַפְשֹׁתֵיכֶם בְּתִשְׁעָה לַחֹדֶשׁ 32
ל̇ . ל̇ בָּעֶרֶבᵃ מֵעֶרֶב עַד־עֶרֶב תִּשְׁבְּתוּᵇ שַׁבַּתְּכֶם׃ פ 33 וַיְדַבֵּר יְהוָה 33
ד̇ בטע̇ בסיפ̇[22] אֶל־מֹשֶׁה לֵּאמֹר׃ 34 דַּבֵּר אֶל־בְּנֵי יִשְׂרָאֵל לֵאמֹר בַּחֲמִשָּׁה עָשָׂר 34
יוֹם לַחֹדֶשׁ הַשְּׁבִיעִי הַזֶּה חַג הַסֻּכּוֹת שִׁבְעַת יָמִים לַיהוָה׃ 35 בַּיּוֹם 35
סד̇ הָרִאשׁוֹן מִקְרָא־קֹדֶשׁᵃ כָּל־מְלֶאכֶת עֲבֹדָה לֹא תַעֲשׂוּ׃ 36 שִׁבְעַת 36
יָמִים תַּקְרִיבוּ אִשֶּׁה לַיהוָה בַּיּוֹםᵃ הַשְּׁמִינִי מִקְרָא־קֹדֶשׁ יִהְיֶה לָכֶם
וְהִקְרַבְתֶּם אִשֶּׁה לַיהוָה עֲצֶרֶת הִוא כָּל־מְלֶאכֶת עֲבֹדָה לֹא תַעֲשׂוּ׃
37 אֵלֶּה מוֹעֲדֵי יְהוָה אֲשֶׁר־תִּקְרְאוּ אֹתָם מִקְרָאֵי קֹדֶשׁ 37

[21] Mm 796. [22] Mm 696. [23] Mm 797. [24] Mm 2558. [25] Mm 798.

20 ᵃ⁻ᵃ 𝔙 *cedent in usum eius* ‖ ᵇ ɯ𝔊 הַכְּ׳ ‖ ᶜ 𝔊 + τῷ προσφέροντι αὐτὰ αὐτῷ ἔσται ‖ **21** ᵃ⁻ᵃ 𝔊(𝔙) ταύτην τὴν ἡμέραν κλητήν· ‖ ᵇ⁻ᵇ > 𝔖 ‖ **22** ᵃ ɯ לְקָצֹר ‖ **25** ᵃ 𝔊 ὁλοκαύτωμα = עֹלָה? ‖ **26** ᵃ 𝔖 + *mll ʿm bnj ʾjsrjl wʾmr lhwn* = דַּבֵּר אֶל־בְּנֵי יִשְׂרָאֵל לֵאמֹר ‖ **27** ᵃ ɯ𝔊 כִּ׳ ‖ **30** ᵃ ɯ עמיה cf 29 ‖ **31** ᵃ pc Mss ɯ𝔖 וְכָל ‖ **32** ᵃ > Ms 𝔊𝔙 ‖ ᵇ ɯ תשביתו ‖ **35** ᵃ $𝔊^{min}$(𝔖) + ἔσται ὑμῖν ‖ **36** ᵃ ɯ וּבַ׳ cf 𝔊𝔖𝔙.

לְהַקְרִיב אִשֶּׁה לַיהוָה [a]עֹלָה וּמִנְחָה זֶבַח וּנְסָכִים[a] דְּבַר־יוֹם בְּיוֹמוֹ׃
38 מִלְּבַד שַׁבְּתֹת יְהוָה וּמִלְּבַד[a] מַתְּנוֹתֵיכֶם וּמִלְּבַד כָּל־נִדְרֵיכֶם — יח פסוק דמיין[26] . ד
39 וּמִלְּבַד כָּל־נִדְבוֹתֵיכֶם אֲשֶׁר תִּתְּנוּ לַיהוָה׃ 39 אַךְ בַּחֲמִשָּׁה
עָשָׂר יוֹם לַחֹדֶשׁ הַשְּׁבִיעִי בְּאָסְפְּכֶם אֶת־תְּבוּאַת הָאָרֶץ תָּחֹגּוּ אֶת־ — ל . ב
חַג־יְהוָה שִׁבְעַת יָמִים בַּיּוֹם הָרִאשׁוֹן שַׁבָּתוֹן וּבַיּוֹם הַשְּׁמִינִי שַׁבָּתוֹן׃ — ד[27] . סד . ב מ״פ[28]
40 וּלְקַחְתֶּם לָכֶם בַּיּוֹם הָרִאשׁוֹן פְּרִי עֵץ הָדָר כַּפֹּת תְּמָרִים וַעֲנַף[a] — ו[29] . סד . ב[30] . ב חס[31]
עֵץ־עָבֹת וְעַרְבֵי־נָחַל וּשְׂמַחְתֶּם לִפְנֵי יְהוָה אֱלֹהֵיכֶם שִׁבְעַת יָמִים׃ — כל חס ב מ ב[32] מל . ל
41 [a]וְחַגֹּתֶם אֹתוֹ חַג לַיהוָה שִׁבְעַת יָמִים[a] בַּשָּׁנָה חֻקַּת עוֹלָם לְדֹרֹתֵיכֶם
42 בַּחֹדֶשׁ הַשְּׁבִיעִי תָּחֹגּוּ אֹתוֹ׃ 42 בַּסֻּכֹּת תֵּשְׁבוּ שִׁבְעַת יָמִים כָּל־הָאֶזְרָח — ב
43 בְּיִשְׂרָאֵל יֵשְׁבוּ בַּסֻּכֹּת׃ 43 לְמַעַן יֵדְעוּ דֹרֹתֵיכֶם כִּי בַסֻּכּוֹת הוֹשַׁבְתִּי — כ[33] . יב[34] . ב מל בתור
אֶת־בְּנֵי יִשְׂרָאֵל בְּהוֹצִיאִי אוֹתָם מֵאֶרֶץ מִצְרָיִם אֲנִי יְהוָה אֱלֹהֵיכֶם׃ — ג . לט מל בתור . כד ס״פ
44 וַיְדַבֵּר מֹשֶׁה אֶת־מֹעֲדֵי יְהוָה אֶל־בְּנֵי יִשְׂרָאֵל׃ פ — ג[35] חס בליש וכל במעדו דכות ב מ ב באור
ס [כא] **24** 1 וַיְדַבֵּר יְהוָה אֶל־מֹשֶׁה לֵּאמֹר׃ 2 צַו אֶת־בְּנֵי יִשְׂרָאֵל וְיִקְחוּ — ו רפי[1]
3 אֵלֶיךָ[a] שֶׁמֶן זַיִת זָךְ כָּתִית לַמָּאוֹר לְהַעֲלֹת נֵר תָּמִיד׃ 3 מִחוּץ לְפָרֹכֶת — ב קמ ול בסיפ . ג[2] ב[3] מנה בתור . ב פסוק דמטע בתור
הָעֵדֻת בְּאֹהֶל מוֹעֵד יַעֲרֹךְ אֹתוֹ אַהֲרֹן[a] מֵעֶרֶב עַד־בֹּקֶר לִפְנֵי יְהוָה
4 תָּמִיד חֻקַּת עוֹלָם לְדֹרֹתֵיכֶם׃ 4 [a]עַל הַמְּנֹרָה הַטְּהֹרָה יַעֲרֹךְ[b] אֶת־
5 הַנֵּרוֹת לִפְנֵי יְהוָה תָּמִיד[c]׃ פ 5 וְלָקַחְתָּ[a] סֹלֶת וְאָפִיתָ[a] אֹתָהּ — ב[4] מל בתור וכל נ״ך דכות ב מ א . ל
6 שְׁתֵּים עֶשְׂרֵה חַלּוֹת שְׁנֵי עֶשְׂרֹנִים יִהְיֶה הַחַלָּה הָאֶחָת׃ 6 וְשַׂמְתָּ[a] — ג מל בסיפ
אוֹתָם שְׁתַּיִם[b] מַעֲרָכוֹת שֵׁשׁ הַמַּעֲרָכֶת עַל הַשֻּׁלְחָן הַטָּהֹר לִפְנֵי יְהוָה׃ — לט מל בתור . ב . ה חס
7 וְנָתַתָּ[a] עַל־הַמַּעֲרֶכֶת[b] לְבֹנָה זַכָּה[c] וְהָיְתָה לַלֶּחֶם לְאַזְכָּרָה אִשֶּׁה — כט חס[5] . ג חס[6] . ד[7]
8 לַיהוָה׃ 8 [a]בְּיוֹם הַשַּׁבָּת בְּיוֹם הַשַּׁבָּת[a] יַעַרְכֶנּוּ לִפְנֵי יְהוָה תָּמִיד מֵאֵת
9 בְּנֵי־יִשְׂרָאֵל בְּרִית עוֹלָם׃ 9 וְהָיְתָה לְאַהֲרֹן וּלְבָנָיו וַאֲכָלֻהוּ[a] בְּמָקוֹם — ג
קָדֹשׁ כִּי קֹדֶשׁ קָדָשִׁים[b] הוּא[c] לוֹ מֵאִשֵּׁי יְהוָה חָק־עוֹלָם׃ ס — יג חס[8] . ו[9] ו[10] מנה בתור . ד דמטע[11] . ה[12]

[26] Mm 647 et Mm 3911. [27] Mm 435. [28] Mm 877. [29] Mp sub loco. [30] Gn 1,29. [31] Mm 799. [32] Cf Mm 800. [33] Mm 534. [34] Mm 801. [35] Mm 3727. **Cp 24** [1] Mm 560. [2] Mm 1523. [3] Mm 561. [4] Mm 882. [5] Mm 657. [6] Mm 586. [7] Mm 3073. [8] Mm 783. [9] Mm 4108. [10] Mm 831. [11] Mm 811. [12] Mm 2476.

37 a–a 𝔊 *ὁλοκαυτώματα καὶ θυσίας αὐτῶν καὶ σπονδὰς αὐτῶν* = עֹלוֹת(יהם) וְזִבְחֵיהֶם וְנִסְכֵּיהֶם || **38** a ш + כל || **40** a ш pl || **41** a–a > 𝔊 || **Cp 24,2** a 𝔊* *μοι* || **3** a nonn Mss ш𝔊 + וּבָנָיו || **4** a v 4 > 𝔗 || b 𝔊 2 pl, it 5a.6a.7a || c ш𝔊 עד בקר || **5** a cf 4b || **6** a cf 4b || b ш שְׁתֵּי || **7** a cf 4b || b 𝔖𝔗J pl || c 𝔊 + *καὶ ἅλα* || **8** a–a > pc Mss 𝔊𝔖 || **9** a ш לוּהָ— || b > 𝔗 || c ш היא.

10 10 וַיֵּצֵא֙ בֶּן־אִשָּׁ֣ה יִשְׂרְאֵלִ֔ית וְהוּא֙ בֶּן־אִ֣ישׁ מִצְרִ֔י בְּת֖וֹךְ בְּנֵ֣י
11 יִשְׂרָאֵ֑ל וַיִּנָּצוּ֙ בַּֽמַּחֲנֶ֔ה בֶּ֚ן הַיִּשְׂרְאֵלִ֔ית וְאִ֖ישׁ הַיִּשְׂרְאֵלִֽי[a]׃ 11 וַיִּקֹּב֩ בֶּן־ — ב[13]. ו בטע[14]. ב
הָֽאִשָּׁ֨ה הַיִּשְׂרְאֵלִ֤ית אֶת־הַשֵּׁם֙[a] וַיְקַלֵּ֔ל וַיָּבִ֥יאוּ אֹת֖וֹ אֶל־מֹשֶׁ֑ה וְשֵׁ֥ם אִמּ֛וֹ — ד. לו[15]
12 שְׁלֹמִ֥ית בַּת־דִּבְרִ֖י לְמַטֵּה־דָֽן׃ 12 וַיַּנִּיחֻ֖הוּ בַּמִּשְׁמָ֑ר לִפְרֹ֥שׁ לָהֶ֖ם עַל־ — ל. ב חד מל וחד חס. ב. ל
13 14 פִּ֥י יְהוָֽה׃ פ 13 וַיְדַבֵּ֥ר יְהוָ֖ה אֶל־מֹשֶׁ֥ה לֵּאמֹֽר׃ 14 הוֹצֵ֣א אֶת־ — ה[16]
הַֽמְקַלֵּ֗ל אֶל־מִחוּץ֙ לַֽמַּחֲנֶ֔ה וְסָמְכ֧וּ כָֽל־הַשֹּׁמְעִ֛ים אֶת־יְדֵיהֶ֖ם עַל־
15 רֹאשׁ֑וֹ וְרָגְמ֥וּ אֹת֖וֹ כָּל־הָעֵדָֽה׃ 15 וְאֶל־בְּנֵ֥י יִשְׂרָאֵ֖ל תְּדַבֵּ֣ר לֵאמֹ֑ר — ד[17]
16 אִ֥ישׁ אִ֛ישׁ כִּֽי־יְקַלֵּ֥ל אֱלֹהָ֖יו[a] וְנָשָׂ֥א חֶטְאֽוֹ׃ 16 וְנֹקֵ֤ב שֵׁם־יְהוָה֙ מ֣וֹת — יז
יוּמָ֔ת רָג֥וֹם יִרְגְּמוּ־ב֖וֹ כָּל־הָעֵדָ֑ה כַּגֵּר֙ כָּֽאֶזְרָ֔ח בְּנָקְבוֹ־שֵׁ֖ם[a] יוּמָֽת׃ — ד קמ וכל אתנח וס״פ דכות[18]. ג[19]. ל
17 18 17 וְאִ֕ישׁ כִּ֥י יַכֶּ֖ה כָּל־נֶ֣פֶשׁ אָדָ֑ם[a] מ֖וֹת יוּמָֽת׃ 18 וּמַכֵּ֥ה נֶֽפֶשׁ־בְּהֵמָ֖ה[b] — ד
19 יְשַׁלְּמֶ֑נָּה נֶ֖פֶשׁ תַּ֥חַת נָֽפֶשׁ׃ 19 וְאִ֕ישׁ כִּֽי־יִתֵּ֥ן מ֖וּם בַּעֲמִית֑וֹ כַּאֲשֶׁ֣ר עָשָׂ֔ה — ג[20]
20 כֵּ֖ן יֵעָ֥שֶׂה לּֽוֹ׃ 20 שֶׁ֚בֶר תַּ֣חַת שֶׁ֔בֶר עַ֚יִן תַּ֣חַת עַ֔יִן שֵׁ֖ן תַּ֣חַת שֵׁ֑ן כַּאֲשֶׁ֨ר — לו[21]. ה
21 יִתֵּ֥ן מוּם֙ בָּֽאָדָ֔ם כֵּ֖ן יִנָּ֥תֶן בּֽוֹ׃ 21 [a]וּמַכֵּ֥ה בְהֵמָ֖ה יְשַׁלְּמֶ֑נָּה[a] וּמַכֵּ֥ה אָדָ֖ם[b] — ד. ג[20]. ד
22 יוּמָֽת׃ 22 מִשְׁפַּ֤ט[a] אֶחָד֙ יִהְיֶ֣ה לָכֶ֔ם כַּגֵּ֖ר כָּאֶזְרָ֣ח יִהְיֶ֑ה כִּ֛י אֲנִ֥י יְהוָ֖ה — ג[19]. י. כד ס״פ
23 אֱלֹהֵיכֶֽם׃ 23 וַיְדַבֵּ֣ר מֹשֶׁה֮ אֶל־בְּנֵ֣י יִשְׂרָאֵל֒ וַיּוֹצִ֣יאוּ אֶת־הַֽמְקַלֵּ֗ל אֶל־ — יב[22]
מִחוּץ֙ לַֽמַּחֲנֶ֔ה וַיִּרְגְּמ֥וּ אֹת֖וֹ אָ֑בֶן[a] וּבְנֵֽי־יִשְׂרָאֵ֣ל עָשׂ֔וּ כַּאֲשֶׁ֛ר צִוָּ֥ה יְהוָ֖ה — ה וכל ר״פ דכות[23]
אֶת־מֹשֶֽׁה׃ פ קכד

25 1 וַיְדַבֵּ֤ר יְהוָה֙ אֶל־מֹשֶׁ֔ה בְּהַ֥ר סִינַ֖י לֵאמֹֽר׃ 2 דַּבֵּ֞ר אֶל־בְּנֵ֤י פרש — י בתור
יִשְׂרָאֵל֙ וְאָמַרְתָּ֣ אֲלֵהֶ֔ם כִּ֤י תָבֹ֙אוּ֙ אֶל־הָאָ֔רֶץ אֲשֶׁ֥ר אֲנִ֖י נֹתֵ֣ן לָכֶ֑ם — ג בסיפ[1]
3 וְשָׁבְתָ֣ה הָאָ֔רֶץ שַׁבָּ֖ת לַֽיהוָֽה׃ 3 שֵׁ֤שׁ שָׁנִים֙ תִּזְרַ֣ע שָׂדֶ֔ךָ וְשֵׁ֥שׁ שָׁנִ֖ים
4 תִּזְמֹ֣ר כַּרְמֶ֑ךָ וְאָסַפְתָּ֖ אֶת־תְּבוּאָתָֽהּ׃ 4 וּבַשָּׁנָ֣ה הַשְּׁבִיעִ֗ת שַׁבַּ֤ת שַׁבָּתוֹן֙
5 יִהְיֶ֣ה לָאָ֔רֶץ שַׁבָּ֖ת לַֽיהוָ֑ה שָֽׂדְךָ֙ לֹ֣א תִזְרָ֔ע וְכַרְמְךָ֖ לֹ֥א תִזְמֹֽר׃ 5 אֵ֣ת[a] — ב זקף קמ[2]
סְפִ֤יחַ[b] קְצִֽירְךָ֙ לֹ֣א תִקְצ֔וֹר וְאֶת־עִנְּבֵ֥י נְזִירֶ֖ךָ[c] לֹ֣א תִבְצֹ֑ר שְׁנַ֥ת שַׁבָּת֖וֹן — ב מל[3]. ב[4]. ל
6 יִהְיֶ֥ה לָאָֽרֶץ׃ 6 וְ֠הָיְתָה שַׁבַּ֨ת הָאָ֤רֶץ לָכֶם֙ לְאָכְלָ֔ה לְךָ֖ [a]וּלְעַבְדְּךָ֣ — ד פת וכל שבת שבתון דכות[5]

[13] 2 S 14,6. [14] Mm 3746. [15] Mp sub loco. [16] Mm 802. [17] Mm 585. [18] Mm 590. [19] Mm 804. [20] Mm 803. [21] Mm 210. [22] Mm 2610. [23] Mm 470. Cp 25 [1] Mm 793. [2] Mm 1181. [3] Mm 805. [4] Mp sub loco. [5] Mm 806.

10 [a] ш 'יש || **11** [a] 𝔊[59](𝔄𝔗[Ms]) *τὸ ὄνομα κυρίου* cf 16 || **15** [a] 𝔊[BA] *θεόν* || **16** [a] 𝔊(𝔙) *τὸ ὄνομα κυρίου* cf 11[a] || **17** [a] 𝔊 + *καὶ ἀποθάνῃ*, it 18[b].21[b] || **18** [a] > ℭ pc Mss 𝔊𝔙 || [b] cf 17[a] || **21** [a–a] > 𝔊 || [b] cf 17[a] || **22** [a] l טֹ– ut Nu 15,16 || **23** [a] 𝔖 + *wmjt* = וַיָּמֹת || **Cp 25,5** [a] ш𝔊𝔖 וְאֶת || [b] шℭ ספחי cf 11 || [c] nonn Mss ־ריך || **6** [a–a] ш pl it 44[a–a].

7 וְלַאֲמָתֶ֑ךָ וְלִשְׂכִֽירְךָ֙ וּלְתוֹשָׁ֣בְךָ֔ᵃ הַגָּרִ֖ים עִמָּֽךְ׃ 7 וְלִ֨בְהֶמְתְּךָ֔ וְלַֽחַיָּ֖ה ל̇. ל̇. ד קמ̇[6]. ל̇. ל̇
8 אֲשֶׁ֣ר בְּאַרְצֶ֑ךָ תִּהְיֶ֥ה כָל־תְּבוּאָתָ֖הּ לֶאֱכֹֽל׃ ס 8 וְסָפַרְתָּ֣ לְךָ֗ ל̇
שֶׁ֚בַע שַׁבְּתֹ֣ת שָׁנִ֔ים שֶׁ֥בַע שָׁנִ֖ים שֶׁ֣בַע פְּעָמִ֑ים וְהָי֣וּ לְךָ֗ יְמֵי֙ שֶׁ֚בַע שַׁבְּתֹ֣ת ל̇. ל̇
9 הַשָּׁנִ֔ים תֵּ֥שַׁע וְאַרְבָּעִ֖ים שָׁנָֽה׃ 9 וְהַֽעֲבַרְתָּ֞ שׁוֹפַ֤ר תְּרוּעָה֙ בַּחֹ֣דֶשׁ ב̇ מל בתור ול̇ פת
הַשְּׁבִעִ֔י בֶּעָשׂ֖וֹר לַחֹ֑דֶשׁ בְּיוֹם֙ הַכִּפֻּרִ֔ים תַּעֲבִ֥ירוּ שׁוֹפָ֖ר בְּכָל־אַרְצְכֶֽם׃ ח̇ חס ג̇[7] מנה בתור̇. ב̇ מל בתור
10 וְקִדַּשְׁתֶּ֗ם אֵ֣ת שְׁנַ֤ת הַחֲמִשִּׁים֙ שָׁנָ֔ה וּקְרָאתֶ֥ם דְּר֛וֹר בָּאָ֖רֶץ לְכָל־ ח̇[8]. ב̇
יֹשְׁבֶ֑יהָ יוֹבֵ֥ל הִואᵃ֙ תִּהְיֶ֣ה לָכֶ֔ם וְשַׁבְתֶּ֗ם אִ֚ישׁ אֶל־אֲחֻזָּתוֹ֙ וְאִ֥ישׁ אֶל־ ח̇ מל̇[9]
11 מִשְׁפַּחְתּ֖וֹ תָּשֻֽׁבוּ׃ 11 יוֹבֵ֣ל הִ֗ואᵃ שְׁנַ֛ת הַחֲמִשִּׁ֥ים שָׁנָ֖ה תִּהְיֶ֣ה לָכֶ֑ם לֹ֣א ח̇ מל̇[9]. ח̇[8]. ל̇ד̇ פסוק לא ולא ולא[10]
12 תִזְרָ֔עוּ וְלֹ֤א תִקְצְרוּ֙ אֶת־סְפִיחֶ֔יהָ וְלֹ֥א תִבְצְר֖וּ אֶת־נְזִרֶֽיהָ׃ 12 כִּ֚י יוֹבֵ֣ל ב̇. ב̇ ומל̇[11]. ב̇ חד חס וחד מל̇. ח̇ מל̇[9]
הִ֔ואᵃ קֹ֖דֶשׁ תִּהְיֶ֣ה לָכֶ֑ם מִ֨ן־הַשָּׂדֶ֔ה תֹּאכְל֖וּ אֶת־תְּבוּאָתָֽהּ׃
13 ס̄[כב] בִּשְׁנַ֥ת הַיּוֹבֵ֖ל הַזֹּ֑את תָּשֻׁ֕בוּ אִ֖ישׁ אֶל־אֲחֻזָּתֽוֹ׃ 14 וְכִֽי־תִמְכְּר֤וּᵃ ח̇ מל̇[9]
מִמְכָּר֙ לַעֲמִיתֶ֔ךָ א֥וֹ קָנֹ֖ה מִיַּ֣ד עֲמִיתֶ֑ךָ אַל־תּוֹנ֖וּᵇ אִ֥ישׁ אֶת־אָחִֽיו׃ ג̇ חד כת ו וב̇ כת ה[12]
15 בְּמִסְפַּ֤ר שָׁנִים֙ אַחַ֣ר הַיּוֹבֵ֔ל תִּקְנֶ֖ה מֵאֵ֣ת עֲמִיתֶ֑ךָᵇ בְּמִסְפַּ֥ר שְׁנֵֽי־ ח̇ מל̇[9]
16 תְבוּאֹ֖ת יִמְכָּר־לָֽךְ׃ 16 לְפִ֣י ׀ רֹ֣ב הַשָּׁנִ֗ים תַּרְבֶּה֙ מִקְנָת֔וֹ וּלְפִי֙ מְעֹ֣ט ל̇. ז̇[13]
17 הַשָּׁנִ֔ים תַּמְעִ֖יט מִקְנָת֑וֹ כִּ֚י מִסְפַּ֣ר תְּבוּאֹ֔ת ה֥וּא מֹכֵ֖ר לָֽךְ׃ 17 וְלֹ֤א ל̇. ז̇[13]
תוֹנוּ֙ אִ֣ישׁ אֶת־עֲמִית֔וֹ וְיָרֵ֖אתָ מֵּאֱלֹהֶ֑יךָᵃ כִּ֛יᵇ אֲנִ֥י יְהוָ֖ה אֱלֹהֵיכֶֽםᶜ׃ י̇. כ̇ד ס״פ
18 וַעֲשִׂיתֶם֙ אֶתᵃ־חֻקֹּתַ֔י וְאֶתᵇ־מִשְׁפָּטַ֥י תִּשְׁמְר֖וּ וַעֲשִׂיתֶ֣ם אֹתָ֑םᶜ וִישַׁבְתֶּ֥ם
19 ᵈעַל־הָאָ֖רֶץ לָבֶֽטַח׃ 19 וְנָתְנָ֤ה הָאָ֙רֶץ֙ פִּרְיָ֔הּ וַאֲכַלְתֶּ֖ם לָשֹׂ֑בַעᵈ וִישַׁבְתֶּ֥ם ד̇[14]
20 לָבֶ֖טַח עָלֶֽיהָ׃ 20 וְכִ֣י תֹאמְר֔וּ מַה־נֹּאכַ֖ל בַּשָּׁנָ֣ה הַשְּׁבִיעִ֑ת הֵ֚ן לֹ֣א נִזְרָ֔ע ל̇ זקף קמ̇
21 וְלֹ֥א נֶאֱסֹ֖ף אֶת־תְּבוּאָתֵֽנוּᵃ׃ 21 וְצִוִּ֤יתִי אֶת־בִּרְכָתִי֙ לָכֶ֔ם בַּשָּׁנָ֖ה הַשִּׁשִּׁ֑ית ל̇. ג̇[15]. ב̇ בתור
22 וְעָשָׂתᵃ֙ אֶת־הַתְּבוּאָ֔הᵇ לִשְׁלֹ֖שׁ הַשָּׁנִֽים׃ 22 וּזְרַעְתֶּ֗ם אֵ֚ת הַשָּׁנָ֣הᵃ הַשְּׁמִינִ֔ת ב̇ וחס[16]
וַאֲכַלְתֶּ֖ם מִן־הַתְּבוּאָ֣ה יָשָׁ֑ן עַ֣ד ׀ הַשָּׁנָ֣ה הַתְּשִׁיעִ֗ת עַד־בּוֹא֙ תְּב֣וּאָתָ֔הּ יד̇[17] מל וכל שמואל וכתיב דכות ב̇ מ̇ ה̇
23 תֹּאכְל֖וּ יָשָֽׁןᵇ׃ 23 וְהָאָ֗רֶץ לֹ֤א תִמָּכֵר֙ לִצְמִתֻ֔ת כִּי־לִ֖י הָאָ֑רֶץ כִּֽי־גֵרִ֧ים ח̇ ר״פ[18]. ל̇

[6] Mm 807. [7] Mm 490. [8] Mm 808. [9] Mm 1270. [10] Mm 771. [11] Hi 14,19. [12] Mm 1861. [13] Mm 1240. [14] Mm 482. [15] Mm 244. [16] Mm 809. [17] Mm 169. [18] Mm 4.

10 [a] 𝔗 היא ‖ **11** [a] cf 10[a] ‖ **12** [a] cf 10[a] ‖ **14/15** [a] 𝔐 Vrs sg ‖ [b–b] > 𝔗 (homtel) cf 18/19[d–d] ‖ **17** [a] 𝔊* *κύριον τὸν θεόν σου*, it 43[a] ‖ [b] > 𝔊 ‖ [c] 𝔖 suff 2 sg ‖ **18/19** [a] 𝔊 + *πάντα* ‖ [b] 𝔊 + *πάσας* ‖ [c] 𝔗 + אני יהוה ‖ [d–d] > 𝔗, cf 14/15[b–b] ‖ **20** [a] mlt Mss 𝔐[Mss] 𝔊𝔖𝔙 –אֹתֵנוּ ‖ **21** [a] 𝔐 ועשתה ‖ [b] 𝔐𝔊 תבואתה ‖ **22** [a] L marg ‖ [b] 𝔊 *παλαιὰ παλαιῶν* cf 26,10a.

24 וְתוֹשָׁבִ֛ים אַתֶּ֖ם עִמָּדִֽי׃ 24 וּבְכֹ֖ל אֶ֣רֶץ אֲחֻזַּתְכֶ֑ם גְּאֻלָּ֖ה תִּתְּנ֥וּ לָאָֽרֶץ׃ ה̇
25 ס 25 כִּֽי־יָמ֣וּךְ אָחִ֔יךָ(b) וּמָכַ֖ר מֵאֲחֻזָּת֑וֹ וּבָ֤א גֹֽאֲלוֹ֙ הַקָּרֹ֣ב אֵלָ֔יו ל̇[19]
26 וְגָאַ֕ל אֵ֖ת מִמְכַּ֥ר אָחִֽיו׃ 26 וְאִ֕ישׁ כִּ֛י לֹ֥א יִהְיֶה־לּ֖וֹ גֹּאֵ֑ל וְהִשִּׂ֣יגָה יָד֔וֹ ל̇
27 וּמָצָ֖א כְּדֵ֥י גְאֻלָּתֽוֹ׃ 27 וְחִשַּׁב֙ אֶת־שְׁנֵ֣י מִמְכָּר֔וֹ וְהֵשִׁיב֙ אֶת־הָ֣עֹדֵ֔ף
28 לָאִ֖ישׁ אֲשֶׁ֣ר מָֽכַר־ל֑וֹ וְשָׁ֖ב לַאֲחֻזָּתֽוֹ׃ 28 וְאִ֨ם לֹא־מָצְאָ֜ה יָד֗וֹ דֵּי֮ הָשִׁ֣יב ל̇ב[20]. ו̇. ב̇
ל֒וֹ וְהָיָ֣ה מִמְכָּר֗וֹ בְּיַד֙ הַקֹּנֶ֣ה אֹת֔וֹ עַ֖ד שְׁנַ֣ת הַיּוֹבֵ֑ל וְיָצָא֙ בַּיֹּבֵ֔ל וְשָׁ֖ב ח̇ מל[21]
29 לַאֲחֻזָּתֽוֹ׃ 29 וְאִ֗ישׁ כִּֽי־יִמְכֹּ֤ר בֵּית־מוֹשַׁב֙ עִ֣יר חוֹמָ֔ה וְהָיְתָה֙ גְּאֻלָּת֔וֹ
30 עַד־תֹּ֖ם שְׁנַ֣ת מִמְכָּר֑וֹ(a) יָמִ֖ים תִּהְיֶ֥ה גְאֻלָּתֽוֹ׃ 30 וְאִ֣ם לֹֽא־יִגָּאֵ֗ל עַד־
מְלֹ֣את ל֮וֹ שָׁנָ֣ה תְמִימָה֒ וְ֠קָם הַבַּ֨יִת אֲשֶׁר־בָּעִ֜יר אֲשֶׁר־לֹ֣א(a) חֹמָ֗ה לו̇ חד מן יז[22] כת כן. ק̇ ג̇[23] חס בתור וכל מלכים דכות ב מ ב
31 לַצְּמִיתֻ֛ת לַקֹּנֶ֥ה אֹת֖וֹ לְדֹרֹתָ֑יו לֹ֥א יֵצֵ֖א בַּיֹּבֵֽל׃ 31 וּבָתֵּ֣י הַחֲצֵרִ֗ים
אֲשֶׁ֨ר אֵין־לָהֶ֤ם חֹמָה֙ סָבִ֔יב עַל־שְׂדֵ֥ה הָאָ֖רֶץ יֵחָשֵׁ֑ב(a) גְּאֻלָּה֙ תִּהְיֶה־לּ֔וֹ ג̇[23] חס בתור וכל מלכים דכות ב מ ב
32 וּבַיֹּבֵ֖ל יֵצֵֽא׃ 32 וְעָרֵי֙ הַלְוִיִּ֔ם בָּתֵּ֖י עָרֵ֣י אֲחֻזָּתָ֑ם גְּאֻלַּ֥ת עוֹלָ֖ם תִּהְיֶ֥ה
33 לַלְוִיִּֽם׃ 33 וַאֲשֶׁ֤ר(a) יִגְאַל֙ מִן־הַלְוִיִּ֔ם וְיָצָ֧א מִמְכַּר־(b)בַּ֛יִת וְעִ֥יר(b) אֲחֻזָּת֖וֹ יב̇ ר״פ. ל̇
34 בַּיֹּבֵ֑ל כִּ֣י בָתֵּ֞י עָרֵ֣י הַלְוִיִּ֗ם הִ֚וא אֲחֻזָּתָ֔ם בְּת֖וֹךְ בְּנֵ֥י יִשְׂרָאֵֽל׃ 34 וּֽשֲׂדֵ֛ה ב̇ חד כת י וחד כת ה
מִגְרַ֥שׁ עָרֵיהֶ֖ם לֹ֣א יִמָּכֵ֑ר כִּֽי־אֲחֻזַּ֥ת עוֹלָ֛ם ה֖וּא(a) לָהֶֽם(b)׃ ס 35 וְכִֽי־ 35 ס[כג] ד̇ דמטע[24]. ב̇[19]
יָמ֣וּךְ אָחִ֔יךָ וּמָ֥טָה יָד֖וֹ עִמָּ֑ךְ וְהֶֽחֱזַ֣קְתָּ(a) בּ֔וֹ גֵּ֧ר(b) וְתוֹשָׁ֛ב וָחַ֖י(c) עִמָּֽךְ׃
36 36 אַל־תִּקַּ֤ח מֵֽאִתּוֹ֙ נֶ֣שֶׁךְ וְתַרְבִּ֔ית וְיָרֵ֖אתָ מֵֽאֱלֹהֶ֑יךָ(a) וְחֵ֥י אָחִ֖יךָ עִמָּֽךְ׃
37 38 37 אֶֽת־כַּסְפְּךָ֔ לֹֽא־תִתֵּ֥ן ל֖וֹ בְּנֶ֑שֶׁךְ וּבְמַרְבִּ֖ית(a) לֹא־תִתֵּ֥ן אָכְלֶֽךָ׃ 38 אֲנִ֗י ב̇. ל̇. ל̇[25]
יְהוָה֙ אֱלֹ֣הֵיכֶ֔ם אֲשֶׁר־הוֹצֵ֥אתִי אֶתְכֶ֖ם מֵאֶ֣רֶץ מִצְרָ֑יִם לָתֵ֤ת לָכֶם֙ אֶת־
39 אֶ֣רֶץ כְּנַ֔עַן לִהְי֥וֹת לָכֶ֖ם לֵאלֹהִֽים׃ ס 39 וְכִֽי־יָמ֥וּךְ אָחִ֛יךָ עִמָּ֖ךְ ב̇[19]
40 וְנִמְכַּר־לָ֑ךְ לֹא־(a)תַעֲבֹ֥ד בּ֖וֹ(a) עֲבֹ֥דַת עָֽבֶד׃ 40 כְּשָׂכִ֥יר כְּתוֹשָׁ֖ב יִהְיֶ֣ה כל אורית חס. ב̇[26]
41 עִמָּ֑ךְ עַד־שְׁנַ֥ת הַיֹּבֵ֖ל יַעֲבֹ֥ד עִמָּֽךְ׃ 41 וְיָצָא֙ מֵֽעִמָּ֔ךְ ה֖וּא וּבָנָ֣יו עִמּ֑וֹ ד̇
42 וְשָׁב֙ אֶל־מִשְׁפַּחְתּ֔וֹ וְאֶל־אֲחֻזַּ֥ת אֲבֹתָ֖יו יָשֽׁוּב׃ 42 כִּֽי־עֲבָדַ֣י הֵ֔ם אֲשֶׁר־ ז̇ חס בתור
43 הוֹצֵ֥אתִי אֹתָ֖ם מֵאֶ֣רֶץ מִצְרָ֑יִם לֹ֥א יִמָּכְר֖וּ מִמְכֶּ֥רֶת עָֽבֶד׃ 43 לֹא־

[19] Mm 810 et Mm 2373. [20] Mm 319. [21] Mm 1270. [22] Mm 1795. [23] Mm 469. [24] Mm 811. [25] וחד אָכְלֶךָ Gn 2,17. [26] Mm 812.

25 [a] nonn Mss ш𝔊𝔖 וְכִי || [b] 𝔊 + *ὁ μετά σου* cf 39 || **29** [a] > 𝔊 || **30** [a] ш Vrs לו; prp לָהּ || **31** [a] ш𝔊𝔖𝔗𝔗[J] pl || **33** [a] 𝔙 + *non*, frt recte || [b–b] l בֵּית עִיר ? cf בתי ערי || **34** [a] ш היא || [b] pc Mss לָכֶם || **35** [a] ш וחזקת || [b] 𝔊 pr *ὡς* || [c] 2 Mss ш𝔊 + אחיך, ex 36 || **36** [a] 𝔊 + *ἐγὼ κύριος* || **37** [a] ш ובתר׳ || **39** [a–a] 𝔊 *δουλεύσει σοι*.

44 תִרְדֶּ֥ה ב֖וֹ בְּפָ֑רֶךְ וְיָרֵ֖אתָ מֵאֱלֹהֶֽיךָ׃[a] 44 [a]וְעַבְדְּךָ֥ וַאֲמָתְךָ֖[a] אֲשֶׁ֣ר יִהְיוּ־ — ל
45 לָ֑ךְ מֵאֵ֤ת הַגּוֹיִם֙ אֲשֶׁר֙ סְבִיבֹ֣תֵיכֶ֔ם מֵהֶ֥ם תִּקְנ֖וּ עֶ֥בֶד וְאָמָֽה׃ 45 וְגַ֡ם — יג ר״פ בתור
מִבְּנֵי֩ הַתּוֹשָׁבִ֨ים הַגָּרִ֤ים עִמָּכֶם֙ מֵהֶ֣ם תִּקְנ֔וּ וּמִמִּשְׁפַּחְתָּם֙ אֲשֶׁ֣ר עִמָּכֶ֔ם — ד קמ[27] . ל
46 אֲשֶׁ֥ר הוֹלִ֖ידוּ בְּאַרְצְכֶ֑ם וְהָי֥וּ לָכֶ֖ם לַאֲחֻזָּֽה׃ 46 וְהִתְנַחַלְתֶּ֨ם[a] אֹתָ֜ם — ב חד מל וחד חס[28] . ב[29]
לִבְנֵיכֶ֤ם אַחֲרֵיכֶם֙ לָרֶ֣שֶׁת אֲחֻזָּ֔ה לְעֹלָ֖ם [b]בָּהֶ֣ם תַּעֲבֹ֑דוּ[b] וּבְאַחֵיכֶ֣ם — לח[30] חס י מנה בתור . ג בליש[31] . ל
47 בְּנֵֽי־יִשְׂרָאֵ֗ל אִ֣ישׁ בְּאָחִ֔יו לֹא־תִרְדֶּ֥ה ב֖וֹ בְּפָֽרֶךְ׃ ס 47 וְכִ֣י תַשִּׂ֗יג
יַ֣ד גֵּ֤ר וְתוֹשָׁב֙ עִמָּ֔ךְ וּמָ֥ךְ אָחִ֖יךָ עִמּ֑וֹ וְנִמְכַּ֗ר לְגֵ֤ר תּוֹשָׁב֙[a] עִמָּ֔ךְ [b]א֥וֹ — ל . ל
48 לְעֵ֖קֶר[b] מִשְׁפַּ֥חַת גֵּֽר׃ 48 אַחֲרֵ֣י נִמְכַּ֔ר גְּאֻלָּ֖ה תִּֽהְיֶה־לּ֑וֹ אֶחָ֥ד מֵאֶחָ֖יו — ל
49 יִגְאָלֶֽנּוּ׃ 49 אוֹ־[a]דֹד֞וֹ א֤וֹ בֶן־דֹּדוֹ֙ יִגְאָלֶ֔נּוּ אֽוֹ־מִשְּׁאֵ֧ר בְּשָׂר֛וֹ מִמִּשְׁפַּחְתּ֖וֹ
50 יִגְאָלֶ֑נּוּ אֽוֹ־[b]הִשִּׂ֥יגָה יָד֖וֹ וְנִגְאָֽל׃ 50 וְחִשַּׁב֙ עִם־קֹנֵ֔הוּ מִשְּׁנַת֙ הִמָּ֣כְרוֹ — ל . ל
ל֔וֹ עַ֖ד שְׁנַ֣ת הַיֹּבֵ֑ל וְהָיָ֞ה כֶּ֤סֶף מִמְכָּרוֹ֙ בְּמִסְפַּ֣ר שָׁנִ֔ים כִּימֵ֥י שָׂכִ֖יר
51 יִהְיֶ֥ה עִמּֽוֹ׃ 51 אִם־ע֥וֹד רַבּ֖וֹת בַּשָּׁנִ֑ים לְפִיהֶן֙ יָשִׁ֣יב גְּאֻלָּת֔וֹ מִכֶּ֖סֶף — ז ר״פ בסיפ . ל . כד בליש[32]
52 מִקְנָתֽוֹ׃ 52 וְאִם־מְעַ֞ט נִשְׁאַ֧ר בַּשָּׁנִ֛ים עַד־שְׁנַ֥ת הַיֹּבֵ֖ל וְחִשַּׁב־ל֑וֹ כְּפִ֣י
53 שָׁנָ֔יו יָשִׁ֖יב אֶת־גְּאֻלָּתֽוֹ׃ 53 כִּשְׂכִ֥יר שָׁנָ֛ה בְּשָׁנָ֖ה יִהְיֶ֣ה עִמּ֑וֹ לֹֽא־יִרְדֶּ֥נּוּ — ג[33] . כד בליש[32] . ל
54 בְּפֶ֖רֶךְ לְעֵינֶֽיךָ׃ 54 וְאִם־לֹ֥א יִגָּאֵ֖ל בְּאֵ֑לֶּה וְיָצָא֙ בִּשְׁנַ֣ת הַיֹּבֵ֔ל ה֖וּא
וּבָנָ֥יו עִמּֽוֹ׃ — ד
55 כִּֽי־לִ֤י בְנֵֽי־יִשְׂרָאֵל֙ עֲבָדִ֔ים עֲבָדַ֣י הֵ֔ם אֲשֶׁר־הוֹצֵ֥אתִי אוֹתָ֖ם — לט מל בתור
26 מֵאֶ֣רֶץ מִצְרָ֑יִם אֲנִ֖י יְהוָ֥ה אֱלֹהֵיכֶֽם׃ 26 1 לֹא־תַעֲשׂ֨וּ לָכֶ֜ם אֱלִילִ֗ם — כד ס״פ . מז פסוק לא לא לא ד[1] מנה ר״פ . ב חס בליש
וּפֶ֤סֶל וּמַצֵּבָה֙ לֹא־תָקִ֣ימוּ לָכֶ֔ם וְאֶ֣בֶן מַשְׂכִּ֗ית לֹ֤א תִתְּנוּ֙ בְּאַרְצְכֶ֔ם — ב[2] . ל
2 לְהִֽשְׁתַּחֲוֺ֖ת עָלֶ֑יהָ כִּ֛י[a] אֲנִ֥י יְהוָ֖ה אֱלֹהֵיכֶֽם׃ 2 אֶת־שַׁבְּתֹתַ֣י[a] תִּשְׁמֹ֔רוּ — י . כד ס״פ
וּמִקְדָּשִׁ֖י תִּירָ֑אוּ אֲנִ֖י יְהוָֽה׃ ס — נז
ס [כד] פרש 3 אִם־בְּחֻקֹּתַ֖י תֵּלֵ֑כוּ וְאֶת־מִצְוֺתַ֣י תִּשְׁמְר֔וּ וַעֲשִׂיתֶ֖ם אֹתָֽם׃ 4 וְנָתַתִּ֥י — ז ר״פ בסיפ
5 גִשְׁמֵיכֶ֖ם בְּעִתָּ֑ם וְנָתְנָ֤ה הָאָ֙רֶץ֙ יְבוּלָ֔הּ וְעֵ֥ץ הַשָּׂדֶ֖ה יִתֵּ֥ן פִּרְיֽוֹ׃ 5 וְהִשִּׂ֨יג — ד חס את בליש[3]
לָכֶ֥ם דַּ֙יִשׁ֙ אֶת־בָּצִ֔יר וּבָצִ֖יר יַשִּׂ֣יג אֶת־זָ֑רַע[a] וַאֲכַלְתֶּ֤ם לַחְמְכֶם֙ לָשֹׂ֔בַע — ד[4]

[27] Mm 807. [28] Mm 2989. [29] Mm 813. [30] Mm 25. [31] Mm 2933. [32] Mm 1685. [33] Mm 3553. Cp 26 [1] Mm 814. [2] Jes 19,19. [3] Mm 2932. [4] Mm 482.

43 [a] cf 17[a] ∥ **44** [a–a] cf 6[a–a] ∥ **46** [a] sic L, mlt Mss Edd ׳נַחֲ– ∥ [b–b] > 𝔊 ∥ **47** [a] pc Mss 𝔐[Mss]𝔊𝔖 ׳וְת; 𝔐 ׳ולת ∥ [b–b] > 𝔊 ∥ **49** [a] > 𝔊 ∥ [b] 𝔊(𝔖) ἐὰν δέ = וְאִם ∥ **Cp 26,1** [a] > 𝔊𝔖 ∥ **2** [a] 𝔖 *pwqdnj* = מִצְוֹתַי ∥ **5** [a] 𝔐 ׳הז.

6 וִישַׁבְתֶּם לָבֶטַח בְּאַרְצְכֶם׃ 6 וְנָתַתִּי שָׁלוֹם בָּאָרֶץ וּשְׁכַבְתֶּם וְאֵין
ג̇[5] מַחֲרִיד וְהִשְׁבַּתִּי חַיָּה רָעָה מִן־הָאָרֶץ [a]וְחֶרֶב לֹא־תַעֲבֹר בְּאַרְצְכֶם[a]׃
7 8 7 וּרְדַפְתֶּם אֶת־אֹיְבֵיכֶם וְנָפְלוּ לִפְנֵיכֶם לֶחָרֶב׃ 8 וְרָדְפוּ מִכֶּם חֲמִשָּׁה
ד̇ מֵאָה וּמֵאָה מִכֶּם רְבָבָה יִרְדֹּפוּ וְנָפְלוּ אֹיְבֵיכֶם לִפְנֵיכֶם לֶחָרֶב׃
9 ג̇ ב̇ מל וחד חס[6]. ו̇ כת כן[7] 9 וּפָנִיתִי אֲלֵיכֶם וְהִפְרֵיתִי אֶתְכֶם וְהִרְבֵּיתִי אֶתְכֶם[a] וַהֲקִימֹתִי אֶת־
10 ל̇ בְּרִיתִי אִתְּכֶם׃ 10 וַאֲכַלְתֶּם יָשָׁן נוֹשָׁן וְיָשָׁן מִפְּנֵי חָדָשׁ תּוֹצִיאוּ׃
11 12 ג̇[8]. יב̇ בתור 11 וְנָתַתִּי מִשְׁכָּנִי[a] בְּתוֹכְכֶם וְלֹא־תִגְעַל נַפְשִׁי אֶתְכֶם׃ 12 וְהִתְהַלַּכְתִּי
13 יב̇ בתור. ב̇ בטע בתור בְּתוֹכְכֶם וְהָיִיתִי לָכֶם לֵאלֹהִים וְאַתֶּם תִּהְיוּ־לִי לְעָם׃ 13 אֲנִי יְהוָה
ח̇ חס בליש[9] אֱלֹהֵיכֶם אֲשֶׁר הוֹצֵאתִי אֶתְכֶם מֵאֶרֶץ מִצְרַיִם [a]מִהְיֹת לָהֶם[b] עֲבָדִים[a]
14 ל̇. ד̇[10] וָאֶשְׁבֹּר מֹטֹת עֻלְּכֶם וָאוֹלֵךְ אֶתְכֶם קוֹמְמִיּוּת׃ פ 14 וְאִם־לֹא
15 ג̇[11]. ח̇ פסוק ואם ואם[12] תִשְׁמְעוּ לִי וְלֹא תַעֲשׂוּ אֵת כָּל[a]־הַמִּצְוֺת הָאֵלֶּה׃ 15 וְאִם[a]־בְּחֻקֹּתַי
אם האם ואם כן בטע[13]. ג̇[14] תִּמְאָסוּ וְאִם אֶת־מִשְׁפָּטַי תִּגְעַל נַפְשְׁכֶם לְבִלְתִּי עֲשׂוֹת אֶת־כָּל־מִצְוֺתַי
16 ל̇ לְהַפְרְכֶם אֶת־בְּרִיתִי׃ 16 אַף־אֲנִי אֶעֱשֶׂה־זֹּאת לָכֶם[a] וְהִפְקַדְתִּי
ל̇. ל̇. כח̇. ל̇ עֲלֵיכֶם בֶּהָלָה[b] אֶת־הַשַּׁחֶפֶת וְאֶת־הַקַּדַּחַת מְכַלּוֹת עֵינַיִם וּמְדִיבֹת
17 ג̇. ד̇[15] נָפֶשׁ וּזְרַעְתֶּם לָרִיק זַרְעֲכֶם וַאֲכָלֻהוּ אֹיְבֵיכֶם׃ 17 וְנָתַתִּי פָנַי בָּכֶם
ל̇. ב̇[16]. ג̇[17] וְנִגַּפְתֶּם לִפְנֵי אֹיְבֵיכֶם וְרָדוּ[a] בָכֶם שֹׂנְאֵיכֶם וְנַסְתֶּם וְאֵין־רֹדֵף
18 ל̇ אֶתְכֶם׃ ס 18 וְאִם־עַד־אֵלֶּה לֹא תִשְׁמְעוּ לִי וְיָסַפְתִּי לְיַסְּרָה
19 ל̇ זוגין[18] אֶתְכֶם שֶׁבַע עַל־חַטֹּאתֵיכֶם׃ 19 וְשָׁבַרְתִּי אֶת־גְּאוֹן עֻזְּכֶם וְנָתַתִּי אֶת־
20 ל̇. ב̇ חס בליש[19]. ב̇ שְׁמֵיכֶם כַּבַּרְזֶל וְאֶת־אַרְצְכֶם כַּנְּחֻשָׁה׃ 20 וְתַם לָרִיק כֹּחֲכֶם וְלֹא־
21 תִתֵּן אַרְצְכֶם אֶת־יְבוּלָהּ וְעֵץ הָאָרֶץ[a] לֹא יִתֵּן פִּרְיוֹ׃ 21 וְאִם־תֵּלְכוּ
עִמִּי קֶרִי וְלֹא תֹאבוּ לִשְׁמֹעַ לִי וְיָסַפְתִּי עֲלֵיכֶם מַכָּה שֶׁבַע
22 ל̇ זוגין ול̇ בעינ̇[18]. ג̇ כְּחַטֹּאתֵיכֶם׃ 22 וְהִשְׁלַחְתִּי[a] בָכֶם אֶת־חַיַּת הַשָּׂדֶה[b] וְשִׁכְּלָה אֶתְכֶם[b]
23 ל̇. ל̇ וְהִכְרִיתָה אֶת־בְּהֶמְתְּכֶם וְהִמְעִיטָה אֶתְכֶם וְנָשַׁמּוּ דַּרְכֵיכֶם׃ 23 וְאִם־
24 בְּאֵלֶּה לֹא תִוָּסְרוּ לִי וַהֲלַכְתֶּם עִמִּי קֶרִי׃ 24 וְהָלַכְתִּי אַף[a]־אֲנִי עִמָּכֶם

[5]Mm 815. [6]Mm 108. [7]Mm 816. [8]Mm 756. [9]Mm 725. [10]Mm 817. [11]Mm 770. [12]Mm 4191. [13]Mm 3887. [14]Mm 818. [15]Mm 2825. [16]Jes 14,2. [17]Mm 819. [18]Mm 456. [19]Mm 3564.

6 [a–a] 𝔊[B] tr ad fin 5 ‖ **9** [a] cod Hillel אִתָּם ‖ **11** [a] 𝔊[BA] *τὴν διαθήκην μου* = בְּרִיתִי ‖ **13** [a–a] > ℭ (homtel) ‖ [b] > 𝔊 ‖ **14** [a] > 𝔊 ‖ **15** [a] pc Mss 𝔐[Mss] 𝔖𝔙 אם; 𝔊 *ἀλλά* ‖ **16** [a] > ℭ ‖ [b] 𝔐 בחלה ‖ **17** [a] 𝔊 *καὶ διώξονται* = וְרָדְפוּ ‖ **20** [a] ℭ nonn Mss 𝔐𝔊ℭ[J] השדה ut 4 ‖ **22** [a] 𝔐 ושלחתי ‖ [b–b] > ℭ ‖ **24** [a] 𝔐 גם.

25 בְּקֶ֗רִי וְהִכֵּיתִ֤י אֶתְכֶם֙ גַּם־אָ֔נִי שֶׁ֖בַע עַל־חַטֹּאתֵיכֶֽם׃ 25 וְהֵבֵאתִ֨י — י זוגין[20]
עֲלֵיכֶ֜ם חֶ֗רֶב נֹקֶ֙מֶת֙ נְקַם־בְּרִ֔ית וְנֶאֱסַפְתֶּ֖ם אֶל־עָרֵיכֶ֑ם וְשִׁלַּ֤חְתִּי — ב[21]
26 דֶ֙בֶר֙ בְּת֣וֹכְכֶ֔ם וְנִתַּתֶּ֖ם בְּיַד־אוֹיֵֽב׃ 26 בְּשִׁבְרִ֣י לָכֶם֮ מַטֵּה־לֶ֒חֶם֒ וְאָפ֩וּ — יב בתור . ל
עֶ֣שֶׂר נָשִׁ֤ים לַחְמְכֶם֙ בְּתַנּ֣וּר אֶחָ֔ד וְהֵשִׁ֥יבוּ לַחְמְכֶ֖ם בַּמִּשְׁקָ֑ל וַאֲכַלְתֶּ֖ם — ל . ד דגש[22]
27 וְלֹ֥א תִשְׂבָּֽעוּ׃ ס 27 וְאִ֨ם־בְּזֹ֔את לֹ֥א תִשְׁמְע֖וּ לִ֑י וַהֲלַכְתֶּ֥ם עִמִּ֖י — ל[23]
28 בְּקֶֽרִי׃ 28 וְהָלַכְתִּ֥י עִמָּכֶ֖ם בַּחֲמַת־קֶ֑רִי וְיִסַּרְתִּ֤י אֶתְכֶם֙ אַף־אָ֔נִי שֶׁ֖בַע
29 עַל־חַטֹּאתֵיכֶֽם׃ 29 וַאֲכַלְתֶּ֖ם בְּשַׂ֣ר בְּנֵיכֶ֑ם וּבְשַׂ֥ר בְּנֹתֵיכֶ֖ם תֹּאכֵֽלוּ׃ — י זוגין[20] . ד . ל
30 וְהִשְׁמַדְתִּ֞י אֶת־בָּמֹֽתֵיכֶ֗ם וְהִכְרַתִּי֙ אֶת־חַמָּ֣נֵיכֶ֔ם וְנָתַתִּי֙ אֶת־פִּגְרֵיכֶ֔ם — יג פסוק את את את בסיפ . ל
31 עַל־פִּגְרֵ֖י גִּלּֽוּלֵיכֶ֑ם וְגָעֲלָ֥ה נַפְשִׁ֖י אֶתְכֶֽם׃ 31 וְנָתַתִּ֤י אֶת־עָרֵיכֶם֙ חָרְבָּ֔ה — ל
32 וַהֲשִׁמּוֹתִ֖י אֶת־מִקְדְּשֵׁיכֶ֑ם[a] וְלֹ֣א אָרִ֔יחַ בְּרֵ֖יחַ נִיחֹחֲכֶֽם׃ 32 וַהֲשִׁמֹּתִ֥י — ב מל . ב[24] . ב[25]
33 אֲנִ֖י אֶת־הָאָ֑רֶץ וְשָֽׁמְמ֤וּ עָלֶ֙יהָ֙ אֹֽיְבֵיכֶ֔ם הַיֹּשְׁבִ֖ים בָּֽהּ׃ 33 וְאֶתְכֶם֙
אֱזָרֶ֣ה בַגּוֹיִ֔ם וַהֲרִיקֹתִ֥י אַחֲרֵיכֶ֖ם חָ֑רֶב וְהָיְתָ֤ה אַרְצְכֶם֙ שְׁמָמָ֔ה וְעָרֵיכֶ֖ם — ג[26] . ב[27]
34 יִהְי֥וּ חָרְבָּֽה׃ 34 אָז֩ תִּרְצֶ֨ה הָאָ֜רֶץ אֶת־שַׁבְּתֹתֶ֗יהָ כֹּ֚ל יְמֵ֣י הָשַּׁמָּ֔ה[a] — ד ג חס וחד מל[28] . ג[29]
וְאַתֶּ֖ם בְּאֶ֣רֶץ אֹיְבֵיכֶ֑ם אָ֚ז תִּשְׁבַּ֣ת [b]הָאָ֔רֶץ וְהִרְצָ֖ת[c] אֶת־[b]שַׁבְּתֹתֶֽיהָ׃ — ב[30] . ל . ד ג חס וחד מל[28]
35 כָּל־יְמֵ֥י הָשַּׁמָּ֖ה[a] תִּשְׁבֹּ֑ת אֵ֣ת אֲשֶׁ֧ר לֹא־שָׁבְתָ֛ה בְּשַׁבְּתֹתֵיכֶ֖ם בְּשִׁבְתְּכֶ֥ם — ג[29] . ב
36 עָלֶֽיהָ׃ 36 וְהַנִּשְׁאָרִ֣ים בָּכֶ֔ם וְהֵבֵ֤אתִי מֹ֙רֶךְ֙ בִּלְבָבָ֔ם בְּאַרְצֹ֖ת אֹיְבֵיהֶ֑ם — ל . ט . ב חס . ג בפרש[31]
וְרָדַ֣ף אֹתָ֗ם ק֚וֹל עָלֶ֣ה נִדָּ֔ף וְנָס֧וּ מְנֻֽסַת־חֶ֛רֶב וְנָפְל֖וּ וְאֵ֥ין רֹדֵֽף׃ — ד . ל וחס
37 וְכָשְׁל֧וּ אִישׁ־בְּאָחִ֛יו כְּמִפְּנֵי־חֶ֖רֶב וְרֹדֵ֣ף אָ֑יִן וְלֹא־תִֽהְיֶ֤ה לָכֶם֙ — ג . ה[32]
38 תְּקוּמָ֔ה לִפְנֵ֖י אֹיְבֵיכֶֽם׃ 38 וַאֲבַדְתֶּ֖ם בַּגּוֹיִ֑ם וְאָכְלָ֣ה אֶתְכֶ֔ם אֶ֖רֶץ — ל
39 אֹיְבֵיכֶֽם׃ 39 וְהַנִּשְׁאָרִ֣ים בָּכֶ֗ם יִמַּ֙קּוּ֙ בַּעֲוֺנָ֔ם[a] בְּאַרְצֹ֖ת [b]אֹיְבֵיכֶ֑ם [c]וְאַ֛ף — ב חס . יא זוגין דמטע בטע[33]
40 בַּעֲוֺנֹ֥ת אֲבֹתָ֖ם אִתָּ֥ם[c] יִמָּֽקּוּ׃ 40 וְהִתְוַדּ֤וּ אֶת־עֲוֺנָם֙[a] וְאֶת־עֲוֺ֣ן אֲבֹתָ֔ם — לז . ב[34]
41 בְּמַעֲלָ֖ם אֲשֶׁ֣ר מָֽעֲלוּ־בִ֑י וְאַ֕ף אֲשֶׁר־הָלְכ֥וּ עִמִּ֖י בְּקֶֽרִי׃ 41 אַף־אֲנִ֗י — יא זוגין דמטע בטע[33]
אֵלֵ֤ךְ עִמָּם֙ בְּקֶ֔רִי וְהֵבֵאתִ֥י[a] אֹתָ֖ם בְּאֶ֣רֶץ אֹיְבֵיהֶ֑ם [b]אוֹ־אָ֣ז[b] יִכָּנַ֗ע — ג בפרש[31]

[20] Mm 456. [21] Jdc 16,28. [22] Mm 820. [23] וחד כי אם בזאת Jer 9,23. [24] Mm 3066. [25] Ez 20,41. [26] Mm 2816. [27] Mal 3,10. [28] Mm 4270. [29] Mm 4271. [30] Neh 6,3. [31] Mm 821. [32] Mm 777. [33] Mm 794. [34] Mm 862.

31 [a] mlt Mss ɯ𝔖 מִקְדָּשְׁכֶם || **34** [a] ɯ אשמה, it 35[a]; 𝔊 + *αὐτῆς* || [b–b] > ℭ || [c] ɯ –צְתָה cf 43[a] || **35** [a] cf 34[a] || **39** [a] 𝔊 *διὰ τὰς ἁμαρτίας ὑμῶν* || [b] cod Muga (Q) mlt Mss ɯ Vrs –יהֶם || [c–c] > 𝔊 || **40** [a] ℭ חטאתם || **41** [a] 𝔊 *καὶ ἀπολῶ* = וְהַאֲבַדְתִּי? || [b–b] 𝔖 *whjdjn* = וְאָז cf 𝔊.

42 לְבָבָם הֶעָרֵל וְאָז יִרְצוּ אֶת־עֲוֺנָם׃ 42 וְזָכַרְתִּי אֶת־בְּרִיתִי[a] יַעֲקוֹב — ד̇. ד̇[35]. ד ור״פ. יג פסוק את את את בסיפ. ה מל[36]
וְאַף אֶת־בְּרִיתִי[a] יִצְחָק וְאַף אֶת־בְּרִיתִי[a] אַבְרָהָם אֶזְכֹּר וְהָאָרֶץ
43 אֶזְכֹּר׃ 43 וְהָאָרֶץ תֵּעָזֵב מֵהֶם וְתִרֶץ[a] אֶת־שַׁבְּתֹתֶיהָ בָּהְשַׁמָּה[b] מֵהֶם — ח ר״פ[37]. ל̇. ד ג חס וחד מל[38]. ל̇
וְהֵם יִרְצוּ אֶת־עֲוֺנָם יַעַן וּבְיַעַן בְּמִשְׁפָּטַי[c] מָאָסוּ וְאֶת־חֻקֹּתַי גָּעֲלָה — ד̇[35]. ב. ה[39]
44 נַפְשָׁם׃ 44 וְאַף־גַּם־זֹאת[a] בִּהְיוֹתָם בְּאֶרֶץ[b] אֹיְבֵיהֶם לֹא־מְאַסְתִּים — ט ר״פ[40]. ג בפרש[41]. ל̇
וְלֹא־גְעַלְתִּים לְכַלֹּתָם לְהָפֵר בְּרִיתִי אִתָּם כִּי אֲנִי יְהוָה אֱלֹהֵיהֶם[c]׃ — ל̇. לז. ה̇
45 וְזָכַרְתִּי לָהֶם בְּרִית רִאשֹׁנִים אֲשֶׁר הוֹצֵאתִי־אֹתָם מֵאֶרֶץ מִצְרַיִם — ד ור״פ. ה[42]
46 לְעֵינֵי הַגּוֹיִם לִהְיוֹת לָהֶם לֵאלֹהִים אֲנִי יְהוָה׃ 46 אֵלֶּה הַחֻקִּים
וְהַמִּשְׁפָּטִים וְהַתּוֹרֹת[a] אֲשֶׁר נָתַן יְהוָה בֵּינוֹ וּבֵין בְּנֵי יִשְׂרָאֵל בְּהַר — ל̇
סִינַי בְּיַד־מֹשֶׁה׃ פ

27 1 וַיְדַבֵּר יְהוָה אֶל־מֹשֶׁה לֵּאמֹר׃ 2 דַּבֵּר אֶל־בְּנֵי יִשְׂרָאֵל ס
3 וְאָמַרְתָּ אֲלֵהֶם אִישׁ כִּי יַפְלִא[a] נֶדֶר בְּעֶרְכְּךָ נְפָשֹׁת לַיהוָה׃ 3 וְהָיָה — ד חס בליש. ב חס
עֶרְכְּךָ הַזָּכָר מִבֶּן עֶשְׂרִים שָׁנָה וְעַד בֶּן־שִׁשִּׁים שָׁנָה וְהָיָה עֶרְכְּךָ
4 חֲמִשִּׁים שֶׁקֶל כֶּסֶף בְּשֶׁקֶל הַקֹּדֶשׁ׃ 4 וְאִם־נְקֵבָה הִוא וְהָיָה עֶרְכְּךָ
5 שְׁלֹשִׁים שָׁקֶל׃ 5 וְאִם מִבֶּן־חָמֵשׁ שָׁנִים וְעַד בֶּן־עֶשְׂרִים שָׁנָה וְהָיָה
6 עֶרְכְּךָ הַזָּכָר עֶשְׂרִים שְׁקָלִים וְלַנְּקֵבָה עֲשֶׂרֶת שְׁקָלִים׃ 6 וְאִם מִבֶּן־
חֹדֶשׁ וְעַד בֶּן־חָמֵשׁ שָׁנִים וְהָיָה עֶרְכְּךָ הַזָּכָר חֲמִשָּׁה שְׁקָלִים כָּסֶף
7 וְלַנְּקֵבָה עֶרְכְּךָ שְׁלֹשֶׁת שְׁקָלִים כָּסֶף[a]׃ 7 וְאִם מִבֶּן־שִׁשִּׁים שָׁנָה — ג̇ פסוק ואם אם[1]
וָמַעְלָה אִם־זָכָר וְהָיָה עֶרְכְּךָ חֲמִשָּׁה עָשָׂר שָׁקֶל[a] וְלַנְּקֵבָה עֲשָׂרָה[b]
8 שְׁקָלִים׃ 8 וְאִם־מָךְ הוּא מֵעֶרְכֶּךָ וְהֶעֱמִידוֹ לִפְנֵי הַכֹּהֵן וְהֶעֱרִיךְ אֹתוֹ — ל̇
9 הַכֹּהֵן עַל־פִּי אֲשֶׁר תַּשִּׂיג יַד הַנֹּדֵר יַעֲרִיכֶנּוּ הַכֹּהֵן׃ ס 9 וְאִם־
בְּהֵמָה אֲשֶׁר יַקְרִיבוּ[a] מִמֶּנָּה קָרְבָּן לַיהוָה כֹּל אֲשֶׁר יִתֵּן מִמֶּנּוּ[b] לַיהוָה — ה̇[2]. ו סביר ממנה[3]
10 יִהְיֶה־קֹּדֶשׁ׃ 10 לֹא יַחֲלִיפֶנּוּ וְלֹא־יָמִיר אֹתוֹ טוֹב בְּרָע אוֹ־רַע בְּטוֹב — ה̇. ט̇[4] וכל אמירה יצר לשון עשייה ועין דכות ב מ ז. ד רפי[5]
וְאִם־הָמֵר יָמִיר בְּהֵמָה בִּבְהֵמָה וְהָיָה־הוּא וּתְמוּרָתוֹ[a] יִהְיֶה־קֹּדֶשׁ׃ — ד רפי בסיפ[6]

[35] Mm 3282. [36] Mm 822. [37] Mm 4. [38] Mm 4270. [39] Mm 2786. [40] Mp sub loco. [41] Mm 821. [42] Mm 823.
Cp 27 [1] Mm 2723. [2] Mm 694. [3] Mm 2038. [4] Mm 824. [5] Mm 825. [6] Mm 829.

42 [a] 𝔊 om suff; 𝔖 + *d'm* = עִם ‖ **43** [a] 𝔐 והרצתה cf 34[c] ‖ [b] 𝔐 באשמה cf 34[a] ‖ [c] 𝔐 ב׳ ‖ **44** [a] 𝔗[Ms] *bd'*, prp בזאת ut 27 ‖ [b] 𝔐 pl ‖ [c] nonn Mss 𝔊[min]Bo יכם– ‖ **46** [a] 𝔊 sg ‖ **Cp 27,2** [a] prp יְפַלֵּא cf 22,21 ‖ **6** [a] > 𝔊*𝔖 ‖ **7** [a] 𝔊 + *ἀργυρίου* = (שֶׁקֶל) כָּסֶף ‖ [b] Ms 𝔐 עֲשֶׂרֶת ‖ **9** [a] nonn Mss 𝔐𝔗[Ms]𝔙 sg cf 11[a] ‖ [b] Ms 𝔐[Mss]𝔊𝔖 מִמֶּנָּה ‖ **10** [a] 𝔐 ותמי׳, it 33[d].

11 וְאִם כָּל־בְּהֵמָה טְמֵאָה אֲשֶׁר לֹא־יַקְרִיבוּ[a] מִמֶּנָּה קָרְבָּן לַיהוָה ל̇[7] . ב̇ . ה̇[8]
12 וְהֶעֱמִיד אֶת־הַבְּהֵמָה לִפְנֵי הַכֹּהֵן׃ 12 וְהֶעֱרִיךְ הַכֹּהֵן אֹתָהּ[a] בֵּין טוֹב
13 וּבֵין רָע כְּעֶרְכְּךָ הַכֹּהֵן כֵּן יִהְיֶה׃ 13 וְאִם־גָּאֹל יִגְאָלֶנָּה[a] וְיָסַף חֲמִישִׁתוֹ ב̇ . ל̇ בעינ̇[9] . ג̇ וחס בסיפ̇[10]
14 עַל־עֶרְכֶּךָ׃ 14 וְאִישׁ כִּי־יַקְדִּשׁ אֶת־בֵּיתוֹ קֹדֶשׁ לַיהוָה ו̇ חס ול בליש
וְהֶעֱרִיכוֹ הַכֹּהֵן בֵּין טוֹב וּבֵין רָע כַּאֲשֶׁר יַעֲרִיךְ אֹתוֹ הַכֹּהֵן כֵּן יָקוּם׃ ל̇ בעינ̇[9]
15 וְאִם־הַמַּקְדִּישׁ יִגְאַל אֶת־בֵּיתוֹ וְיָסַף חֲמִישִׁית כֶּסֶף־עֶרְכְּךָ עָלָיו ג̇ מל̇[11]
16 וְהָיָה לוֹ׃ 16 וְאִם ׀ מִשְּׂדֵה אֲחֻזָּתוֹ יַקְדִּישׁ אִישׁ לַיהוָה וְהָיָה ל̇ בעינ̇[12]
17 עֶרְכְּךָ לְפִי זַרְעוֹ זֶרַע חֹמֶר שְׂעֹרִים בַּחֲמִשִּׁים שֶׁקֶל כָּסֶף׃ 17 אִם־[a] ז̇ ר״פ בסיפ̇
18 מִשְּׁנַת הַיֹּבֵל יַקְדִּישׁ שָׂדֵהוּ כְּעֶרְכְּךָ יָקוּם׃ 18 וְאִם־אַחַר הַיֹּבֵל יַקְדִּישׁ ב̇ . ל̇ בעינ̇[9]
שָׂדֵהוּ וְחִשַּׁב־לוֹ הַכֹּהֵן אֶת־הַכֶּסֶף עַל־פִּי הַשָּׁנִים הַנּוֹתָרֹת עַד שְׁנַת ג̇ ב̇ חס וחד מל
19 הַיֹּבֵל וְנִגְרַע מֵעֶרְכֶּךָ׃ 19 וְאִם־גָּאֹל יִגְאַל אֶת־הַשָּׂדֶה הַמַּקְדִּישׁ אֹתוֹ ג̇ וחס בסיפ̇[10]
20 וְיָסַף חֲמִשִׁית כֶּסֶף־עֶרְכְּךָ עָלָיו וְקָם לוֹ׃ 20 וְאִם־לֹא יִגְאַל אֶת־ ל̇ בעינ̇[12] . ח̇ פסוק ואם ואם[13]
21 הַשָּׂדֶה וְאִם־מָכַר אֶת־הַשָּׂדֶה לְאִישׁ אַחֵר לֹא יִגָּאֵל עוֹד׃ 21 וְהָיָה
הַשָּׂדֶה בְּצֵאתוֹ בַיֹּבֵל קֹדֶשׁ לַיהוָה כִּשְׂדֵה הַחֵרֶם לַכֹּהֵן תִּהְיֶה אֲחֻזָּתוֹ׃ ל̇
22 וְאִם אֶת־שְׂדֵה מִקְנָתוֹ אֲשֶׁר לֹא מִשְּׂדֵה אֲחֻזָּתוֹ יַקְדִּישׁ[a] ב̇
23 לַיהוָה׃ 23 וְחִשַּׁב־לוֹ הַכֹּהֵן אֵת מִכְסַת[a] הָעֶרְכְּךָ עַד שְׁנַת הַיֹּבֵל וְנָתַן
24 אֶת־הָעֶרְכְּךָ בַּיּוֹם הַהוּא קֹדֶשׁ לַיהוָה׃ 24 בִּשְׁנַת[a] הַיּוֹבֵל יָשׁוּב הַשָּׂדֶה ח̇ מל̇[14]
25 לַאֲשֶׁר קָנָהוּ מֵאִתּוֹ לַאֲשֶׁר־לוֹ אֲחֻזַּת הָאָרֶץ׃ 25 וְכָל־עֶרְכְּךָ יִהְיֶה
26 בְּשֶׁקֶל הַקֹּדֶשׁ עֶשְׂרִים גֵּרָה יִהְיֶה[a] הַשָּׁקֶל׃ ס 26 אַךְ־[a]בְּכוֹר
אֲשֶׁר־יְבֻכַּר לַיהוָה בִּבְהֵמָה לֹא־יַקְדִּישׁ אִישׁ אֹתוֹ אִם־שׁוֹר אִם־שֶׂה ל̇ . ד̇ רפי בסיפ̇[15] . ב̇[16]
27 לַיהוָה הוּא׃ 27 וְאִם בַּבְּהֵמָה הַטְּמֵאָה וּפָדָה בְעֶרְכֶּךָ וְיָסַף חֲמִשִׁתוֹ ח̇ פסוק ואם ואם[13] . ו̇ דגש[17] . ל̇ חס
28 עָלָיו[a] וְאִם־לֹא יִגָּאֵל וְנִמְכַּר בְּעֶרְכֶּךָ׃ 28 אַךְ־כָּל־חֵרֶם אֲשֶׁר יַחֲרִם יז̇ מ״פ . ל̇ וחס
אִישׁ לַיהוָה מִכָּל־אֲשֶׁר־לוֹ מֵאָדָם וּבְהֵמָה וּמִשְּׂדֵה אֲחֻזָּתוֹ לֹא יִמָּכֵר ל̇
29 וְלֹא יִגָּאֵל כָּל־חֵרֶם קֹדֶשׁ־קָדָשִׁים הוּא לַיהוָה׃ 29 כָּל־חֵרֶם אֲשֶׁר ז̇[18] ו̇[19] מנה בתור̇
30 יָחֳרַם מִן־הָאָדָם לֹא יִפָּדֶה מוֹת יוּמָת׃ 30 וְכָל־מַעְשַׂר הָאָרֶץ ג̇ ב̇ פת וחד קמ̇[20] . ל̇

[7] וחד אם בהמה Ex 19,13. [8] Mm 694. [9] Mm 826 א. [10] Mm 827. [11] Mm 828. [12] Mm 826 ב. [13] Mm 4191. [14] Mm 1270. [15] Mm 829. [16] Mm 830. [17] Mm 64. [18] Mm 4108. [19] Mm 831. [20] Mm 523.

11 [a] 2 Mss 𝔐𝔙 sg cf 9[a] ‖ **12** [a] 𝔐𝔊^{min}𝔗^{Ms} אתו ‖ **13** [a] 𝔐𝔊^{B*59}𝔗^{Mss}𝔗^{J} נו– ‖ **17** [a] nonn Mss 𝔐𝔊𝔖 וְאם ‖ **22** [a] Ms 𝔖 + אִישׁ ‖ **23** [a] 𝔐 pl ‖ **24** [a] 𝔊𝔖 pr cop ‖ **25** [a] > 2 Mss 𝔐 ‖ **26** [a] 𝔐𝔊 + כל ‖ **27** [a] 𝔊 + *καὶ ἔσται αὐτῷ*, it 31[b].

ג וחס בסיפ[21] מִזֶּ֤רַע הָאָ֙רֶץ֙ מִפְּרִ֣יᵃ הָעֵ֔ץ לַֽיהוָ֖ה ה֑וּא קֹ֖דֶשׁ לַֽיהוָֽה׃ 31 וְאִם־גָּאֹ֥ל 31
ל̇ . ד̇[22] יִגְאַ֥ל אִ֖ישׁ מִמַּֽעַשְׂר֑וֹᵃ חֲמִשִׁית֖וֹ יֹסֵ֥ף עָלָֽיוᵇ׃ 32 וְכָל־מַעְשַׂ֤ר בָּקָר֙ וָצֹ֔אן 32
ג ר״פ לא ולא לא[23] כֹּ֥ל אֲשֶׁר־יַעֲבֹ֖ר תַּ֣חַת הַשָּׁ֑בֶט הָֽעֲשִׂירִ֕י יִֽהְיֶה־קֹּ֖דֶשׁ לַֽיהוָֽה׃ 33 לֹ֧א 33
ד̇[24] ᵃיְבַקֵּ֛ר בֵּֽין־ט֥וֹב לָרַ֖ע וְלֹ֣א יְמִירֶ֑נּוּᵃ ᵇוְאִם־הָמֵ֣ר יְמִירֶ֔נּוּᵇᶜ וְהָֽיָה־ה֥וּא
וּתְמוּרָת֛וֹᵈ יִֽהְיֶה־קֹּ֖דֶשׁ לֹ֥א יִגָּאֵֽל׃ 34 אֵ֣לֶּה הַמִּצְוֺ֗ת אֲשֶׁ֨ר צִוָּ֧ה 34
יְהוָ֛ה אֶת־מֹשֶׁ֖ה אֶל־בְּנֵ֣י יִשְׂרָאֵ֑ל בְּהַ֖ר סִינָֽי׃ עח

סכום הפסוקים של ספר
שמונה מאות
וחמשים ותשעה :
טֹנֹף̇
וחציו והנגע בבשר[25]
וסדרים כֹה̇

[21] Mm 827. [22] Mm 3688. [23] Mm 3021. [24] Mm 3570. [25] Lv 15,7, cf Mp sub loco.

30 ᵃ mlt Mss 𝔐𝔊𝔖𝔙 ומ׳ ‖ **31** ᵃ 𝔊𝔙 acc = מע׳ ‖ ᵇ cf 27ᵃ ‖ **33** ᵃ⁻ᵃ 𝔊 *ἀλλάξεις καλὸν πονηρῷ* = תָּמִיר טוֹב בְּרָע ‖ ᵇ⁻ᵇ > ℭ (homtel) ‖ ᶜ 𝔊 2 sg ‖ ᵈ cf 10ᵃ.